02 빅데이터 분석

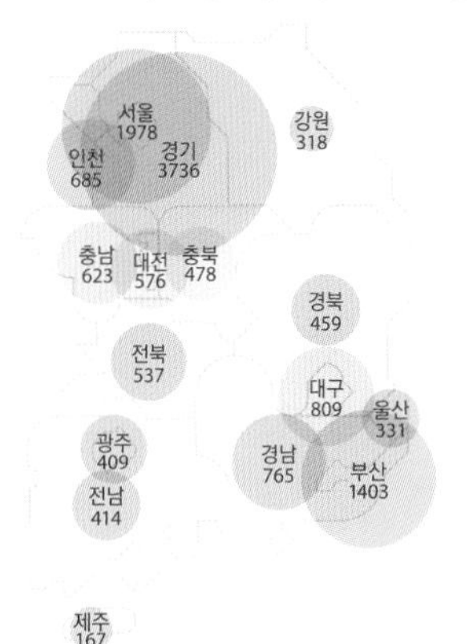

분석 시험지 총 수

13,688 장

분석 기출문제 수

301,137 문제

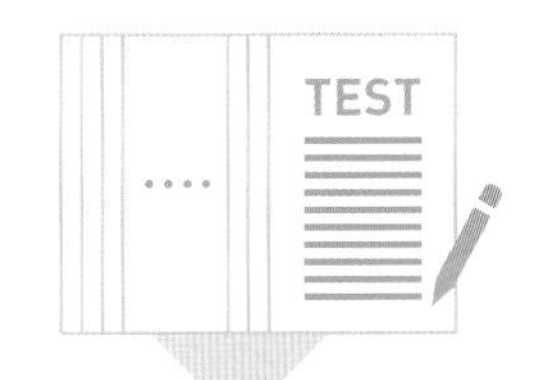

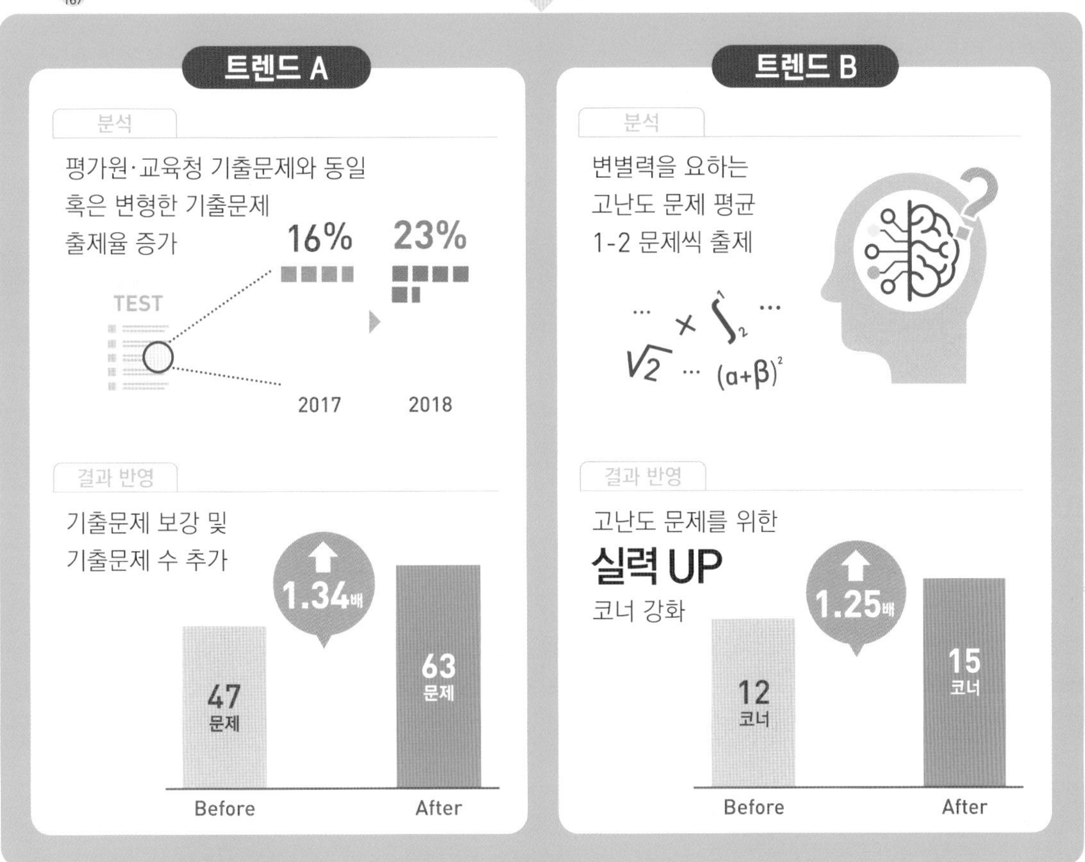

개념을 알면 원리가 보인다
수학의 시작, 개념원리

개념원리

발행일	2024년 2월 15일 2판 5쇄
지은이	이홍섭
기획 및 개발	개념원리 수학연구소

사업 책임	황은정
마케팅 책임	권가민, 정성훈
제작/유통 책임	정현호, 이미혜, 이건호
콘텐츠 개발 총괄	한소영
콘텐츠 개발 책임	오영석, 김경숙, 오지애, 모규리, 김현진
디자인	스튜디오 에딩크, 손수영

펴낸이	고사무열
펴낸곳	(주)개념원리
등록번호	제 22-2381호
주소	서울시 강남구 테헤란로 8길 37, 7층(역삼동, 한동빌딩) 06239
고객센터	1644-1248

개념원리

수학Ⅱ

많은 학생들은 왜 개념원리로 공부할까요?
정확한 개념과 원리의 이해,
수학의 비결
개념원리에 있습니다.

개념원리수학의 특징

01 하나를 알면 10개, 20개를 풀 수 있고 어려운 수학에 흥미를 갖게 하여 쉽게 수학을 정복할 수 있습니다.

02 나선식 교육법을 채택하여 쉬운 것부터 어려운 것까지 단계적으로 혼자서도 충분히 공부할 수 있도록 하였습니다.

03 페이지마다 문제를 푸는 방법과 틀리기 쉬운 부분을 체크하여 개념원리를 충실히 익히도록 하였습니다.

04 전국 주요 학교의 중간 · 기말고사 시험 문제 중 앞으로 출제가 예상되는 문제를 엄선 수록함으로써 어떤 시험에도 철저히 대비할 수 있도록 하였습니다.

이 책을 펴내면서

수험생 여러분!
수학을 어떻게 하면 잘 할 수 있을까요?
이것은 과거에나 현재나 끊임없이 제기되고 있는 학생들의 질문이며 가장 큰 바람입니다.
그런데 안타깝게도 대부분의 학생들이 공부는 열심히 하지만 성적이 오르지 않아서 흥미를 잃고 중도에 포기하는 경우가 많이 있습니다.
수학 공부를 더 열심히 하지 않아서 그럴까요? 머리가 나빠서 그럴까요? 그렇지 않습니다.
그것은 공부하는 방법이 잘못되었기 때문입니다.
새 교육과정은 수학적 사고를 기르는데 초점을 맞추고 있고 현재 출제 경향은 단순한 암기식 문제 풀이 위주에서 벗어나 근본적인 개념과 원리의 이해를 묻는 문제와 종합적이고 논리적인 사고력, 추리력, 응용력을 요구하는 복잡한 문제들로 바뀌고 있습니다.
따라서 개념원리수학은 단순한 암기식 문제 풀이가 아니라 개념원리에 의한 독특한 교수법으로 사고력, 응용력, 추리력을 배양하도록 제작되어 생각하는 방법을 깨칠 수 있게 하였습니다.
이 책의 구성에 따라 인내심을 가지고 꾸준히 공부한다면 학교 내신 성적은 물론 다른 어떤 시험에도 좋은 결실을 거둘 수 있으리라 확신합니다.

구성과 특징

01 개념원리 이해

각 단원마다 중요한 개념과 원리를 정확히 이해하고 쉽게 응용할 수 있도록 정리하였습니다.

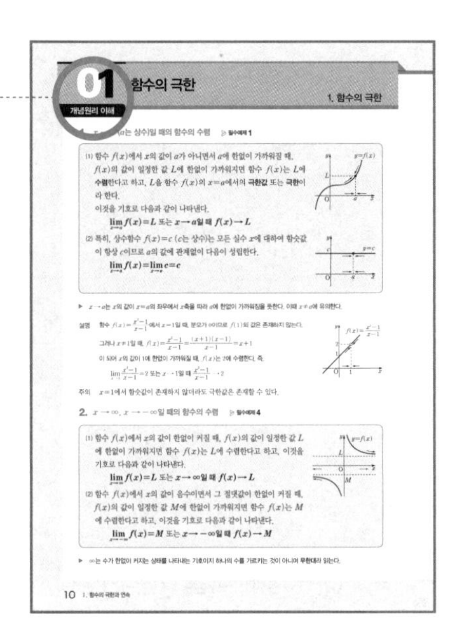

02 개념원리 익히기

학습한 내용을 확인하기 위한 쉬운 문제로 개념과 원리를 정확히 이해할 수 있도록 하였습니다.

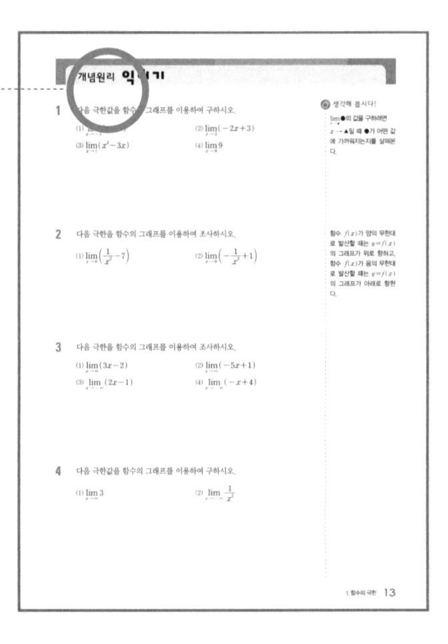

03 필수예제

필수예제에서는 꼭 알아야 할 문제를 수록하여 학교 내신과 수능에 대비하도록 하였습니다.

확인체크

수학에서 충분한 연습은 필수! 직접 풀면서 실력을 키울 수 있도록 하였습니다.

필수예제 01 $x \to a$일 때의 함수의 수렴

더 다양한 문제는 RPM 수학 I 7쪽

다음 극한값을 함수의 그래프를 이용하여 구하시오.

(1) $\lim_{x \to 2}\left(\frac{2}{x}-3\right)$ (2) $\lim_{x \to -3}\frac{x^2+x-6}{x+3}$ (3) $\lim_{x \to 1}\sqrt{2x-1}$

풀이

(1) $f(x)=\frac{2}{x}-3$으로 놓으면 함수 $y=f(x)$의 그래프는 오른쪽 그림과 같고, x의 값이 2에 한없이 가까워질 때, $f(x)$의 값은 -2에 한없이 가까워지므로
$\lim_{x \to 2}\left(\frac{2}{x}-3\right)=\mathbf{-2}$

(2) $f(x)=\frac{x^2+x-6}{x+3}$으로 놓으면
$x \neq -3$일 때, $f(x)=\frac{x^2+x-6}{x+3}=\frac{(x+3)(x-2)}{x+3}=x-2$
이므로 함수 $y=f(x)$의 그래프는 오른쪽 그림과 같고, x의 값이 -3에 한없이 가까워질 때, $f(x)$의 값은 -5에 한없이 가까워지므로
$\lim_{x \to -3}\frac{x^2+x-6}{x+3}=\mathbf{-5}$

(3) $f(x)=\sqrt{2x-1}$로 놓으면 함수 $y=f(x)$의 그래프는 오른쪽 그림과 같고, x의 값이 1에 한없이 가까워질 때, $f(x)$의 값은 1에 한없이 가까워지므로
$\lim_{x \to 1}\sqrt{2x-1}=\mathbf{1}$

KEY Point

- 함수 $f(x)$에서 x의 값이 a가 아니면서 a에 한없이 가까워질 때, $f(x)$가 일정한 값 L에 한없이 가까워지면
$\lim_{x \to a}f(x)=L$ ← 함수 $f(x)$는 L에 수렴한다.
로 나타내고, L을 함수 $f(x)$의 $x=a$에서의 극한값 또는 극한이라 한다.

확인체크 5 다음 극한값을 함수의 그래프를 이용하여 구하시오.

(1) $\lim_{x \to 3}\frac{x}{x-2}$ (2) $\lim_{x \to 0}\frac{x^2+2x}{3x}$ (3) $\lim_{x \to 3}\frac{x^2-9}{x-3}$

(4) $\lim_{x \to 1}\frac{x^3-1}{x-1}$ (5) $\lim_{x \to 1}\sqrt{3x+6}$ (6) $\lim_{x \to -2}\sqrt{-x+3}$

14 I. 함수의 극한과 연속

04 연습문제 · 실력 UP

연습문제에서는 그 단원에서 알아야 할 핵심적인 문제들을 풀어봄으로써 단계적으로 실력을 키울 수 있도록 하였습니다.
실력UP에서는 고난도 문제를 통하여 단 한 문제도 놓치지 않는 실력을 키울 수 있도록 하였습니다.

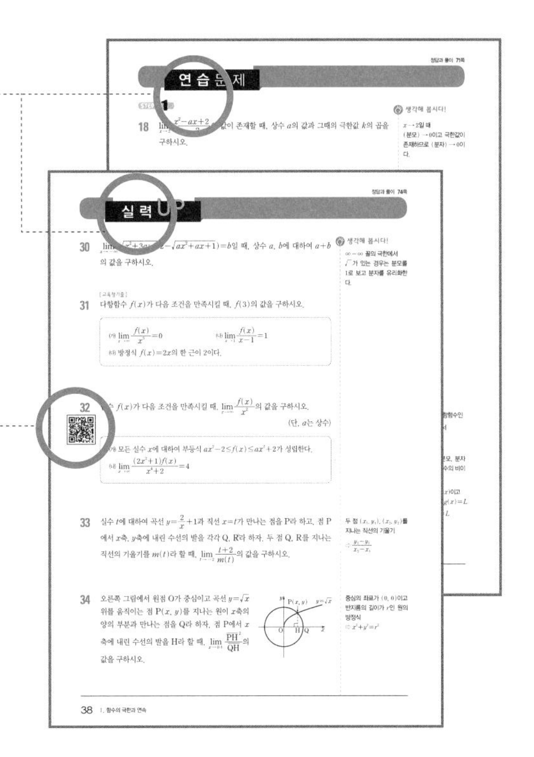

QR코드

어려운 문제에 QR코드를 제공하여 모바일 기기를 통하여 동영상 강의를 언제, 어디서든 쉽게 들을 수 있도록 하였습니다.

차례

I 함수의 극한과 연속

Ⅱ 미분

차례

Ⅲ 적분

I

함수의 극한과 연속

01 함수의 극한

개념원리 이해

1. $x \to a$ (a는 상수)일 때의 함수의 수렴 ▷ 필수예제 1

(1) 함수 $f(x)$에서 x의 값이 a가 아니면서 a에 한없이 가까워질 때, $f(x)$의 값이 일정한 값 L에 한없이 가까워지면 함수 $f(x)$는 L에 **수렴**한다고 하고, L을 함수 $f(x)$의 $x=a$에서의 **극한값** 또는 **극한**이라 한다.

이것을 기호로 다음과 같이 나타낸다.

$$\lim_{x \to a} f(x)=L \text{ 또는 } x \to a\text{일 때 } f(x) \to L$$

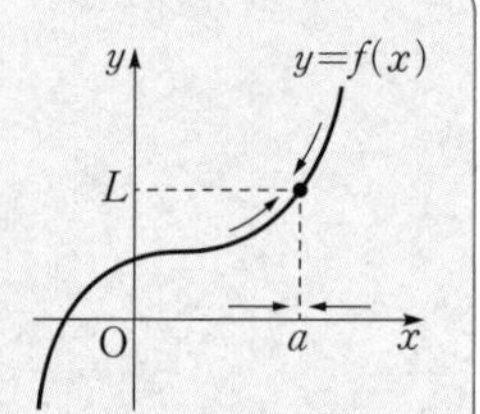

(2) 특히, 상수함수 $f(x)=c$ (c는 상수)는 모든 실수 x에 대하여 함숫값이 항상 c이므로 a의 값에 관계없이 다음이 성립한다.

$$\lim_{x \to a} f(x)=\lim_{x \to a} c=c$$

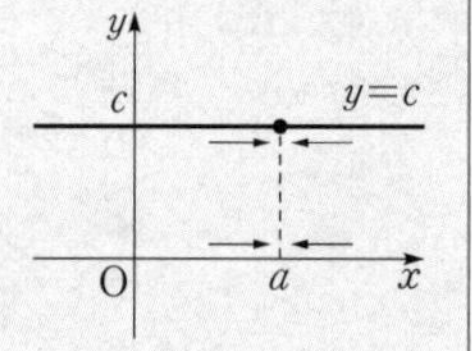

▶ $x \to a$는 x의 값이 $x=a$의 좌우에서 x축을 따라 a에 한없이 가까워짐을 뜻한다. 이때 $x \neq a$에 유의한다.

설명 함수 $f(x)=\dfrac{x^2-1}{x-1}$에서 $x=1$일 때, 분모가 0이므로 $f(1)$의 값은 존재하지 않는다.

그러나 $x \neq 1$일 때, $f(x)=\dfrac{x^2-1}{x-1}=\dfrac{(x+1)(x-1)}{x-1}=x+1$

이 되어 x의 값이 1에 한없이 가까워질 때, $f(x)$는 2에 수렴한다. 즉,

$$\lim_{x \to 1} \frac{x^2-1}{x-1}=2 \text{ 또는 } x \to 1\text{일 때 } \frac{x^2-1}{x-1} \to 2$$

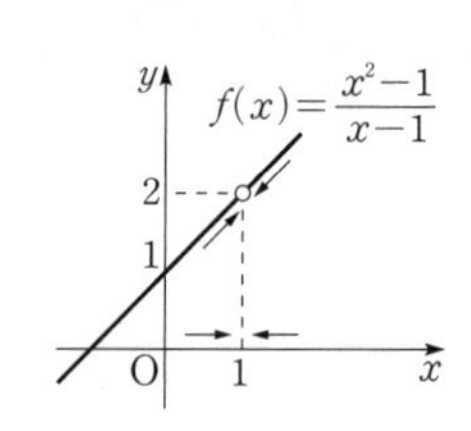

주의 $x=1$에서 함숫값이 존재하지 않더라도 극한값은 존재할 수 있다.

2. $x \to \infty$, $x \to -\infty$일 때의 함수의 수렴 ▷ 필수예제 4

(1) 함수 $f(x)$에서 x의 값이 한없이 커질 때, $f(x)$의 값이 일정한 값 L에 한없이 가까워지면 함수 $f(x)$는 L에 수렴한다고 하고, 이것을 기호로 다음과 같이 나타낸다.

$$\lim_{x \to \infty} f(x)=L \text{ 또는 } x \to \infty\text{일 때 } f(x) \to L$$

(2) 함수 $f(x)$에서 x의 값이 음수이면서 그 절댓값이 한없이 커질 때, $f(x)$의 값이 일정한 값 M에 한없이 가까워지면 함수 $f(x)$는 M에 수렴한다고 하고, 이것을 기호로 다음과 같이 나타낸다.

$$\lim_{x \to -\infty} f(x)=M \text{ 또는 } x \to -\infty\text{일 때 } f(x) \to M$$

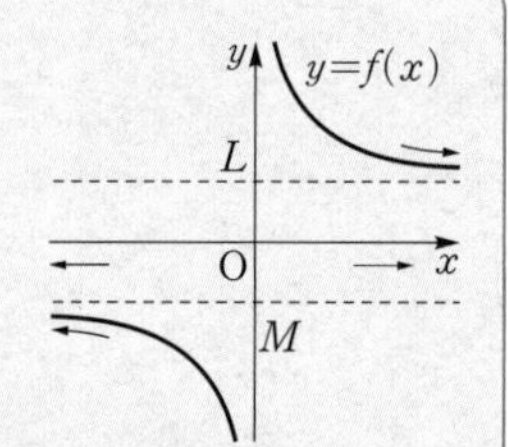

▶ ∞는 수가 한없이 커지는 상태를 나타내는 기호이지 하나의 수를 가리키는 것이 아니며 **무한대**라 읽는다.

설명 함수 $f(x)=\frac{1}{x}$에서 x의 값이 한없이 커지면 $f(x)$의 값은 0에 한없이 가까워지므로

$\lim_{x\to\infty}\frac{1}{x}=0$

또, x의 값이 음수이면서 그 절댓값이 한없이 커질 때에도 $f(x)$의 값은 0에 한없이 가까워지므로 $\lim_{x\to-\infty}\frac{1}{x}=0$

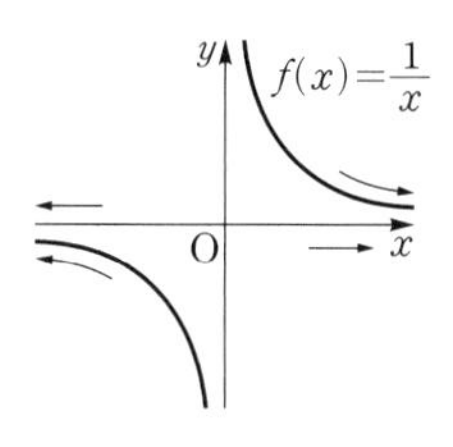

예

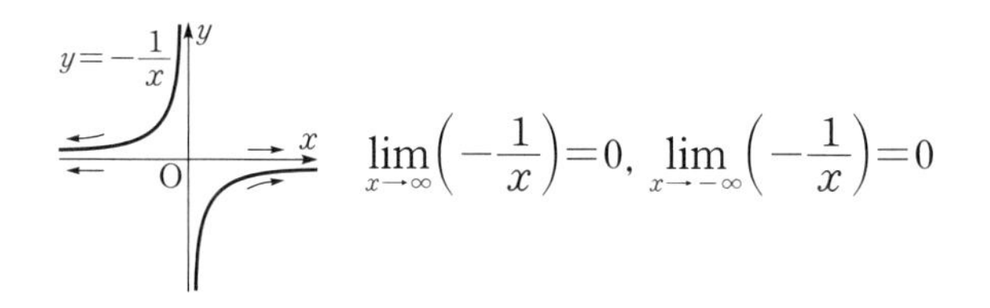

$\lim_{x\to\infty}\left(-\frac{1}{x}\right)=0,\ \lim_{x\to-\infty}\left(-\frac{1}{x}\right)=0$

3. $x\to a$ (a는 상수)일 때의 함수의 발산

⊳ 필수예제 2

(1) **양의 무한대로 발산**

함수 $f(x)$에서 x의 값이 a가 아니면서 a에 한없이 가까워질 때, $f(x)$의 값이 한없이 커지면 함수 $f(x)$는 **양의 무한대로 발산**한다고 하고, 이것을 기호로 다음과 같이 나타낸다.

$$\lim_{x\to a}f(x)=\infty \text{ 또는 } x\to a\text{일 때 } f(x)\to\infty$$

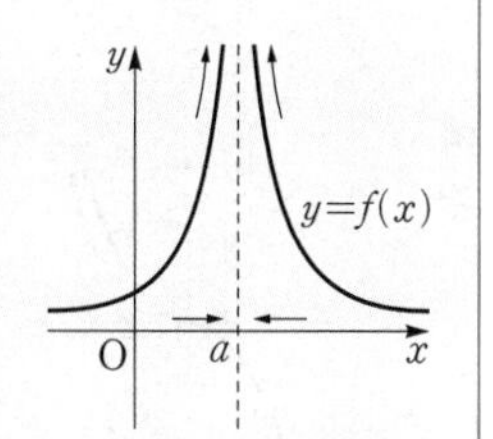

(2) **음의 무한대로 발산**

함수 $f(x)$에서 x의 값이 a가 아니면서 a에 한없이 가까워질 때, $f(x)$의 값이 음수이면서 그 절댓값이 한없이 커지면 함수 $f(x)$는 **음의 무한대로 발산**한다고 하고, 이것을 기호로 다음과 같이 나타낸다.

$$\lim_{x\to a}f(x)=-\infty \text{ 또는 } x\to a\text{일 때 } f(x)\to-\infty$$

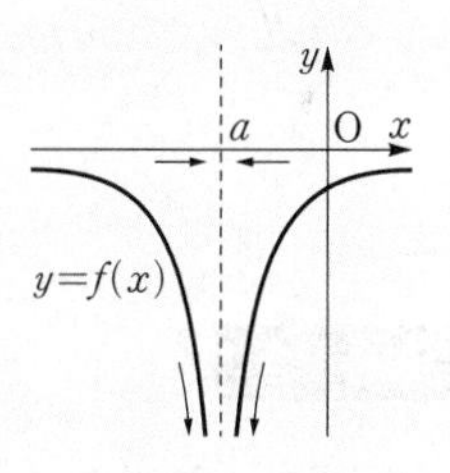

▶ $\lim_{x\to a}f(x)=\infty$, $\lim_{x\to a}f(x)=-\infty$는 극한값이 ∞, $-\infty$라는 뜻이 아니다. 이때는 $x=a$에서의 극한값이 존재하지 않는다고 한다.

설명 함수 $f(x)=\frac{1}{x^2}$에서 x의 값이 0에 한없이 가까워지면 $f(x)$의 값은 한없이 커지므로

$\lim_{x\to0}\frac{1}{x^2}=\infty$

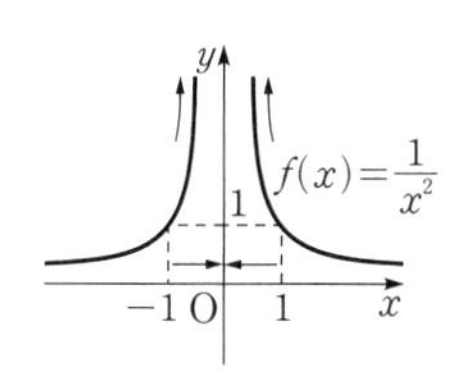

또, 함수 $f(x)=-\frac{1}{x^2}$에서 x의 값이 0에 한없이 가까워지면 $f(x)$의 값은 음수이면서 그 절댓값이 한없이 커지므로

$\lim_{x\to0}\left(-\frac{1}{x^2}\right)=-\infty$

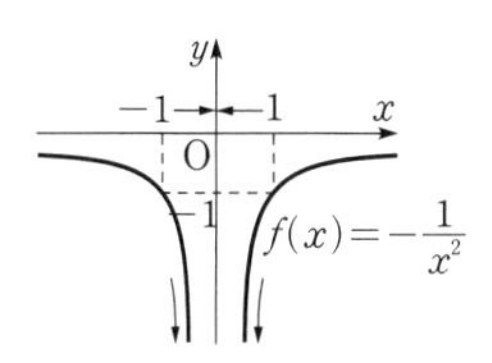

4. $x \to \infty$, $x \to -\infty$일 때의 함수의 발산 ▷ 필수예제 3

함수 $f(x)$에서 $x \to \infty$ 또는 $x \to -\infty$일 때, $f(x)$의 값이 양의 무한대 또는 음의 무한대로 발산하는 것을 기호로 다음과 같이 나타낸다.

$$\lim_{x\to\infty} f(x)=\infty,\ \lim_{x\to\infty} f(x)=-\infty,\ \lim_{x\to-\infty} f(x)=\infty,\ \lim_{x\to-\infty} f(x)=-\infty$$

설명 함수 $f(x)=x^2$에서 x의 값이 한없이 커지거나 음수이면서 그 절댓값이 한없이 커지면 $f(x)$의 값은 한없이 커진다. 즉,

$$\lim_{x\to\infty} x^2=\infty,\ \lim_{x\to-\infty} x^2=\infty$$

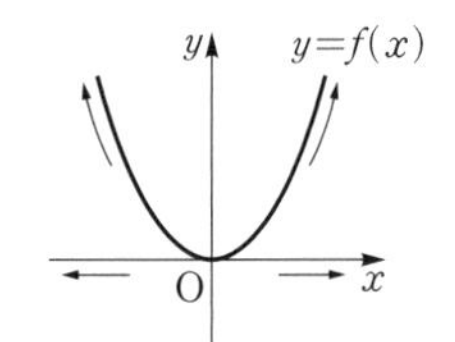

또, 함수 $f(x)=-x^2$에서 x의 값이 한없이 커지거나 음수이면서 그 절댓값이 한없이 커지면 $f(x)$의 값은 음수이면서 그 절댓값이 한없이 커진다. 즉,

$$\lim_{x\to\infty}(-x^2)=-\infty,\ \lim_{x\to-\infty}(-x^2)=-\infty$$

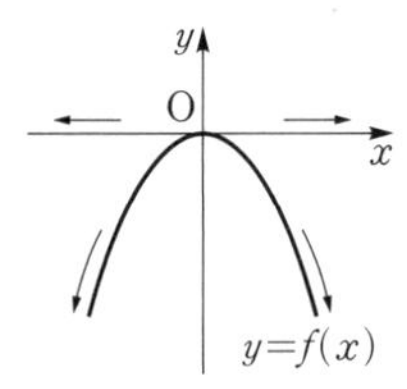

예

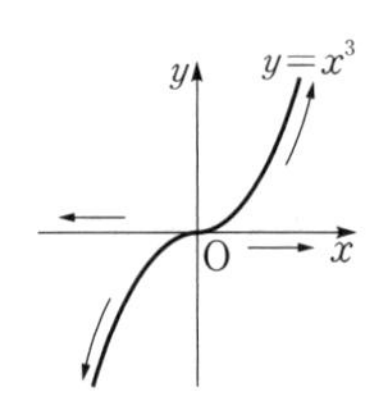

$$\lim_{x\to\infty} x^3=\infty,\ \lim_{x\to-\infty} x^3=-\infty$$

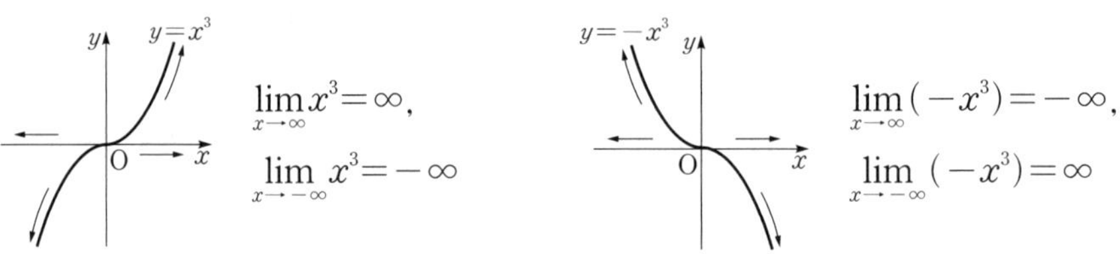

$$\lim_{x\to\infty}(-x^3)=-\infty,\ \lim_{x\to-\infty}(-x^3)=\infty$$

보충학습

'수학'에서 유리함수 $y=\frac{1}{x}$의 그래프의 점근선은 x축과 y축임을 배웠다.

이 단원의 함수의 극한을 이용하면 점근선을 왜 그렇게 정했는지를 알 수 있다.

즉,

$$\lim_{x\to\infty}\frac{1}{x}=0,\ \lim_{x\to-\infty}\frac{1}{x}=0$$

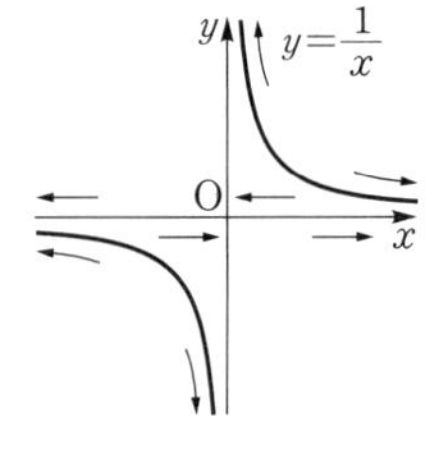

에서 x의 값이 한없이 커지거나 음수이면서 그 절댓값이 한없이 커지면 유리함수의 그래프는 x축에 접근한다. 따라서 점근선은 x축이다.

같은 방법으로 x의 값이 0에 한없이 가까워지면 유리함수의 그래프는 y축에 접근한다. 따라서 점근선은 y축이다.

뒤에서 배울 우극한과 좌극한을 이용하여 이것을 극한으로 표현할 수 있다.

개념원리 익히기

1 다음 극한값을 함수의 그래프를 이용하여 구하시오.

(1) $\lim_{x \to -1}(x+1)$ (2) $\lim_{x \to 3}(-2x+3)$

(3) $\lim_{x \to 1}(x^2-3x)$ (4) $\lim_{x \to 0} 9$

생각해 봅시다!

$\lim_{x \to ▲}$●의 값을 구하려면 $x \to$ ▲일 때 ●가 어떤 값에 가까워지는지를 살펴본다.

2 다음 극한을 함수의 그래프를 이용하여 조사하시오.

(1) $\lim_{x \to 0}\left(\frac{1}{x^2}-7\right)$ (2) $\lim_{x \to 0}\left(-\frac{1}{x^2}+1\right)$

함수 $f(x)$가 양의 무한대로 발산할 때는 $y=f(x)$의 그래프가 위로 향하고, 함수 $f(x)$가 음의 무한대로 발산할 때는 $y=f(x)$의 그래프가 아래로 향한다.

3 다음 극한을 함수의 그래프를 이용하여 조사하시오.

(1) $\lim_{x \to \infty}(3x-2)$ (2) $\lim_{x \to \infty}(-5x+1)$

(3) $\lim_{x \to -\infty}(2x-1)$ (4) $\lim_{x \to -\infty}(-x+4)$

4 다음 극한값을 함수의 그래프를 이용하여 구하시오.

(1) $\lim_{x \to \infty} 3$ (2) $\lim_{x \to -\infty} \frac{1}{x^2}$

필수예제 01 $x \to a$일 때의 함수의 수렴

더 다양한 문제는 RPM 수학 Ⅱ 7쪽

다음 극한값을 함수의 그래프를 이용하여 구하시오.

(1) $\lim_{x \to 2}\left(\frac{2}{x}-3\right)$ (2) $\lim_{x \to -3}\frac{x^2+x-6}{x+3}$ (3) $\lim_{x \to 1}\sqrt{2x-1}$

풀이

(1) $f(x)=\frac{2}{x}-3$으로 놓으면 함수 $y=f(x)$의 그래프는 오른쪽 그림과 같고, x의 값이 2에 한없이 가까워질 때, $f(x)$의 값은 -2에 한없이 가까워지므로

$\lim_{x \to 2}\left(\frac{2}{x}-3\right)=\mathbf{-2}$

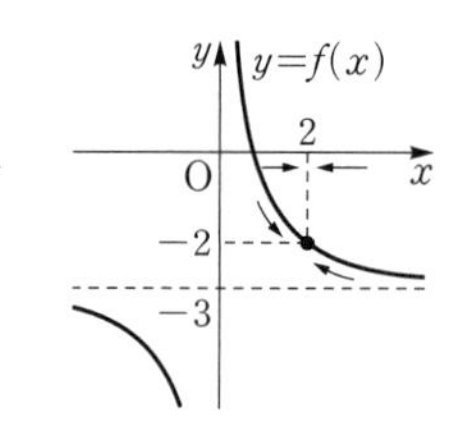

(2) $f(x)=\frac{x^2+x-6}{x+3}$으로 놓으면

$x \neq -3$일 때, $f(x)=\frac{x^2+x-6}{x+3}=\frac{(x+3)(x-2)}{x+3}=x-2$

이므로 함수 $y=f(x)$의 그래프는 오른쪽 그림과 같고, x의 값이 -3에 한없이 가까워질 때, $f(x)$의 값은 -5에 한없이 가까워지므로

$\lim_{x \to -3}\frac{x^2+x-6}{x+3}=\mathbf{-5}$

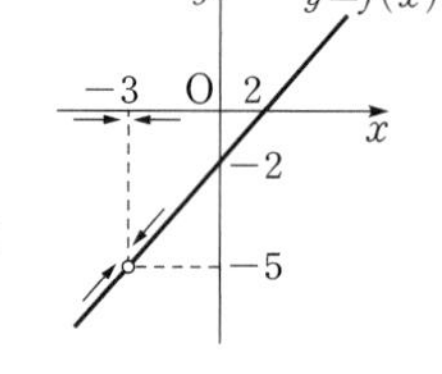

(3) $f(x)=\sqrt{2x-1}$로 놓으면 함수 $y=f(x)$의 그래프는 오른쪽 그림과 같고, x의 값이 1에 한없이 가까워질 때, $f(x)$의 값은 1에 한없이 가까워지므로

$\lim_{x \to 1}\sqrt{2x-1}=\mathbf{1}$

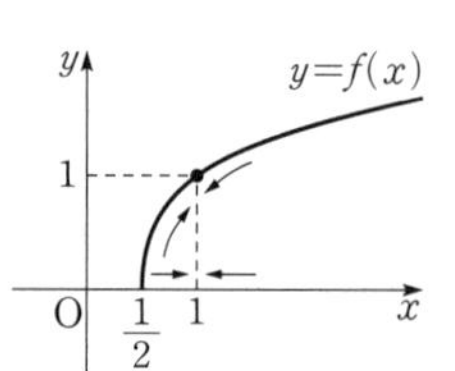

KEY Point

- 함수 $f(x)$에서 x의 값이 a가 아니면서 a에 한없이 가까워질 때, $f(x)$가 일정한 값 L에 한없이 가까워지면

  $\lim_{x \to a} f(x)=L$ ← 함수 $f(x)$는 L에 수렴한다.

  로 나타내고, L을 함수 $f(x)$의 $x=a$에서의 극한값 또는 극한이라 한다.

5 다음 극한값을 함수의 그래프를 이용하여 구하시오.

(1) $\lim_{x \to 3}\frac{x}{x-2}$ (2) $\lim_{x \to 0}\frac{x^2+2x}{3x}$ (3) $\lim_{x \to 3}\frac{x^2-9}{x-3}$

(4) $\lim_{x \to 1}\frac{x^3-1}{x-1}$ (5) $\lim_{x \to 1}\sqrt{3x+6}$ (6) $\lim_{x \to -2}\sqrt{-x+3}$

필수예제 02 $x \to a$일 때의 함수의 발산

더 다양한 문제는 RPM 수학 Ⅱ 7쪽

다음 극한을 함수의 그래프를 이용하여 조사하시오.

(1) $\lim_{x \to -1} \frac{-1}{(x+1)^2}$ (2) $\lim_{x \to 0} \frac{1}{|x|}$

풀이 (1) $f(x)=\frac{-1}{(x+1)^2}$로 놓으면 함수 $y=f(x)$의 그래프는 오른쪽 그림과 같고, x의 값이 -1에 한없이 가까워질 때, $f(x)$의 값은 음수이면서 그 절댓값이 한없이 커지므로

$$\lim_{x \to -1} \frac{-1}{(x+1)^2}=-\infty$$

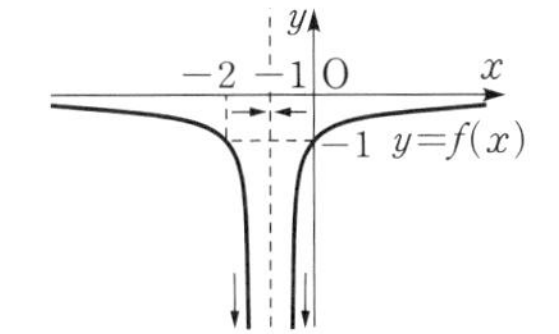

(2) $f(x)=\frac{1}{|x|}$로 놓으면 함수 $y=f(x)$의 그래프는 오른쪽 그림과 같고, x의 값이 0에 한없이 가까워질 때, $f(x)$의 값은 한없이 커지므로

$$\lim_{x \to 0} \frac{1}{|x|}=\infty$$

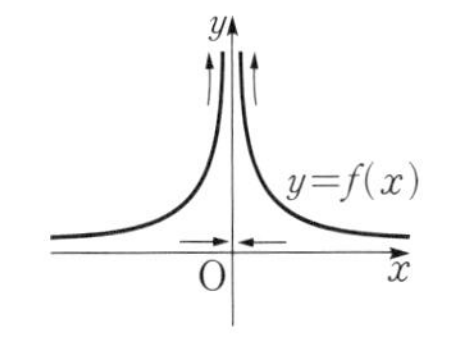

필수예제 03 $x \to \infty$, $x \to -\infty$일 때의 함수의 발산

더 다양한 문제는 RPM 수학 Ⅱ 7쪽

다음 극한을 함수의 그래프를 이용하여 조사하시오.

(1) $\lim_{x \to -\infty} (x^2+2)$ (2) $\lim_{x \to \infty} (-\sqrt{5+x})$

풀이 (1) $f(x)=x^2+2$로 놓으면 함수 $y=f(x)$의 그래프는 오른쪽 그림과 같고, x의 값이 음수이면서 그 절댓값이 한없이 커질 때, $f(x)$의 값은 한없이 커지므로

$$\lim_{x \to -\infty} (x^2+2)=\infty$$

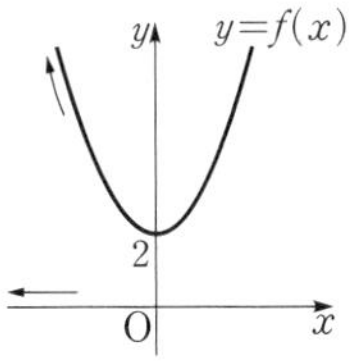

(2) $f(x)=-\sqrt{5+x}$로 놓으면 함수 $y=f(x)$의 그래프는 오른쪽 그림과 같고, x의 값이 한없이 커질 때, $f(x)$의 값은 음수이면서 그 절댓값이 한없이 커지므로

$$\lim_{x \to \infty} (-\sqrt{5+x})=-\infty$$

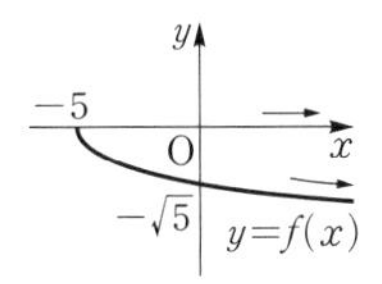

KEY Point

- **$x \to \infty$, $x \to -\infty$일 때의 함수의 발산**
  함수 $y=f(x)$의 그래프를 그려서 $x \to \infty$, $x \to -\infty$일 때의 $f(x)$의 값의 변화를 조사한다.

확인체크 6 다음 극한을 함수의 그래프를 이용하여 조사하시오.

(1) $\lim_{x \to 2} \left\{3-\frac{1}{(x-2)^2}\right\}$ (2) $\lim_{x \to -3} \frac{1}{|x+3|}$

(3) $\lim_{x \to \infty} (5-x^2)$ (4) $\lim_{x \to -\infty} (-\sqrt{3-x})$

필수예제 04 $x \to \infty$, $x \to -\infty$일 때의 함수의 수렴

더 다양한 문제는 RPM 수학 Ⅱ 7쪽

다음 극한값을 함수의 그래프를 이용하여 구하시오.

(1) $\lim_{x\to\infty}\frac{1}{x+5}$ (2) $\lim_{x\to\infty}\frac{1}{|x-1|}$

(3) $\lim_{x\to-\infty}\left(\frac{3}{x}-1\right)$ (4) $\lim_{x\to-\infty}\left(3-\frac{1}{x^2}\right)$

풀이

(1) $f(x)=\frac{1}{x+5}$로 놓으면 함수 $y=f(x)$의 그래프는 오른쪽 그림과 같고, x의 값이 한없이 커질 때, $f(x)$의 값은 0에 한없이 가까워지므로

$\lim_{x\to\infty}\frac{1}{x+5}=\mathbf{0}$

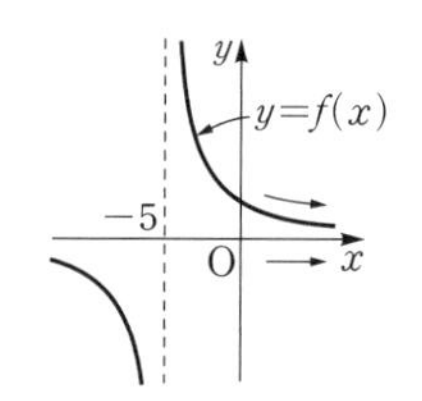

(2) $f(x)=\frac{1}{|x-1|}$로 놓으면 함수 $y=f(x)$의 그래프는 오른쪽 그림과 같고, x의 값이 한없이 커질 때, $f(x)$의 값은 0에 한없이 가까워지므로

$\lim_{x\to\infty}\frac{1}{|x-1|}=\mathbf{0}$

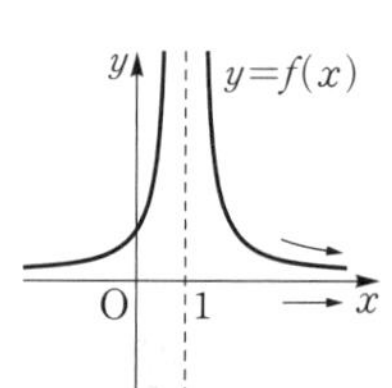

(3) $f(x)=\frac{3}{x}-1$로 놓으면 함수 $y=f(x)$의 그래프는 오른쪽 그림과 같고, x의 값이 음수이면서 그 절댓값이 한없이 커질 때, $f(x)$의 값은 -1에 한없이 가까워지므로

$\lim_{x\to-\infty}\left(\frac{3}{x}-1\right)=\mathbf{-1}$

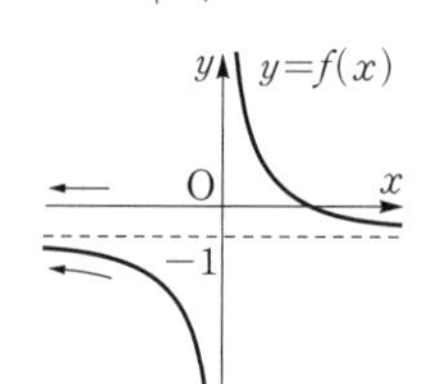

(4) $f(x)=3-\frac{1}{x^2}$로 놓으면 함수 $y=f(x)$의 그래프는 오른쪽 그림과 같고, x의 값이 음수이면서 그 절댓값이 한없이 커질 때, $f(x)$의 값은 3에 한없이 가까워지므로

$\lim_{x\to-\infty}\left(3-\frac{1}{x^2}\right)=\mathbf{3}$

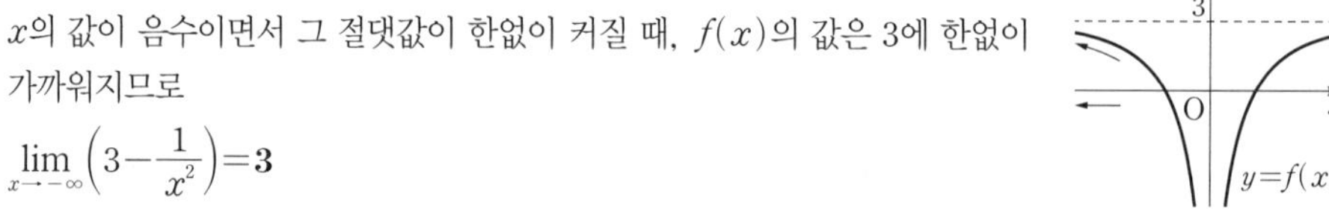

KEY Point

- $\lim_{x\to\infty}f(x)=L$ ⇨ x의 값이 한없이 커질 때, $f(x)$의 값이 일정한 값 L에 한없이 가까워진다.
- $\lim_{x\to-\infty}f(x)=M$ ⇨ x의 값이 음수이면서 그 절댓값이 한없이 커질 때, $f(x)$의 값이 일정한 값 M에 한없이 가까워진다.

확인체크 7 다음 극한값을 함수의 그래프를 이용하여 구하시오.

(1) $\lim_{x\to\infty}\left(2-\frac{1}{x}\right)$ (2) $\lim_{x\to\infty}\frac{3x}{x+1}$ (3) $\lim_{x\to\infty}\left(\frac{1}{|x-2|}+1\right)$

(4) $\lim_{x\to-\infty}\frac{1}{x-3}$ (5) $\lim_{x\to-\infty}\left(1+\frac{1}{x^2}\right)$ (6) $\lim_{x\to-\infty}\left\{\frac{1}{(x-3)^2}-2\right\}$

02 우극한과 좌극한

개념원리 이해

1. 우극한과 좌극한 ▷ 필수예제 5, 6

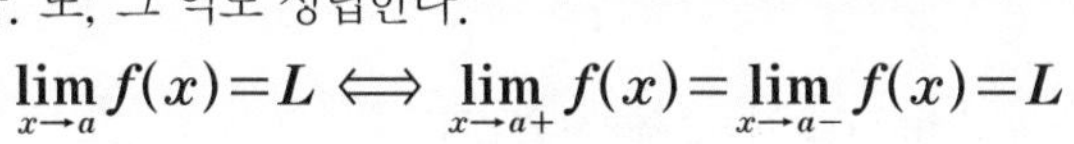

(1) **우극한:** x의 값이 a보다 크면서 a에 한없이 가까워지는 것을 기호 $\boldsymbol{x \to a+}$로 나타낸다. 이때 함수 $f(x)$의 값이 일정한 값 L에 한없이 가까워지는 것을 기호 $\displaystyle\lim_{x \to a+} f(x) = L$로 나타내고, L을 함수 $f(x)$의 $x=a$에서의 **우극한**이라 한다.

(2) **좌극한:** x의 값이 a보다 작으면서 a에 한없이 가까워지는 것을 기호 $\boldsymbol{x \to a-}$로 나타낸다. 이때 함수 $f(x)$의 값이 일정한 값 M에 한없이 가까워지는 것을 기호 $\displaystyle\lim_{x \to a-} f(x) = M$으로 나타내고, M을 함수 $f(x)$의 $x=a$에서의 **좌극한**이라 한다.

(3) **극한값의 존재:** 함수 $f(x)$에 대하여 $x=a$에서 함수 $f(x)$의 우극한과 좌극한이 존재하고 그 값이 L로 같으면 극한값 $\displaystyle\lim_{x \to a} f(x)$가 존재한다. 또, 그 역도 성립한다.

$$\lim_{x \to a} f(x) = L \iff \lim_{x \to a+} f(x) = \lim_{x \to a-} f(x) = L$$

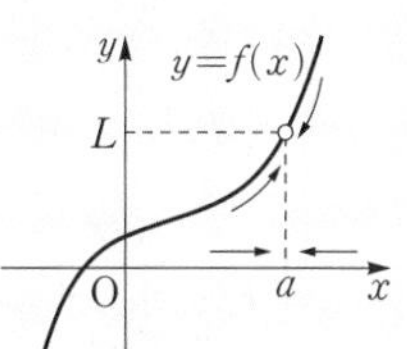

▶ ① $x \to a$는 $x \to a+$인 경우와 $x \to a-$인 경우를 뜻한다.
② 함수 $f(x)$의 $x=a$에서의 우극한과 좌극한이 모두 존재하더라도 그 값이 서로 같지 않으면, 즉 $\displaystyle\lim_{x \to a+} f(x) \neq \lim_{x \to a-} f(x)$이면 극한값 $\displaystyle\lim_{x \to a} f(x)$는 존재하지 않는다.

설명 함수 $f(x) = \begin{cases} x+1 & (x \geq 1) \\ -x+2 & (x < 1) \end{cases}$에서 x의 값이 1보다 크면서 1에 한없이 가까워질 때, $f(x)$의 값은 2에 한없이 가까워진다.

또, x의 값이 1보다 작으면서 1에 한없이 가까워질 때, $f(x)$의 값은 1에 한없이 가까워진다.

즉, $x=1$에서의 우극한: $\displaystyle\lim_{x \to 1+} f(x) = 2$, 좌극한: $\displaystyle\lim_{x \to 1-} f(x) = 1$

$\therefore \displaystyle\lim_{x \to 1+} f(x) \neq \lim_{x \to 1-} f(x)$

따라서 극한값 $\displaystyle\lim_{x \to 1} f(x)$는 존재하지 않는다.

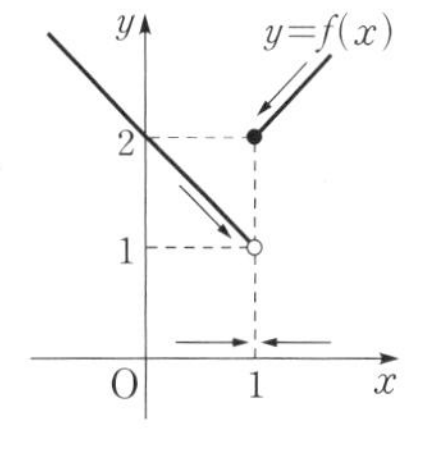

2. 우극한과 좌극한을 따로 계산해야 하는 경우 ▷ 필수예제 6

대부분의 경우 극한값 문제는 항상 (우극한)=(좌극한)이므로 따로 구할 필요가 없으나 **유리함수, 절댓값 기호를 포함한 함수, 가우스 기호를 포함한 함수** 등의 경우에는 우극한과 좌극한이 **같지 않은 경우가 있으므로** 따로 계산해야 한다.

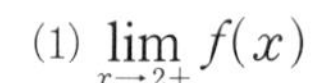

필수예제 05 그래프가 주어진 함수의 우극한과 좌극한

더 다양한 문제는 RPM 수학 Ⅱ 10쪽

함수 $y=f(x)$의 그래프가 오른쪽 그림과 같을 때, 다음 극한을 조사하시오.

(1) $\lim_{x\to 2+} f(x)$ (2) $\lim_{x\to 2-} f(x)$

(3) $\lim_{x\to 2} f(x)$ (4) $\lim_{x\to 0} f(x)$

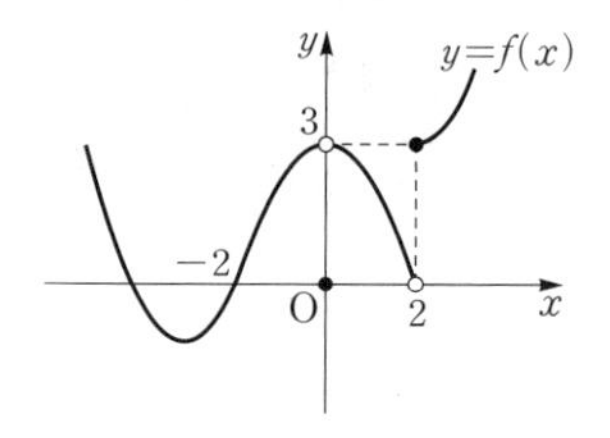

풀이

(1) x의 값이 2보다 크면서 2에 한없이 가까워질 때, $f(x)$의 값은 3에 한없이 가까워지므로

$\lim_{x\to 2+} f(x)=\mathbf{3}$

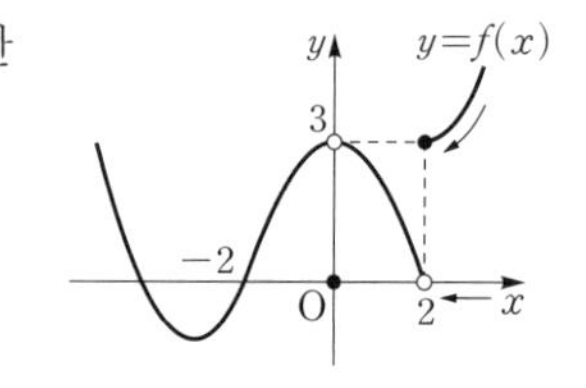

(2) x의 값이 2보다 작으면서 2에 한없이 가까워질 때, $f(x)$의 값은 0에 한없이 가까워지므로

$\lim_{x\to 2-} f(x)=\mathbf{0}$

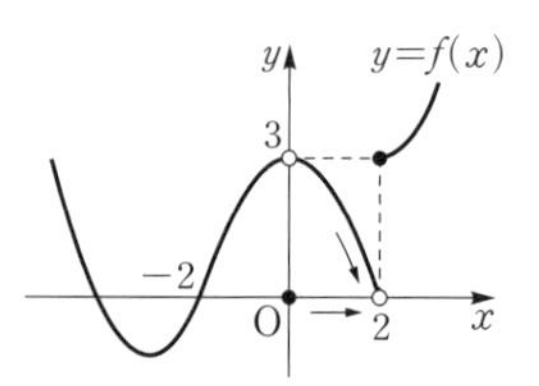

(3) $\lim_{x\to 2+} f(x)\neq \lim_{x\to 2-} f(x)$이므로 $\lim_{x\to 2} f(x)$는 **존재하지 않는다.**

(4) x의 값이 0보다 크면서 0에 한없이 가까워질 때, $f(x)$의 값은 3에 한없이 가까워지므로

$\lim_{x\to 0+} f(x)=3$

x의 값이 0보다 작으면서 0에 한없이 가까워질 때, $f(x)$의 값은 3에 한없이 가까워지므로

$\lim_{x\to 0-} f(x)=3$

즉, $\lim_{x\to 0+} f(x)=\lim_{x\to 0-} f(x)=3$이므로 $\lim_{x\to 0} f(x)=\mathbf{3}$

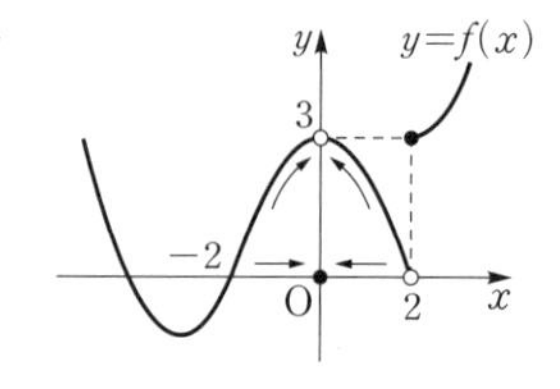

KEY Point

- **$x=a$에서 함수 $f(x)$의 우극한과 좌극한이 존재하고 그 값이 같을 때에만 함수 $f(x)$의 극한값이 존재한다.**

$$\lim_{x\to a+} f(x)=\lim_{x\to a-} f(x)=L \Longleftrightarrow \lim_{x\to a} f(x)=L$$

확인 체크 8 함수 $y=f(x)$의 그래프가 오른쪽 그림과 같을 때, 다음 극한을 조사하시오.

(1) $\lim_{x\to 3+} f(x)$ (2) $\lim_{x\to 4-} f(x)$ (3) $\lim_{x\to 1} f(x)$

(4) $\lim_{x\to 2} f(x)$ (5) $\lim_{x\to -1} f(x)$

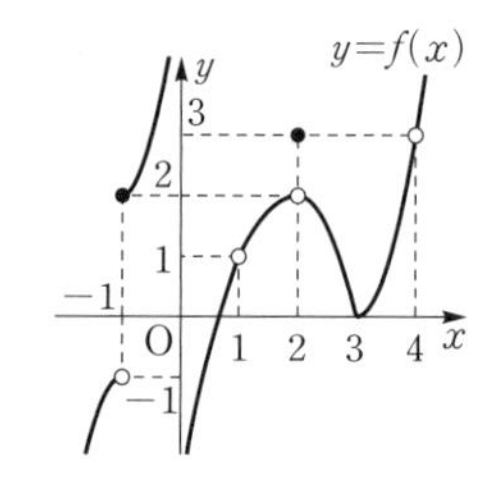

필수예제 06 **우극한과 좌극한**

더 다양한 문제는 RPM 수학 Ⅱ 10쪽

다음 극한을 조사하시오. (단, $[x]$는 x보다 크지 않은 최대의 정수이다.)

(1) $\lim_{x\to 2}\frac{1}{x-2}$ (2) $\lim_{x\to 1+}\frac{x^2-1}{|x-1|}$ (3) $\lim_{x\to 2-}\frac{x^2-2x}{|x-2|}$ (4) $\lim_{x\to 0}[x+1]$

풀이

(1) $x=2$에서의 우극한과 좌극한을 각각 구하면

$\lim_{x\to 2+}\frac{1}{x-2}=\infty$, $\lim_{x\to 2-}\frac{1}{x-2}=-\infty$

따라서 $\lim_{x\to 2+}\frac{1}{x-2}\neq\lim_{x\to 2-}\frac{1}{x-2}$이므로 $\lim_{x\to 2}\frac{1}{x-2}$은 **존재하지 않는다.**

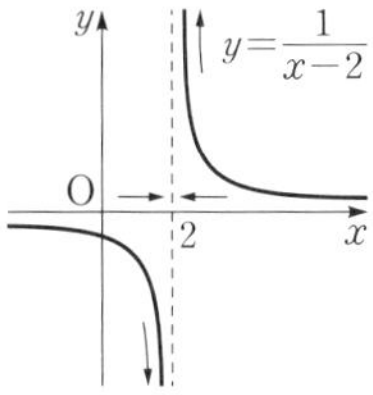

$y=\frac{1}{x-2}$ (graph: O, 2, x, y)

(2) $x\to 1+$일 때, $x>1$이므로 $|x-1|=x-1$

$\therefore \lim_{x\to 1+}\frac{x^2-1}{|x-1|}=\lim_{x\to 1+}\frac{(x+1)(x-1)}{x-1}=\lim_{x\to 1+}(x+1)=\mathbf{2}$

(3) $x\to 2-$일 때, $x<2$이므로 $|x-2|=-(x-2)$

$\therefore \lim_{x\to 2-}\frac{x^2-2x}{|x-2|}=\lim_{x\to 2-}\frac{x(x-2)}{-(x-2)}=\lim_{x\to 2-}(-x)=\mathbf{-2}$

(4) $0<x<1$일 때, $1<x+1<2$이므로 $[x+1]=1$

$\therefore \lim_{x\to 0+}[x+1]=1$

$-1<x<0$일 때, $0<x+1<1$이므로 $[x+1]=0$

$\therefore \lim_{x\to 0-}[x+1]=0$

따라서 $\lim_{x\to 0+}[x+1]\neq\lim_{x\to 0-}[x+1]$이므로 $\lim_{x\to 0}[x+1]$은 **존재하지 않는다.**

참고

가우스 기호를 포함한 함수

① $[x]$의 뜻: 실수 x보다 크지 않은 최대의 정수

② 계산 방법: $n\le x<n+1$ (n은 정수)이면 $[x]=n$이므로 $\lim_{x\to n+}[x]=n$

$n-1\le x<n$ (n은 정수)이면 $[x]=n-1$이므로 $\lim_{x\to n-}[x]=n-1$

KEY Point

- **우극한과 좌극한을 따로 계산해야 하는 경우**
  ⇨ **유리함수, 절댓값 기호를 포함한 함수, 가우스 기호를 포함한 함수 등**

9 다음 극한을 조사하시오. (단, $[x]$는 x보다 크지 않은 최대의 정수이다.)

(1) $\lim_{x\to -2}\frac{x-2}{x+2}$ (2) $\lim_{x\to -1}\frac{2x^2+x-1}{|x+1|}$ (3) $\lim_{x\to -1+}\frac{[x+1]}{x+1}$

10 함수 $f(x)=\begin{cases} x-1 & (x\ge 1) \\ -x+k & (x<1)\end{cases}$에 대하여 $\lim_{x\to 1}f(x)$의 값이 존재하도록 하는 상수 k의 값을 구하시오.

03 함수의 극한에 대한 성질

개념원리 이해

1. 함수의 극한에 대한 성질 ▷ 필수예제 7, 8

두 함수 $f(x)$, $g(x)$에서 $\lim_{x\to a} f(x)=L$, $\lim_{x\to a} g(x)=M$ (L, M은 실수)일 때

(1) $\lim_{x\to a} kf(x)=k\lim_{x\to a} f(x)=kL$ (단, k는 상수)

(2) $\lim_{x\to a} \{f(x)\pm g(x)\}=\lim_{x\to a} f(x)\pm\lim_{x\to a} g(x)=L\pm M$ (복부호동순)

(3) $\lim_{x\to a} f(x)g(x)=\lim_{x\to a} f(x)\cdot\lim_{x\to a} g(x)=LM$

(4) $\lim_{x\to a} \dfrac{f(x)}{g(x)}=\dfrac{\lim_{x\to a} f(x)}{\lim_{x\to a} g(x)}=\dfrac{L}{M}$ (단, $M\neq 0$)

▶ 위의 성질은 $x\to a$를 $x\to a+$, $x\to a-$, $x\to\infty$, $x\to-\infty$로 바꾸어도 성립한다.

예 (1) $\lim_{x\to 2} 2x^2=2\lim_{x\to 2} x^2=2\cdot 2^2=8$

(2) $\lim_{x\to 1}(3x^2-x+2)=3\lim_{x\to 1} x^2-\lim_{x\to 1} x+\lim_{x\to 1} 2=3-1+2=4$

(3) $\lim_{x\to 1}(x+1)(3x-1)=\lim_{x\to 1}(x+1)\cdot\lim_{x\to 1}(3x-1)$

$=(\lim_{x\to 1} x+\lim_{x\to 1} 1)(3\lim_{x\to 1} x-\lim_{x\to 1} 1)$

$=(1+1)(3\cdot 1-1)=4$

(4) $\lim_{x\to 2}\dfrac{2x-1}{x+2}=\dfrac{\lim_{x\to 2}(2x-1)}{\lim_{x\to 2}(x+2)}=\dfrac{2\lim_{x\to 2} x-\lim_{x\to 2} 1}{\lim_{x\to 2} x+\lim_{x\to 2} 2}=\dfrac{2\cdot 2-1}{2+2}=\dfrac{3}{4}$

2. 함수의 극한값 구하는 방법

(1) 다항함수의 극한값

$f(x)$가 다항함수일 때, $\lim_{x\to a} f(x)=f(a)$ (대입)

예 다음 극한값을 구하시오.

(1) $\lim_{x\to 1}(x^3-3x^2+2)$

(2) $\lim_{x\to 3}\dfrac{x^2}{x+2}$

풀이 (1) $\lim_{x\to 1}(x^3-3x^2+2)=1^3-3\cdot 1^2+2=0$

(2) $\lim_{x\to 3}\dfrac{x^2}{x+2}=\dfrac{\lim_{x\to 3} x^2}{\lim_{x\to 3}(x+2)}=\dfrac{3^2}{3+2}=\dfrac{9}{5}$

(2) 부정형의 극한값

$\frac{0}{0}$, $\frac{\infty}{\infty}$, $\infty-\infty$, $\infty\times0$ 꼴을 **부정형**이라 한다. 부정형의 극한값은 그대로는 구할 수 없으므로 다음과 같이 부정형이 아닌 꼴로 변형하여 계산한다.

① $\frac{0}{0}$ 꼴의 극한 ▷ 필수예제 9

- **유리식** ⇨ 분모, 분자를 **인수분해**한 다음 **약분**하여 극한값을 구한다.
  (인수정리, 조립제법 이용)
- **무리식** ⇨ 분모, 분자 중 $\sqrt{\ }$가 있는 쪽을 먼저 유리화한 후 약분하여 극한값을 구한다.

② $\frac{\infty}{\infty}$ 꼴의 극한 ▷ 필수예제 10

(i) **분모의 최고차항으로 분모, 분자를 각각 나눈다.**

(ii) $\lim_{x\to\infty}\frac{k}{x^p}=0$ (k는 상수, p는 양수)임을 이용하여 극한값을 구한다.

▶ (분자의 차수)<(분모의 차수) ⇨ 극한값은 0이다.
(분자의 차수)=(분모의 차수) ⇨ 극한값은 분모, 분자의 최고차항의 계수의 비이다.
(분자의 차수)>(분모의 차수) ⇨ 발산한다.

③ $\infty-\infty$ 꼴의 극한 ▷ 필수예제 11

- **다항식인 경우** ⇨ 최고차항으로 묶는다.
- **$\sqrt{\ }$ 가 있는 경우** ⇨ 분모를 1로 보고 분자를 유리화한다.

④ $\infty\times0$ 꼴의 극한 ▷ 필수예제 12

- **분모 또는 분자에 다항식이 있는 경우** ⇨ 통분하거나 인수분해한다.
- **분모 또는 분자에 $\sqrt{\ }$ 가 있는 경우** ⇨ $\sqrt{\ }$가 있는 쪽을 유리화한다.

▶ $\frac{0}{0}$ 꼴과 $\infty\times0$ 꼴에서 0은 숫자 0이 아니라 0에 한없이 가까워지는 것을 의미한다.

예 다음 극한값을 구하시오.

(1) $\lim_{x\to2}\frac{x^2-4}{x-2}$ (2) $\lim_{x\to\infty}\frac{x^2-x+2}{2x^2+3}$

풀이 (1) 분모, 분자에 $x=2$를 대입하면 $\frac{0}{0}$ 꼴의 극한이므로 분모, 분자를 인수분해한 다음 약분하여 극한값을 구한다.

$$\therefore \lim_{x\to2}\frac{x^2-4}{x-2}=\lim_{x\to2}\frac{(x-2)(x+2)}{x-2}=\lim_{x\to2}(x+2)=4$$

(2) $\frac{\infty}{\infty}$ 꼴의 극한이므로 분모의 최고차항인 x^2으로 분모, 분자를 각각 나누어 극한값을 구한다.

$$\therefore \lim_{x\to\infty}\frac{x^2-x+2}{2x^2+3}=\lim_{x\to\infty}\frac{1-\frac{1}{x}+\frac{2}{x^2}}{2+\frac{3}{x^2}}=\frac{1}{2}$$

개념원리 익히기

11 $\lim_{x \to 1} f(x)=3$, $\lim_{x \to 1} g(x)=-1$일 때, 다음 극한값을 구하시오.

(1) $\lim_{x \to 1}\{f(x)+g(x)\}$

(2) $\lim_{x \to 1}\{f(x)-2g(x)\}$

(3) $\lim_{x \to 1} f(x)g(x)$

(4) $\lim_{x \to 1}\{g(x)\}^2$

(5) $\lim_{x \to 1}\frac{f(x)}{g(x)}$

(6) $\lim_{x \to 1}\frac{2f(x)+3g(x)}{\{f(x)\}^2}$

생각해 봅시다!

12 다음 극한값을 구하시오.

(1) $\lim_{x \to -1} x^3$

(2) $\lim_{x \to 0}(x^2-1)$

(3) $\lim_{x \to 2}(x^3+x^2-3)$

(4) $\lim_{x \to -2} x(2x+3)$

(5) $\lim_{x \to 1}(x-2)(x^2+5)$

(6) $\lim_{x \to 3}\frac{x^2-2x+7}{5-x}$

$f(x)$가 다항함수일 때,
$\lim_{x \to a} f(x)=f(a)$
대입

필수예제 07 함수의 극한에 대한 성질

더 다양한 문제는 RPM 수학 Ⅱ 12쪽

함수 $f(x)$에 대하여 $\lim_{x\to0}\frac{f(x)}{x}=2$일 때, $\lim_{x\to0}\frac{2x^2+5f(x)}{3x^2-f(x)}$의 값을 구하시오.

풀이 주어진 식의 분모, 분자를 각각 x로 나누면

$$\lim_{x\to0}\frac{2x+\frac{5f(x)}{x}}{3x-\frac{f(x)}{x}}=\frac{\lim_{x\to0}2x+5\lim_{x\to0}\frac{f(x)}{x}}{\lim_{x\to0}3x-\lim_{x\to0}\frac{f(x)}{x}}$$

$$=\frac{0+5\cdot2}{0-2}=\mathbf{-5}$$

필수예제 08 치환을 이용한 함수의 극한

더 다양한 문제는 RPM 수학 Ⅱ 12쪽

함수 $f(x)$에 대하여 $\lim_{x\to1}f(x-1)=2$가 성립할 때, $\lim_{x\to0}\frac{2f(x)+1}{3f(x)-1}$의 값을 구하시오.

풀이 $x-1=t$로 놓으면 $x\to1$일 때 $t\to0$이므로

$\lim_{x\to1}f(x-1)=\lim_{t\to0}f(t)=2$ $\therefore \lim_{x\to0}f(x)=2$

$$\therefore \lim_{x\to0}\frac{2f(x)+1}{3f(x)-1}=\frac{2\lim_{x\to0}f(x)+\lim_{x\to0}1}{3\lim_{x\to0}f(x)-\lim_{x\to0}1}$$

$$=\frac{2\cdot2+1}{3\cdot2-1}=\mathbf{1}$$

KEY Point

- $x-a=t$로 놓으면 ⇨ $x\to a$일 때 $t\to0$

13 함수 $f(x)$에 대하여 $\lim_{x\to0}\frac{f(x)}{x^2}=a$일 때, $\lim_{x\to0}\frac{x^2+3f(x)}{3x^2-2f(x)}=-2$가 성립한다. 이때 상수 a의 값을 구하시오.

14 함수 $f(x)$에 대하여 $\lim_{x\to a}\frac{f(x-a)}{x-a}=1$이 성립할 때, $\lim_{x\to0}\frac{x+2f(x)}{2x^2+3f(x)}$의 값을 구하시오.

필수예제 09

$\frac{0}{0}$ 꼴의 극한

더 다양한 문제는 RPM 수학 Ⅱ 13쪽

다음 극한값을 구하시오.

(1) $\lim_{x \to 3} \frac{x^3-27}{x-3}$　(2) $\lim_{x \to 1} \frac{x^3+x-2}{x^2-1}$　(3) $\lim_{x \to 0} \frac{\sqrt{4+x}-2}{2x}$

설명

(1) $x=3$을 대입하면 $\frac{0}{0}$ 꼴이 된다.

(2) $x=1$을 대입하면 (분모)$=0$, (분자)$=0$

따라서 분모, 분자는 각각 $x-1$을 인수로 갖는다. 이때 분자는 조립제법을 이용하여 인수분해한다.

(3) $x=0$을 대입하면 $\frac{0}{0}$ 꼴이 된다.

풀이

(1) (주어진 식)$=\lim_{x \to 3} \frac{(x-3)(x^2+3x+9)}{x-3} = \lim_{x \to 3}(x^2+3x+9)$

$=3^2+3\cdot3+9=\mathbf{27}$

(2) (주어진 식)$=\lim_{x \to 1} \frac{(x-1)(x^2+x+2)}{(x-1)(x+1)} = \lim_{x \to 1} \frac{x^2+x+2}{x+1}$

$=\frac{1^2+1+2}{1+1}=\mathbf{2}$

(3) (주어진 식)$=\lim_{x \to 0} \frac{(\sqrt{4+x}-2)(\sqrt{4+x}+2)}{2x(\sqrt{4+x}+2)} = \lim_{x \to 0} \frac{x}{2x(\sqrt{4+x}+2)}$

$=\lim_{x \to 0} \frac{1}{2(\sqrt{4+x}+2)} = \frac{1}{2(\sqrt{4}+2)} = \mathbf{\frac{1}{8}}$

KEY Point

- $\frac{0}{0}$ 꼴의 극한

① 유리식일 때는 분모, 분자를 인수분해한 다음 약분하여 극한값을 구한다. (인수정리, 조립제법 이용)

② 무리식일 때는 $\sqrt{\ }$ 가 있는 쪽을 유리화한다.

15 다음 극한값을 구하시오.

(1) $\lim_{x \to 0} \frac{6x+5x^2}{2x-3x^2}$　(2) $\lim_{x \to 1} \frac{2x^2-3x+1}{x^2-1}$　(3) $\lim_{x \to -3} \frac{2x^2+5x-3}{x^3+3x^2-x-3}$

(4) $\lim_{x \to 0} \frac{x}{\sqrt{x+1}-1}$　(5) $\lim_{x \to 1} \frac{x^2-1}{\sqrt{x}-1}$　(6) $\lim_{x \to 2} \frac{\sqrt{x+2}-2}{x-\sqrt{3x-2}}$

필수예제 10 $\frac{\infty}{\infty}$ 꼴의 극한

더 다양한 문제는 RPM 수학 Ⅱ 14쪽

다음 극한을 조사하시오.

(1) $\lim_{x\to\infty}\frac{2x^2+4x+1}{3x^2-2}$ (2) $\lim_{x\to\infty}\frac{x+3}{2x^2+4}$ (3) $\lim_{x\to\infty}\frac{2x^3-3x}{x-1}$

(4) $\lim_{x\to\infty}\frac{x}{\sqrt{1+x^2}-1}$ (5) $\lim_{x\to-\infty}\frac{4x}{\sqrt{2+x^2}-3}$

풀이

(1) 주어진 식의 분모, 분자를 각각 x^2으로 나누면

$$(\text{주어진 식})=\lim_{x\to\infty}\frac{2+\frac{4}{x}+\frac{1}{x^2}}{3-\frac{2}{x^2}}=\mathbf{\frac{2}{3}}$$

(2) 주어진 식의 분모, 분자를 각각 x^2으로 나누면

$$(\text{주어진 식})=\lim_{x\to\infty}\frac{\frac{1}{x}+\frac{3}{x^2}}{2+\frac{4}{x^2}}=\mathbf{0}$$

(3) 주어진 식의 분모, 분자를 각각 x로 나누면

$$(\text{주어진 식})=\lim_{x\to\infty}\frac{2x^2-3}{1-\frac{1}{x}}=\infty$$

(4) 주어진 식의 분모, 분자를 각각 x로 나누면

$$(\text{주어진 식})=\lim_{x\to\infty}\frac{1}{\sqrt{\frac{1}{x^2}+1}-\frac{1}{x}}=\mathbf{1}$$

(5) $x=-t$로 놓으면 $x\to-\infty$일 때 $t\to\infty$이므로

$$(\text{주어진 식})=\lim_{t\to\infty}\frac{-4t}{\sqrt{2+t^2}-3}=\lim_{t\to\infty}\frac{-4}{\sqrt{\frac{2}{t^2}+1}-\frac{3}{t}}=\mathbf{-4}$$

KEY Point

- **$\frac{\infty}{\infty}$ 꼴의 극한**
  - **(i) 분모의 최고차항으로 분모, 분자를 각각 나눈다.**
  - **(ii) $\lim_{x\to\infty}\frac{k}{x^p}=0$ (k는 상수, p는 양수)임을 이용하여 극한값을 구한다.**
- **$x=-t$로 놓으면 $x\to-\infty$일 때 $t\to\infty$**

16 다음 극한을 조사하시오.

(1) $\lim_{x\to\infty}\frac{x^2-2x+3}{3x^2+2}$ (2) $\lim_{x\to\infty}\frac{5x-7}{4x^2-3x+2}$ (3) $\lim_{x\to\infty}\frac{x^2}{2-x}$

(4) $\lim_{x\to\infty}\frac{x-1}{\sqrt{x^2+5x+3}+x}$ (5) $\lim_{x\to-\infty}\frac{3x-1}{\sqrt{x^2-2x}}$ (6) $\lim_{x\to-\infty}\frac{1-2x}{\sqrt{4x^2+1}+\sqrt{x^2-1}}$

필수예제 11 $\infty-\infty$ 꼴의 극한

더 다양한 문제는 RPM 수학 Ⅱ 14쪽

다음 극한을 조사하시오.

(1) $\lim_{x\to\infty}(2x^2-3x+4)$

(2) $\lim_{x\to\infty}(\sqrt{x+1}-\sqrt{x})$

설명

(1) $\infty-\infty$ 꼴이면서 다항식 ⇨ 최고차항으로 묶는다.

(2) $\infty-\infty$ 꼴이면서 $\sqrt{\ }$ 가 있는 식 ⇨ 분모를 1로 보고 분자를 유리화한다.

풀이

(1) (주어진 식)$=\lim_{x\to\infty}x^2\left(2-\frac{3}{x}+\frac{4}{x^2}\right)=\infty$

(2) 분모를 1로 보고 분자를 유리화하면

$$\begin{aligned}(\text{주어진 식})&=\lim_{x\to\infty}\frac{(\sqrt{x+1}-\sqrt{x})(\sqrt{x+1}+\sqrt{x})}{\sqrt{x+1}+\sqrt{x}}\\&=\lim_{x\to\infty}\frac{x+1-x}{\sqrt{x+1}+\sqrt{x}}\\&=\lim_{x\to\infty}\frac{1}{\sqrt{x+1}+\sqrt{x}}=\mathbf{0}\end{aligned}$$

KEY Point

- $\infty-\infty$ 꼴의 극한
  ① 다항식인 경우는 최고차항으로 묶는다.
  ② $\sqrt{\ }$ 가 있는 경우는 분모를 1로 보고 분자를 유리화한다.

확인체크 17 다음 극한을 조사하시오.

(1) $\lim_{x\to-\infty}(-x^2-2x+4)$

(2) $\lim_{x\to\infty}(\sqrt{4x^2+3x-1}-2x)$

(3) $\lim_{x\to\infty}\sqrt{x}(\sqrt{x-1}-\sqrt{x+1})$

(4) $\lim_{x\to-\infty}(\sqrt{x^2-7x+10}+x)$

필수예제 12 $\infty \times 0$ 꼴의 극한

더 다양한 문제는 RPM 수학 Ⅱ 14쪽

다음 극한값을 구하시오.

(1) $\lim_{x\to 0}\frac{1}{x}\left(\frac{1}{x+1}-1\right)$

(2) $\lim_{x\to\infty} x\left(\frac{\sqrt{x-1}}{\sqrt{x+1}}-1\right)$

설명

(1) $\infty \times 0$ 꼴이면서 분모가 다항식 ⇨ 괄호 안을 통분하여 약분한다.

(2) $\infty \times 0$ 꼴이면서 $\sqrt{\ }$가 있는 식 ⇨ 괄호 안을 통분하고 유리화한다.

풀이

(1) $(\text{주어진 식})=\lim_{x\to 0}\left(\frac{1}{x}\cdot\frac{-x}{x+1}\right)$ ← 괄호 안을 통분한다.

$=\lim_{x\to 0}\frac{-1}{x+1}$

$=\frac{-1}{0+1}=\mathbf{-1}$

(2) $(\text{주어진 식})=\lim_{x\to\infty}\frac{x(\sqrt{x-1}-\sqrt{x+1})}{\sqrt{x+1}}$

$=\lim_{x\to\infty}\frac{x(\sqrt{x-1}-\sqrt{x+1})(\sqrt{x-1}+\sqrt{x+1})}{\sqrt{x+1}(\sqrt{x-1}+\sqrt{x+1})}$

$=\lim_{x\to\infty}\frac{x\{(x-1)-(x+1)\}}{\sqrt{x+1}(\sqrt{x-1}+\sqrt{x+1})}$

$=\lim_{x\to\infty}\frac{-2x}{\sqrt{x^2-1}+x+1}$

$=\lim_{x\to\infty}\frac{-2}{\sqrt{1-\frac{1}{x^2}}+1+\frac{1}{x}}$

$=\frac{-2}{1+1}=\mathbf{-1}$

KEY Point

- $\infty \times 0$ 꼴의 극한

⇨ 통분 또는 유리화하여 $\frac{\infty}{\infty}$, $\frac{0}{0}$, $\infty \times C$, $\frac{C}{\infty}$ (C는 상수) 꼴로 변형할 수 있는지 조사한다.

18 다음 극한값을 구하시오.

(1) $\lim_{x\to 0}\frac{1}{x}\left\{1-\frac{1}{(x+1)^2}\right\}$

(2) $\lim_{x\to 0}\frac{1}{x}\left(\frac{1}{\sqrt{3-x}}-\frac{1}{\sqrt{3}}\right)$

(3) $\lim_{x\to\infty} x\left(\frac{1}{2}-\frac{\sqrt{x}}{\sqrt{4x+3}}\right)$

(4) $\lim_{x\to-\infty} x^2\left(\frac{1}{3}+\frac{x}{\sqrt{9x^2+3}}\right)$

연습문제

STEP 1

생각해 봅시다!

1 극한 $\lim_{x \to 2} \frac{x^2-5x+6}{|x-2|}$을 조사하시오.

우극한과 좌극한이 같을 때, 극한값이 존재한다.

2 함수 $f(x)=\begin{cases} x^2 & (x<1) \\ \frac{3}{2} & (x=1) \\ x+1 & (x>1) \end{cases}$에 대하여 극한 $\lim_{x \to 1} f(x)$를 조사하시오.

3 $\lim_{x \to 0} \frac{f(x)}{x}=a$이고 $\lim_{x \to 0} \frac{10x^2-9x+f(x)}{2x^2+3x-f(x)}=5$일 때, 상수 a의 값을 구하시오.

4 $\lim_{x \to 2} \frac{x^3-2x-4}{x-2}$의 값을 구하시오.

분모, 분자를 인수분해한 다음 약분한다.

[교육청기출]

5 $\lim_{x \to -\infty} \frac{x-\sqrt{x^2-1}}{x+1}$의 값은?

① 1 ② 2 ③ 3 ④ 4 ⑤ 5

$x=-t$로 치환한 후 분모의 최고차항으로 분모, 분자를 각각 나눈다.

6 다음 중 옳지 않은 것은?

① $\lim_{x \to \infty} \frac{3x+2}{x-5}=3$

② $\lim_{x \to -\infty} \frac{x+1}{\sqrt{x^2+x}-x}=-\frac{1}{2}$

③ $\lim_{x \to 2} \frac{\sqrt{x+2}-2}{x-2}=\frac{1}{4}$

④ $\lim_{x \to \infty} (\sqrt{x}-\sqrt{x-1})=0$

⑤ $\lim_{x \to -\infty} \frac{x+3|x|+1}{2x-4|x|+1}=-3$

STEP 2

[교육청기출]

7 함수 $y=f(x)$의 그래프가 오른쪽 그림과 같다. $\lim_{x \to -1-} f(x)=a$일 때, $\lim_{x \to a+} f(x+3)$의 값은?

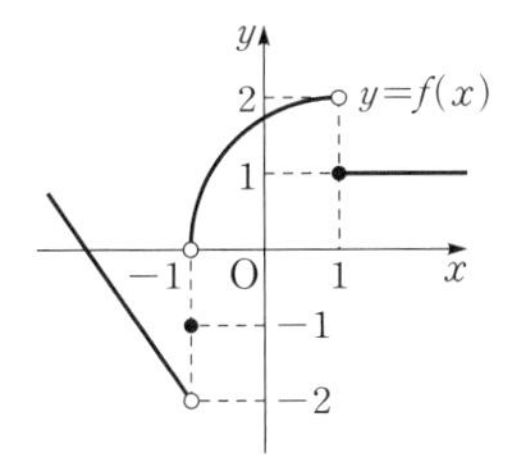

① -2　② -1　③ 0
④ 1　⑤ 2

8 다음 중 극한값이 가장 큰 것은?
(단, $[x]$는 x보다 크지 않은 최대의 정수이다.)

① $\lim_{x \to 0-} \frac{x}{[x]}$　② $\lim_{x \to 0+} \frac{[x]}{x}$　③ $\lim_{x \to 0-} \frac{[x-1]}{x-1}$
④ $\lim_{x \to 0+} \frac{x+1}{[x+1]}$　⑤ $\lim_{x \to 3+} \frac{[x-3]}{x-3}$

$-1<x<0$일 때, $[x]=-1$
$0<x<1$일 때, $[x]=0$
$x \to 0+$이면 $x>0$
$x \to 0-$이면 $x<0$

9 함수 $f(x)=\begin{cases} -(x-2)^2+k & (x>1) \\ 3x+5 & (x \le 1) \end{cases}$에 대하여 $\lim_{x \to 1} f(x)$의 값이 존재할 때, $f(4)$의 값을 구하시오. (단, k는 상수)

10 두 함수 $y=f(x)$, $y=g(x)$의 그래프가 오른쪽 그림과 같을 때, $\lim_{x \to 2} f(x)g(x)$의 값을 구하시오.

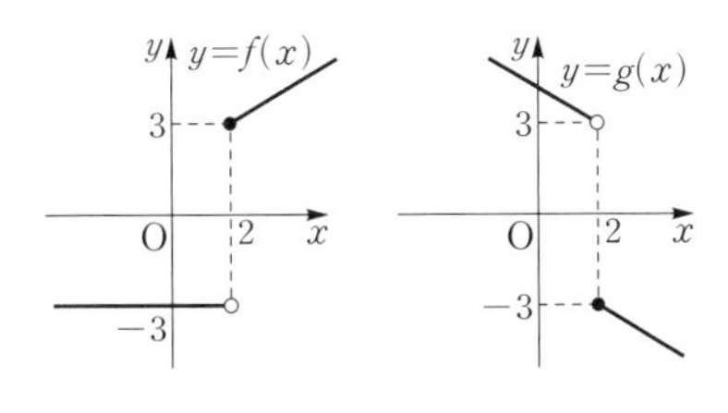

$\lim_{x \to a+} f(x)g(x)$
$=\lim_{x \to a+} f(x) \cdot \lim_{x \to a+} g(x)$
$\lim_{x \to a-} f(x)g(x)$
$=\lim_{x \to a-} f(x) \cdot \lim_{x \to a-} g(x)$

11 함수 $f(x)$에 대하여 $\lim_{x \to 0} \frac{f(x)}{x}=3$일 때, $\lim_{x \to 2} \frac{f(x-2)}{x^2-4}$의 값을 구하시오.

12 $\lim_{x \to a} \frac{x^3-a^3}{x^2-a^2}=6$이고 $\lim_{x \to \infty}(\sqrt{x^2+ax}-\sqrt{x^2+bx})=3$일 때, $a+b$의 값을 구하시오. (단, a, b는 상수)

실력 UP

13 함수 $y=f(x)$의 그래프가 오른쪽 그림과 같을 때, $\lim_{x\to 0+} f(x-1)+\lim_{x\to -1-} f(-x)$의 값은?

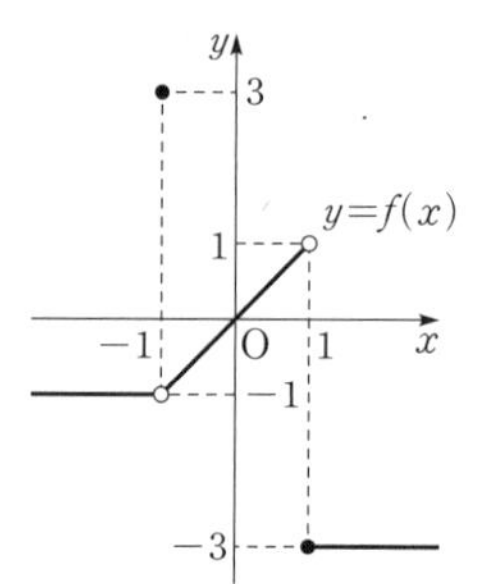

① -5　　② -4　　③ -3
④ -2　　⑤ -1

생각해 봅시다!

14 두 함수 $f(x)$, $g(x)$가

$$\lim_{x\to\infty} f(x)=\infty,\ \lim_{x\to\infty}\{3f(x)-2g(x)\}=1$$

을 만족시킬 때, $\lim_{x\to\infty}\frac{f(x)+4g(x)}{-2f(x)+6g(x)}$의 값을 구하시오.

$3f(x)-2g(x)=h(x)$
로 놓으면
$2g(x)=3f(x)-h(x)$
이고 $\lim_{x\to\infty}h(x)=1$

15 $0<a<2$일 때, $\lim_{x\to 2}\frac{|x^2-a|+a-4}{x-2}$의 값을 구하시오.

16 두 함수 $f(x)=x^2$, $g(x)=2x-1$에 대하여
$\lim_{x\to 1}\frac{(f\circ g)(x)-(g\circ f)(x)}{(x^2-1)(x^3-1)}$의 값을 구하시오.

17 좌표평면 위의 두 점 $\mathrm{O}(0,\ 0)$, $\mathrm{P}(3x-1,\ 4x+1)$ 사이의 거리를 $d(x)$라 할 때, $\lim_{x\to\infty}\{d(x)-5x\}$의 값을 구하시오.

원점 $(0,\ 0)$과 점 $(x_1,\ y_1)$ 사이의 거리는 $\sqrt{x_1^2+y_1^2}$

04 함수의 극한의 응용

1. 함수의 극한

개념원리 이해

1. 미정계수의 결정 ▷ 필수예제 13, 14

(1) 두 함수 $f(x)$, $g(x)$에 대하여 $\lim_{x\to a}\frac{f(x)}{g(x)}=L$ (L은 실수)일 때

① $\lim_{x\to a}g(x)=0$이면 $\lim_{x\to a}f(x)=0$

② $L\neq0$이고 $\lim_{x\to a}f(x)=0$이면 $\lim_{x\to a}g(x)=0$

(2) 두 다항함수 $f(x)$, $g(x)$에 대하여 $\lim_{x\to\infty}\frac{f(x)}{g(x)}=L$ ($L\neq0$인 실수)일 때

($f(x)$의 차수)=($g(x)$의 차수)

이때 극한값 L은 (분자의 최고차항의 계수)÷(분모의 최고차항의 계수)이다.

설명 (1) ① $\lim_{x\to a}\frac{f(x)}{g(x)}=L$ (L은 실수)이고 $\lim_{x\to a}g(x)=0$이면 함수의 극한에 대한 성질에 의하여

$$\lim_{x\to a}f(x)=\lim_{x\to a}\left\{\frac{f(x)}{g(x)}\cdot g(x)\right\}=\lim_{x\to a}\frac{f(x)}{g(x)}\cdot\lim_{x\to a}g(x)=L\cdot0=0$$

② $\lim_{x\to a}\frac{f(x)}{g(x)}=L$ ($L\neq0$)이고 $\lim_{x\to a}f(x)=0$이면 함수의 극한에 대한 성질에 의하여

$$\lim_{x\to a}g(x)=\lim_{x\to a}\left\{f(x)\div\frac{f(x)}{g(x)}\right\}=\lim_{x\to a}f(x)\div\lim_{x\to a}\frac{f(x)}{g(x)}=\frac{0}{L}=0$$

예 $\lim_{x\to1}\frac{\sqrt{x+3}-k}{x-1}=\frac{1}{4}$이 성립하려면 $x\to1$일 때 (분모)$\to0$이고 극한값이 존재하므로 (분자)$\to0$이다. 즉, $\lim_{x\to1}(\sqrt{x+3}-k)=0$이므로 $2-k=0$ $\quad\therefore k=2$

2. 함수의 극한의 대소 관계 ▷ 필수예제 15

두 함수 $f(x)$, $g(x)$에 대하여 $\lim_{x\to a}f(x)=L$, $\lim_{x\to a}g(x)=M$ (L, M은 실수)일 때,

a에 가까운 모든 실수 x에 대하여

(1) $f(x)\leq g(x)$이면 $L\leq M$

(2) 함수 $h(x)$에 대하여 $f(x)\leq h(x)\leq g(x)$이고 $L=M$이면 $\lim_{x\to a}h(x)=L$

▶ 함수의 극한의 대소 관계는 $x\to a+$, $x\to a-$, $x\to\infty$, $x\to-\infty$일 때도 모두 성립한다.

주의 $f(x)<g(x)$인 경우, 반드시 $\lim_{x\to a}f(x)<\lim_{x\to a}g(x)$인 것은 아니다.

예를 들어 $x\neq0$일 때, $3x<x^2+3x$이지만 $\lim_{x\to0}3x=\lim_{x\to0}(x^2+3x)=0$이다.

필수예제 13 미정계수의 결정

더 다양한 문제는 RPM 수학 Ⅱ 15쪽

다음 등식이 성립하기 위한 상수 a, b의 값을 구하시오.

(1) $\lim_{x\to 1}\frac{\sqrt{a+x}-b}{x-1}=\frac{1}{4}$ (2) $\lim_{x\to 2}\frac{x-2}{x^2+ax+b}=\frac{1}{3}$

풀이

(1) $x\to 1$일 때 (분모)$\to 0$이고 극한값이 존재하므로 (분자)$\to 0$이다.

즉, $\lim_{x\to 1}(\sqrt{a+x}-b)=0$이므로 $\sqrt{a+1}-b=0$ $\therefore b=\sqrt{a+1}$

$\therefore$ (주어진 식) $=\lim_{x\to 1}\frac{\sqrt{a+x}-\sqrt{a+1}}{x-1}$

$=\lim_{x\to 1}\frac{a+x-(a+1)}{(x-1)(\sqrt{a+x}+\sqrt{a+1})}$ ← $\frac{0}{0}$ 꼴: 유리화

$=\lim_{x\to 1}\frac{1}{\sqrt{a+x}+\sqrt{a+1}}=\frac{1}{2\sqrt{a+1}}$

$\frac{1}{2\sqrt{a+1}}=\frac{1}{4}$이므로 $\boldsymbol{a=3,\ b=2}$

(2) $x\to 2$일 때 (분자)$\to 0$이고 0이 아닌 극한값이 존재하므로 (분모)$\to 0$이다.

즉, $\lim_{x\to 2}(x^2+ax+b)=0$이므로 $4+2a+b=0$ $\therefore b=-2a-4$

$\therefore$ (주어진 식) $=\lim_{x\to 2}\frac{x-2}{x^2+ax-2a-4}$

$=\lim_{x\to 2}\frac{x-2}{(x-2)(x+2+a)}$ ← $\frac{0}{0}$ 꼴: 인수분해, 약분

$=\lim_{x\to 2}\frac{1}{x+2+a}=\frac{1}{4+a}$

$\frac{1}{4+a}=\frac{1}{3}$이므로 $\boldsymbol{a=-1,\ b=-2}$

KEY Point

- $\lim_{x\to a}\frac{f(x)}{g(x)}=L$ (L은 실수)일 때
  ① $x\to a$일 때 (분모)$\to 0$이면 (분자)$\to 0$
  ② $x\to a$일 때 (분자)$\to 0$이면 (분모)$\to 0$ (단, $L\neq 0$)

19 다음 등식이 성립하기 위한 상수 a, b의 값을 구하시오.

(1) $\lim_{x\to 2}\frac{x^2-a}{x-2}=b$ (2) $\lim_{x\to -1}\frac{x^2+ax+b}{x+1}=2$ (3) $\lim_{x\to 2}\frac{x-2}{a\sqrt{x-1}+b}=1$

필수예제 14 다항함수의 결정

더 다양한 문제는 RPM 수학 Ⅱ 16쪽

다항함수 $f(x)$가 $\lim_{x\to\infty}\frac{f(x)}{2x^2+x+1}=1$, $\lim_{x\to 2}\frac{f(x)}{x^2-x-2}=1$을 만족시킬 때, $f(0)$의 값을 구하시오.

풀이 $\lim_{x\to\infty}\frac{f(x)}{2x^2+x+1}=1$에서 $f(x)$는 이차항의 계수가 2인 이차함수임을 알 수 있다.

또, $\lim_{x\to 2}\frac{f(x)}{x^2-x-2}=\lim_{x\to 2}\frac{f(x)}{(x-2)(x+1)}=1$에서 $x\to 2$일 때 (분모)$\to 0$이고 극한값이 존재하므로 (분자)$\to 0$이다.

즉, $\lim_{x\to 2}f(x)=0$이므로 $f(2)=0$

$f(x)=2(x-2)(x+a)$ (a는 상수)로 놓으면

$$\lim_{x\to 2}\frac{f(x)}{(x-2)(x+1)}=\lim_{x\to 2}\frac{2(x-2)(x+a)}{(x-2)(x+1)}$$
$$=\lim_{x\to 2}\frac{2(x+a)}{x+1}$$
$$=\frac{4+2a}{3}=1$$

$\therefore a=-\frac{1}{2}$

따라서 $f(x)=2(x-2)\left(x-\frac{1}{2}\right)=(x-2)(2x-1)$이므로

$f(0)=(-2)\cdot(-1)=\mathbf{2}$

KEY Point

- 극한값 조건이 여러 개 있을 때는 $x\to\infty$인 조건부터 먼저 적용한다.
- 분모와 분자가 다항함수인 $\frac{\infty}{\infty}$ 꼴의 극한에서 (분모의 차수)=(분자의 차수)이면 극한값은 분모, 분자의 최고차항의 계수의 비이다.

20 다항함수 $f(x)$가 $\lim_{x\to 1}\frac{f(x)}{x^2-1}=-1$, $\lim_{x\to\infty}\frac{f(x)}{x^2+1}=2$를 만족시킬 때, $\lim_{x\to 2}\frac{f(x)}{x-2}$의 값을 구하시오.

21 다항함수 $f(x)$가 $\lim_{x\to 0}\frac{f(x)}{x}=-3$, $\lim_{x\to\infty}\frac{f(x)-2x^3}{x^2}=2$를 만족시킬 때, $f(x)$를 구하시오.

필수예제 15 함수의 극한의 대소 관계

더 다양한 문제는 RPM 수학 Ⅱ 16쪽

다음 물음에 답하시오.

(1) 함수 $f(x)$가 모든 실수 x에 대하여 $\frac{x^2+x-1}{3x^2+2} \le f(x) \le \frac{x^2+x+4}{3x^2+2}$를 만족시킬 때, $\lim_{x\to\infty} f(x)$의 값을 구하시오.

(2) 함수 $f(x)$가 모든 양의 실수 x에 대하여 $3x+1 < f(x) < 3x+4$를 만족시킬 때, $\lim_{x\to\infty} \frac{\{f(x)\}^2}{x^2+1}$의 값을 구하시오.

풀이

(1) $\lim_{x\to\infty} \frac{x^2+x-1}{3x^2+2} = \frac{1}{3}$, $\lim_{x\to\infty} \frac{x^2+x+4}{3x^2+2} = \frac{1}{3}$이므로

함수의 극한의 대소 관계에 의하여

$\lim_{x\to\infty} f(x) = \mathbf{\frac{1}{3}}$

(2) $3x+1 < f(x) < 3x+4$의 각 변을 제곱하면

$(3x+1)^2 < \{f(x)\}^2 < (3x+4)^2$

$x^2+1>0$이므로 각 변을 x^2+1로 나누면

$\frac{(3x+1)^2}{x^2+1} < \frac{\{f(x)\}^2}{x^2+1} < \frac{(3x+4)^2}{x^2+1}$

그런데 $\lim_{x\to\infty} \frac{(3x+1)^2}{x^2+1} = 9$, $\lim_{x\to\infty} \frac{(3x+4)^2}{x^2+1} = 9$이므로

함수의 극한의 대소 관계에 의하여

$\lim_{x\to\infty} \frac{\{f(x)\}^2}{x^2+1} = \mathbf{9}$

KEY Point

- $f(x) \le h(x) \le g(x)$이고 $\lim_{x\to a} f(x) = \lim_{x\to a} g(x) = L$ (L은 실수)이면
  ⇨ $\lim_{x\to a} h(x) = L$

22 두 함수 $f(x)$, $g(x)$가 $f(x)=2x+1$, $g(x)=x^2+2$일 때, 함수 $h(x)$가 모든 실수 x에 대하여 $f(x) \le h(x) \le g(x)$를 만족시킨다. 이때 $\lim_{x\to 1} h(x)$의 값을 구하시오.

23 함수 $f(x)$가 모든 양의 실수 x에 대하여 $\frac{5x+3}{x+2} \le f(x) \le \frac{5x^2-2x+7}{x^2}$을 만족시킬 때, $\lim_{x\to\infty} f(x)$의 값을 구하시오.

24 함수 $f(x)$가 모든 양의 실수 x에 대하여 $2x+1 < f(x) < 2x+5$를 만족시킬 때, $\lim_{x\to\infty} \frac{\{f(x)\}^3}{x^3+1}$의 값을 구하시오.

필수예제 16 **함수의 극한의 활용**

더 다양한 문제는 RPM 수학 Ⅱ 17쪽

오른쪽 그림과 같이 함수 $y=-ax^2+a$의 그래프와 x축으로 둘러싸인 부분에 정사각형이 내접하고 있다. 이 정사각형의 넓이를 $S(a)$라 할 때, $\lim_{a\to\infty}S(a)$의 값을 구하시오. (단, $a>0$)

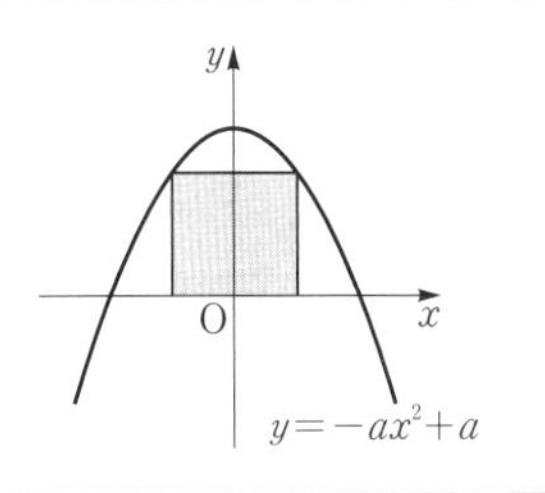

풀이

함수 $y=-ax^2+a$의 그래프와 정사각형이 제1사분면에서 만나는 점의 좌표를 $(t,\ -at^2+a)$ $(t>0)$라 하면 정사각형의 가로, 세로의 길이는 서로 같으므로

$2t=-at^2+a,\ at^2+2t-a=0$

$\therefore t=\dfrac{-1+\sqrt{1+a^2}}{a}$ $(\because t>0)$

따라서 정사각형의 넓이 $S(a)$는

$$S(a)=(2t)^2=\left(2\cdot\frac{-1+\sqrt{1+a^2}}{a}\right)^2$$
$$=4\cdot\frac{1-2\sqrt{1+a^2}+1+a^2}{a^2}$$
$$=\frac{4a^2+8-8\sqrt{1+a^2}}{a^2}$$

$$\therefore \lim_{a\to\infty}S(a)=\lim_{a\to\infty}\frac{4a^2+8-8\sqrt{1+a^2}}{a^2}$$
$$=\lim_{a\to\infty}\left(4+\frac{8}{a^2}-8\sqrt{\frac{1}{a^4}+\frac{1}{a^2}}\right)=\mathbf{4}$$

KEY Point

- 구하는 선분의 길이 또는 점의 좌표를 식으로 나타낸 후 극한의 성질을 이용하여 극한값을 구한다.

25 오른쪽 그림과 같이 함수 $y=x^2$의 그래프 위의 점 $\mathrm{P}(t,\ t^2)$에 대하여 점 P를 지나고 직선 OP와 수직인 직선이 y축과 만나는 점의 y좌표를 $f(t)$라 할 때, $\lim_{t\to 0}f(t)$의 값을 구하시오. (단, O는 원점)

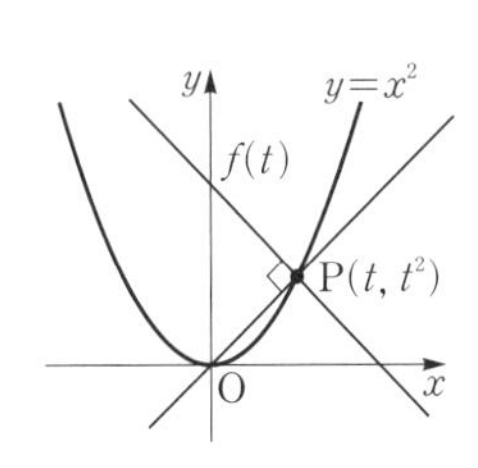

연습문제

STEP 1

생각해 봅시다!

18 $\lim_{x \to 2} \frac{x^2-ax+2}{x-2}$의 값이 존재할 때, 상수 a의 값과 그때의 극한값 k의 곱을 구하시오.

$x \to 2$일 때 (분모) $\to 0$이고 극한값이 존재하므로 (분자) $\to 0$이다.

[교육청기출]

19 두 상수 a, b에 대하여 $\lim_{x \to -2} \frac{x+2}{\sqrt{x+a}-b}=6$일 때, $a+b$의 값을 구하시오.

20 $\lim_{x \to -3} \frac{\sqrt{x^2-x-3}+ax}{x+3}=b$가 성립하도록 하는 상수 a, b에 대하여 $a+b$의 값을 구하시오.

21 다항함수 $f(x)$가 $\lim_{x \to 1} \frac{f(x)+1}{x-1}=9$를 만족시킬 때, $\lim_{x \to 1} \frac{\{f(x)\}^2+f(x)}{x^3-1}$의 값을 구하시오.

22 다항함수 $f(x)$가 $\lim_{x \to \infty} \frac{f(x)-3x^2}{x}=a$, $\lim_{x \to 0} \frac{f(x)}{x}=2$를 만족시킬 때, 상수 a의 값을 구하시오. (단, $a \neq 0$)

분모와 분자가 다항함수인 $\frac{\infty}{\infty}$ 꼴의 극한에서 (분모의 차수) $=$ (분자의 차수)이면 극한값은 분모, 분자의 최고차항의 계수의 비이다.

23 함수 $f(x)$가 $x \geq 1$인 실수 x에 대하여 $\frac{1+5x-3x^2}{3x^2} \leq f(x) \leq \frac{2-x}{x}$를 만족시킬 때, $\lim_{x \to \infty} f(x)$의 값을 구하시오.

$f(x) \leq h(x) \leq g(x)$이고 $\lim_{x \to a} f(x)=\lim_{x \to a} g(x)=L$이면 $\lim_{x \to a} h(x)=L$

STEP 2

24 함수 $f(x)=x^2+ax+b$에 대하여 $\lim_{x\to 0}\frac{f(x)}{x}=4$가 성립할 때, 함수 $f(x)$의 최솟값을 구하시오. (단, a, b는 상수)

25 $\lim_{x\to 1}\frac{1}{x-1}\left(\frac{x^2}{x+1}+a\right)=b$일 때, 상수 a, b에 대하여 $b-a$의 값을 구하시오.

$\infty\times 0$ 꼴이면서 분모 또는 분자에 다항식이 있는 경우 통분하거나 인수분해한다.

26 다항함수 $f(x)$가 $\lim_{x\to -2}\frac{f(x)}{x^2+3x+2}=-1$, $\lim_{x\to\infty}\frac{f(x)}{2x^2-x+3}=1$을 만족시킬 때, $f(1)$의 값을 구하시오.

27 $\lim_{x\to 1}\frac{f(x)}{x-1}=-6$, $\lim_{x\to -1}\frac{f(x)}{x+1}=2$를 만족시키는 차수가 가장 낮은 다항함수 $f(x)$를 구하시오.

$f(x)$
$=(x-1)(x+1)g(x)$

28 $\lim_{x\to\infty}\frac{f(x)}{2x-\sqrt{x^2+3}}=2$, $\lim_{x\to 2}\frac{f(x)}{x^2+x-6}=p$를 만족시키는 다항함수 $f(x)$와 상수 p의 값을 구하시오.

29 함수 $f(x)$가 $x\neq 1$인 모든 실수 x에 대하여

$$2x^3-6x^2+4x\leq f(x)\leq x^4-2x^3+1$$

을 만족시킬 때, $\lim_{x\to 1}\frac{f(x)}{x-1}$의 값을 구하시오.

$x>1$일 때와 $x<1$일 때로 나누어 생각한다.

실력 UP

30 $\lim_{x\to-\infty}(\sqrt{x^2+3ax+2}-\sqrt{ax^2+ax+1})=b$일 때, 상수 a, b에 대하여 $a+b$의 값을 구하시오.

> **생각해 봅시다!**
> $\infty-\infty$ 꼴의 극한에서 $\sqrt{\ }$가 있는 경우는 분모를 1로 보고 분자를 유리화한다.

[교육청기출]

31 다항함수 $f(x)$가 다음 조건을 만족시킬 때, $f(3)$의 값을 구하시오.

(가) $\lim_{x\to\infty}\frac{f(x)}{x^3}=0$　　(나) $\lim_{x\to1}\frac{f(x)}{x-1}=1$

(다) 방정식 $f(x)=2x$의 한 근이 2이다.

32 함수 $f(x)$가 다음 조건을 만족시킬 때, $\lim_{x\to\infty}\frac{f(x)}{x^2}$의 값을 구하시오.

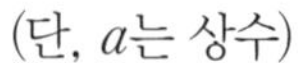

(단, a는 상수)

(가) 모든 실수 x에 대하여 부등식 $ax^2-2\le f(x)\le ax^2+2$가 성립한다.

(나) $\lim_{x\to\infty}\frac{(2x^2+1)f(x)}{x^4+2}=4$

33 실수 t에 대하여 곡선 $y=\frac{2}{x}+1$과 직선 $x=t$가 만나는 점을 P라 하고, 점 P에서 x축, y축에 내린 수선의 발을 각각 Q, R라 하자. 두 점 Q, R를 지나는 직선의 기울기를 $m(t)$라 할 때, $\lim_{t\to-2}\frac{t+2}{m(t)}$의 값을 구하시오.

> 두 점 (x_1, y_1), (x_2, y_2)를 지나는 직선의 기울기
> ⇨ $\frac{y_2-y_1}{x_2-x_1}$

34 오른쪽 그림에서 원점 O가 중심이고 곡선 $y=\sqrt{x}$ 위를 움직이는 점 P(x, y)를 지나는 원이 x축의 양의 부분과 만나는 점을 Q라 하자. 점 P에서 x축에 내린 수선의 발을 H라 할 때, $\lim_{x\to0+}\frac{\overline{\text{PH}}^2}{\overline{\text{QH}}}$의 값을 구하시오.

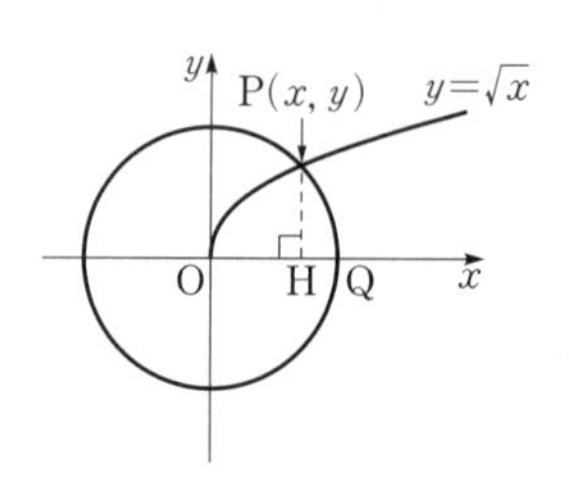

> 중심의 좌표가 $(0, 0)$이고 반지름의 길이가 r인 원의 방정식
> ⇨ $x^2+y^2=r^2$

I

함수의 극한과 연속

1. 함수의 극한

2. 함수의 연속

01 함수의 연속

개념원리 이해

1. 함수의 연속과 불연속 ▷ 필수예제 1~3

함수 $f(x)$가 실수 a에 대하여 다음 세 조건을 모두 만족시킬 때, 함수 $f(x)$는 **$x=a$에서 연속**이라 한다.

(i) 함수 $f(x)$가 $x=a$에서 정의되어 있다.
즉, **함숫값 $f(a)$가 존재**한다. ← 함숫값 존재

(ii) **극한값 $\lim_{x\to a} f(x)$가 존재**한다. ← 극한값 존재

(iii) $\lim_{x\to a} f(x)=f(a)$ ← (극한값)=(함숫값)

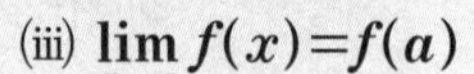

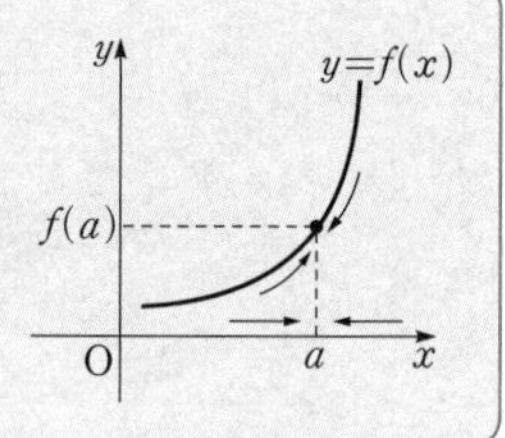

▶ 함수 $f(x)$가 $x=a$에서 연속이 아닐 때, $f(x)$는 $x=a$에서 불연속이라 한다. 즉, 함수 $f(x)$가 위의 세 조건 중 어느 하나라도 만족시키지 않으면 함수 $f(x)$는 $x=a$에서 불연속이다.

설명 (1) 그래프에서 연속 · 불연속의 의미
① $x=a$에서 연속 ⇨ $x=a$에서 그래프가 이어져 있다.
② $x=a$에서 불연속 ⇨ $x=a$에서 그래프가 끊어져 있다.

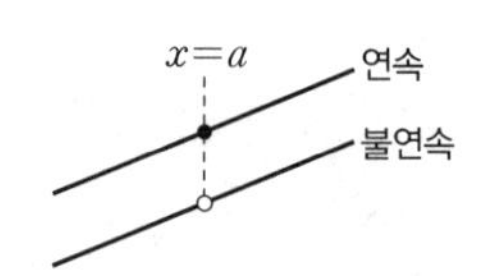

(2) 함수 $f(x)$가 다음 경우 중 어느 하나라도 해당되면 $x=a$에서 불연속이다.

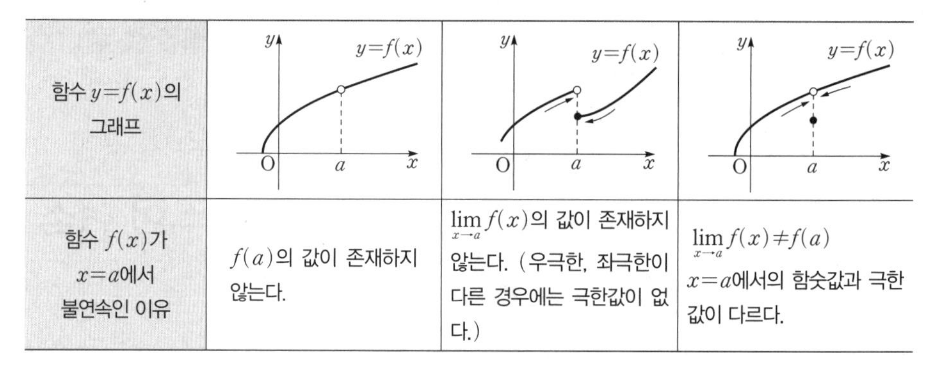

함수 $y=f(x)$의 그래프	(그래프)	(그래프)	(그래프)
함수 $f(x)$가 $x=a$에서 불연속인 이유	$f(a)$의 값이 존재하지 않는다.	$\lim_{x\to a} f(x)$의 값이 존재하지 않는다. (우극한, 좌극한이 다른 경우에는 극한값이 없다.)	$\lim_{x\to a} f(x)\neq f(a)$ $x=a$에서의 함숫값과 극한값이 다르다.

예 다음 함수가 $x=1$에서 연속인지 불연속인지 조사하시오.

(1) $f(x)=x+2$　　　　(2) $f(x)=\dfrac{1}{x-1}$

풀이 (1) (i) $f(1)=3$으로 함숫값이 존재한다.
(ii) $\lim_{x\to 1} f(x)=3$으로 극한값이 존재한다.
(iii) $\lim_{x\to 1} f(x)=f(1)$
∴ $x=1$에서 연속

(2) $x=1$일 때, 분모가 0이므로 함숫값 $f(1)$이 존재하지 않는다.
∴ $x=1$에서 불연속

2. 구간과 연속함수

(1) 구간

두 실수 a, b $(a<b)$에 대하여 집합

$\{x|a\le x\le b\}$, $\{x|a<x<b\}$, $\{x|a\le x<b\}$, $\{x|a<x\le b\}$

를 각각 구간이라 하고, 이들을 각각 기호

$\boldsymbol{[a,\ b]}$, $\boldsymbol{(a,\ b)}$, $\boldsymbol{[a,\ b)}$, $\boldsymbol{(a,\ b]}$

로 나타낸다.

이때 $[a,\ b]$를 **닫힌구간**, $(a,\ b)$를 **열린구간**, $[a,\ b)$와 $(a,\ b]$를 **반닫힌 구간** 또는 **반열린 구간**이라 한다.

또, 실수 a에 대하여 집합

$\{x|x\le a\}$, $\{x|x<a\}$, $\{x|x\ge a\}$, $\{x|x>a\}$

도 각각 구간이고, 이들을 각각 기호

$(-\infty,\ a]$, $(-\infty,\ a)$, $[a,\ \infty)$, $(a,\ \infty)$

로 나타낸다.

특히, 실수 전체의 집합도 하나의 구간이며, 기호 $(-\infty,\ \infty)$로 나타낸다.

▶ 각 구간을 수직선 위에 나타내면 다음과 같다.

$[a, b]$ (a, b, x) (a, b) (a, b, x) $[a, b)$ (a, b, x) $(a, b]$ (a, b, x)

$(-\infty, a]$ (a, x) $(-\infty, a)$ (a, x) $[a, \infty)$ (a, x) (a, ∞) (a, x)

예 함수 $f(x)=\sqrt{x+2}$의 정의역은 $\{x|x\ge -2\}$이므로 구간의 기호로 나타내면 $[-2,\ \infty)$이다.

(2) 연속함수

함수 $f(x)$가 어떤 구간에 속하는 모든 실수 x에 대하여 연속일 때, $f(x)$는 그 구간에서 연속이라 한다.

또, 어떤 구간에서 연속인 함수를 그 구간에서 **연속함수**라 한다.

함수 $f(x)$가

(i) **열린구간 $\boldsymbol{(a,\ b)}$에서 연속**이고

(ii) $\displaystyle\lim_{x\to a+} f(x)=f(a)$, $\displaystyle\lim_{x\to b-} f(x)=f(b)$

일 때, 함수 $f(x)$는 **닫힌구간 $\boldsymbol{[a,\ b]}$에서 연속**이라 한다.

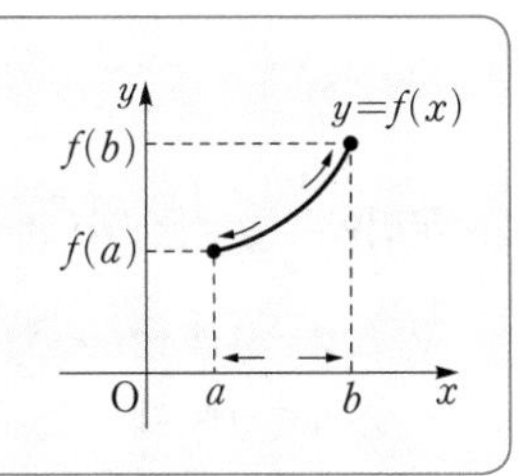

▶ 어떤 구간에서 연속인 함수의 그래프는 그 구간에서 끊김없이 이어져 있다.

설명 오른쪽 그림과 같은 함수 $f(x)$는 $x=a$와 $x=b$에서 불연속이지만 열린구간 $(a,\ b)$에서 연속이고

$\displaystyle\lim_{x\to a+} f(x)=f(a)$, $\displaystyle\lim_{x\to b-} f(x)=f(b)$

이므로 닫힌구간 $[a,\ b]$에서 연속임을 알 수 있다.

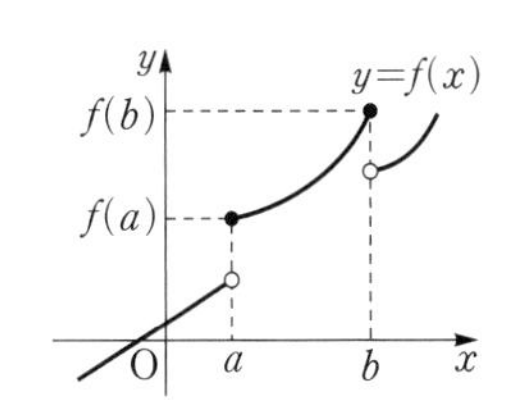

3. 여러 가지 함수의 연속성

연속인 함수는 주어진 구간에서 그 그래프가 끊김없이 이어져 있고, 불연속인 함수는 그 그래프가 끊어져 있다.

(1) **다항함수:** 일차함수, 이차함수, … ⇨ **$(-\infty, \infty)$에서 연속**

(2) **유리함수:** $y=\dfrac{g(x)}{f(x)}$ ⇨ **(분모)$=0$**, 즉 $f(x)=0$인 x에서 **불연속**

(3) **무리함수:** $y=\sqrt{f(x)}$ ⇨ **$f(x)\geq 0$인 x에서 연속**

▶ (1) 다항함수 (2) 유리함수 (3) 무리함수

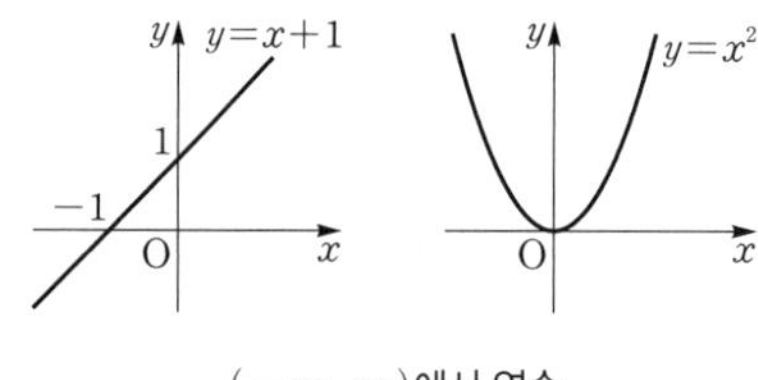

$(-\infty, \infty)$에서 연속

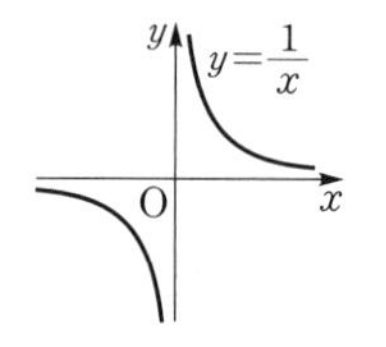

$x=0$에서 불연속

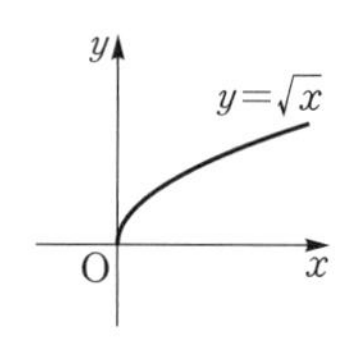

$x\geq 0$, 즉 $[0, \infty)$에서 연속

보충학습

1. 유리함수 $y=\dfrac{k}{x-p}+q$ $(k\neq 0)$의 그래프

⇨ $x\neq p$인 모든 실수 x에서 연속

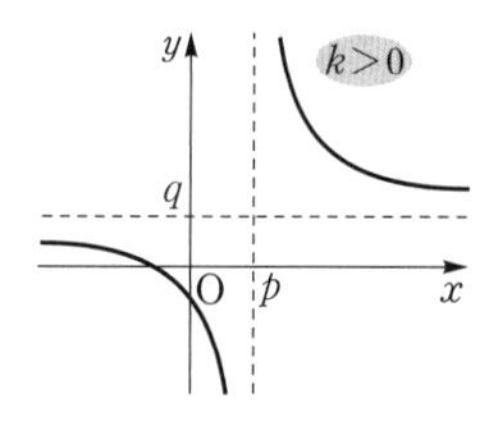

2. 무리함수 $y=\pm\sqrt{a(x-p)}+q$ $(a\neq 0)$의 그래프

⇨ ① $a>0$일 때, $x\geq p$인 모든 실수 x에서 연속

② $a<0$일 때, $x\leq p$인 모든 실수 x에서 연속

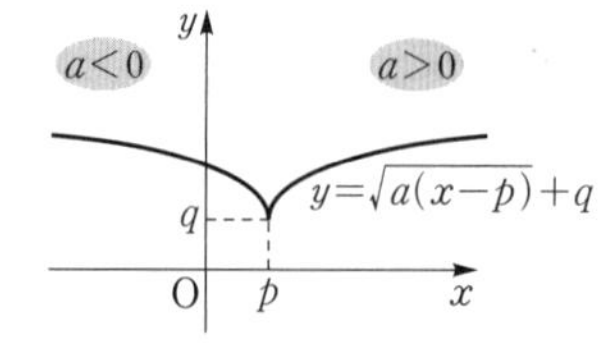

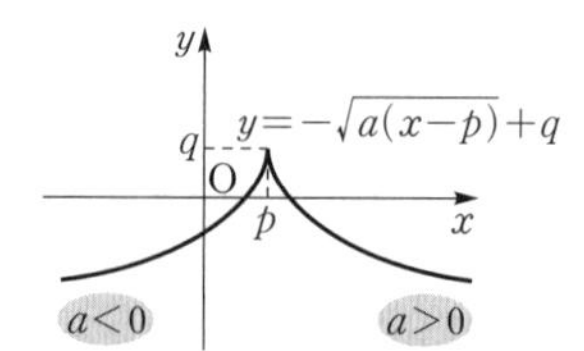

26 다음 함수가 $x=1$에서 불연속인 이유를 설명하시오.

(1)

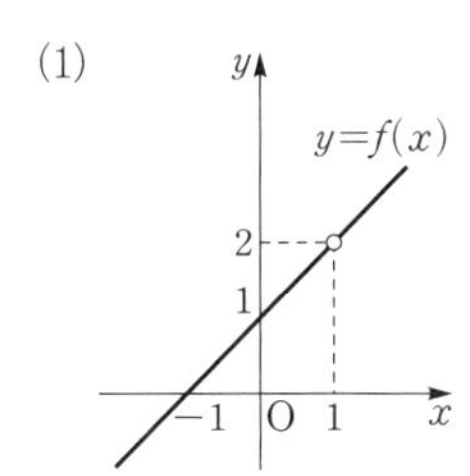

(2)

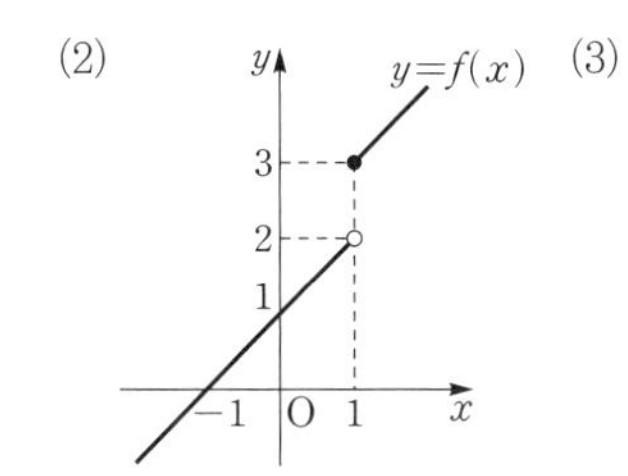

(3)

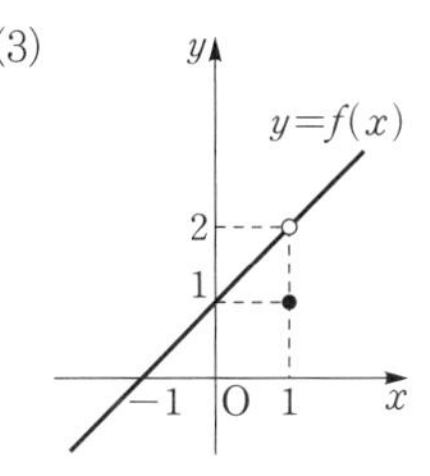

생각해 봅시다!

27 다음 함수가 $x=2$에서 연속인지 불연속인지 조사하시오.

(1) $f(x)=x-2$　　(2) $f(x)=\dfrac{1}{x-2}$

함수 $f(x)$가 $x=a$에서 연속인지 알아보려면
(i) 함숫값 $f(a)$가 존재하는지
(ii) 극한값 $\lim_{x\to a} f(x)$가 존재하는지
(iii) $\lim_{x\to a} f(x)=f(a)$인지
모두 확인한다.

28 다음 집합을 구간의 기호로 나타내시오.

(1) $\{x\,|\,-2\le x\le 1\}$　　(2) $\{x\,|\,-1<x<2\}$

(3) $\{x\,|\,0\le x<2\}$　　(4) $\{x\,|\,1<x\le 3\}$

(5) $\{x\,|\,x<-2\}$　　(6) $\{x\,|\,x\ge 3\}$

29 다음 함수의 정의역을 구간의 기호로 나타내시오.

(1) $f(x)=x^2+x$　　(2) $f(x)=\sqrt{x-1}$

함수의 연속과 불연속

더 다양한 문제는 RPM 수학 Ⅱ 26쪽

다음 함수가 $x=1$에서 연속인지 불연속인지 조사하시오.

(1) $f(x)=\begin{cases} 2x^2-1 & (x\geq 1) \\ x & (x<1) \end{cases}$ (2) $f(x)=\begin{cases} \dfrac{x^2+2x-3}{x-1} & (x\neq 1) \\ 2 & (x=1) \end{cases}$

풀이

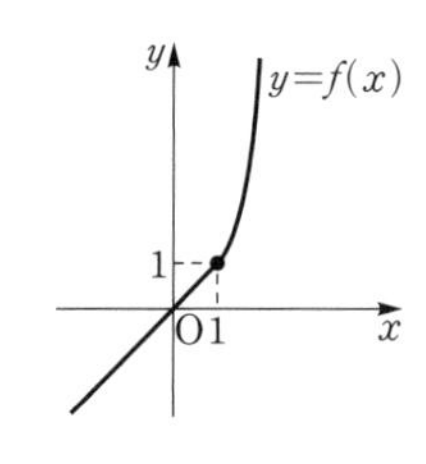

(1) (i) $x=1$에서의 함숫값은 $f(1)=1$

(ii) $\lim_{x\to 1+} f(x)=\lim_{x\to 1+}(2x^2-1)=1$, $\lim_{x\to 1-} f(x)=\lim_{x\to 1-} x=1$이므로

$\lim_{x\to 1} f(x)=1$

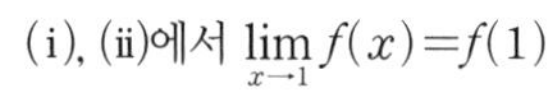

(i), (ii)에서 $\lim_{x\to 1} f(x)=f(1)$

따라서 함수 $f(x)$는 $x=1$에서 **연속**이다.

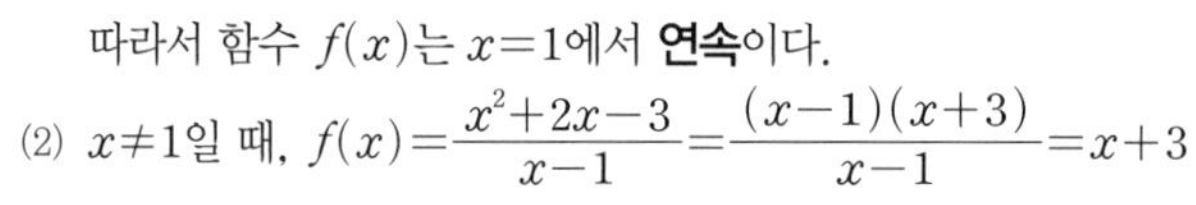

(2) $x\neq 1$일 때, $f(x)=\dfrac{x^2+2x-3}{x-1}=\dfrac{(x-1)(x+3)}{x-1}=x+3$

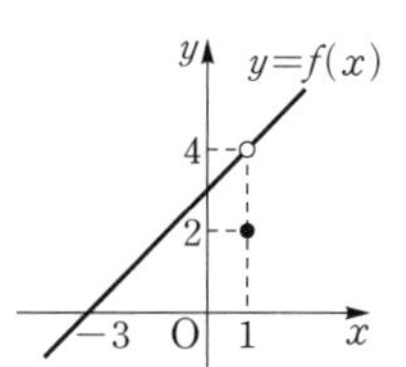

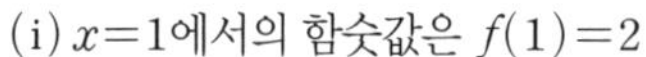

(i) $x=1$에서의 함숫값은 $f(1)=2$

(ii) $\lim_{x\to 1} f(x)=\lim_{x\to 1}(x+3)=4$

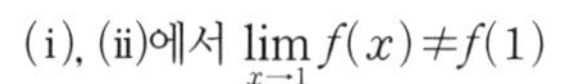

(i), (ii)에서 $\lim_{x\to 1} f(x)\neq f(1)$

따라서 함수 $f(x)$는 $x=1$에서 **불연속**이다.

KEY Point

- 함수 $f(x)$가 $x=a$에서 연속 ⇨ $\lim_{x\to a} f(x)=f(a)$
- 주어진 구간에서 그래프가 이어져 있으면 연속이고, 끊어져 있으면 불연속이다.

확인 체크 30 다음 함수가 $x=2$에서 연속인지 불연속인지 조사하시오.

(1) $f(x)=|x-2|$ (2) $f(x)=\dfrac{x^2+x-6}{x-2}$ (3) $f(x)=\dfrac{x^2-4}{|x-2|}$

(4) $f(x)=\begin{cases} \dfrac{x^2-3x+2}{x-2} & (x\neq 2) \\ 1 & (x=2) \end{cases}$ (5) $f(x)=\begin{cases} \sqrt{x-2} & (x\geq 2) \\ -1 & (x<2) \end{cases}$

필수예제 02 **함수의 그래프와 연속 (1)**

더 다양한 문제는 RPM 수학 Ⅱ 26, 27쪽

열린구간 $(-1, 4)$에서 정의된 함수 $y=f(x)$의 그래프가 오른쪽 그림과 같다. 이 구간에서 $f(x)$의 극한값이 존재하지 않는 x의 값의 개수를 a, $f(x)$가 불연속인 x의 값의 개수를 b라 할 때, $a+b$의 값을 구하시오.

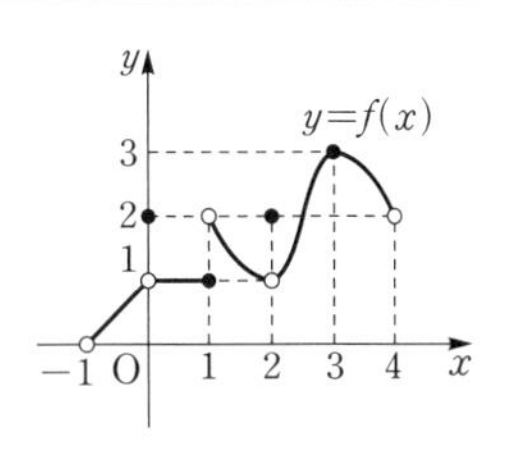

풀이

$x=0$, $x=1$, $x=2$, $x=3$에서 함수 $f(x)$의 연속성을 조사한다.

(i) $x=0$에서의 함숫값은 $f(0)=2$

$x \to 0$일 때의 극한값은 $\lim_{x\to 0+} f(x)=\lim_{x\to 0-} f(x)=1$

따라서 $\lim_{x\to 0} f(x) \neq f(0)$이므로 $f(x)$는 $x=0$에서 불연속이다.

(ii) $x \to 1$일 때의 극한값은

$\lim_{x\to 1+} f(x)=2$, $\lim_{x\to 1-} f(x)=1$이므로 $\lim_{x\to 1+} f(x) \neq \lim_{x\to 1-} f(x)$

따라서 $\lim_{x\to 1} f(x)$의 값이 존재하지 않으므로 $f(x)$는 $x=1$에서 불연속이다.

(iii) $x=2$에서의 함숫값은 $f(2)=2$

$x \to 2$일 때의 극한값은 $\lim_{x\to 2+} f(x)=\lim_{x\to 2-} f(x)=1$

따라서 $\lim_{x\to 2} f(x) \neq f(2)$이므로 $f(x)$는 $x=2$에서 불연속이다.

(iv) $x=3$에서의 함숫값은 $f(3)=3$

$x \to 3$일 때의 극한값은 $\lim_{x\to 3+} f(x)=\lim_{x\to 3-} f(x)=3$

따라서 $\lim_{x\to 3} f(x)=3$이므로 $\lim_{x\to 3} f(x)=f(3)$

즉, $f(x)$는 $x=3$에서 연속이다.

(i)~(iv)에서 $x=1$에서 극한값이 존재하지 않으므로 $a=1$

또, $x=0$, $x=1$, $x=2$에서 불연속이므로 $b=3$

$\therefore a+b=1+3=\mathbf{4}$

KEY Point

- **함수 $y=f(x)$의 그래프가 $x=a$에서 끊어져 있으면 $f(x)$는 $x=a$에서 불연속이다.**
- **극한값이 존재하지 않는 경우는 (우극한)$\neq$(좌극한)일 때이다.**

확인 체크 **31** 열린구간 $(0, 4)$에서 정의된 함수 $y=f(x)$의 그래프가 오른쪽 그림과 같다. 이 구간에서 $f(x)$의 극한값이 존재하지 않는 x의 값의 개수를 a, $f(x)$가 불연속인 x의 값의 개수를 b라 할 때, ab의 값을 구하시오.

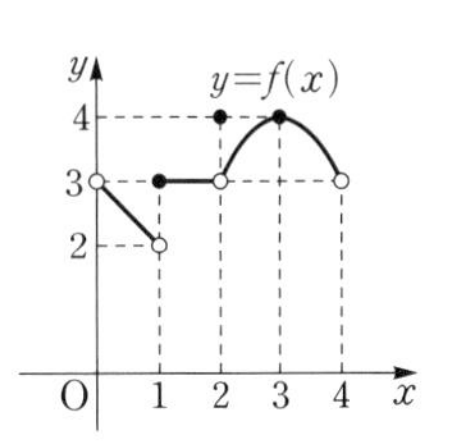

필수예제 03 함수의 그래프와 연속 (2)

더 다양한 문제는 RPM 수학 Ⅱ 26, 27쪽

두 함수 $y=f(x)$, $y=g(x)$의 그래프가 다음 그림과 같을 때, **보기** 중 $x=2$에서 연속인 함수인 것만을 있는 대로 고르시오.

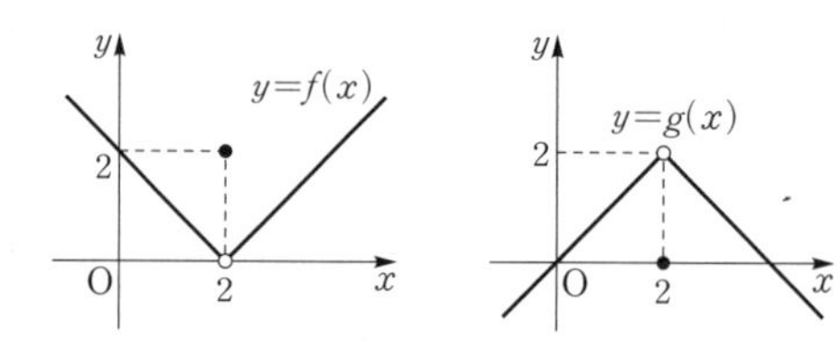

보기

ㄱ. $f(x)g(x)$　　ㄴ. $g(f(x))$　　ㄷ. $f(g(x))$

풀이

ㄱ. $x=2$에서의 함숫값은 $f(2)g(2)=2\cdot 0=0$

$x\to 2$일 때의 극한값은 $\lim_{x\to 2+} f(x)g(x)=\lim_{x\to 2+} f(x)\cdot \lim_{x\to 2+} g(x)=0\cdot 2=0$

$\lim_{x\to 2-} f(x)g(x)=\lim_{x\to 2-} f(x)\cdot \lim_{x\to 2-} g(x)=0\cdot 2=0$

따라서 $\lim_{x\to 2} f(x)g(x)=0$이므로 $\lim_{x\to 2} f(x)g(x)=f(2)g(2)$

즉, $f(x)g(x)$는 $x=2$에서 연속이다.

ㄴ. $x=2$에서의 함숫값은 $g(f(2))=g(2)=0$

$f(x)=t$로 놓으면 $x\to 2+$일 때 $t\to 0+$이고, $x\to 2-$일 때 $t\to 0+$이므로

$\lim_{x\to 2+} g(f(x))=\lim_{t\to 0+} g(t)=0$, $\lim_{x\to 2-} g(f(x))=\lim_{t\to 0+} g(t)=0$

따라서 $\lim_{x\to 2} g(f(x))=0$이므로 $\lim_{x\to 2} g(f(x))=g(f(2))$

즉, $g(f(x))$는 $x=2$에서 연속이다.

ㄷ. $x=2$에서의 함숫값은 $f(g(2))=f(0)=2$

$g(x)=t$로 놓으면 $x\to 2+$일 때 $t\to 2-$이고, $x\to 2-$일 때 $t\to 2-$이므로

$\lim_{x\to 2+} f(g(x))=\lim_{t\to 2-} f(t)=0$, $\lim_{x\to 2-} f(g(x))=\lim_{t\to 2-} f(t)=0$

따라서 $\lim_{x\to 2} f(g(x))=0$이므로 $\lim_{x\to 2} f(g(x))\neq f(g(2))$

즉, $f(g(x))$는 $x=2$에서 불연속이다.

그러므로 $x=2$에서 연속인 함수는 **ㄱ, ㄴ**이다.

32 두 함수 $y=f(x)$, $y=g(x)$의 그래프가 오른쪽 그림과 같을 때, 다음 **보기** 중 $x=0$에서 연속인 함수인 것만을 있는 대로 고르시오.

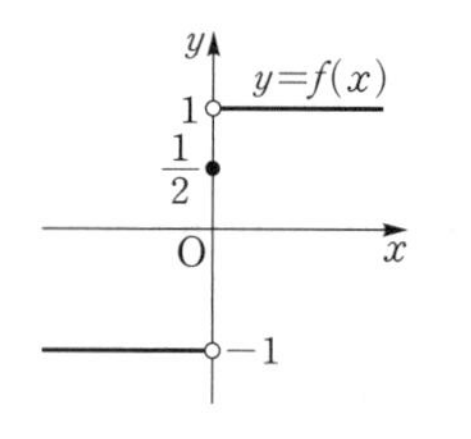

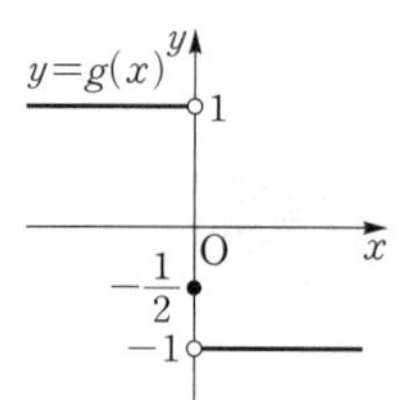

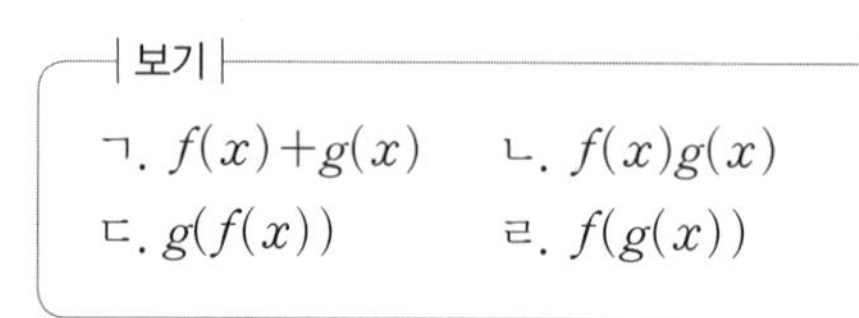

보기

ㄱ. $f(x)+g(x)$　　ㄴ. $f(x)g(x)$

ㄷ. $g(f(x))$　　ㄹ. $f(g(x))$

필수예제 04 함수가 연속일 조건

더 다양한 문제는 RPM 수학 Ⅱ 28쪽

함수 $f(x)=\begin{cases} \dfrac{x^2+ax+b}{x+2} & (x\neq-2) \\ 5 & (x=-2) \end{cases}$ 가 $x=-2$에서 연속이 되도록 하는 상수 a, b의 값을 구하시오.

풀이 함수 $f(x)$가 $x=-2$에서 연속이려면 $\lim_{x\to-2}f(x)=f(-2)$이어야 하므로

$\lim_{x\to-2}\dfrac{x^2+ax+b}{x+2}=5$ ...... ㉠

$x\to-2$일 때 (분모)$\to0$이고 극한값이 존재하므로 (분자)$\to0$이다.

즉, $\lim_{x\to-2}(x^2+ax+b)=0$이므로

$4-2a+b=0$ $\therefore b=2a-4$ ...... ㉡

㉡을 ㉠에 대입하면

$$\lim_{x\to-2}\frac{x^2+ax+2a-4}{x+2}=\lim_{x\to-2}\frac{(x+2)(x-2+a)}{x+2}$$
$$=\lim_{x\to-2}(x-2+a)=-4+a$$

$-4+a=5$이므로 $a=9$

$a=9$를 ㉡에 대입하면 $b=14$

$\therefore$ $\boldsymbol{a=9, b=14}$

KEY Point

- **함수 $f(x)=\begin{cases} g(x) & (x\neq a) \\ k & (x=a) \end{cases}$가 $x=a$에서 연속이려면**
  ⇨ $\lim_{x\to a}g(x)=k$

33 함수 $f(x)=\begin{cases} \dfrac{x^2+2ax+3}{x+1} & (x\neq-1) \\ b & (x=-1) \end{cases}$가 $x=-1$에서 연속이 되도록 하는 상수 a, b에 대하여 $a+b$의 값을 구하시오.

34 함수 $f(x)=\begin{cases} \dfrac{a\sqrt{x^2+8}-b}{x-1} & (x\neq1) \\ \dfrac{a-1}{2} & (x=1) \end{cases}$이 모든 실수 x에서 연속이 되도록 하는 상수 a, b에 대하여 $b-a$의 값을 구하시오.

필수예제 05 $(x-a)f(x)=g(x)$ 꼴의 함수의 연속

더 다양한 문제는 RPM 수학 Ⅱ 29쪽

모든 실수 x에 대하여 연속인 함수 $f(x)$가

$$(x-2)f(x)=x^2+ax-12$$

를 만족시킬 때, 상수 a의 값과 $f(2)$의 값을 구하시오.

풀이

$x\neq 2$일 때, $f(x)=\dfrac{x^2+ax-12}{x-2}$

함수 $f(x)$가 모든 실수 x에 대하여 연속이므로 $x=2$에서도 연속이다.

$\therefore\ f(2)=\lim\limits_{x\to 2}f(x)=\lim\limits_{x\to 2}\dfrac{x^2+ax-12}{x-2}$

$x\to 2$일 때 (분모)$\to 0$이고 극한값이 존재하므로 (분자)$\to 0$이다.

즉, $\lim\limits_{x\to 2}(x^2+ax-12)=0$이므로

$4+2a-12=0\qquad \therefore\ \boldsymbol{a=4}$

$$\begin{aligned}\therefore\ \boldsymbol{f(2)}&=\lim_{x\to 2}\frac{x^2+4x-12}{x-2}\\&=\lim_{x\to 2}\frac{(x-2)(x+6)}{x-2}\\&=\lim_{x\to 2}(x+6)=\boldsymbol{8}\end{aligned}$$

KEY Point

- **모든 실수 x에 대하여 연속인 두 함수 $f(x)$, $g(x)$가 $(x-a)f(x)=g(x)$를 만족시키면**
  ⇨ $f(a)=\lim\limits_{x\to a}\dfrac{g(x)}{x-a}$

35 $x\geq -15$인 모든 실수 x에 대하여 연속인 함수 $f(x)$가 $(x-1)f(x)=\sqrt{x+15}-4$를 만족시킬 때, $f(1)$의 값을 구하시오.

36 모든 실수 x에 대하여 연속인 함수 $f(x)$가 $(x^2-x-2)f(x)=x^4+ax+b$를 만족시킬 때, $f(2)$의 값을 구하시오. (단, a, b는 상수)

연습문제

STEP 1

생각해 봅시다!

35 오른쪽 그림은 함수 $y=f(x)$의 그래프이고 이 함수는 $x=a$에서 불연속이다. 다음 중 그 이유로 알맞은 것은?

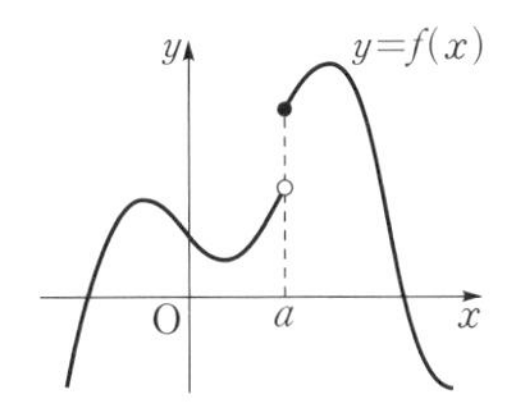

① $f(a)$의 값이 존재하지 않는다.

② $\lim_{x \to a+} f(x)$의 값이 존재하지 않는다.

③ $\lim_{x \to a-} f(x)$의 값이 존재하지 않는다.

④ $\lim_{x \to a} f(x)$의 값이 존재하지 않는다.

⑤ $\lim_{x \to a} f(x)$와 $f(a)$의 값이 존재하지만 $\lim_{x \to a} f(x) \neq f(a)$이다.

$x=a$에서 연속이면 $\lim_{x \to a} f(x)=f(a)$

36 다음 중 $x=0$에서 불연속인 함수를 모두 고르면? (단, $[x]$는 x보다 크지 않은 최대의 정수이다.)

① $f(x)=x|x|$

② $f(x)=x[x]$

③ $f(x)=\begin{cases} \dfrac{|x|}{x} & (x \neq 0) \\ 1 & (x=0) \end{cases}$

④ $f(x)=\begin{cases} x^2+1 & (x \neq 0) \\ 1 & (x=0) \end{cases}$

⑤ $f(x)=\begin{cases} \dfrac{x^2-3x}{x^2+x} & (x \neq 0) \\ 3 & (x=0) \end{cases}$

$-1<x<0$일 때, $[x]=-1$
$0<x<1$일 때, $[x]=0$

37 함수 $f(x)=\begin{cases} x^3+bx+2 & (x>-1) \\ 2 & (x=-1) \\ -x^2+x+a & (x<-1) \end{cases}$가 모든 실수 x에서 연속이 되도록 하는 상수 a, b에 대하여 ab의 값을 구하시오.

함수 $f(x)$가 모든 실수 x에서 연속이려면 $x=-1$에서 연속이어야 한다.

38 함수 $f(x)=\begin{cases} \dfrac{\sqrt{1+x}-\sqrt{1-x}}{x} & (x \neq 0) \\ a & (x=0) \end{cases}$가 $x=0$에서 연속이 되도록 하는 상수 a의 값을 구하시오.

• 연습문제

39 실수 전체의 집합에서 연속인 함수 $f(x)$가 $\lim_{x\to1}\frac{(x^3-1)f(x)}{x-1}=12$를 만족시킬 때, $f(1)$의 값을 구하시오.

함수 $f(x)$가 실수 전체의 집합에서 연속
⇨ $\lim_{x\to1}f(x)=f(1)$

STEP 2

40 열린구간 $(-2,\ 2)$에서 정의된 함수 $y=f(x)$의 그래프가 오른쪽 그림과 같을 때, 다음 **보기** 중에서 옳은 것만을 있는 대로 고르시오.

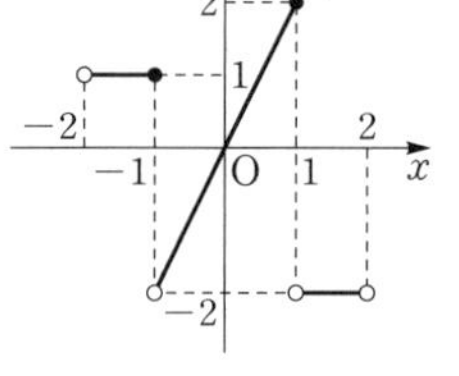
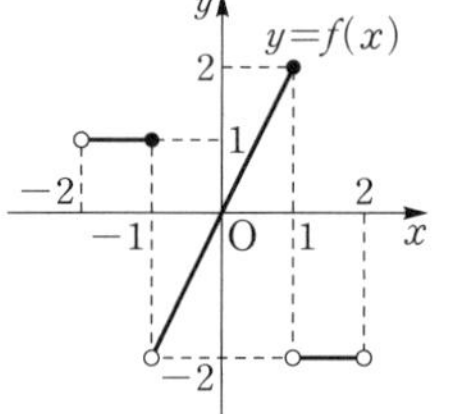

보기

ㄱ. $\lim_{x\to-1-}f(x)>0$

ㄴ. $\lim_{x\to1-}f(-x)<0$

ㄷ. 열린구간 $(-2,\ 2)$에서 함수 $|f(x)|$가 불연속인 x의 값의 개수는 1이다.

41 두 함수 $y=f(x)$, $y=g(x)$의 그래프가 다음 그림과 같을 때, **보기** 중에서 옳은 것만을 있는 대로 고르시오.

합성함수 $f(g(x))$의 연속은 $g(x)$를 t로 놓고 함수 $f(t)$에서 생각한다.

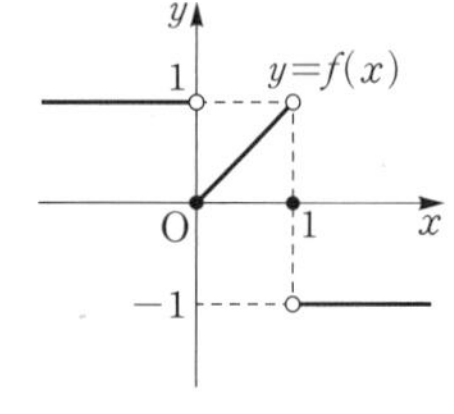

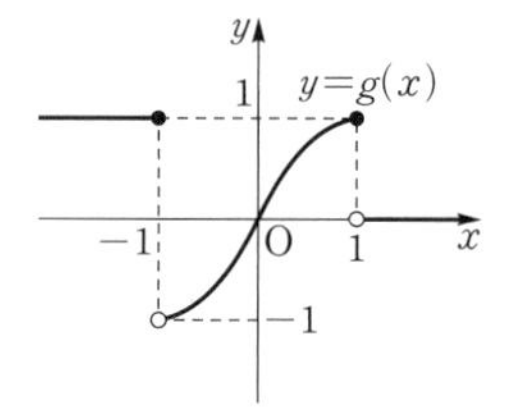

보기

ㄱ. $\lim_{x\to1-}f(g(x))=1$

ㄴ. 함수 $f(x)g(x)$는 $x=1$에서 불연속이다.

ㄷ. 함수 $g(f(x))$는 $x=0$에서 연속이다.

42 함수 $f(x)=\begin{cases}\frac{x^3+ax+b}{(x-1)^2} & (x\neq1)\\ c & (x=1)\end{cases}$가 $x=1$에서 연속이 되도록 하는 상수 a, b, c에 대하여 $a+b+c$의 값을 구하시오.

$\lim_{x\to1}f(x)=f(1)$

43 함수 $f(x)=\begin{cases} \dfrac{|x|-1}{x^2-1} & (x\neq 1) \\ a & (x=1) \end{cases}$ 가 $x=1$에서 연속이 되도록 하는 상수 a의 값을 구하시오.

44 함수 $f(x)=\begin{cases} ax+1 & (x\leq -1 \text{ 또는 } x\geq 2) \\ x^2-2x+b & (-1<x<2) \end{cases}$ 가 열린구간 $(-\infty, \infty)$에서 연속이 되도록 하는 상수 a, b에 대하여 $2a+b$의 값을 구하시오.

$x=-1$, $x=2$에서 연속

[교육청기출]

45 함수 $f(x)=\begin{cases} \dfrac{\sqrt{ax}-b}{x-1} & (x\neq 1) \\ 2 & (x=1) \end{cases}$ 가 $x=1$에서 연속이 되도록 하는 상수 a, b에 대하여 $a+b$의 값을 구하시오.

46 모든 실수 x에 대하여 연속인 함수 $f(x)$가 $(x+2)f(x)=ax^2-bx$, $f(-2)=2$를 만족시킬 때, 상수 a, b에 대하여 $a+b$의 값을 구하시오.

실력 UP

47 열린구간 $(0, 2)$에서 정의된 함수 $f(x)=[x^2]$이 불연속인 x의 값의 개수를 구하시오. (단, $[x]$는 x보다 크지 않은 최대의 정수이다.)

함수 $y=[x]$의 그래프

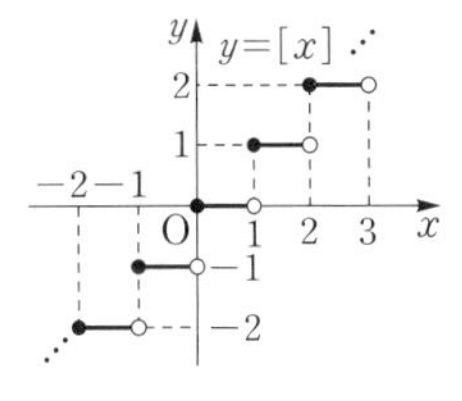

실력 UP

48 닫힌구간 $[0, 4]$에서

$$f(x)=\begin{cases} 2x-4 & (0\leq x<2) \\ x^2+ax+b & (2\leq x\leq 4) \end{cases}$$

로 정의되고, 모든 실수 x에 대하여 $f(x)=f(x+4)$를 만족시키는 함수 $f(x)$가 실수 전체의 집합에서 연속일 때, $f(11)$의 값을 구하시오.

(단, a, b는 상수)

02 연속함수의 성질

개념원리 이해

1. 연속함수의 성질 ▷ 필수예제 6

두 함수 $f(x)$, $g(x)$가 $x=a$에서 연속이면 다음 함수도 $x=a$에서 연속이다.

(1) $kf(x)$ (단, k는 상수)
(2) $f(x)+g(x)$, $f(x)-g(x)$
(3) $f(x)g(x)$
(4) $\dfrac{f(x)}{g(x)}$ (단, $g(a)\neq 0$)

▶ 보충학습 1 참조

설명 두 함수 $f(x)$, $g(x)$가 $x=a$에서 연속이면 $\lim_{x\to a} f(x)=f(a)$, $\lim_{x\to a} g(x)=g(a)$이므로

함수의 극한에 대한 성질에 의하여

$$\lim_{x\to a} kf(x)=k\lim_{x\to a} f(x)=kf(a) \text{ (단, } k\text{는 상수)}$$

$$\lim_{x\to a}\{f(x)+g(x)\}=\lim_{x\to a} f(x)+\lim_{x\to a} g(x)=f(a)+g(a)$$

$$\lim_{x\to a}\{f(x)-g(x)\}=\lim_{x\to a} f(x)-\lim_{x\to a} g(x)=f(a)-g(a)$$

$$\lim_{x\to a} f(x)g(x)=\lim_{x\to a} f(x)\cdot\lim_{x\to a} g(x)=f(a)g(a)$$

가 된다. 또한, $g(a)\neq 0$이면 $\lim_{x\to a}\dfrac{f(x)}{g(x)}=\dfrac{\lim_{x\to a} f(x)}{\lim_{x\to a} g(x)}=\dfrac{f(a)}{g(a)}$

2. 최대 · 최소 정리 ▷ 필수예제 7

함수 $f(x)$가 닫힌구간 $[a, b]$에서 연속이면 $f(x)$는 이 구간에서 반드시 최댓값과 최솟값을 갖는다.

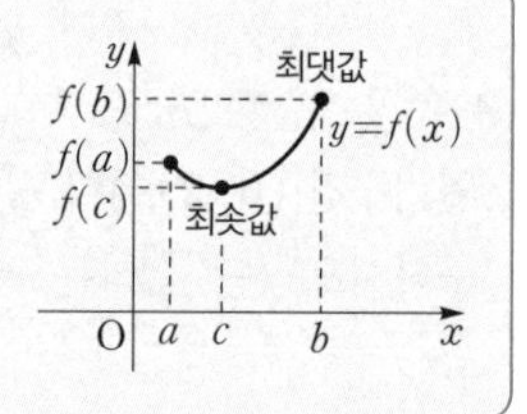

▶ 보충학습 2, 3 참조

3. 사잇값의 정리

함수 $f(x)$가 닫힌구간 $[a, b]$에서 연속이고 $f(a)\neq f(b)$일 때,
$f(a)$와 $f(b)$ 사이의 임의의 값 k에 대하여

$$f(c)=k$$

인 c가 열린구간 (a, b)에 적어도 하나 존재한다.

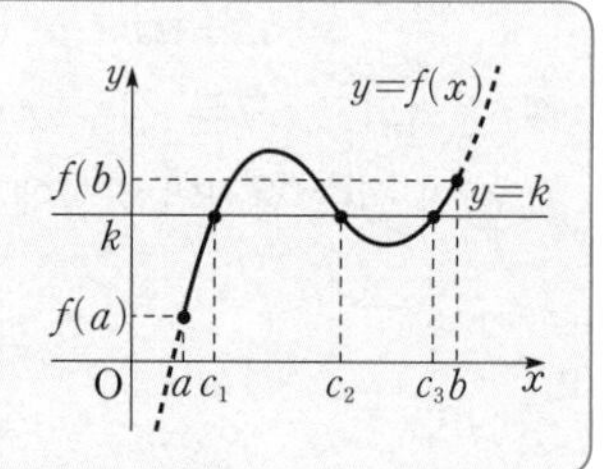

설명 오른쪽 그림과 같이 함수 $f(x)$가 닫힌구간 $[a, b]$에서 연속이고 $f(a) \neq f(b)$이면 $f(a)$와 $f(b)$ 사이의 임의의 값 k에 대하여 x축에 평행한 직선 $y=k$와 함수 $y=f(x)$의 그래프는 적어도 한 점에서 만난다. 즉, $f(c)=k$인 c가 열린구간 (a, b)에 적어도 하나 존재한다. 이를 사잇값의 정리라 한다.

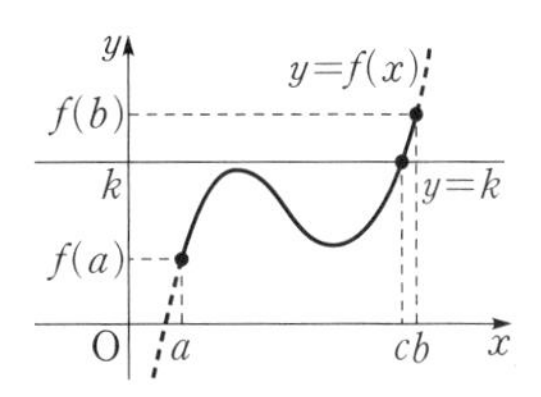

4. 사잇값의 정리의 활용 ▷ 필수예제 8, 9

함수 $f(x)$가 닫힌구간 $[a, b]$에서 연속이고 $f(a)$와 $f(b)$의 부호가 서로 다르면, 즉 $\boldsymbol{f(a)f(b)<0}$이면 방정식 $f(x)=0$은 열린구간 (a, b)에서 적어도 **하나의 실근**을 갖는다.

설명 오른쪽 그림과 같이 $f(a)$와 $f(b)$의 부호가 서로 다르면 함수 $y=f(x)$의 그래프는 x축과의 교점을 갖는다. 그런데 함수 $y=f(x)$의 그래프와 직선 $y=0$(x축)의 교점의 x좌표가 방정식 $f(x)=0$의 실근이 되므로 $f(a)f(b)<0$이면 방정식 $f(x)=0$은 열린구간 (a, b)에서 적어도 하나의 실근을 가짐을 알 수 있다.

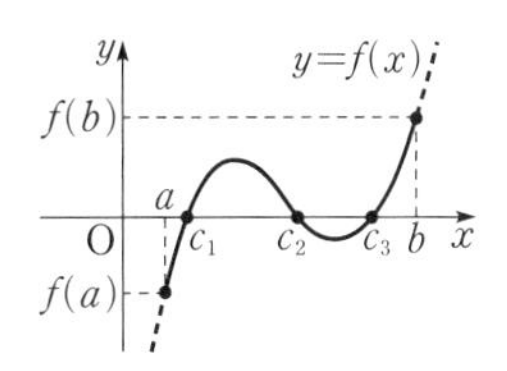

보충학습

1. 다항함수 $f(x)=a_nx^n+a_{n-1}x^{n-1}+\cdots+a_1x+a_0$($a_n$, a_{n-1}, $\cdots$, a_1, a_0은 상수)은 모든 실수 x에서 연속임을 보이시오.

함수 $y=x$는 모든 실수에서 연속이므로 x의 거듭제곱으로 표시되는 함수 x^2, x^3, x^4, $\cdots$, x^n은 각각 $x^2=x\cdot x$, $x^3=x\cdot x^2$, $x^4=x\cdot x^3$, $\cdots$, $x^n=x\cdot x^{n-1}$으로서 연속함수의 성질 (3)에 의하여 모든 실수 x에서 연속이고 이들 함수에 상수를 곱하여 얻은 함수의 합으로 나타내어지는 다항함수

$$f(x)=a_nx^n+a_{n-1}x^{n-1}+\cdots+a_1x+a_0$$

은 연속함수의 성질 (1), (2)에 의하여 모든 실수 x에서 연속이다.

2. 닫힌구간이 아닌 구간에서는 최댓값과 최솟값이 존재하지 않을 수도 있다.

닫힌구간 $[a, b]$에서 연속인 함수는 그 구간에서 반드시 최댓값과 최솟값을 갖지만 닫힌구간이 아닌 경우, 즉 $[a, b)$, $(a, b]$, (a, b)일 때는 최댓값과 최솟값이 존재하지 않을 수도 있다.

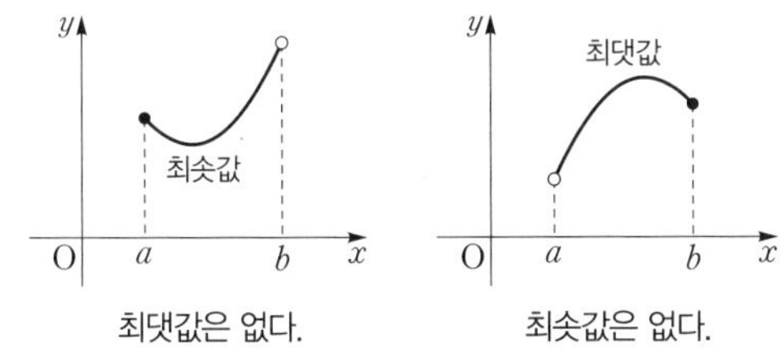

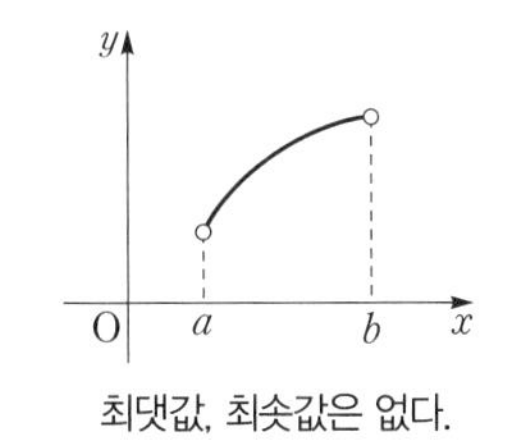

3. 불연속인 함수는 최대 · 최소 정리가 성립하지 않는다.

함수 $f(x)$가 닫힌구간 $[a, b]$에서 정의되더라도 연속함수가 아닌 경우, 즉 오른쪽 그림과 같이 $x=c$에서 불연속일 때에는 최솟값은 있지만 최댓값은 없다. 따라서 최대 · 최소 정리가 성립하지 않는다.

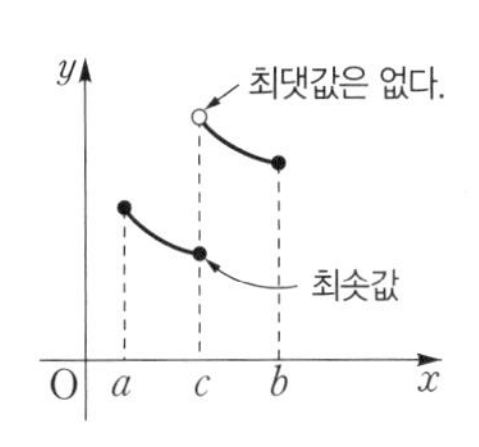

필수예제 06 연속함수의 성질

더 다양한 문제는 RPM 수학 Ⅱ 30쪽

두 함수 $f(x)=x^2-3$, $g(x)=x^2-4x-5$에 대하여 다음 함수가 연속인 구간을 구하시오.

(1) $f(x)-3g(x)$ (2) $f(x)g(x)$ (3) $\dfrac{f(x)}{g(x)}$ (4) $\dfrac{1}{f(x)-g(x)}$

풀이

(1) $f(x)$는 다항함수이고, $3g(x)$도 다항함수이므로 $f(x)-3g(x)$는 다항함수이다.
따라서 열린구간 $(-\infty, \infty)$에서 연속이다.

(2) $f(x)$, $g(x)$가 모두 다항함수이므로 $f(x)g(x)$는 다항함수이다.
따라서 열린구간 $(-\infty, \infty)$에서 연속이다.

(3) $\dfrac{f(x)}{g(x)}=\dfrac{x^2-3}{x^2-4x-5}=\dfrac{x^2-3}{(x+1)(x-5)}$

따라서 $\dfrac{f(x)}{g(x)}$는 $(x+1)(x-5)\neq 0$, 즉 $x\neq -1$, $x\neq 5$인 모든 실수에서 연속이므로
열린구간 $(-\infty, -1)$, $(-1, 5)$, $(5, \infty)$에서 연속이다.

(4) $\dfrac{1}{f(x)-g(x)}=\dfrac{1}{4x+2}$

따라서 $\dfrac{1}{f(x)-g(x)}$은 $4x+2\neq 0$, 즉 $x\neq -\dfrac{1}{2}$인 모든 실수에서 연속이므로
열린구간 $\left(-\infty, -\dfrac{1}{2}\right)$, $\left(-\dfrac{1}{2}, \infty\right)$에서 연속이다.

KEY Point

- 두 함수 $f(x)$, $g(x)$가 $x=a$에서 연속이면 다음 함수도 $x=a$에서 연속이다.
  ① $kf(x)$ (단, k는 상수) ② $f(x)+g(x)$, $f(x)-g(x)$
  ③ $f(x)g(x)$ ④ $\dfrac{f(x)}{g(x)}$ (단, $g(a)\neq 0$)

확인체크 37 두 함수 $f(x)$, $g(x)$가 $x=a$에서 연속일 때, 다음 보기 중 $x=a$에서 항상 연속인 함수인 것만을 있는 대로 고르시오. (단, $f(x)$의 치역은 $g(x)$의 정의역에 포함된다.)

보기

ㄱ. $2f(x)+3g(x)$ ㄴ. $f(x)+\dfrac{g(x)}{f(x)}$

ㄷ. $\{f(x)\}^2$ ㄹ. $g(f(x))$

더 다양한 문제는 RPM 수학 Ⅱ 30쪽

필수예제 07 최대 · 최소 정리

주어진 구간에서 다음 함수 $f(x)$의 최댓값과 최솟값을 구하시오.

(1) $f(x)=-x^2+2x+3$ $[-2, 2]$　　(2) $f(x)=\dfrac{2}{x-2}$ $[3, 5]$

풀이 (1) 함수 $f(x)=-x^2+2x+3$은 닫힌구간 $[-2, 2]$에서 연속이고 닫힌구간 $[-2, 2]$에서 함수 $y=f(x)$의 그래프는 오른쪽 그림과 같다.

따라서 $f(x)$는 $x=1$에서 **최댓값 4**, $x=-2$에서 **최솟값 -5**를 갖는다.

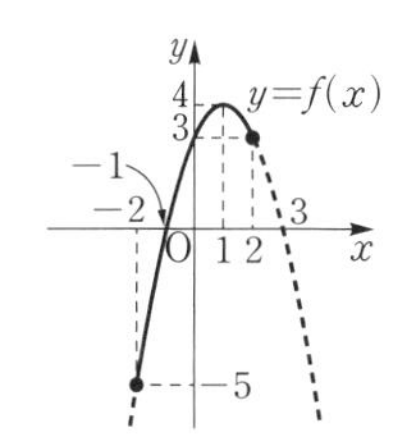

(2) 함수 $f(x)=\dfrac{2}{x-2}$는 닫힌구간 $[3, 5]$에서 연속이고 닫힌구간 $[3, 5]$에서 함수 $y=f(x)$의 그래프는 오른쪽 그림과 같다.

따라서 $f(x)$는 $x=3$에서 **최댓값 2**, $x=5$에서 **최솟값 $\dfrac{2}{3}$**를 갖는다.

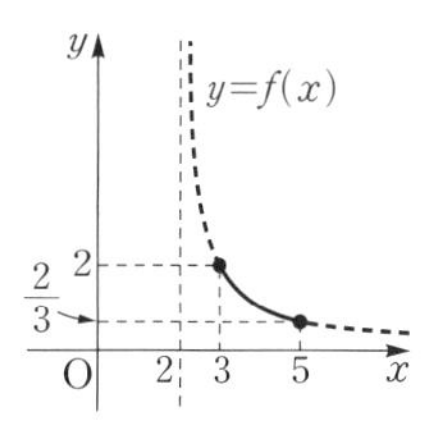

KEY Point

- 함수 $f(x)$가 닫힌구간 $[a, b]$에서 연속이면 $f(x)$는 이 구간에서 반드시 최댓값과 최솟값을 갖는다.

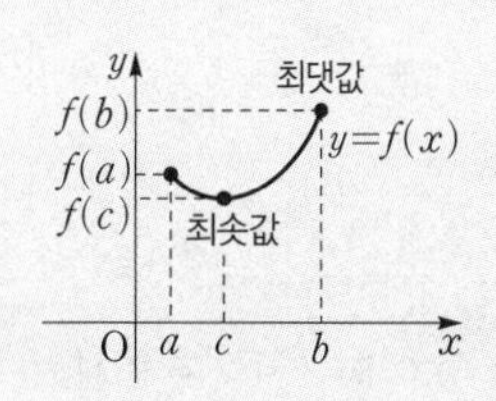

확인 체크

38 주어진 구간에서 다음 함수 $f(x)$의 최댓값과 최솟값을 구하시오.

(1) $f(x)=|x|$ $[-1, 3]$　　(2) $f(x)=\sqrt{8-2x}$ $[-4, 2]$

39 주어진 구간에서 다음 함수 $f(x)$가 최댓값과 최솟값을 가지면 그 값을 구하시오.

(1) $f(x)=x^2-4x+7$ $(1, 4)$　　(2) $f(x)=\dfrac{2x+1}{x-1}$ $(1, 4]$

필수예제 08 사잇값의 정리 (1)

더 다양한 문제는 RPM 수학 II 31쪽

방정식 $x^3-2x^2-1=0$이 열린구간 $(2, 3)$에서 적어도 하나의 실근을 가짐을 보이시오.

풀이 $f(x)=x^3-2x^2-1$로 놓으면 함수 $f(x)$는 닫힌구간 $[2, 3]$에서 연속이고
$f(2)=-1<0$, $f(3)=8>0$
이므로 사잇값의 정리에 의하여 방정식 $f(x)=0$은 열린구간 $(2, 3)$에서 적어도 하나의 실근을 갖는다.

필수예제 09 사잇값의 정리 (2)

더 다양한 문제는 RPM 수학 II 31쪽

모든 실수 x에서 연속인 함수 $f(x)$에 대하여 $f(-1)=2$, $f(0)=-5$, $f(1)=1$, $f(2)=-3$일 때, 방정식 $f(x)=0$은 열린구간 $(-1, 2)$에서 적어도 몇 개의 실근을 갖는지 구하시오.

풀이 함수 $f(x)$는 모든 실수 x에서 연속이므로 닫힌구간 $[-1, 2]$에서 연속이다.
$f(-1)f(0)<0$, $f(0)f(1)<0$, $f(1)f(2)<0$
사잇값의 정리에 의하여 방정식 $f(x)=0$은 열린구간 $(-1, 0)$, $(0, 1)$, $(1, 2)$에서 각각 적어도 하나의 실근을 갖는다.
따라서 열린구간 $(-1, 2)$에서 적어도 **3개**의 실근을 갖는다.

KEY Point

- **함수 $f(x)$가 닫힌구간 $[a, b]$에서 연속이고 $f(a)f(b)<0$일 때, 방정식 $f(x)=0$은 열린구간 (a, b)에서 적어도 하나의 실근을 갖는다.**

40 다음 방정식이 주어진 구간에서 적어도 하나의 실근을 가짐을 보이시오.

(1) $3x^3-2x^2+1=0$ $(-3, 3)$　　(2) $x^4+x^3-9x+1=0$ $(1, 3)$

41 모든 실수 x에서 연속인 함수 $f(x)$에 대하여 $f(-2)=-2$, $f(-1)=2$, $f(0)=4$, $f(1)=-1$, $f(2)=-3$, $f(3)=-1$일 때, 방정식 $f(x)=0$은 열린구간 $(-2, 3)$에서 적어도 몇 개의 실근을 갖는지 구하시오.

연습문제

STEP 1

생각해 봅시다!

49 두 함수 $f(x)=x^2$, $g(x)=2x+3$에 대하여 함수 $h(x)=\dfrac{f(x)}{f(x)-g(x)}$가 연속인 구간을 구하시오.

50 닫힌구간 $[1, 3]$에서 함수 $f(x)=\dfrac{4x}{x+1}$의 최댓값을 M, 최솟값을 m이라 할 때, $M+m$의 값을 구하시오.

51 방정식 $x^3+x-9=0$은 오직 하나의 실근 α를 갖는다. 다음 열린구간 중 α가 존재하는 구간은?

① $(0, 1)$ ② $(1, 2)$ ③ $(2, 3)$ ④ $(3, 4)$ ⑤ $(4, 5)$

52 모든 실수 x에서 연속인 함수 $f(x)$에 대하여 $f(-2)=-1$, $f(-1)=-2$, $f(0)=1$, $f(1)=-2$, $f(2)=-\dfrac{1}{2}$일 때, 방정식 $f(x)=x$는 열린구간 $(-2, 2)$에서 적어도 몇 개의 실근을 갖는지 구하시오.

$g(x)=f(x)-x$로 놓는다.

STEP 2

53 두 함수 $f(x)=\begin{cases} 3x & (x\geq 1) \\ -x+2 & (x<1) \end{cases}$, $g(x)=x^2+k$에 대하여 함수 $f(x)g(x)$가 모든 실수 x에서 연속이 되도록 하는 상수 k의 값을 구하시오.

54 $\displaystyle\lim_{x\to 1}\frac{f(x)}{x-1}=\frac{1}{2}$, $\displaystyle\lim_{x\to 2}\frac{f(x)}{x-2}=\frac{1}{2}$을 만족시키는 다항함수 $f(x)$에 대하여 방정식 $f(x)=0$의 실근 중에서 닫힌구간 $[1, 2]$에 존재하는 것은 적어도 몇 개인지 구하시오.

$x=a$가 방정식 $f(x)=0$의 근이면 $f(a)=0$

Take a Break

내가 강하다고 믿기 때문에 나는 강하다.

유명한 영국의 정신병리학자 J. A 하드필드는 악력계를 사용해서 정신 암시가 미치는 영향을 실험한 적이 있습니다.
우선, 아무런 암시도 주지 않은 상태로 악력을 측정하였습니다. 101파운드였습니다.
다음에는 그에게 최면을 걸어 '당신은 약하다.'라는 암시를 준 후 악력을 측정하였습니다.
결과는 29파운드로 앞서 측정한 결과의 3분의 1 이하로 떨어진 수치였죠.
마지막으로 '당신은 강하다.'는 암시를 준 후 다시 악력을 측정하였습니다.
그러자 142파운드라는 결과가 나왔답니다.

여러분들도 스스로 강하다는 암시를 주어 보세요.

「지치고 힘들 때 읽는 책」 중에서

미분

01 미분계수

1. 미분계수와 도함수

개념원리 이해

1. 평균변화율 ▷ 필수예제 1

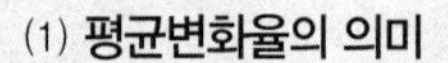

(1) **평균변화율의 의미**

함수 $y=f(x)$에서 x의 값이 a에서 b까지 변할 때, **평균변화율**은

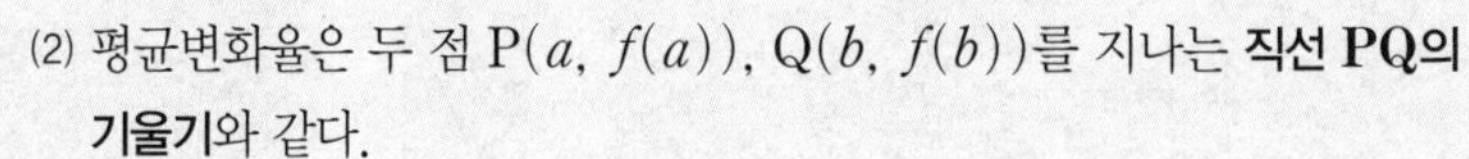

$$\frac{\Delta y}{\Delta x}=\frac{f(b)-f(a)}{b-a}=\frac{f(a+\Delta x)-f(a)}{\Delta x}$$

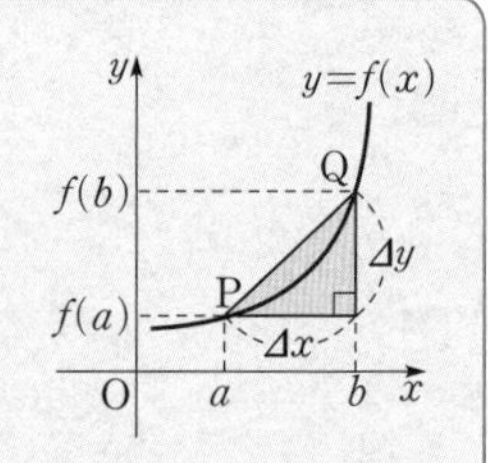

(2) 평균변화율은 두 점 $\mathrm{P}(a,\ f(a))$, $\mathrm{Q}(b,\ f(b))$를 지나는 **직선 PQ의 기울기**와 같다.

▶ Δx의 Δ는 차를 뜻하는 영어 Difference의 첫 글자 D에 해당하는 그리스 문자로 델타(delta)라 읽는다.

설명 함수 $y=f(x)$에서 x의 값의 변화량 $b-a$를 x의 증분이라 하고, 이것을 기호 Δx로 나타낸다.
또, y의 값의 변화량 $f(b)-f(a)$를 y의 증분이라 하고, 기호 Δy로 나타낸다. 즉,

$$\Delta x=b-a,\ \Delta y=f(b)-f(a)$$

이때 x의 증분 Δx에 대한 y의 증분 Δy의 비율

$$\frac{\Delta y}{\Delta x}=\frac{f(b)-f(a)}{b-a}=\frac{f(a+\Delta x)-f(a)}{\Delta x}$$

를 x의 값이 a에서 b까지 변할 때의 함수 $y=f(x)$의 평균변화율이라 한다.

예 함수 $f(x)=2x^2-2x$에서 x의 값이 1에서 3까지 변할 때의 평균변화율은

$$\frac{\Delta y}{\Delta x}=\frac{f(3)-f(1)}{3-1}=\frac{(2\cdot 3^2-2\cdot 3)-(2\cdot 1^2-2\cdot 1)}{2}=\frac{12}{2}=6$$

2. 미분계수 ▷ 필수예제 1~3

함수 $y=f(x)$의 $x=a$에서의 미분계수 $f'(a)$는

$$f'(a)=\lim_{\Delta x\to 0}\frac{f(a+\Delta x)-f(a)}{\Delta x}=\lim_{h\to 0}\frac{f(a+h)-f(a)}{h}=\lim_{x\to a}\frac{f(x)-f(a)}{x-a}$$

▶ ① $f'(a)$는 'f 프라임(prime) a'라 읽는다.

② $\lim_{■\to 0}\frac{f(a+■)-f(a)}{■}=f'(a)$ ← 분모가 한 개의 항으로 이루어진 꼴

{ ■ 부분이 서로 같아야 $f'(a)$가 된다.
만약 다르면 같게 만들어 준다.

③ $\lim_{■\to ●}\frac{f(■)-f(●)}{■-●}=f'(●)$ ← 분모가 두 개의 항으로 이루어진 꼴

{ ■는 ■끼리, ●는 ●끼리 서로 같아야 한다.
만약 다르면 같게 만들어 준다.

설명 함수 $y=f(x)$에서 x의 값이 a에서 $a+\Delta x$까지 변할 때의 평균변화율은

$$\frac{\Delta y}{\Delta x}=\frac{f(a+\Delta x)-f(a)}{\Delta x}$$

이다. 여기서 $\Delta x \to 0$일 때, 평균변화율의 극한값

$$\lim_{\Delta x \to 0}\frac{\Delta y}{\Delta x}=\lim_{\Delta x \to 0}\frac{f(a+\Delta x)-f(a)}{\Delta x}$$

가 존재하면 함수 $y=f(x)$는 $x=a$에서 미분가능하다고 한다. 이때 이 극한값을 함수 $y=f(x)$의 $x=a$에서의 미분계수 또는 순간변화율이라 하고, 기호 $f'(a)$로 나타낸다.

한편, $a+\Delta x=x$라 하면 $\Delta x=x-a$이고 $\Delta x \to 0$일 때 $x \to a$이므로

$$f'(a)=\lim_{\Delta x \to 0}\frac{f(a+\Delta x)-f(a)}{\Delta x}=\lim_{x \to a}\frac{f(x)-f(a)}{x-a}$$

로 나타낼 수 있다.

함수 $f(x)$가 어떤 열린구간에 속하는 모든 x에서 미분가능하면 함수 $f(x)$는 그 구간에서 미분가능하다고 한다.

특히, 함수 $f(x)$가 정의역에 속하는 모든 x에서 미분가능하면 함수 $f(x)$는 미분가능한 함수라 한다.

y, $y=f(x)$, Q, T, $f(a+\Delta x)$, Δy, P, $f(a)$, Δx, O, a, $a+\Delta x$, x

참고 (1) 분모가 한 개의 항으로 이루어진 꼴

① $\lim_{h \to 0}\frac{f(a+h)-f(a)}{h}=f'(a)$

② $\lim_{h \to 0}\frac{f(a+ph)-f(a)}{h}=pf'(a)$

③ $\lim_{h \to 0}\frac{f(a+ph)-f(a-qh)}{h}=(p+q)f'(a)$

예 $\lim_{h \to 0}\frac{f(7+h)-f(7)}{h}=f'(7)$, $\lim_{h \to 0}\frac{f(1+2h)-f(1)}{h}=2f'(1)$

(2) 분모가 두 개의 항으로 이루어진 꼴

① $\lim_{x \to a}\frac{f(x)-f(a)}{x-a}=f'(a)$

② $\lim_{x \to a}\frac{af(x)-xf(a)}{x-a}=af'(a)-f(a)$

③ $\lim_{x \to a}\frac{x^2f(x)-a^2f(a)}{x-a}=a^2f'(a)+2af(a)$

예 $\lim_{x \to 2}\frac{f(x)-f(2)}{x-2}=f'(2)$

예 함수 $f(x)=2x^2+7x$의 $x=1$에서의 미분계수를 구하시오.

풀이 $f'(1)=\lim_{\Delta x \to 0}\frac{f(1+\Delta x)-f(1)}{\Delta x}=\lim_{\Delta x \to 0}\frac{\{2(1+\Delta x)^2+7(1+\Delta x)\}-(2+7)}{\Delta x}$

$=\lim_{\Delta x \to 0}\frac{2(\Delta x)^2+11\Delta x}{\Delta x}=\lim_{\Delta x \to 0}(2\Delta x+11)=11$

다른풀이 ① $f'(1)=\lim_{h \to 0}\frac{f(1+h)-f(1)}{h}=\lim_{h \to 0}\frac{\{2(1+h)^2+7(1+h)\}-(2+7)}{h}$

$=\lim_{h \to 0}(2h+11)=11$

② $f'(1)=\lim_{x \to 1}\frac{f(x)-f(1)}{x-1}=\lim_{x \to 1}\frac{(2x^2+7x)-(2+7)}{x-1}=\lim_{x \to 1}\frac{(2x+9)(x-1)}{x-1}$

$=\lim_{x \to 1}(2x+9)=11$

3. 미분계수의 기하적 의미 ▷ 필수예제 5

함수 $y=f(x)$의 $x=a$에서의 미분계수 $\boldsymbol{f'(a)}$는 곡선 $\boldsymbol{y=f(x)}$ **위의 점** $\boldsymbol{(a,\ f(a))}$에서의 **접선의 기울기**와 같다.

설명 함수 $y=f(x)$에서 x의 값이 a에서 $a+\Delta x$까지 변할 때의 평균변화율

$$\frac{\Delta y}{\Delta x}=\frac{f(a+\Delta x)-f(a)}{\Delta x}$$

는 곡선 $y=f(x)$ 위의 두 점 $\mathrm{P}(a,\ f(a))$, $\mathrm{Q}(a+\Delta x,\ f(a+\Delta x))$를 지나는 직선 PQ의 기울기와 같다.

여기서 $\Delta x \to 0$이면 점 Q는 곡선 $y=f(x)$ 위를 움직이면서 점 P에 한없이 가까워지고 직선 PQ는 점 P를 지나는 일정한 직선 PT에 한없이 가까워진다.

이때 직선 PT는 곡선 $y=f(x)$ 위의 점 P에서의 접선이라 하고, 점 P는 접점이라 한다.

따라서 함수 $y=f(x)$의 $x=a$에서의 미분계수

$$f'(a)=\lim_{\Delta x \to 0}\frac{f(a+\Delta x)-f(a)}{\Delta x}$$

는 곡선 $y=f(x)$ 위의 점 $\mathrm{P}(a,\ f(a))$에서의 접선의 기울기와 같다.

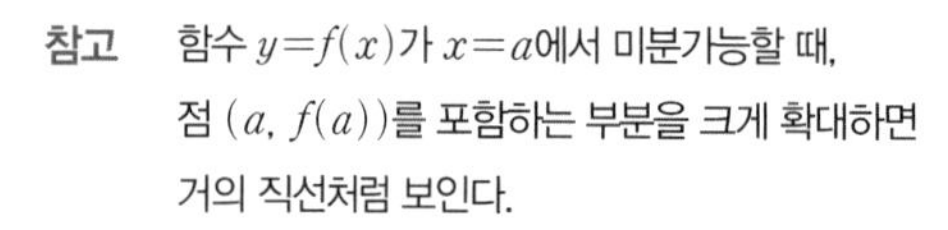

참고 함수 $y=f(x)$가 $x=a$에서 미분가능할 때, 점 $(a,\ f(a))$를 포함하는 부분을 크게 확대하면 거의 직선처럼 보인다.

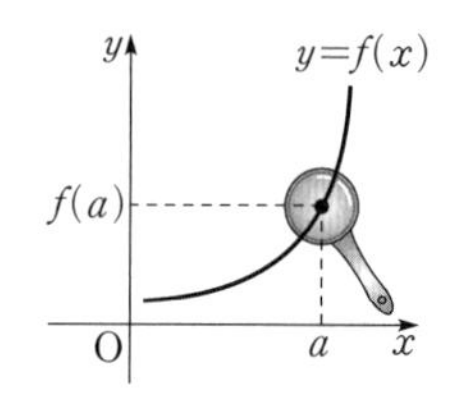

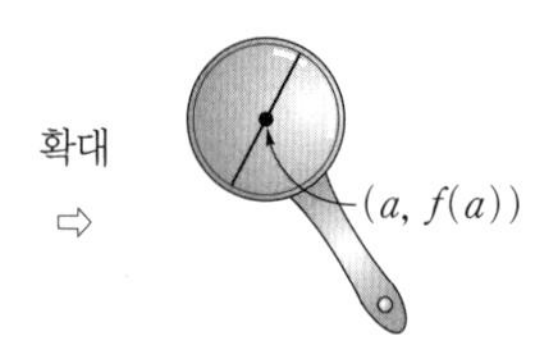

예 곡선 $y=x^2+2$ 위의 점 $(2,\ 6)$에서의 접선의 기울기를 구하시오.

풀이 $f(x)=x^2+2$로 놓으면 점 $(2,\ 6)$에서의 접선의 기울기는 함수 $f(x)$의 $x=2$에서의 미분계수 $f'(2)$와 같으므로

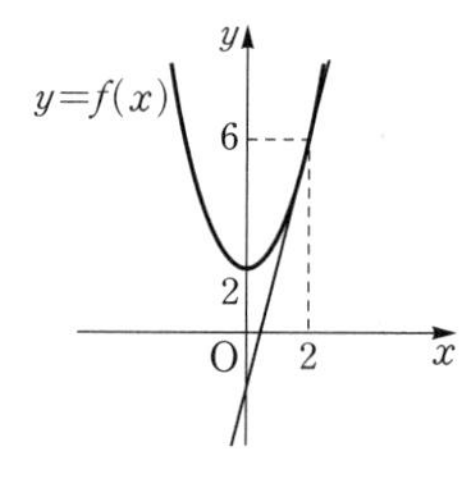

$$\begin{aligned} f'(2)&=\lim_{\Delta x \to 0}\frac{f(2+\Delta x)-f(2)}{\Delta x} \\ &=\lim_{\Delta x \to 0}\frac{\{(2+\Delta x)^2+2\}-(2^2+2)}{\Delta x} \\ &=\lim_{\Delta x \to 0}\frac{(\Delta x)^2+4\Delta x}{\Delta x} \\ &=\lim_{\Delta x \to 0}(\Delta x+4) \\ &=4 \end{aligned}$$

따라서 곡선 $y=x^2+2$ 위의 점 $(2,\ 6)$에서의 접선의 기울기는 4이다.

필수예제 01 평균변화율과 미분계수

더 다양한 문제는 RPM 수학 Ⅱ 42쪽

함수 $f(x)=x^3-1$에 대하여 x의 값이 1에서 4까지 변할 때의 평균변화율과 $x=a$ $(1<a<4)$에서의 미분계수가 같을 때, 상수 a의 값을 구하시오.

풀이

$$(\text{평균변화율})=\frac{\Delta y}{\Delta x}=\frac{f(4)-f(1)}{4-1}=\frac{(4^3-1)-(1^3-1)}{4-1}=\frac{63-0}{3}=21$$

$$f'(a)=\lim_{\Delta x\to 0}\frac{f(a+\Delta x)-f(a)}{\Delta x}=\lim_{\Delta x\to 0}\frac{\{(a+\Delta x)^3-1\}-(a^3-1)}{\Delta x}=\lim_{\Delta x\to 0}\frac{3a^2\Delta x+3a(\Delta x)^2+(\Delta x)^3}{\Delta x}=\lim_{\Delta x\to 0}\{3a^2+3a\Delta x+(\Delta x)^2\}=3a^2$$

즉, $3a^2=21$이므로 $a^2=7$

그런데 $1<a<4$이므로 $a=\sqrt{7}$

KEY Point

- x의 값이 a에서 b까지 변할 때의 평균변화율

  ⇨ $\dfrac{\Delta y}{\Delta x}=\dfrac{f(b)-f(a)}{b-a}=\dfrac{f(a+\Delta x)-f(a)}{\Delta x}$

- $x=a$에서의 미분계수

  ⇨ $f'(a)=\lim\limits_{\Delta x\to 0}\dfrac{f(a+\Delta x)-f(a)}{\Delta x}=\lim\limits_{h\to 0}\dfrac{f(a+h)-f(a)}{h}$

42 함수 $f(x)=x^2+x+1$에 대하여 x의 값이 1에서 3까지 변할 때의 평균변화율과 $x=a$에서의 미분계수가 같을 때, 상수 a의 값을 구하시오.

43 함수 $f(x)=x^2-\sqrt{a}x+4$에 대하여 x의 값이 1에서 4까지 변할 때의 평균변화율이 1일 때, 상수 a의 값을 구하시오.

필수예제 02 미분계수를 이용한 극한값의 계산 (1)

더 다양한 문제는 RPM 수학 Ⅱ 43쪽

함수 $f(x)$에 대하여 $f'(a)=1$일 때, 다음 극한값을 구하시오.

(1) $\lim_{h\to 0}\frac{f(a+h^3)-f(a)}{h}$

(2) $\lim_{h\to 0}\frac{f(a+2h)-f(a)}{h}$

(3) $\lim_{h\to 0}\frac{f(a+3h)-f(a-2h)}{h}$

풀이

(1) (주어진 식) $=\lim_{h\to 0}\left\{\frac{f(a+h^3)-f(a)}{h^3}\cdot h^2\right\}$

$=f'(a)\cdot\lim_{h\to 0}h^2=\mathbf{0}$

(2) (주어진 식) $=\lim_{h\to 0}\frac{f(a+2h)-f(a)}{2h}\cdot 2$

$=f'(a)\cdot 2=\mathbf{2}$

(3) (주어진 식) $=\lim_{h\to 0}\frac{f(a+3h)-f(a)-f(a-2h)+f(a)}{h}$

$=\lim_{h\to 0}\frac{f(a+3h)-f(a)}{h}-\lim_{h\to 0}\frac{f(a-2h)-f(a)}{h}$

$=\lim_{h\to 0}\frac{f(a+3h)-f(a)}{3h}\cdot 3-\lim_{h\to 0}\frac{f(a-2h)-f(a)}{-2h}\cdot(-2)$

$=f'(a)\cdot 3-f'(a)\cdot(-2)=\mathbf{5}$

> $\lim_{■\to 0}\frac{f(a+■)-f(a)}{■}=f'(a)$
> ⇨ ■는 서로 같아야 한다.

KEY Point

• $\lim_{h\to 0}\frac{f(a+h)-f(a)}{h}=f'(a)$ ⇦ $\lim_{■\to 0}\frac{f(a+■)-f(a)}{■}=f'(a)$

└ ■ 부분이 서로 같도록 만들어 준다.

44 함수 $f(x)$에 대하여 $f'(a)=2$일 때, 다음 극한값을 구하시오.

(1) $\lim_{h\to 0}\frac{f(a+h^2)-f(a)}{h}$

(2) $\lim_{h\to 0}\frac{f(a-3h)-f(a)}{h}$

(3) $\lim_{h\to 0}\frac{f(a+h)-f(a-h)}{2h}$

(4) $\lim_{h\to 0}\frac{f(a+3h)-f(a+h)}{2h}$

45 미분가능한 함수 $f(x)$에 대하여 $f'(a)=-3$이고,

$\lim_{h\to 0}\frac{f(a-2h)-f(a+h)+g(h)}{h}=2$일 때, $\lim_{h\to 0}\frac{g(h)}{h}$의 값을 구하시오.

필수예제 03 미분계수를 이용한 극한값의 계산 (2)

더 다양한 문제는 RPM 수학 Ⅱ 43쪽

다항함수 $f(x)$에 대하여 $f(1)=2$, $f'(1)=3$일 때, 다음 극한값을 구하시오.

(1) $\displaystyle\lim_{x\to1}\frac{f(x^3)-f(1)}{x-1}$　　(2) $\displaystyle\lim_{x\to1}\frac{f(x)-f(1)}{x^2-1}$

(3) $\displaystyle\lim_{x\to1}\frac{x^2f(1)-f(x^2)}{x-1}$　　(4) $\displaystyle\lim_{x\to1}\frac{x^3-1}{f(x)-f(1)}$

풀이

(1) $\displaystyle(\text{주어진 식})=\lim_{x\to1}\left\{\frac{f(x^3)-f(1)}{x^3-1}\cdot(x^2+x+1)\right\}$

$\displaystyle=f'(1)\cdot\lim_{x\to1}(x^2+x+1)=3\cdot3=\mathbf{9}$

(2) $\displaystyle(\text{주어진 식})=\lim_{x\to1}\left\{\frac{f(x)-f(1)}{x-1}\cdot\frac{1}{x+1}\right\}$

$\displaystyle=f'(1)\cdot\lim_{x\to1}\frac{1}{x+1}=3\cdot\frac{1}{2}=\mathbf{\frac{3}{2}}$

(3) $\displaystyle(\text{주어진 식})=\lim_{x\to1}\frac{x^2f(1)-f(1)-f(x^2)+f(1)}{x-1}$

$\displaystyle=\lim_{x\to1}\frac{(x^2-1)f(1)-\{f(x^2)-f(1)\}}{x-1}$

$\displaystyle=\lim_{x\to1}\frac{(x^2-1)f(1)}{x-1}-\lim_{x\to1}\frac{f(x^2)-f(1)}{x-1}$

$\displaystyle=\lim_{x\to1}(x+1)f(1)-\lim_{x\to1}\left\{\frac{f(x^2)-f(1)}{x^2-1}\cdot(x+1)\right\}$

$=2f(1)-2f'(1)=2\cdot2-2\cdot3=\mathbf{-2}$

(4) $\displaystyle(\text{주어진 식})=\lim_{x\to1}\left\{\frac{x-1}{f(x)-f(1)}\cdot(x^2+x+1)\right\}$

$\displaystyle=\lim_{x\to1}\left\{\frac{1}{\frac{f(x)-f(1)}{x-1}}\cdot(x^2+x+1)\right\}$

$\displaystyle=\frac{1}{f'(1)}\cdot\lim_{x\to1}(x^2+x+1)=\frac{3}{3}=\mathbf{1}$

> $\displaystyle\lim_{■\to●}\frac{f(■)-f(●)}{■-●}=f'(●)$
> ⇨ ■는 ■끼리, ●는 ●끼리 서로 같아야 한다.

KEY Point

• $\displaystyle\lim_{x\to a}\frac{f(x)-f(a)}{x-a}=f'(a)$ ⇦ $\displaystyle\lim_{■\to●}\frac{f(■)-f(●)}{■-●}=f'(●)$

└ ■는 ■끼리, ●는 ●끼리 서로 같도록 만들어 준다.

46 다항함수 $f(x)$에 대하여 $f'(2)=3$일 때, $\displaystyle\lim_{x\to2}\frac{x^3-8}{f(x)-f(2)}$의 값을 구하시오.

47 다항함수 $f(x)$에 대하여 $f(2)=3$, $f'(2)=1$일 때, $\displaystyle\lim_{x\to2}\frac{2f(x)-xf(2)}{x-2}$의 값을 구하시오.

필수예제 04 관계식이 주어진 경우의 미분계수

더 다양한 문제는 RPM 수학 Ⅱ 44쪽

미분가능한 함수 $f(x)$가 모든 실수 x, y에 대하여

$$f(x+y)=f(x)+f(y)$$

를 만족시키고 $f'(0)=4$일 때, $f'(2)$의 값을 구하시오.

풀이 $x=0$, $y=0$을 주어진 식에 대입하면

$f(0)=f(0)+f(0)$ $\quad\therefore f(0)=0$

$$\begin{aligned}\therefore f'(2)&=\lim_{h\to 0}\frac{f(2+h)-f(2)}{h}\\&=\lim_{h\to 0}\frac{\{f(2)+f(h)\}-f(2)}{h}\\&=\lim_{h\to 0}\frac{f(h)}{h}\\&=\lim_{h\to 0}\frac{f(h)-f(0)}{h}\\&=f'(0)=\mathbf{4}\end{aligned}$$

KEY Point

- 주어진 식의 x, y에 적당한 수를 대입하여 $f(0)$의 값을 구한 후 $f'(a)=\lim_{h\to 0}\frac{f(a+h)-f(a)}{h}$에서 $f(a+h)$에 주어진 관계식을 대입하여 $f'(a)$의 값을 구한다.

48 미분가능한 함수 $f(x)$가 모든 실수 x, y에 대하여

$$f(x+y)=f(x)+f(y)+1$$

을 만족시키고 $f'(4)=1$일 때, $f(0)+f'(2)$의 값을 구하시오.

49 미분가능한 함수 $f(x)$가 모든 실수 x, y에 대하여

$$f(x+y)=f(x)+f(y)+xy$$

를 만족시키고 $f'(1)=3$일 때, $f'(3)$의 값을 구하시오.

필수예제 05

미분계수의 기하적 의미

더 다양한 문제는 RPM 수학 Ⅱ 44쪽

함수 $y=f(x)$의 그래프가 오른쪽 그림과 같을 때, 세 수 $\dfrac{f(b)-f(a)}{b-a}$, $f'(a)$, $f'(b)$의 대소를 비교하시오.

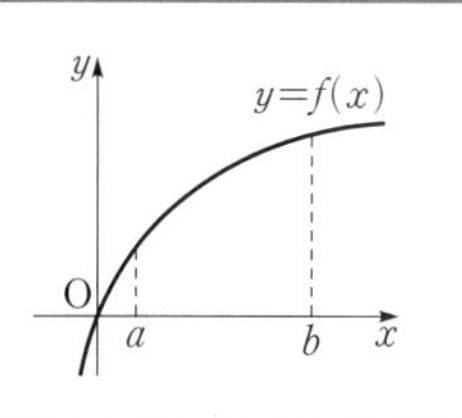

풀이

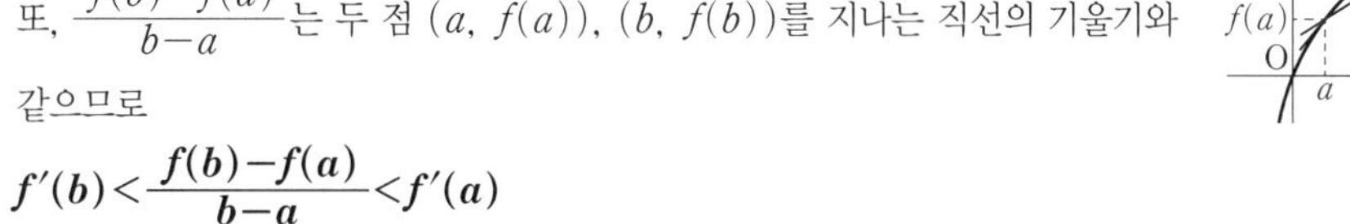

$f'(a)$는 점 $(a,\ f(a))$에서의 접선의 기울기이고 $f'(b)$는 점 $(b,\ f(b))$에서의 접선의 기울기이다.

또, $\dfrac{f(b)-f(a)}{b-a}$는 두 점 $(a,\ f(a))$, $(b,\ f(b))$를 지나는 직선의 기울기와 같으므로

$$f'(b)<\frac{f(b)-f(a)}{b-a}<f'(a)$$

KEY Point

- 곡선 $y=f(x)$ 위의 점 $(a,\ f(a))$에서의 접선의 기울기는 함수 $y=f(x)$의 $x=a$에서의 미분계수 $f'(a)$와 같다.

50 곡선 $y=x^3-x$ 위의 점 $(2,\ 6)$에서의 접선의 기울기를 구하시오.

51 곡선 $y=f(x)$와 직선 $y=g(x)$가 $x=a$인 점에서 접할 때, 다음 보기 중에서 옳은 것만을 있는 대로 고르시오.

보기

ㄱ. $f(a)=g(a)$

ㄴ. $f'(a)=g'(a)$

ㄷ. $\displaystyle\lim_{x\to a}\frac{f(x)-g(x)}{x-a}=0$

02 미분가능성과 연속성

개념원리 이해

1. 미분가능성과 연속성

▷ 필수예제 6, 7

함수 $f(x)$가 $x=a$에서 미분가능하면 $f(x)$는 $x=a$에서 연속이다.
그러나 그 역은 성립하지 않는다.

▶ ① 함수 $f(x)$에 대하여 $f'(a)=\lim\limits_{x\to a}\dfrac{f(x)-f(a)}{x-a}$가 존재할 때, $x=a$에서 미분가능하다고 하며 $x=a$에서 미분계수 $f'(a)$가 존재하려면 (우미분계수)=(좌미분계수)이어야 한다.
② 함수 $y=f(x)$가 $x=a$에서 불연속이면 $f'(a)$의 값이 존재하지 않는다.
③ $\lim\limits_{x\to a} f(x)=f(a)$이면 함수 $f(x)$는 $x=a$에서 연속이라 한다.

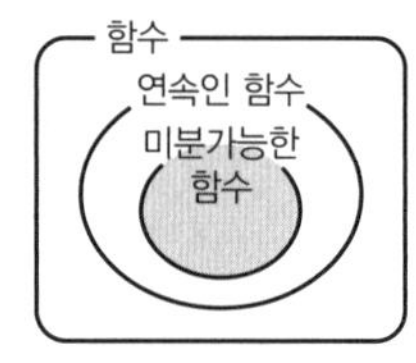

▶ 미분가능하지 않은 2가지 경우
불연속인 점: [그림 1]에서 함수 $y=f(x)$는 $x=a$에서 불연속이므로 $x=a$에서 미분가능하지 않다.
뾰족점: [그림 2]에서 함수 $y=f(x)$는 $x=a$에서 연속이지만 우미분계수와 좌미분계수가 다르므로 $x=a$에서 미분가능하지 않다.

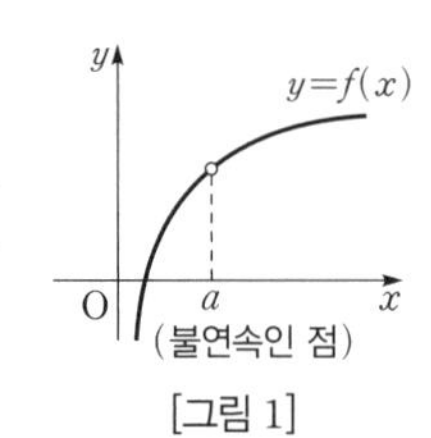

[그림 1]

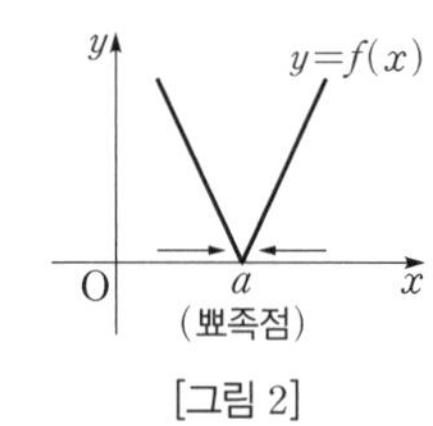

[그림 2]

설명 함수 $f(x)$가 $x=a$에서 미분가능하면 미분계수가 존재한다. 즉,

$$f'(a)=\lim_{x\to a}\frac{f(x)-f(a)}{x-a}$$

따라서

$$\begin{aligned}\lim_{x\to a}\{f(x)-f(a)\}&=\lim_{x\to a}\left\{\frac{f(x)-f(a)}{x-a}\cdot(x-a)\right\}\\&=\lim_{x\to a}\frac{f(x)-f(a)}{x-a}\cdot\lim_{x\to a}(x-a)\\&=f'(a)\cdot 0=0\end{aligned}$$

이므로 $\lim\limits_{x\to a} f(x)=f(a)$이다. 그러므로 함수 $f(x)$는 $x=a$에서 연속이다.

예 함수 $f(x)=|x|$의 $x=0$에서의 연속성과 미분가능성을 조사해 보면

(i) $f(0)=0$이고 $\lim\limits_{x\to 0} f(x)=\lim\limits_{x\to 0}|x|=0$이므로 $\lim\limits_{x\to 0} f(x)=f(0)$

따라서 함수 $f(x)$는 $x=0$에서 연속이다.

(ii) $f'(0)=\lim\limits_{x\to 0}\dfrac{f(x)-f(0)}{x-0}=\lim\limits_{x\to 0}\dfrac{|x|}{x}$

$$=\begin{cases}\lim\limits_{x\to 0+}\dfrac{x}{x}=1 & \leftarrow \text{우미분계수}\\[2ex] \lim\limits_{x\to 0-}\dfrac{-x}{x}=-1 & \leftarrow \text{좌미분계수}\end{cases}$$

이 되어 $f'(0)$의 값이 존재하지 않는다.

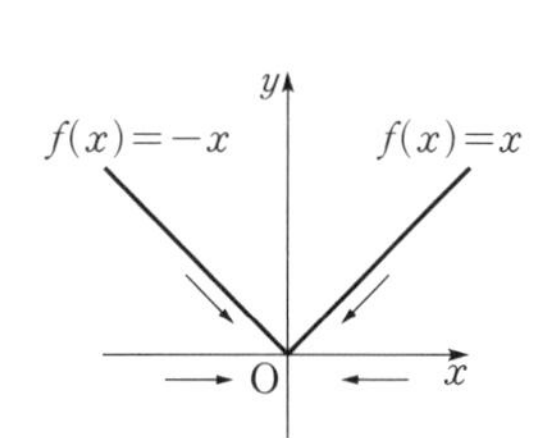

(i), (ii)에서 함수 $f(x)$는 $x=0$에서 연속이지만 미분가능하지 않다.

미분가능성과 연속성 (1)

더 다양한 문제는 RPM 수학 Ⅱ 45쪽

다음 함수의 $x=1$에서의 연속성과 미분가능성을 조사하시오.

(1) $f(x)=|x-1|$ (2) $f(x)=\begin{cases} x^2+x & (x\ge 1) \\ 3x-1 & (x<1) \end{cases}$

풀이

(1) (i) $f(1)=0$이고 $\lim_{x\to 1} f(x)=\lim_{x\to 1}|x-1|=0$이므로 $\lim_{x\to 1} f(x)=f(1)$

따라서 함수 $f(x)$는 $x=1$에서 연속이다.

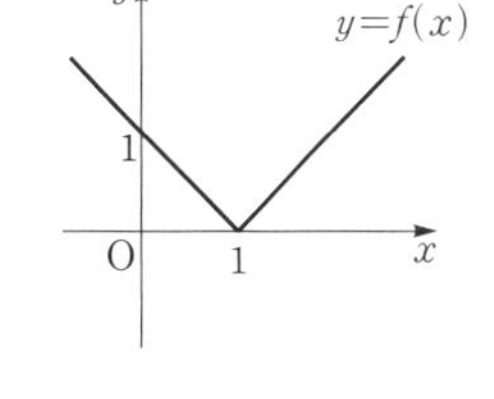

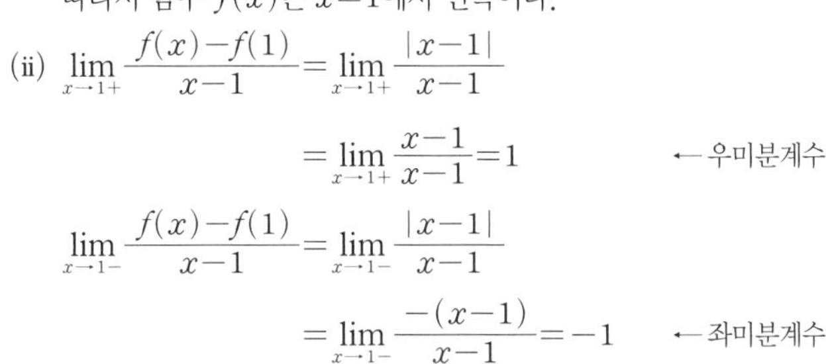

(ii) $\lim_{x\to 1+}\frac{f(x)-f(1)}{x-1}=\lim_{x\to 1+}\frac{|x-1|}{x-1}$

$=\lim_{x\to 1+}\frac{x-1}{x-1}=1$ ← 우미분계수

$\lim_{x\to 1-}\frac{f(x)-f(1)}{x-1}=\lim_{x\to 1-}\frac{|x-1|}{x-1}$

$=\lim_{x\to 1-}\frac{-(x-1)}{x-1}=-1$ ← 좌미분계수

따라서 $f'(1)$의 값이 존재하지 않으므로 함수 $f(x)$는 $x=1$에서 미분가능하지 않다.

(i), (ii)에서 함수 $f(x)$는 **$x=1$에서 연속이지만 미분가능하지 않다.**

(2) (i) $f(1)=2$이고

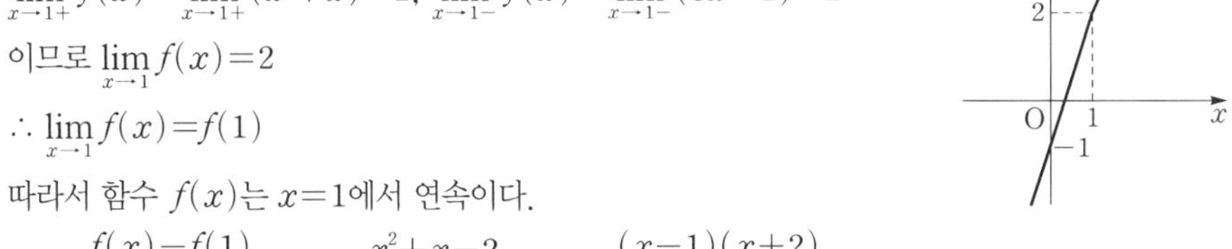

$\lim_{x\to 1+} f(x)=\lim_{x\to 1+}(x^2+x)=2$, $\lim_{x\to 1-} f(x)=\lim_{x\to 1-}(3x-1)=2$

이므로 $\lim_{x\to 1} f(x)=2$

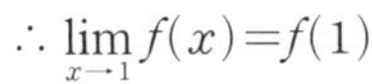

$\therefore \lim_{x\to 1} f(x)=f(1)$

따라서 함수 $f(x)$는 $x=1$에서 연속이다.

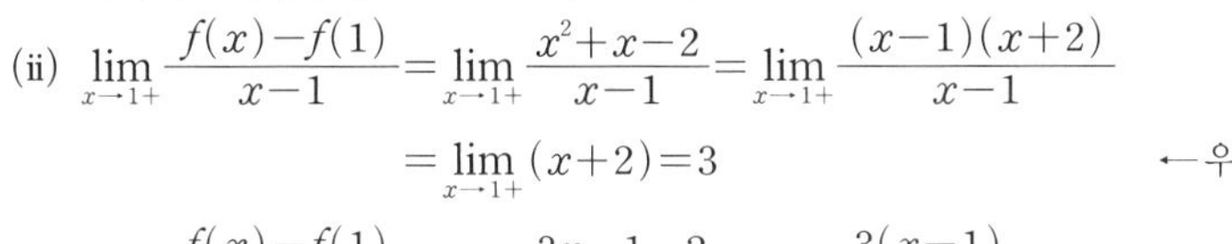

(ii) $\lim_{x\to 1+}\frac{f(x)-f(1)}{x-1}=\lim_{x\to 1+}\frac{x^2+x-2}{x-1}=\lim_{x\to 1+}\frac{(x-1)(x+2)}{x-1}$

$=\lim_{x\to 1+}(x+2)=3$ ← 우미분계수

$\lim_{x\to 1-}\frac{f(x)-f(1)}{x-1}=\lim_{x\to 1-}\frac{3x-1-2}{x-1}=\lim_{x\to 1-}\frac{3(x-1)}{x-1}=3$ ← 좌미분계수

따라서 $f'(1)$의 값이 존재하므로 함수 $f(x)$는 $x=1$에서 미분가능하다.

(i), (ii)에서 함수 $f(x)$는 **$x=1$에서 연속이고 미분가능하다.**

KEY Point

- **함수 $f(x)$가 $x=a$에서 미분가능하면 $f(x)$는 $x=a$에서 연속이다. 그러나 그 역은 성립하지 않는다.**
- **$x=a$에서 주어진 함수의 그래프가 꺾이면 $x=a$(뾰족점)에서 연속이지만 미분가능하지 않다.**

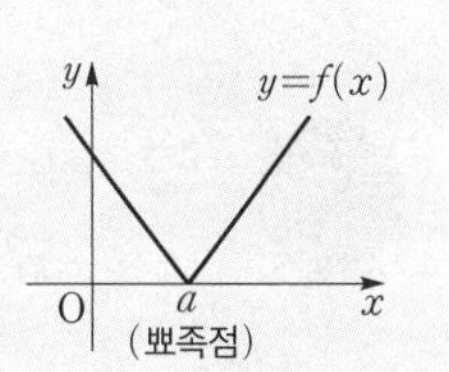

확인체크 52 다음 함수의 $x=1$에서의 연속성과 미분가능성을 조사하시오.

(1) $f(x)=x|x-1|$ (2) $f(x)=|x^2-1|$ (3) $f(x)=\begin{cases} x^2 & (x\ge 1) \\ 2x-1 & (x<1) \end{cases}$

필수예제 07 미분가능성과 연속성 (2)

더 다양한 문제는 RPM 수학 Ⅱ 45쪽

함수 $y=f(x)$의 그래프가 오른쪽 그림과 같을 때, 다음을 구하시오.

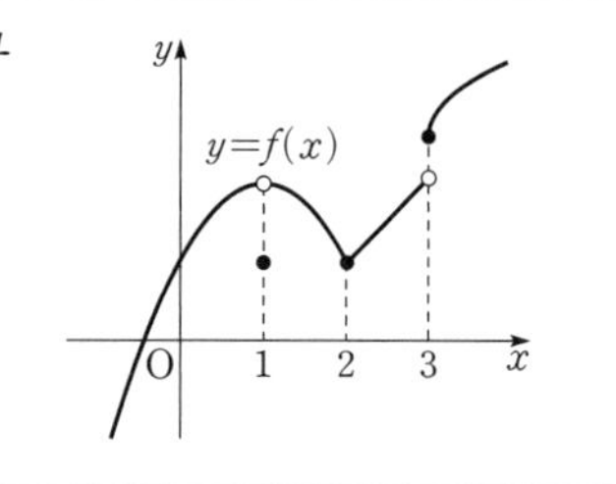

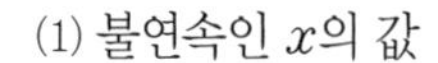
(1) 불연속인 x의 값

(2) 미분가능하지 않은 x의 값

풀이 (1) $x=1$에서 $\lim_{x \to 1} f(x)$의 값은 존재하지만 $x=1$에서의 함숫값 $f(1)$과 같지 않으므로 함수 $f(x)$는 $x=1$에서 불연속이다.

$x=3$에서 $\lim_{x \to 3} f(x)$의 값이 존재하지 않으므로 함수 $f(x)$는 $x=3$에서 불연속이다.

따라서 $\boldsymbol{x=1}$, $\boldsymbol{x=3}$에서 불연속이다.

(2) 함수 $f(x)$가 $x=1$, $x=3$에서 불연속이므로 함수 $f(x)$는 $x=1$, $x=3$에서 미분가능하지 않다.

함수 $f(x)$가 $x=2$에서 연속이지만 뾰족점에서는 $f'(2)$의 값이 존재하지 않으므로 함수 $f(x)$는 $x=2$에서 미분가능하지 않다.

따라서 $\boldsymbol{x=1}$, $\boldsymbol{x=2}$, $\boldsymbol{x=3}$에서 미분가능하지 않다.

KEY Point

- 함수 $f(x)$가 $x=p$에서 미분가능하지 않은 경우는 다음의 2가지이다.
  ① $x=p$에서 불연속
  ② $x=p$에서 연속이지만 뾰족점

53 함수 $y=f(x)$의 그래프가 오른쪽 그림과 같을 때, 다음 중 열린구간 $(0, 6)$에서 함수 $f(x)$에 대한 설명으로 옳지 <u>않은</u> 것은?

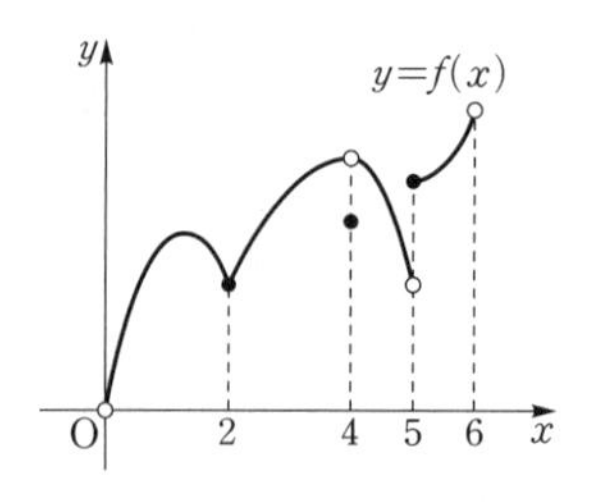

① $f'(3)>0$이다.

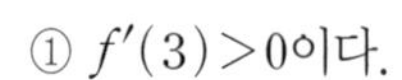
② $\lim_{x \to 2} f(x)$의 값이 존재한다.

③ 불연속인 x의 값은 2개이다.

④ 미분가능하지 않은 x의 값은 3개이다.

⑤ 연속이지만 미분가능하지 않은 점은 2개이다.

연습문제

STEP 1

생각해 봅시다!

55 함수 $f(x)=x^3-2x+5$에 대하여 $x=1$에서 $x=a$까지의 평균변화율이 3일 때, 모든 a의 값의 곱을 구하시오. (단, $a\neq1$)

56 미분가능한 함수 $f(x)$에 대하여 다음 중 계산 결과가 나머지 넷과 다른 하나는?

① $\lim_{h\to0}\frac{f(1-2h)-f(1)}{h}$　② $\lim_{h\to0}\frac{f(1+5h)-f(1+3h)}{h}$

③ $\lim_{h\to0}\frac{f(1+4h)-f(1)}{2h}$　④ $\lim_{x\to1}\frac{f(x)-f(1)}{\sqrt{x}-1}$

⑤ $\lim_{x\to1}\frac{f(x^2)-f(1)}{x-1}$

57 미분가능한 함수 $f(x)$에 대하여 $\lim_{h\to0}\frac{f(h)-f(-2h)}{2h}=3$일 때, $f'(0)$의 값을 구하시오.

$f(h)-f(-2h)$
$=f(0+h)-f(0-2h)$

58 다항함수 $f(x)$에 대하여 $f(1)=1$, $f'(1)=2$일 때, $\lim_{x\to1}\frac{\{f(x)\}^2-1}{x^2-1}$의 값을 구하시오.

(주어진 식)
$=\lim_{x\to1}\left\{\frac{f(x)-1}{x-1}\cdot\frac{f(x)+1}{x+1}\right\}$

59 함수 $f(x)$에 대하여 $f'(1)=1$일 때, $\lim_{x\to1}\frac{f(\sqrt{x})-f(1)}{x^2-1}$의 값을 구하시오.

60 미분가능한 함수 $f(x)$가 모든 실수 x, y에 대하여

$$f(x+y)=f(x)+f(y)+2xy$$

를 만족시키고 $f'(0)=-2$일 때, $f'(1)$의 값을 구하시오.

$f'(1)$
$=\lim_{h\to0}\frac{f(1+h)-f(1)}{h}$

61 다음 중 $x=0$에서 연속이지만 미분가능하지 않은 함수는?

(단, $[x]$는 x보다 크지 않은 최대의 정수이다.)

① $f(x)=|x|^2$　② $f(x)=x^2-1$　③ $f(x)=|x|-x$
④ $f(x)=x|x|$　⑤ $f(x)=[x+1]$

$\lim_{x\to 0} f(x)=f(0)$을 만족시키지만 $f'(0)$의 값이 존재하지 않는 함수를 찾는다.

62 함수 $y=f(x)$의 그래프가 오른쪽 그림과 같을 때, 다음 중 열린구간 $(-1, 6)$에서 함수 $f(x)$에 대한 설명으로 옳지 않은 것은?

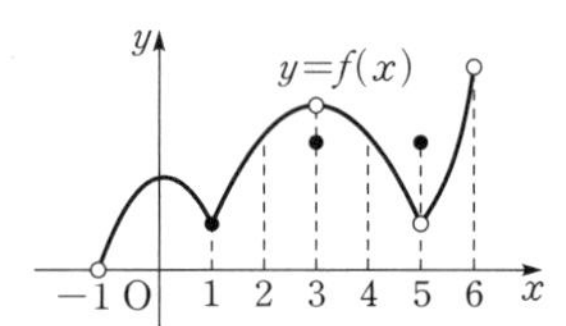

① $f'(2)>0$이다.
② $\lim_{x\to 3} f(x)$의 값이 존재한다.
③ 불연속인 x의 값은 2개이다.
④ 미분가능하지 않은 x의 값은 3개이다.
⑤ $f'(x)=0$인 x의 값은 2개이다.

미분가능하지 않은 점
⇨ 불연속인 점, 뾰족점

STEP 2

63 $x=a$에서 함수 $f(x)$의 미분계수는 2이다. 미분가능한 함수 $g(x)$에 대하여 $\lim_{h\to 0}\frac{f(a+2h)-f(a)-g(h)}{h}=0$이 성립할 때, $\lim_{h\to 0}\frac{g(h)}{h}$의 값을 구하시오.

주어진 식을 분리하여 $\lim_{h\to 0}\frac{g(h)}{h}$의 꼴이 나오게 한다.

[평가원기출]

64 함수 $f(x)$에 대하여 보기에서 항상 옳은 것만을 있는 대로 고른 것은?

| 보기 |

ㄱ. $\lim_{h\to 0}\frac{f(1+h)-f(1)}{h}=0$이면 $\lim_{x\to 1}f(x)=f(1)$이다.

ㄴ. $\lim_{h\to 0}\frac{f(1+h)-f(1)}{h}=0$이면 $\lim_{h\to 0}\frac{f(1+h)-f(1-h)}{2h}=0$이다.

ㄷ. $f(x)=|x-1|$일 때, $\lim_{h\to 0}\frac{f(1+h)-f(1-h)}{2h}=0$이다.

① ㄱ　② ㄷ　③ ㄱ, ㄴ　④ ㄴ, ㄷ　⑤ ㄱ, ㄴ, ㄷ

65 함수 $f(x)$가 $f(x+2)-f(2)=x^3+6x^2+14x$를 만족시킬 때, $f'(2)$의 값을 구하시오.

66 다항함수 $f(x)$가 $\lim_{x \to 3} \frac{f(x)}{x-3}=a$를 만족시킬 때, $f'(3)$을 구하시오.

(단, a는 실수)

67 다항함수 $f(x)$에 대하여 $f(1)=1$, $f'(1)=3$일 때, 다음 극한값을 구하시오.

(1) $\lim_{x \to 1} \frac{x^2f(x)-1}{x^2-1}$

(2) $\lim_{x \to 1} \frac{x^3f(1)-f(x^2)}{x-1}$

적당한 식을 더하고 빼어 미분계수 $f'(1)$의 식이 포함되도록 변형한다.

68 미분가능한 함수 $f(x)$가 $f(1)=0$, $\lim_{x \to 1} \frac{\{f(x)\}^2-2f(x)}{1-x}=10$을 만족시킬 때, $x=1$에서의 미분계수 $f'(1)$의 값을 구하시오.

69 다항함수 $f(x)$에 대하여 $\lim_{x \to 2} \frac{f(x+1)-8}{x^2-4}=5$일 때, $f(3)+f'(3)$의 값을 구하시오.

[평가원기출]

70 다항함수 $f(x)$는 모든 실수 x, y에 대하여

$$f(x+y)=f(x)+f(y)+2xy-1$$

을 만족시킨다. $\lim_{x \to 1} \frac{f(x)-f'(x)}{x^2-1}=14$일 때, $f'(0)$의 값을 구하시오.

$f'(x)$
$=\lim_{h \to 0} \frac{f(x+h)-f(x)}{h}$

71 다음 보기의 함수 중 $x=0$에서 미분가능한 것만을 있는 대로 고르시오.

보기

ㄱ. $f(x)=\begin{cases} x & (x \geq 0) \\ -x & (x<0) \end{cases}$

ㄴ. $g(x)=\begin{cases} (x+1)^2 & (x \geq 0) \\ 2x+1 & (x<0) \end{cases}$

ㄷ. $h(x)=\begin{cases} x^2+x+1 & (x \geq 0) \\ -x^2+x-1 & (x<0) \end{cases}$

03 도함수

1. 도함수의 정의

(1) 미분가능한 함수 $y=f(x)$의 정의역의 각 원소 x에 미분계수 $f'(x)$를 대응시키면 새로운 함수

$$f'(x)=\lim_{\Delta x \to 0} \frac{f(x+\Delta x)-f(x)}{\Delta x}$$

를 얻는다. 이때 이 함수 $f'(x)$를 함수 $f(x)$의 **도함수**라 하고, 이것을 기호

$$f'(x),\ y',\ \frac{dy}{dx},\ \frac{d}{dx}f(x)$$

로 나타낸다.

(2) 함수 $y=f(x)$에서 **도함수 $f'(x)$를 구하는 것**을 함수 $y=f(x)$를 x에 대하여 미분한다고 하고, 그 계산법을 **미분법**이라 한다.

▶ ① $\frac{dy}{dx}$는 dy를 dx로 나눈다는 뜻이 아니라 y를 x에 대하여 미분한다는 것을 뜻하며 '디와이(dy) 디엑스(dx)'라 읽는다.

② 함수 $f(x)$의 $x=a$에서의 미분계수 $f'(a)$는 도함수 $f'(x)$의 식에 $x=a$를 대입한 값이다.

$f(x)$ —미분→ $f'(x)$
함수 도함수

③ 함수 $f(x)$의 도함수 $f'(x)$를 구할 때, Δx 대신 h를 사용하여 $f'(x)=\lim_{h\to 0}\frac{f(x+h)-f(x)}{h}$로 나타낼 수도 있다.

2. 함수 $y=x^n$ (n은 양의 정수)과 상수함수의 도함수 ▷ 필수예제 8

(1) $y=x^n$ ($n\geq 2$인 정수) ⇨ $y'=nx^{n-1}$

(2) $y=x$ ⇨ $y'=1$

(3) $y=c$ (c는 상수) ⇨ $y'=0$

▶ 보충학습 1, 2 참조

3. 함수의 실수배, 합, 차의 미분법 ▷ 필수예제 8

두 함수 $f(x)$, $g(x)$가 미분가능할 때

(1) $\{cf(x)\}'=cf'(x)$ (단, c는 상수)

(2) $\{f(x)+g(x)\}'=f'(x)+g'(x)$

(3) $\{f(x)-g(x)\}'=f'(x)-g'(x)$

▶ 보충학습 3, 4 참조

4. 함수의 곱의 미분법 ⊳ 필수예제 8

세 함수 $f(x)$, $g(x)$, $h(x)$가 미분가능할 때

(1) $\{f(x)g(x)\}'=f'(x)g(x)+f(x)g'(x)$

(2) $\{f(x)g(x)h(x)\}'=f'(x)g(x)h(x)+f(x)g'(x)h(x)+f(x)g(x)h'(x)$

(3) $[\{f(x)\}^n]'=n\{f(x)\}^{n-1}\cdot f'(x)$ (단, n은 양의 정수)

▶ 보충학습 5, 6, 7 참조

5. 미분가능할 조건 ⊳ 필수예제 13

함수 $f(x)$가 $x=a$에서 **미분가능**하면

(i) $x=a$에서 연속이므로

$$\lim_{x\to a} f(x)=f(a)$$

(ii) 미분계수 $f'(a)$가 존재하므로

$$\lim_{h\to 0+}\frac{f(a+h)-f(a)}{h}=\lim_{h\to 0-}\frac{f(a+h)-f(a)}{h}$$

▶ 두 다항함수 $g(x)$, $h(x)$에 대하여 $f(x)=\begin{cases} g(x) & (x\geq a) \\ h(x) & (x<a)\end{cases}$가 $x=a$에서 미분가능하면

(i) $g(a)=h(a)$ (ii) $g'(a)=h'(a)$

6. 미분과 나머지정리의 관계 ⊳ 필수예제 14

(1) 이차 이상의 다항식 $f(x)$를 $(x-a)^2$으로 나누었을 때 **나머지**

⇨ $f'(a)(x-a)+f(a)$

(2) 이차 이상의 다항식 $f(x)$가 $(x-a)^2$으로 **나누어떨어질 조건**

⇨ $f(a)=0$, $f'(a)=0$

설명 (1) 다항식 $f(x)$를 $(x-a)^2$으로 나누었을 때의 몫을 $Q(x)$, 나머지를 $mx+n$이라 하면

$f(x)=(x-a)^2Q(x)+mx+n$ …… ㉠

㉠의 양변을 x에 대하여 미분하면

$f'(x)=2(x-a)Q(x)+(x-a)^2Q'(x)+m$ …… ㉡

㉠, ㉡에 $x=a$를 대입하면

$f(a)=ma+n$, 즉 $n=f(a)-ma$ …… ㉢

$f'(a)=m$ …… ㉣

㉢, ㉣에서 $mx+n=f'(a)x+f(a)-af'(a)=f'(a)(x-a)+f(a)$

(2) 나누어떨어지면 $mx+n=0$, 즉 $m=0$, $n=0$이 되어야 하므로 ㉢, ㉣에서 $f(a)=0$, $f'(a)=0$

보충학습

1. $y=c$ (c는 상수)일 때, $y'=0$

(증명) $y'=\lim_{h\to 0}\frac{f(x+h)-f(x)}{h}=\lim_{h\to 0}\frac{c-c}{h}=0$

2. $y=x^n$ (n은 양의 정수)일 때, $y'=nx^{n-1}$

(증명) $y'=\lim_{h\to 0}\frac{f(x+h)-f(x)}{h}=\lim_{h\to 0}\frac{(x+h)^n-x^n}{h}$

$=\lim_{h\to 0}\frac{\{(x+h)-x\}\{(x+h)^{n-1}+(x+h)^{n-2}x+\cdots+x^{n-1}\}}{h}$

$=\lim_{h\to 0}\{(x+h)^{n-1}+(x+h)^{n-2}x+\cdots+x^{n-1}\}$

$=\underbrace{x^{n-1}+x^{n-1}+\cdots+x^{n-1}}_{n\text{개}}=nx^{n-1}$

3. $y=cf(x)$ (c는 상수)일 때, $y'=cf'(x)$

(증명) $y'=\lim_{h\to 0}\frac{cf(x+h)-cf(x)}{h}=c\lim_{h\to 0}\frac{f(x+h)-f(x)}{h}=cf'(x)$

4. $y=f(x)\pm g(x)$일 때, $y'=f'(x)\pm g'(x)$ (복부호동순)

(증명) $y'=\lim_{h\to 0}\frac{\{f(x+h)\pm g(x+h)\}-\{f(x)\pm g(x)\}}{h}$

$=\lim_{h\to 0}\frac{\{f(x+h)-f(x)\}\pm\{g(x+h)-g(x)\}}{h}$

$=\lim_{h\to 0}\frac{f(x+h)-f(x)}{h}\pm\lim_{h\to 0}\frac{g(x+h)-g(x)}{h}=f'(x)\pm g'(x)$

5. $y=f(x)g(x)$일 때, $y'=f'(x)g(x)+f(x)g'(x)$

(증명) $y'=\lim_{h\to 0}\frac{f(x+h)g(x+h)-f(x)g(x)}{h}$

$=\lim_{h\to 0}\frac{f(x+h)g(x+h)-f(x)g(x+h)+f(x)g(x+h)-f(x)g(x)}{h}$

$=\lim_{h\to 0}\frac{\{f(x+h)-f(x)\}g(x+h)+f(x)\{g(x+h)-g(x)\}}{h}$

$=\lim_{h\to 0}\frac{f(x+h)-f(x)}{h}\cdot\lim_{h\to 0}g(x+h)+f(x)\cdot\lim_{h\to 0}\frac{g(x+h)-g(x)}{h}$

$=f'(x)g(x)+f(x)g'(x)$

6. $y=f(x)g(x)h(x)$일 때, $y'=f'(x)g(x)h(x)+f(x)g'(x)h(x)+f(x)g(x)h'(x)$

(증명) $y'=\{f(x)g(x)\}'h(x)+\{f(x)g(x)\}h'(x)$

$=\{f'(x)g(x)+f(x)g'(x)\}h(x)+f(x)g(x)h'(x)$

$=f'(x)g(x)h(x)+f(x)g'(x)h(x)+f(x)g(x)h'(x)$

7. $y=\{f(x)\}^n$ (n은 양의 정수)일 때, $y'=n\{f(x)\}^{n-1}\cdot f'(x)$

(증명) 실력 UP 88 참조

개념원리 익히기

54 도함수의 정의를 이용하여 다음 함수의 도함수를 구하시오.

(1) $f(x)=3$

(2) $f(x)=x-4$

(3) $f(x)=8x^2+7x$

생각해 봅시다!

$f'(x)$
$=\lim_{h\to 0}\frac{f(x+h)-f(x)}{h}$

55 다음 함수를 미분하시오.

(1) $y=10^2$

(2) $y=4x^3-\frac{1}{2}x^2+3$

(3) $y=5x^4+x^3-3x-8$

$y=x^n$ (n은 양의 정수)
⇨ $y'=nx^{n-1}$

56 다음 함수를 미분하시오.

(1) $y=(x^3+2)(x^2-1)$

(2) $y=(x^2-1)(2x+1)(3x-2)$

(3) $y=3(2x-1)^4$

$\{f(x)g(x)\}'$
$=f'(x)g(x)$
$+f(x)g'(x)$

필수예제 08 미분법

더 다양한 문제는 RPM 수학 Ⅱ 46, 47쪽

함수 $f(x)=(x+2)(x^2-3x+4)$에 대하여 $f'(1)$의 값을 구하시오.

풀이

$f(x)=(x+2)(x^2-3x+4)$에서

$f'(x)=(x+2)'(x^2-3x+4)+(x+2)(x^2-3x+4)'$

$=x^2-3x+4+(x+2)(2x-3)$

$=x^2-3x+4+2x^2+x-6$

$=3x^2-2x-2$

$\therefore f'(1)=3\cdot1^2-2\cdot1-2=\mathbf{-1}$

필수예제 09 미분계수를 이용한 미정계수의 결정 (1)

더 다양한 문제는 RPM 수학 Ⅱ 46, 47쪽

함수 $f(x)=ax^3+bx+c$에 대하여 $f(1)=4$, $f'(0)=-1$, $f'(1)=5$일 때, $a+b-c$의 값을 구하시오. (단, a, b, c는 상수)

풀이

$f(x)=ax^3+bx+c$에서 $f'(x)=3ax^2+b$

$f'(0)=-1$에서 $b=-1$ ······ ㉠

$f'(1)=5$에서 $3a+b=5$ ······ ㉡

㉠, ㉡에서 $a=2$, $b=-1$

$f(1)=4$에서 $a+b+c=2+(-1)+c=4$ $\quad\therefore c=3$

$\therefore a+b-c=2+(-1)-3=\mathbf{-2}$

KEY Point

- $f(x)=x^n \Rightarrow f'(x)=nx^{n-1}$
- $h(x)=af(x)\pm bg(x) \Rightarrow h'(x)=af'(x)\pm bg'(x)$ (복부호동순)
- $h(x)=f(x)g(x) \Rightarrow h'(x)=f'(x)g(x)+f(x)g'(x)$

57 함수 $f(x)=(x-1)(x-2)(x-3)\cdots(x-7)$에 대하여 $\dfrac{f'(1)}{f'(5)}$의 값을 구하시오.

58 함수 $f(x)=ax^2+bx+c$에 대하여 $f(0)=5$, $f'(1)=-4$, $f'(-1)=8$일 때, 상수 a, b, c의 값을 구하시오.

59 함수 $f(x)=x^3+ax^2-3$에 대하여 $g(x)=(x^2+1)f(x)$라 하자. $f'(1)=g'(1)$일 때, 상수 a의 값을 구하시오.

필수예제 10 **미분계수를 이용하여 극한값 구하기**

더 다양한 문제는 RPM 수학 Ⅱ 47쪽

함수 $f(x)=\frac{1}{4}x^3-\frac{2}{3}x^2+5$일 때, $\lim_{h\to 0}\frac{f(2+3h)-f(2+h)}{h}$의 값을 구하시오.

풀이

$$(\text{주어진 식})=\lim_{h\to 0}\frac{f(2+3h)-f(2)-\{f(2+h)-f(2)\}}{h}$$
$$=\lim_{h\to 0}\frac{f(2+3h)-f(2)}{3h}\cdot 3-\lim_{h\to 0}\frac{f(2+h)-f(2)}{h}$$
$$=3f'(2)-f'(2)$$
$$=2f'(2)$$

한편, $f(x)=\frac{1}{4}x^3-\frac{2}{3}x^2+5$에서 $f'(x)=\frac{3}{4}x^2-\frac{4}{3}x$이므로

$2f'(2)=2\left(\frac{3}{4}\cdot 2^2-\frac{4}{3}\cdot 2\right)=\mathbf{\frac{2}{3}}$

KEY Point

- $f'(a)=\lim_{h\to 0}\frac{f(a+h)-f(a)}{h}$를 이용할 수 있도록 식을 변형한다.

60 함수 $f(x)=x^4-2x^3+x+4$일 때, $\lim_{h\to 0}\frac{f(1+h)-f(1-h)}{h}$의 값을 구하시오.

61 함수 $f(x)=x^3-3x^2+4x+3$일 때, $\lim_{x\to 2}\frac{f(x)-f(2)}{x^3-8}$의 값을 구하시오.

필수예제 11 미분계수를 이용한 미정계수의 결정 (2)

더 다양한 문제는 RPM 수학 Ⅱ 48쪽

함수 $f(x)=x^4+ax^2+bx$가

$$\lim_{x\to 2}\frac{f(x)-f(2)}{x-2}=14,\ \lim_{x\to 1}\frac{f(x)-f(1)}{x^2-1}=-2$$

를 만족시킬 때, $f'(-1)$의 값을 구하시오. (단, a, b는 상수)

풀이 $f(x)=x^4+ax^2+bx$에서 $f'(x)=4x^3+2ax+b$

$\lim_{x\to 2}\frac{f(x)-f(2)}{x-2}=14$에서 $f'(2)=14$

즉, $f'(2)=32+4a+b=14$에서 $4a+b=-18$ …… ㉠

$$\lim_{x\to 1}\frac{f(x)-f(1)}{x^2-1}=\lim_{x\to 1}\left\{\frac{f(x)-f(1)}{x-1}\cdot\frac{1}{x+1}\right\}=\frac{1}{2}f'(1)$$

$\frac{1}{2}f'(1)=-2$이므로 $f'(1)=-4$

즉, $f'(1)=4+2a+b=-4$에서 $2a+b=-8$ …… ㉡

㉠, ㉡을 연립하여 풀면 $a=-5$, $b=2$

따라서 $f'(x)=4x^3-10x+2$이므로

$f'(-1)=-4+10+2=8$

KEY Point

- $\lim_{x\to a}\frac{f(x)-f(a)}{x-a}=f'(a)$ ⇦ $\lim_{■\to●}\frac{f(■)-f(●)}{■-●}=f'(●)$

62 함수 $f(x)=x^3+ax^2+bx$가

$$\lim_{x\to 2}\frac{f(x)-f(2)}{x-2}=5,\ \lim_{x\to 1}\frac{x^3-1}{f(x)-f(1)}=-\frac{3}{2}$$

을 만족시킬 때, 상수 a, b에 대하여 $a+b$의 값을 구하시오.

63 함수 $f(x)=x^3+ax^2+bx+1$이

$$\lim_{h\to 0}\frac{f(1+h)-f(1)}{h}=4,\ \lim_{h\to 0}\frac{f(-2-h)-f(-2)}{h}=-1$$

을 만족시킬 때, $f(1)$의 값을 구하시오. (단, a, b는 상수)

필수예제 **12** **치환을 이용하여 극한값 구하기**

더 다양한 문제는 RPM 수학 Ⅱ 50쪽

$\lim_{x \to 1} \frac{x^n+2x-3}{x-1}=12$를 만족시키는 자연수 n의 값을 구하시오.

설명 분자에 인수분해가 힘든 복잡한 식이 나오면 $f(x)$로 적절히 치환하여 $\lim_{x \to ▲} \frac{f(x)-f(▲)}{x-▲}$의 꼴로 고친다.

풀이 $f(x)=x^n+2x$로 놓으면 $f(1)=3$

$\lim_{x \to 1} \frac{x^n+2x-3}{x-1}=\lim_{x \to 1} \frac{f(x)-f(1)}{x-1}$

$=f'(1)=12$

이때 $f'(x)=nx^{n-1}+2$이므로 $f'(1)=n+2$

즉, $n+2=12$이므로 $n=\mathbf{10}$

다른풀이 $f(x)=x^n+2x-3$으로 놓으면 $f(1)=0$

$\lim_{x \to 1} \frac{x^n+2x-3}{x-1}=\lim_{x \to 1} \frac{f(x)-f(1)}{x-1}$

$=f'(1)=12$

이때 $f'(x)=nx^{n-1}+2$이므로 $f'(1)=n+2$

즉, $n+2=12$이므로 $n=10$

KEY Point

• 주어진 식의 일부를 $f(x)$로 놓고 미분계수의 정의를 이용할 수 있도록 식을 변형한다.

64 $\lim_{x \to 1} \frac{x^{10}+x-2}{x-1}$의 값을 구하시오.

65 $\lim_{x \to 2} \frac{x^n-x^3-x-6}{x-2}=k$일 때, $n+k$의 값을 구하시오. (단, n은 자연수, k는 상수이다.)

필수예제 13 미분가능할 조건

더 다양한 문제는 RPM 수학 Ⅱ 49쪽

함수 $f(x)=\begin{cases} 3x^2+1 & (x\geq 1) \\ ax+b & (x<1) \end{cases}$가 $x=1$에서 미분가능할 때, 상수 a, b의 값을 구하시오.

풀이 함수 $f(x)$가 $x=1$에서 미분가능하므로 $x=1$에서 연속이다.

즉, $\lim_{x\to 1} f(x)=f(1)$에서 $a+b=3+1 \quad \therefore a+b=4 \quad \cdots\cdots ㉠$

또, 미분계수 $f'(1)$이 존재하므로

$$\lim_{x\to 1+}\frac{f(x)-f(1)}{x-1}=\lim_{x\to 1+}\frac{(3x^2+1)-(3+1)}{x-1}=\lim_{x\to 1+}\frac{3(x+1)(x-1)}{x-1}$$

$$=\lim_{x\to 1+}3(x+1)=6$$

$$\lim_{x\to 1-}\frac{f(x)-f(1)}{x-1}=\lim_{x\to 1-}\frac{(ax+b)-(3+1)}{x-1}=\lim_{x\to 1-}\frac{a(x-1)}{x-1}=a \ (\because ㉠)$$

$\therefore$ $\boldsymbol{a=6}$

$a=6$을 ㉠에 대입하면 $\boldsymbol{b=-2}$

다른풀이 $f(x)=\begin{cases} g(x)=3x^2+1 & (x\geq 1) \\ h(x)=ax+b & (x<1) \end{cases}$로 놓으면 $f'(x)=\begin{cases} g'(x)=6x & (x>1) \\ h'(x)=a & (x<1) \end{cases}$

함수 $f(x)$가 $x=1$에서 미분가능할 조건은

(i) $g(1)=h(1)$ (ii) $g'(1)=h'(1)$

이므로

$g(1)=h(1)$에서 $3+1=a+b \quad \therefore a+b=4 \quad \cdots\cdots ㉠$

$g'(1)=h'(1)$에서 $6=a \quad \cdots\cdots ㉡$

㉠, ㉡에서 $a=6$, $b=-2$

KEY Point

- 함수 $f(x)$가 $x=a$에서 미분가능하면
  (i) $x=a$에서 연속이므로 $\lim_{x\to a} f(x)=f(a)$
  (ii) 미분계수 $f'(a)$가 존재하므로 $\lim_{h\to 0+}\frac{f(a+h)-f(a)}{h}=\lim_{h\to 0-}\frac{f(a+h)-f(a)}{h}$

66 함수 $f(x)=\begin{cases} a(x-4)^2+b & (x\geq 2) \\ x^2 & (x<2) \end{cases}$이 $x=2$에서 미분가능할 때, 상수 a, b의 값을 구하시오.

67 함수 $f(x)=\begin{cases} x^3+ax^2+bx & (x\geq 1) \\ 2x^2+1 & (x<1) \end{cases}$이 모든 실수 x에서 미분가능할 때, 상수 a, b에 대하여 ab의 값을 구하시오.

필수예제 **14** **미분과 다항식의 나머지정리**

더 다양한 문제는 RPM 수학 Ⅱ 49쪽

다음 물음에 답하시오.

(1) 다항식 x^3+ax^2+b가 $(x-2)^2$으로 나누어떨어지도록 하는 상수 a, b의 값을 구하시오.

(2) 다항식 $x^{10}-1$을 $(x-1)^2$으로 나누었을 때의 나머지를 구하시오.

풀이

(1) 다항식 x^3+ax^2+b를 $(x-2)^2$으로 나누었을 때의 몫을 $Q(x)$라 하면

$x^3+ax^2+b=(x-2)^2Q(x)$ ⋯⋯ ㉠

양변에 $x=2$를 대입하면 $8+4a+b=0$

㉠의 양변을 x에 대하여 미분하면

$3x^2+2ax=2(x-2)Q(x)+(x-2)^2Q'(x)$

양변에 $x=2$를 대입하면

$12+4a=0$ $\therefore$ $\boldsymbol{a=-3,\ b=4}$

(2) 다항식 $x^{10}-1$을 $(x-1)^2$으로 나누었을 때의 몫을 $Q(x)$, 나머지를 $ax+b$ (a, b는 상수)라 하면

$x^{10}-1=(x-1)^2Q(x)+ax+b$ ⋯⋯ ㉠

양변에 $x=1$을 대입하면 $0=a+b$

㉠의 양변을 x에 대하여 미분하면

$10x^9=2(x-1)Q(x)+(x-1)^2Q'(x)+a$

양변에 $x=1$을 대입하면 $10=a$ $\therefore$ $b=-10$

따라서 구하는 나머지는 $\boldsymbol{10x-10}$

다른풀이

(1) $f(x)=x^3+ax^2+b$가 $(x-2)^2$으로 나누어떨어질 조건은

$f(2)=0$, $f'(2)=0$

$f(2)=8+4a+b=0$에서 $4a+b=-8$ ⋯⋯ ㉠

$f'(x)=3x^2+2ax$에서 $f'(2)=12+4a=0$ ⋯⋯ ㉡

㉠, ㉡에서 $a=-3$, $b=4$

(2) $f(x)=x^{10}-1$을 $(x-1)^2$으로 나누었을 때의 나머지는

$f'(1)(x-1)+f(1)=10(x-1)=10x-10$ ← $f'(x)=10x^9$

KEY Point

- **다항식 $f(x)$가 $(x-a)^2$으로 나누어떨어질 조건 ⇨ $f(a)=0$, $f'(a)=0$**
- **다항식 $f(x)$를 $(x-a)^2$으로 나누었을 때의 나머지 ⇨ $f'(a)(x-a)+f(a)$**

68 다항식 $x^{20}-ax+b$가 $(x-1)^2$으로 나누어떨어질 때, 상수 a, b에 대하여 $a+b$의 값을 구하시오.

69 다항식 $x^{100}-2x^3+4$를 $(x-1)^2$으로 나누었을 때의 나머지를 구하시오.

70 다항식 x^4+ax^2+b를 $(x+1)^2$으로 나누었을 때의 나머지가 $2x+3$일 때, 상수 a, b에 대하여 ab의 값을 구하시오.

연습문제

STEP 1

생각해 봅시다!

72 함수 $f(x)=x^3-3x+1$의 그래프 위에 $f'(x)=9$인 점이 두 개 있다. 이 두 점 사이의 거리는?

① $\sqrt{2}$　② $2\sqrt{2}$　③ $3\sqrt{2}$　④ $4\sqrt{2}$　⑤ $5\sqrt{2}$

> $f'(x)=9$인 x의 값을 구한다.

73 미분가능한 두 함수 $f(x)$, $g(x)$에 대하여 $f(x)=(x^2+1)g(x)$이고 $g(1)=-1$, $g'(1)=2$일 때, $f'(1)$의 값은?

① -2　② -1　③ 1　④ 2　⑤ 3

74 곡선 $y=x^3+ax^2+bx$ 위의 점 $(1,\ -1)$에서의 접선의 기울기가 2일 때, 상수 a, b의 값을 구하시오.

> 곡선 $y=f(x)$ 위의 점 $(a,\ f(a))$에서의 접선의 기울기
> ⇨ $f'(a)$

75 두 함수 $f(x)=x+x^2+x^3+x^4+x^5$, $g(x)=x^4+x^5+x^6+x^7+x^8$에 대하여 $\lim_{h\to 0}\frac{f(1+2h)-g(1-h)}{3h}$의 값을 구하시오.

76 함수 $f(x)=x^3+ax^2+bx-b$에 대하여 $\lim_{x\to 1}\frac{f(x)}{x-1}=1$일 때, ab의 값을 구하시오. (단, a, b는 상수)

77 $\lim_{x\to -1}\frac{x^{10}+x^9+x^8+x^7+x^6-1}{x+1}$의 값을 구하시오.

STEP 2

78 두 함수 $f(x)$, $g(x)$는 모든 실수 x에 대하여 미분가능하고, 함수 $y=f(x)$의 그래프가 오른쪽 그림과 같다. 함수 $p(x)=f(x)g(x)$에 대하여 $p'(2)=6$일 때, $g'(2)$의 값을 구하시오. (단, $f'(2)=0$)

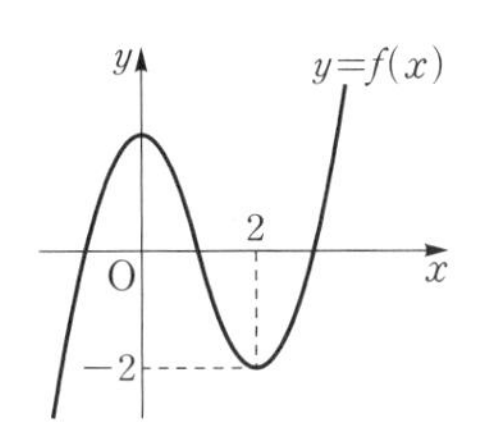

79 두 다항함수 $f(x)$, $g(x)$가 모든 실수 x에 대하여 $f'(x)=g(x)$이고 $\{f(x)+g(x)\}'=x^3+3x^2+4x+5$가 성립할 때, $g'(-1)$의 값을 구하시오.

80 두 다항함수 $f(x)$, $g(x)$가

$$\lim_{x \to 3}\frac{f(x)-2}{x-3}=1,\ \lim_{x \to 3}\frac{g(x)-1}{x-3}=2$$

를 만족시킬 때, 함수 $y=f(x)g(x)$의 $x=3$에서의 미분계수를 구하시오.

$\lim_{x \to a}\frac{f(x)-b}{x-a}=c$이면 $f(a)=b$, $f'(a)=c$

[평가원기출]

81 다항함수 $f(x)$가 $\lim_{x \to 1}\frac{f(x)-5}{x-1}=9$를 만족시킨다. $g(x)=xf(x)$라 할 때, $g'(1)$의 값을 구하시오.

82 함수 $f(x)=\begin{cases} ax^3+b^2 & (x \ge 1) \\ bx^2+ax+b & (x<1) \end{cases}$가 $x=1$에서 미분가능할 때,

$\lim_{h \to 0}\frac{f(1+2h)-f(1-h)}{h}$의 값을 구하시오. (단, a, b는 상수, $a \ne 0$)

83 다항식 $x^{10}-ax+3b$를 $(x+1)^2$으로 나누었을 때의 나머지가 $3x-2$일 때, $3b-a$의 값을 구하시오. (단, a, b는 상수)

항등식을 세워서 조건을 이용한다.

실력 UP

84 다항함수 $f(x)$가 모든 실수 x에 대하여
$f'(x)\{f'(x)+2\}=8f(x)+12x^2-5$를 만족시킬 때, $f(x)$를 모두 구하시오.

생각해 봅시다!

$f(x)$가 n차식이면 $f'(x)$는 $(n-1)$차식이다.

85 다항함수 $f(x)$가 다음 조건을 모두 만족시킬 때, $f(1)$의 값을 구하시오.

(가) $\lim_{x \to \infty} \frac{f(x)-x^3}{x^2+2}=2$　　(나) $\lim_{x \to 1} \frac{f(x)-f(1)}{x^2-1}=4$

(다) $f(0)=0$

[평가원기출]

86 함수 $f(x)=x^5-x^4+x^3$에 대하여 $\lim_{n \to \infty} n\left\{f\left(1+\frac{3}{n}\right)-f\left(1-\frac{4}{n}\right)\right\}$의 값은?

① 21　② 24　③ 28　④ 29　⑤ 32

87 다항식 $f(x)$는 $(x-1)^2$으로 나누어떨어지고, $x-2$로 나누면 나머지가 2이다. $f(x)$를 $(x-1)^2(x-2)$로 나누었을 때의 나머지를 $g(x)$라 할 때, $\lim_{h \to 0} \frac{g(2+2h)-g(2-h)}{h}$의 값을 구하시오.

88 n이 자연수이고 $y=\{f(x)\}^n$일 때, $y'=n\{f(x)\}^{n-1}f'(x)$임을 수학적 귀납법으로 증명하시오.

Ⅱ

미분

01 접선의 방정식

개념원리 이해

1. 접선의 방정식 ⊳ 필수예제 1

함수 $f(x)$가 $x=a$에서 미분가능할 때, 곡선 $y=f(x)$ 위의 점 $(a, f(a))$에서의

(1) **접선의 기울기: $f'(a)$** ← $x=a$에서의 미분계수

(2) **접선의 방정식: $y-f(a)=f'(a)(x-a)$**

즉, $y=f'(a)(x-a)+f(a)$

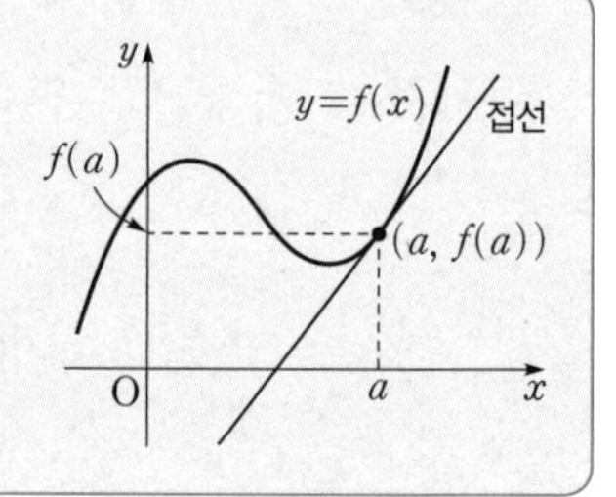

예　곡선 $y=x^3-3x$ 위의 점 $(2, 2)$에서의

(1) 접선의 기울기는 $f(x)=x^3-3x$로 놓으면 $f'(x)=3x^2-3$에서 $f'(2)=3\cdot4-3=9$

(2) 접선은 기울기가 9, 점 $(2, 2)$를 지나는 직선이므로 접선의 방정식은

$y-2=9(x-2)$　　$\therefore y=9x-16$

2. 접선의 방정식을 구하는 방법 ⊳ 필수예제 2~5

(1) 접점의 좌표 $(a, f(a))$가 주어진 경우

곡선 $y=f(x)$ 위의 점 $(a, f(a))$에서의 접선의 방정식 구하기

(i) **접선의 기울기 $f'(a)$**를 구한다.

(ii) **$y-f(a)=f'(a)(x-a)$**임을 이용하여 접선의 방정식을 구한다.

▶ 점 (x_1, y_1)을 지나고 기울기가 m인 직선의 방정식은 $y-y_1=m(x-x_1)$, 즉 $y=m(x-x_1)+y_1$

예　곡선 $y=-x^2+4x$ 위의 점 $(1, 3)$에서의 접선의 방정식을 구하시오.

풀이　$f(x)=-x^2+4x$로 놓으면 $f'(x)=-2x+4$

곡선 $y=f(x)$ 위의 점 $(1, 3)$에서의 접선의 기울기는

$f'(1)=-2\cdot1+4=2$

따라서 구하는 접선의 방정식은 기울기가 2이고, 점 $(1, 3)$을 지나는 직선의 방정식이므로 $y-3=2(x-1)$　　$\therefore y=2x+1$

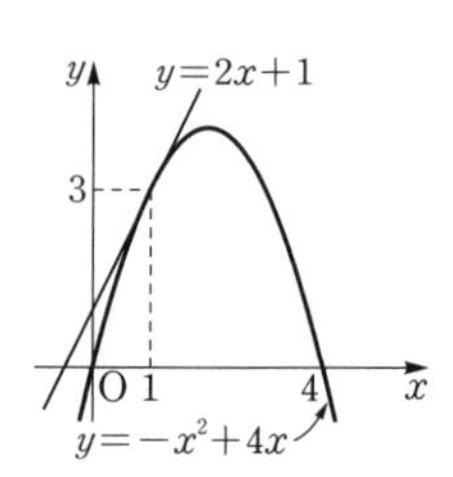

(2) 기울기 m이 주어진 경우

곡선 $y=f(x)$에 접하고 기울기가 m인 직선의 방정식 구하기

(i) 접점의 좌표를 **$(a, f(a))$**로 놓는다.

(ii) **$f'(a)=m$**임을 이용하여 a의 값과 접점의 좌표를 구한다.

(iii) **$y-f(a)=m(x-a)$**임을 이용하여 접선의 방정식을 구한다.

(3) 곡선 밖의 한 점 $(x_1,\ y_1)$이 주어진 경우

점 $(x_1,\ y_1)$에서 곡선 $y=f(x)$에 그은 접선의 방정식 구하기
(i) 접점의 좌표를 $(t,\ f(t))$로 놓는다.
(ii) 점 $(t,\ f(t))$에서의 접선의 방정식은 $y-f(t)=f'(t)(x-t)$ …… ㉠
(iii) ㉠에 $x=x_1,\ y=y_1$을 대입하여 t의 값을 구한다.
(iv) (iii)에서 구한 t의 값을 다시 ㉠에 대입하여 접선의 방정식을 구한다.

3. 접선에 수직인 직선의 방정식

함수 $f(x)$가 $x=a$에서 미분가능할 때, 곡선 $y=f(x)$ 위의 점 $\mathrm{A}(a,\ f(a))$에서의

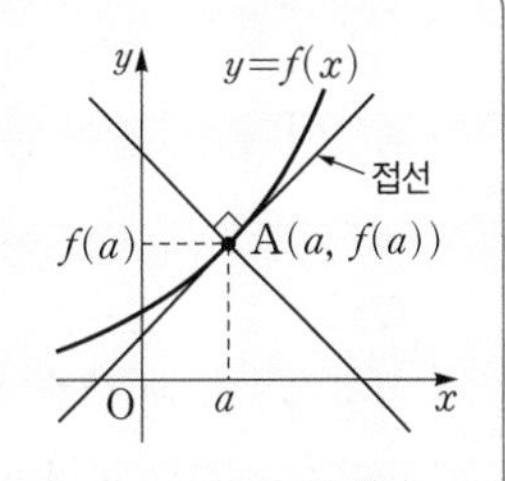

(1) **접선에 수직인 직선의 기울기:** $-\dfrac{1}{f'(a)}$ (단, $f'(a)\neq 0$)

(2) **접선에 수직이고 점 A를 지나는 직선의 방정식:**

$$y-f(a)=-\frac{1}{f'(a)}(x-a)$$

▶ 기울기의 곱이 -1인 두 직선은 서로 수직이다. 즉, 직선의 기울기가 0이 아닐 때,
(직선의 기울기)×(그 직선에 수직인 직선의 기울기)$=-1$

예 곡선 $y=x^2-3$ 위의 점 $\mathrm{A}(1,\ -2)$에서의 접선에 수직이고 점 A를 지나는 직선의 방정식을 구하시오.

풀이 $f(x)=x^2-3$으로 놓으면 $f'(x)=2x$
점 $\mathrm{A}(1,\ -2)$에서의 접선의 기울기는 $f'(1)=2$이므로 점 A에서의 접선에 수직인 직선의 기울기는 $-\frac{1}{2}$
따라서 구하는 직선의 방정식은 $y-(-2)=-\frac{1}{2}(x-1)$ $\quad\therefore y=-\frac{1}{2}x-\frac{3}{2}$

4. 두 곡선에 동시에 접하는 직선 ▷ 필수예제 7, 8

두 함수 $f(x)$, $g(x)$가 미분가능할 때, 두 곡선 $y=f(x)$, $y=g(x)$가

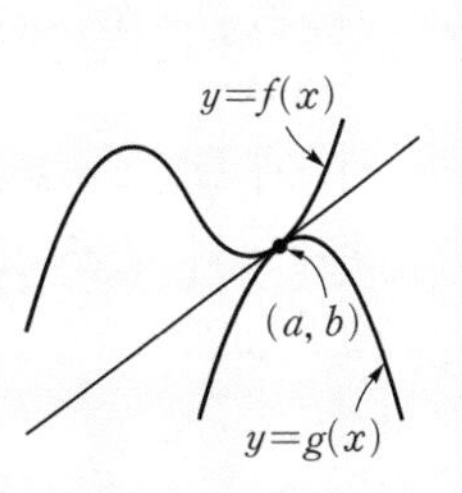

(1) 점 $(a,\ b)$에서 접할 조건
① $x=a$에서의 **함숫값이 같다.** ⇨ $f(a)=g(a)=b$
② 곡선 위의 점 $(a,\ b)$에서의 **접선의 기울기가 같다.**
⇨ $f'(a)=g'(a)$

(2) 점 $(a,\ b)$에서 만나고, 이 점에서의 각각의 접선이 서로 수직일 조건
① $x=a$에서의 **함숫값이 같다.** ⇨ $f(a)=g(a)=b$
② 곡선 위의 점 $(a,\ b)$에서의 **접선의 기울기의 곱이 -1이다.** ⇨ $f'(a)\times g'(a)=-1$ (단, $f'(a)\neq 0,\ g'(a)\neq 0$)

71 다음 곡선 위의 주어진 점에서의 접선의 기울기를 구하시오.

(1) $y=2x^2+4x-3$ $(1, 3)$

(2) $y=x^3-2x+1$ $(2, 5)$

생각해 봅시다!

곡선 $y=f(x)$ 위의 점 $(a, f(a))$에서의 접선의 기울기는 $f'(a)$

72 다음은 곡선 $y=x^2-4x-1$ 위의 점 $(4, -1)$에서의 접선의 방정식을 구하는 과정이다. □ 안에 알맞은 것을 써넣으시오.

> $f(x)=x^2-4x-1$로 놓으면 $f'(x)=$□
> 곡선 $y=f(x)$ 위의 점 $(4, -1)$에서의 접선의 기울기는 $f'($□$)=$□
> 따라서 구하는 접선의 방정식은 기울기가 □이고, 점 $(4, -1)$을 지나는 직선의 방정식이므로
> $y-($□$)=$□$(x-$□$)$ $\quad\therefore y=$□

73 다음은 곡선 $y=3x^2+2x+1$에 접하고 기울기가 8인 접선의 방정식을 구하는 과정이다. □ 안에 알맞은 것을 써넣으시오.

> $f(x)=3x^2+2x+1$로 놓으면 $f'(x)=$□
> 접점의 좌표를 $(a, 3a^2+2a+1)$이라 하면 접선의 기울기가 8이므로
> $f'(a)=$□$=8$ $\quad\therefore a=1$
> 따라서 접점의 좌표는 $(1,$ □$)$이므로 구하는 접선의 방정식은
> $y-$□$=$□$(x-$□$)$ $\quad\therefore y=$□

필수예제 01 접선의 기울기

더 다양한 문제는 RPM 수학 Ⅱ 56쪽

다음 물음에 답하시오.

(1) 곡선 $y=2x^3+ax^2-x+b$ 위의 점 $(1, 2)$에서의 접선의 기울기가 5일 때, 상수 a, b의 값을 구하시오.

(2) 곡선 $y=2x^3+ax^2+bx$ 위의 두 점 $(1, 3)$, $(2, c)$에서의 접선의 기울기가 서로 같을 때, 상수 a, b, c의 값을 구하시오.

설명 (1) 곡선 $y=f(x)$ 위의 점 $(1, 2)$ $\Longleftrightarrow$ 곡선 $y=f(x)$가 점 $(1, 2)$를 지난다.

풀이 (1) $f(x)=2x^3+ax^2-x+b$로 놓으면 $f'(x)=6x^2+2ax-1$

곡선 $y=f(x)$가 점 $(1, 2)$를 지나므로 $f(1)=2$

$2+a-1+b=2 \quad \therefore a+b=1$ …… ㉠

곡선 $y=f(x)$ 위의 점 $(1, 2)$에서의 접선의 기울기가 5이므로 $f'(1)=5$

$6+2a-1=5$, $2a=0 \quad \therefore \boldsymbol{a=0}$ …… ㉡

㉠, ㉡에서 $\boldsymbol{b=1}$

(2) $f(x)=2x^3+ax^2+bx$로 놓으면 $f'(x)=6x^2+2ax+b$

곡선 $y=f(x)$가 점 $(1, 3)$을 지나므로 $f(1)=3$

$2+a+b=3 \quad \therefore a+b=1$ …… ㉠

곡선 $y=f(x)$ 위의 두 점 $(1, 3)$, $(2, c)$에서의 접선의 기울기가 서로 같으므로 $f'(1)=f'(2)$

$6+2a+b=24+4a+b$, $-2a=18 \quad \therefore \boldsymbol{a=-9}$ …… ㉡

㉠, ㉡에서 $\boldsymbol{b=10} \quad \therefore f(x)=2x^3-9x^2+10x$

곡선 $y=f(x)$가 점 $(2, c)$를 지나므로 $f(2)=c$

$16-36+20=c \quad \therefore \boldsymbol{c=0}$

KEY Point

- 곡선 $y=f(x)$ 위의 점 $(a, f(a))$에서의 접선의 기울기 ⇨ $f'(a)$
- $f'(a)$의 계산 ⇨ 함수 $f(x)$의 도함수 $f'(x)$를 구한 후 $x=a$ 대입

74 곡선 $y=x^3+ax^2+bx$가 점 $(1, 5)$를 지나고, 이 곡선 위의 점 중 x좌표가 -1인 점에서의 접선의 기울기가 1일 때, 상수 a, b의 값을 구하시오.

75 곡선 $y=ax^2+bx+\frac{1}{2}$이 점 $(1, 2)$를 지나고, 곡선 위의 점 $(-1, c)$에서의 접선의 기울기가 $-\frac{3}{2}$일 때, 상수 a, b, c에 대하여 abc의 값을 구하시오.

필수예제 02 곡선 위의 점에서의 접선의 방정식

더 다양한 문제는 RPM 수학 Ⅱ 56, 57쪽

곡선 $y=x^3+2x^2+x-2$에 대하여 다음을 구하시오.

(1) 곡선 위의 점 $(1, 2)$에서의 접선의 방정식

(2) 곡선 위의 점 $(1, 2)$를 지나고 이 점에서의 접선에 수직인 직선의 방정식

설명 (1) 접선의 방정식을 구할 때, 주어진 점이 곡선 위의 점인지 아닌지를 반드시 확인한다.
$x=1$, $y=2$를 $y=x^3+2x^2+x-2$에 대입하면 등식이 성립하므로 점 $(1, 2)$가 곡선 $y=x^3+2x^2+x-2$ 위의 점임을 확인할 수 있다.

풀이 (1) $f(x)=x^3+2x^2+x-2$로 놓으면 $f'(x)=3x^2+4x+1$
곡선 $y=f(x)$ 위의 점 $(1, 2)$에서의 접선의 기울기는
$f'(1)=3+4+1=8$
따라서 구하는 접선의 방정식은 기울기가 8이고, 점 $(1, 2)$를 지나는 직선의 방정식이므로
$y-2=8(x-1)$
$\therefore \boldsymbol{y=8x-6}$

(2) 곡선 $y=f(x)$ 위의 점 $(1, 2)$에서의 접선의 기울기는 8이므로 점 $(1, 2)$에서의 접선에 수직인 직선의 기울기는 $-\frac{1}{8}$이다.
따라서 구하는 직선의 방정식은
$y-2=-\frac{1}{8}(x-1)$
$\therefore \boldsymbol{y=-\frac{1}{8}x+\frac{17}{8}}$

참고 기울기가 m이고 점 (x_1, y_1)을 지나는 직선의 방정식은
$y-y_1=m(x-x_1)$

KEY Point

- 곡선 $y=f(x)$ 위의 점 $(a, f(a))$에서의 접선의 방정식 구하기
  (i) 접선의 기울기 $f'(a)$를 구한다.
  (ii) $y-f(a)=f'(a)(x-a)$임을 이용하여 접선의 방정식을 구한다.

▶ 접점이 주어지면 ⇨ 기울기를 먼저 구한다.

76 곡선 $y=x^3-2x^2+1$ 위의 점 $(-1, -2)$에서의 접선의 방정식을 구하시오.

77 곡선 $y=x^3+ax^2+bx$ 위의 점 $(2, 4)$에서의 접선의 방정식이 $y=6x-8$일 때, 상수 a, b의 값을 구하시오.

78 곡선 $y=x^3-x+1$ 위의 점 $(1, 1)$을 지나고 이 점에서의 접선에 수직인 직선의 방정식을 구하시오.

필수예제 03 기울기가 주어졌을 때의 접선의 방정식 (1)

더 다양한 문제는 RPM 수학 Ⅱ 58쪽

곡선 $y=x^2-3x$에 접하고, 다음 조건을 만족시키는 직선의 방정식을 구하시오.

(1) 기울기가 3 (2) x축에 평행

설명 (2) x축에 평행한 직선의 기울기는 0이다.

풀이 $f(x)=x^2-3x$로 놓으면 $f'(x)=2x-3$

(1) 접점의 좌표를 (a, a^2-3a)라 하면 접선의 기울기가 3이므로

$f'(a)=2a-3=3$, $2a=6$ $\therefore a=3$

따라서 접점의 좌표는 $(3, 0)$이므로 구하는 접선의 방정식은

$y-0=3(x-3)$ $\therefore \boldsymbol{y=3x-9}$

(2) x축에 평행한 접선의 기울기는 0이다. ← 따라서 접선의 방정식은 $y=k$(k는 상수)의 꼴

접점의 좌표를 (a, a^2-3a)라 하면 접선의 기울기가 0이므로

$f'(a)=2a-3=0$, $2a=3$ $\therefore a=\frac{3}{2}$

따라서 접점의 좌표는 $\left(\frac{3}{2}, -\frac{9}{4}\right)$이므로 구하는 접선의 방정식은

$y-\left(-\frac{9}{4}\right)=0\cdot\left(x-\frac{3}{2}\right)$ $\therefore \boldsymbol{y=-\frac{9}{4}}$

필수예제 04 기울기가 주어졌을 때의 접선의 방정식 (2)

더 다양한 문제는 RPM 수학 Ⅱ 57쪽

직선 $x+9y=3$에 수직이고 곡선 $y=x^3+3x^2+2$에 접하는 직선의 방정식을 구하시오.

풀이 $f(x)=x^3+3x^2+2$로 놓으면 $f'(x)=3x^2+6x$

구하는 접선이 직선 $x+9y=3$, 즉 $y=-\frac{1}{9}x+\frac{1}{3}$에 수직이므로 구하는 접선의 기울기는 9이다.

접점의 좌표를 (a, a^3+3a^2+2)라 하면 접선의 기울기가 9이므로

$f'(a)=3a^2+6a=9$, $3a^2+6a-9=0$, $3(a+3)(a-1)=0$ $\therefore a=-3$ 또는 $a=1$

따라서 접점의 좌표는 $(-3, 2)$, $(1, 6)$이므로 구하는 접선의 방정식은

$y-2=9\{x-(-3)\}$, $y-6=9(x-1)$ $\therefore \boldsymbol{y=9x+29}$, $\boldsymbol{y=9x-3}$

79 곡선 $y=x^2$의 접선이 x축의 양의 방향과 $45°$의 각을 이룰 때, 그 접선의 방정식을 구하시오.

80 직선 $2x-y+3=0$에 평행하고 곡선 $y=-x^2+1$에 접하는 직선의 방정식을 구하시오.

81 직선 $x-8y+3=0$에 수직이고 곡선 $y=x^3-11x+2$에 접하는 직선의 방정식을 구하시오.

필수예제 05 곡선 밖의 한 점에서 그은 접선의 방정식

더 다양한 문제는 RPM 수학 Ⅱ 59쪽

점 $(0,\ -4)$에서 곡선 $y=x^2-2x$에 그은 접선의 방정식을 구하시오.

설명 점 $(0,\ -4)$는 곡선 밖의 점이므로 접점의 좌표를 $(t,\ f(t))$로 놓고 조건을 이용하여 t의 값을 구한다.

풀이 $f(x)=x^2-2x$로 놓으면 $f'(x)=2x-2$

접점의 좌표를 $(t,\ t^2-2t)$라 하면 이 점에서의 접선의 기울기는

$f'(t)=2t-2$

따라서 기울기가 $2t-2$이고 점 $(t,\ t^2-2t)$를 지나는 직선의 방정식은

$y-(t^2-2t)=(2t-2)(x-t)$

$\therefore y=(2t-2)x-t^2$ ...... ㉠

이 직선이 점 $(0,\ -4)$를 지나므로

$-4=-t^2$, $t^2=4$ $\therefore t=-2$ 또는 $t=2$

이것을 ㉠에 각각 대입하면 구하는 접선의 방정식은

$\boldsymbol{y=-6x-4,\ y=2x-4}$

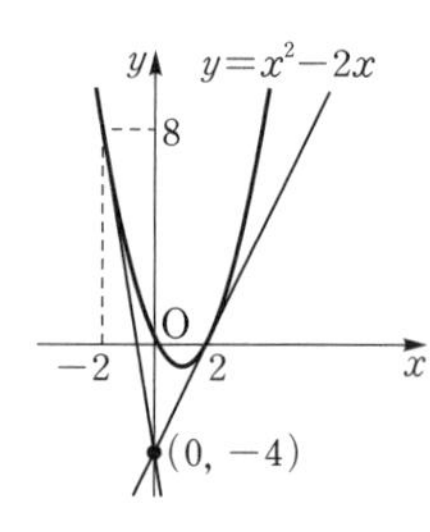

참고 곡선 위의 점에서의 접선은 한 개 존재하지만 곡선 밖의 점에서 곡선에 그은 접선은 두 개 이상일 수도 있다.

KEY Point

- 곡선 밖의 한 점 $(x_1,\ y_1)$에서 곡선 $y=f(x)$에 그은 접선의 방정식 구하기
  - (i) 접점의 좌표를 $(t,\ f(t))$로 놓는다.
  - (ii) 접선의 방정식 $y-f(t)=f'(t)(x-t)$에 $x=x_1,\ y=y_1$을 대입하여 t의 값을 구한다.
  - (iii) (ii)에서 구한 t의 값을 $y-f(t)=f'(t)(x-t)$에 대입하여 접선의 방정식을 구한다.

▶ 접점의 좌표를 모를 때에는 $(t,\ f(t))$로 놓는다.

확인 체크

82 다음 점에서 곡선에 그은 접선의 방정식을 구하시오.

(1) $y=-x^2+2x+3$ $(2,\ 4)$ (2) $y=x^3-2x$ $(0,\ 2)$

83 점 $(1,\ -6)$에서 곡선 $y=x^3-2$에 그은 접선이 점 $(k,\ 30)$을 지날 때, k의 값을 구하시오.

84 원점 O에서 곡선 $y=\frac{1}{4}x^4+3$에 그은 접선의 접점을 P라 할 때, 선분 OP의 길이를 구하시오.

필수예제 06 곡선과 직선이 접할 때 미정계수의 결정

더 다양한 문제는 RPM 수학 Ⅱ 58쪽

다음 물음에 답하시오.

(1) 곡선 $y=2x^3+ax+1$이 직선 $y=7x-3$에 접할 때, 상수 a의 값을 구하시오.

(2) 곡선 $y=x^3-ax+2$가 직선 $y=2x$에 접할 때, 상수 a의 값을 구하시오.

풀이

(1) $f(x)=2x^3+ax+1$로 놓으면 $f'(x)=6x^2+a$

곡선과 직선의 접점의 좌표를 $(t,\ 2t^3+at+1)$이라 하면

이 점에서의 접선의 기울기는 $f'(t)=6t^2+a$, 접선의 방정식은

$y-(2t^3+at+1)=(6t^2+a)(x-t)$ $\quad\therefore y=(6t^2+a)x-4t^3+1$ …… ㉠

㉠이 $y=7x-3$이므로 $6t^2+a=7$, $-4t^3+1=-3$

$-4t^3+1=-3$에서 $t=1$이므로 $a=\mathbf{1}$

(2) $f(x)=x^3-ax+2$로 놓으면 $f'(x)=3x^2-a$

곡선과 직선의 접점의 좌표를 $(t,\ t^3-at+2)$라 하면

이 점에서의 접선의 기울기는 $f'(t)=3t^2-a$, 접선의 방정식은

$y-(t^3-at+2)=(3t^2-a)(x-t)$ $\quad\therefore y=(3t^2-a)x-2t^3+2$ …… ㉠

㉠이 $y=2x$이므로 $3t^2-a=2$, $-2t^3+2=0$

$-2t^3+2=0$에서 $t=1$이므로 $a=\mathbf{1}$

다른풀이

(1) 곡선과 직선의 접점은 곡선과 직선의 교점이므로 y좌표가 같다. 즉,

$2t^3+at+1=7t-3$ …… ㉠

또한, 접점에서의 접선의 기울기가 7이므로

$f'(t)=6t^2+a=7$ $\quad\therefore a=7-6t^2$ …… ㉡

㉡을 ㉠에 대입하면 $2t^3+(7-6t^2)t+1=7t-3$, $-4t^3+4=0$ $\quad\therefore t=1$

$t=1$을 ㉡에 대입하면 $a=1$

(2) 곡선과 직선의 접점은 곡선과 직선의 교점이므로 y좌표가 같다. 즉,

$t^3-at+2=2t$ …… ㉠

또한, 접점에서의 접선의 기울기가 2이므로

$f'(t)=3t^2-a=2$ $\quad\therefore a=3t^2-2$ …… ㉡

㉡을 ㉠에 대입하면 $t^3-(3t^2-2)t+2=2t$, $-2t^3+2=0$ $\quad\therefore t=1$

$t=1$을 ㉡에 대입하면 $a=1$

KEY Point

- **곡선 $y=f(x)$와 직선 $y=g(x)$가 접할 때**
  (i) 접점의 좌표를 $(t,\ f(t))$로 놓고 접선의 방정식을 구한다.
  (ii) (i)에서 구한 접선의 방정식이 $y=g(x)$와 일치함을 이용한다.

85 직선 $y=ax+2$가 곡선 $y=x^3$에 접하도록 하는 상수 a의 값을 구하시오.

86 직선 $y=5x$가 곡선 $y=x^3-ax+2$에 접할 때, 상수 a의 값을 구하시오.

필수예제 07 두 곡선의 공통인 접선

더 다양한 문제는 RPM 수학 Ⅱ 59쪽

두 곡선 $y=x^2+ax+b$, $y=-x^3+c$가 점 $(1, -2)$에서 접할 때, 다음을 구하시오.

(1) 상수 a, b, c의 값

(2) 두 곡선에 공통으로 접하는 직선의 방정식

설명 두 곡선을 각각 $y=f(x)$, $y=g(x)$라 할 때, 두 곡선 모두 점 $(1, -2)$를 지나므로 $f(1)=g(1)=-2$
두 곡선 위의 점 $(1, -2)$에서의 접선의 기울기가 같으므로 $f'(1)=g'(1)$

풀이 (1) $f(x)=x^2+ax+b$, $g(x)=-x^3+c$로 놓으면 $f'(x)=2x+a$, $g'(x)=-3x^2$
두 곡선 $y=f(x)$, $y=g(x)$ 모두 점 $(1, -2)$를 지나므로 $f(1)=-2$, $g(1)=-2$
$f(1)=1+a+b=-2 \quad \therefore a+b=-3$ …… ㉠
$g(1)=-1+c=-2 \quad \therefore \boldsymbol{c=-1}$
두 곡선의 접점 $(1, -2)$에서의 접선의 기울기가 같으므로 $f'(1)=g'(1)$
$2+a=-3 \quad \therefore \boldsymbol{a=-5}$
㉠에서 $\boldsymbol{b=2}$

(2) 접점의 좌표는 $(1, -2)$이고, 접선의 기울기는 $f'(1)=g'(1)=-3$이므로
두 곡선에 공통으로 접하는 직선의 방정식은
$y-(-2)=-3(x-1) \quad \therefore \boldsymbol{y=-3x+1}$

필수예제 08 두 곡선의 교점에서의 접선이 수직일 때

더 다양한 문제는 RPM 수학 Ⅱ 57쪽

두 곡선 $y=x^3$, $y=ax^2+bx$가 점 $(1, 1)$에서 만나고, 이 점에서 두 곡선에 각각 그은 접선이 서로 수직일 때, 상수 a, b의 값을 구하시오.

설명 두 직선의 기울기의 곱이 -1이면 두 직선은 서로 수직이다.

풀이 $f(x)=x^3$, $g(x)=ax^2+bx$로 놓으면 $f'(x)=3x^2$, $g'(x)=2ax+b$
곡선 $y=g(x)$가 점 $(1, 1)$을 지나므로 $g(1)=1$
$\therefore a+b=1$ …… ㉠
두 곡선 위의 점 $(1, 1)$에서의 각각의 접선이 서로 수직이므로 두 접선의 기울기의 곱이 -1이다. 즉,
$f'(1)g'(1)=-1 \quad \therefore 3(2a+b)=-1$ …… ㉡
㉠, ㉡을 연립하여 풀면 $\boldsymbol{a=-\frac{4}{3}}$, $\boldsymbol{b=\frac{7}{3}}$

87 두 곡선 $y=x^3+ax$, $y=bx^2+c$가 점 $(-1, 0)$에서 공통인 접선을 가질 때, 다음을 구하시오.

(1) 상수 a, b, c의 값

(2) 두 곡선에 공통으로 접하는 직선의 방정식

88 두 곡선 $y=x^2-1$, $y=ax^2$ $(a\neq0)$의 교점에서 두 곡선에 각각 그은 접선이 서로 수직일 때, 상수 a의 값을 구하시오.

02 평균값 정리

개념원리 이해

1. 롤(Rolle)의 정리 ▷ 필수예제 9

함수 $f(x)$가 닫힌구간 $[a, b]$에서 연속이고 열린구간 (a, b)에서 미분가능할 때, $f(a)=f(b)$이면

$f'(c)=0$

인 c가 열린구간 (a, b)에 적어도 하나 존재한다.

▶ ① 롤(Rolle)은 프랑스의 수학자이다.

② 롤의 정리의 기하적 의미: 롤의 정리는 함수 $f(x)$가 닫힌구간 $[a, b]$에서 연속, 열린구간 (a, b)에서 미분가능하고 $f(a)=f(b)$이면 열린구간 (a, b)에 기울기가 0인 곡선 $y=f(x)$의 접선이 적어도 하나 존재한다는 것을 의미한다.

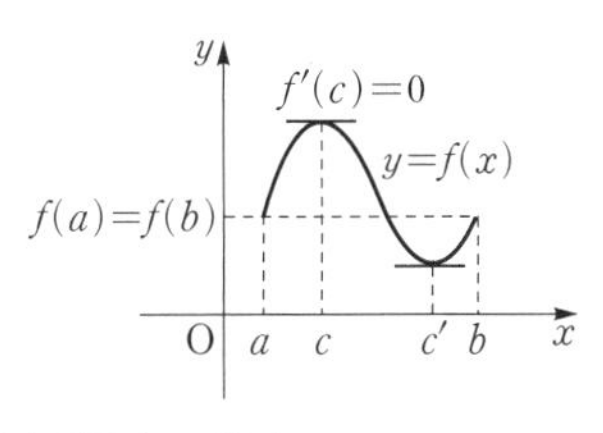

③ 함수 $f(x)$가 열린구간 (a, b)에서 미분가능하지 않으면 $f'(c)=0$인 c가 존재하지 않을 수도 있다.

예 $f(x)=|x|$는 닫힌구간 $[-1, 1]$에서 연속이고 $f(-1)=f(1)=1$이지만 $x=0$에서 미분가능하지 않으므로 롤의 정리의 가정을 만족시키지 않는다. 이때 $f'(c)=0$인 c가 열린구간 $(-1, 1)$에 존재하지 않음을 확인할 수 있다.

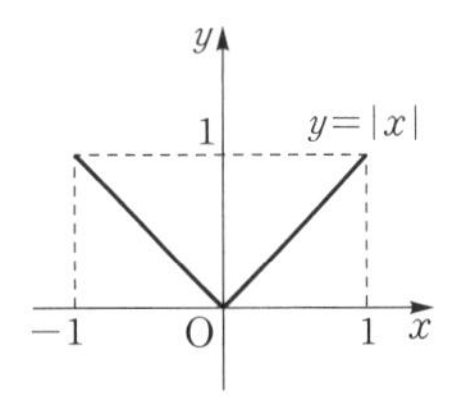

증명 롤의 정리

(i) 함수 $f(x)$가 상수함수인 경우

열린구간 (a, b)에 속하는 모든 c에 대하여 $f'(c)=0$이다.

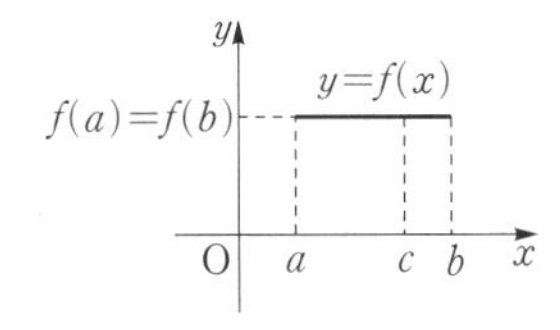

(ii) 함수 $f(x)$가 상수함수가 아닌 경우

함수 $f(x)$가 닫힌구간 $[a, b]$에서 연속이므로 $f(x)$는 이 구간에서 최댓값과 최솟값을 갖는다. 이때 $f(a)=f(b)$이므로 $f(x)$가 최대 또는 최소가 되는 $x=c$가 열린구간 (a, b)에 존재한다.

(ㄱ) 함수 $f(x)$가 $x=c$에서 최댓값 $f(c)$를 가질 때, $a<c+h<b$를 만족시키는 임의의 h에 대하여

$f(c+h)\le f(c)$

이므로

$$\lim_{h\to 0-}\frac{f(c+h)-f(c)}{h}\ge 0 \quad \cdots\cdots ㉠$$

$$\lim_{h\to 0+}\frac{f(c+h)-f(c)}{h}\le 0 \quad \cdots\cdots ㉡$$

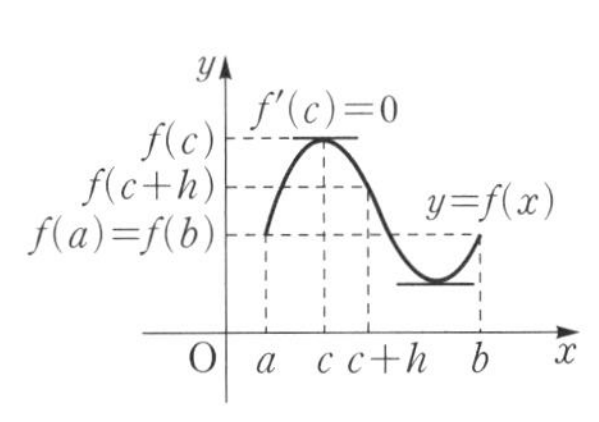

그런데 함수 $f(x)$는 $x=c$에서 미분가능하므로

$$\lim_{h\to 0-}\frac{f(c+h)-f(c)}{h}=\lim_{h\to 0+}\frac{f(c+h)-f(c)}{h}$$

이다. 즉, ㉠, ㉡에서

$$0 \le \lim_{h \to 0-} \frac{f(c+h)-f(c)}{h} = \lim_{h \to 0+} \frac{f(c+h)-f(c)}{h} \le 0$$

이므로 $f'(c)=\lim_{h \to 0} \frac{f(c+h)-f(c)}{h}=0$

(ㄴ) 함수 $f(x)$가 $x=c$에서 최솟값 $f(c)$를 가질 때,

(ㄱ)에서와 마찬가지 방법으로 $f'(c)=0$임을 보일 수 있다.

(i), (ii)에 의하여 $f'(c)=0$인 c가 열린구간 (a, b)에 존재한다.

예 함수 $f(x)=x^2+1$에 대하여 닫힌구간 $[-1, 1]$에서 롤의 정리를 만족시키는 실수 c의 값을 구하시오.

풀이 함수 $f(x)$는 닫힌구간 $[-1, 1]$에서 연속이고 열린구간 $(-1, 1)$에서 미분가능하다.

또한, $f(-1)=f(1)=2$이므로 롤의 정리에 의하여 $f'(c)=0$인 c가 열린구간 $(-1, 1)$에 존재한다.

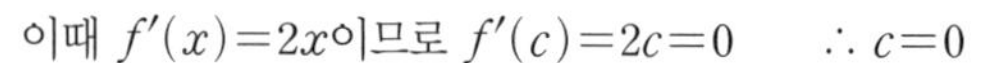

이때 $f'(x)=2x$이므로 $f'(c)=2c=0$ $\therefore c=0$

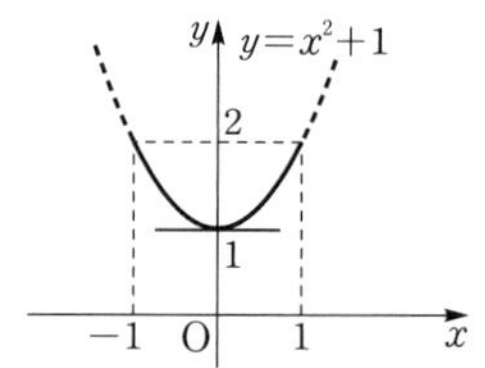

2. 평균값 정리 ▷ 필수예제 10

> 함수 $f(x)$가 닫힌구간 $[a, b]$에서 연속이고 열린구간 (a, b)에서 미분가능하면
>
> $$\frac{f(b)-f(a)}{b-a}=f'(c)$$
>
> 인 c가 열린구간 (a, b)에 적어도 하나 존재한다.

▶ ① 평균값 정리를 영어로 Mean Value Theorem이라 한다.

② 평균값 정리에서 $f(a)=f(b)$인 경우가 롤의 정리이다.

③ $\frac{f(b)-f(a)}{b-a}$는 x의 값이 a에서 b까지 변할 때 함수 $f(x)$의 평균변화율이다. 또한, 곡선 $y=f(x)$ 위의 두 점 $\mathrm{A}(a, f(a))$, $\mathrm{B}(b, f(b))$를 잇는 직선 AB의 기울기이다.

④ 평균값 정리의 기하적 의미: 평균값 정리는 열린구간 (a, b)에서 직선 AB와 평행한 곡선 $y=f(x)$의 접선이 적어도 하나 존재함을 의미한다.

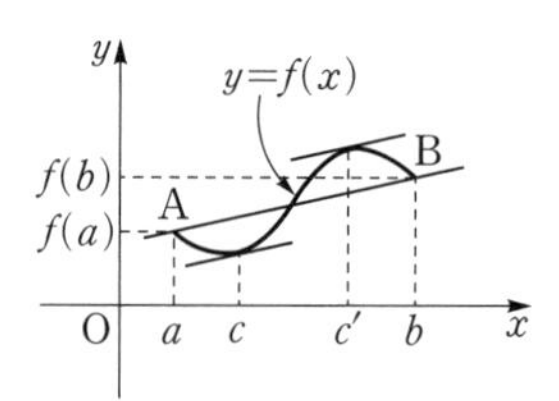

증명 **평균값 정리**

곡선 $y=f(x)$ 위의 두 점 $\mathrm{A}(a, f(a))$, $\mathrm{B}(b, f(b))$를 지나는 직선의 기울기는 $\frac{f(b)-f(a)}{b-a}$이므로 두 점 A, B를 잇는 직선의 방정식을 $y=g(x)$라 하면

$$g(x)=\frac{f(b)-f(a)}{b-a}(x-a)+f(a) \quad \leftarrow g'(x)=\frac{f(b)-f(a)}{b-a}$$

이다. 이때 $h(x)=f(x)-g(x)$로 놓으면 함수 $h(x)$는 닫힌구간 $[a, b]$에서 연속이고 열린구간 (a, b)에서 미분가능하며 $h(a)=h(b)=0$이다.

따라서 롤의 정리에 의하여

$$h'(c)=f'(c)-g'(c)=f'(c)-\frac{f(b)-f(a)}{b-a}=0$$

인 c가 열린구간 (a, b)에 적어도 하나 존재한다.

즉, $\frac{f(b)-f(a)}{b-a}=f'(c)$인 c가 열린구간 (a, b)에 적어도 하나 존재한다.

예 함수 $f(x)=x^2$에 대하여 닫힌구간 $[-1, 3]$에서 평균값 정리를 만족시키는 실수 c의 값을 구하시오.

풀이 함수 $f(x)$는 닫힌구간 $[-1, 3]$에서 연속이고 열린구간 $(-1, 3)$에서 미분가능하므로 평균값 정리에 의하여

$$\frac{f(3)-f(-1)}{3-(-1)}=\frac{9-1}{4}=2=f'(c)$$

인 c가 열린구간 $(-1, 3)$에 적어도 하나 존재한다.

이때 $f'(x)=2x$이므로 $f'(c)=2c=2$ $\quad \therefore c=1$

보충학습

1. 평균값 정리에서 얻는 정리

> 두 함수 $f(x)$, $g(x)$가 닫힌구간 $[a, b]$에서 연속이고 열린구간 (a, b)에서 미분가능할 때, 열린구간 (a, b) 안의 모든 x에 대하여
> (1) $f'(x)=0$이면 닫힌구간 $[a, b]$에서 $f(x)$는 상수함수이다.
> (2) $f'(x)=g'(x)$이면 닫힌구간 $[a, b]$에서 $f(x)=g(x)+C$ (C는 상수)이다.

증명 (1) 반닫힌 구간 $(a, b]$에 속하는 임의의 실수 x에 대하여 함수 $f(x)$는 닫힌구간 $[a, x]$에서 연속이고 열린구간 (a, x)에서 미분가능하다. 따라서 평균값 정리에 의하여

$\frac{f(x)-f(a)}{x-a}=f'(c)$인 c가 열린구간 (a, x)에 적어도 하나 존재한다.

그런데 $f'(c)=0$이므로 $f(x)-f(a)=0$ $\quad \therefore f(x)=f(a)$

즉, $a<x\leq b$인 모든 실수 x에 대하여 $f(x)=f(a)$이므로 함수 $f(x)$는 닫힌구간 $[a, b]$에서 상수함수이다.

(2) $F(x)=f(x)-g(x)$로 놓으면 함수 $F(x)$는 닫힌구간 $[a, b]$에서 연속이고 열린구간 (a, b)에서 미분가능하다.

이때 $F'(x)=f'(x)-g'(x)$이므로

$$F'(x)=f'(x)-g'(x)=0$$

(1)에 의하여 닫힌구간 $[a, b]$에서 $F(x)=C$ (C는 상수), 즉 $f(x)-g(x)=C$이므로

$$f(x)=g(x)+C$$

이다.

필수예제 09 **롤의 정리**

더 다양한 문제는 RPM 수학 Ⅱ 61쪽

다음 함수에 대하여 주어진 구간에서 롤의 정리를 만족시키는 실수 c의 값을 구하시오.

(1) $f(x)=4x-x^2$ $[1, 3]$ (2) $f(x)=x^3-3x-2$ $[-1, 2]$

풀이

(1) 함수 $f(x)=4x-x^2$은 닫힌구간 $[1, 3]$에서 연속이고 열린구간 $(1, 3)$에서 미분가능하다. 또한,

$f(1)=f(3)=3$

이므로 롤의 정리에 의하여 $f'(c)=0$인 c가 열린구간 $(1, 3)$에 적어도 하나 존재한다.

이때 $f'(x)=4-2x$이므로

$f'(c)=4-2c=0$

$\therefore c=\mathbf{2}$

(2) 함수 $f(x)=x^3-3x-2$는 닫힌구간 $[-1, 2]$에서 연속이고 열린구간 $(-1, 2)$에서 미분가능하다. 또한,

$f(-1)=f(2)=0$

이므로 롤의 정리에 의하여 $f'(c)=0$인 c가 열린구간 $(-1, 2)$에 적어도 하나 존재한다.

이때 $f'(x)=3x^2-3=3(x+1)(x-1)$이므로

$f'(c)=3(c+1)(c-1)=0$

$\therefore c=\mathbf{1}$ $(\because -1<c<2)$

KEY Point

- **롤의 정리**

함수 $f(x)$가 닫힌구간 $[a, b]$에서 연속이고 열린구간 (a, b)에서 미분가능할 때, $f(a)=f(b)$이면

$$f'(c)=0$$

인 c가 열린구간 (a, b)에 적어도 하나 존재한다.

89 다음 함수에 대하여 주어진 구간에서 롤의 정리를 만족시키는 실수 c의 값을 구하시오.

(1) $f(x)=x^2-6x$ $[1, 5]$

(2) $f(x)=-x^2+2x+4$ $[0, 2]$

(3) $f(x)=x^3-x^2-5x-3$ $[-1, 3]$

90 함수 $f(x)=\frac{1}{3}x^3+x^2-3x+2$에 대하여 닫힌구간 $[-a, a]$에서 롤의 정리를 만족시키는 실수 c의 값과 자연수 a의 값을 구하시오.

필수예제 **10** **평균값 정리**

더 다양한 문제는 RPM 수학 Ⅱ 62쪽

다음 함수에 대하여 주어진 구간에서 평균값 정리를 만족시키는 실수 c의 값을 구하시오.

(1) $f(x)=3x^2+2x+1 \quad [-1,\ 1]$ (2) $f(x)=x^3+2x \quad [0,\ 3]$

풀이

(1) 함수 $f(x)=3x^2+2x+1$은 닫힌구간 $[-1,\ 1]$에서 연속이고 열린구간 $(-1,\ 1)$에서 미분가능하므로 평균값 정리에 의하여

$$\frac{f(1)-f(-1)}{1-(-1)}=\frac{6-2}{2}=2=f'(c)$$

인 c가 열린구간 $(-1,\ 1)$에 적어도 하나 존재한다.

이때 $f'(x)=6x+2$이므로

$f'(c)=6c+2=2 \qquad \therefore c=\mathbf{0}$

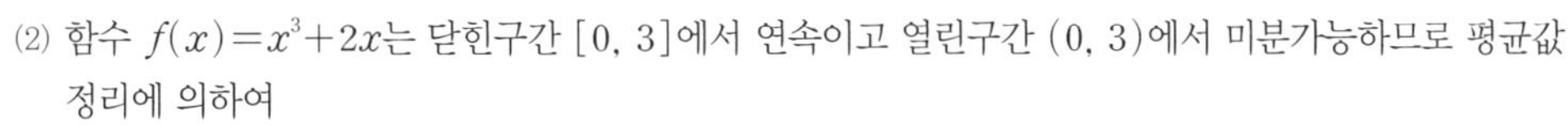

(2) 함수 $f(x)=x^3+2x$는 닫힌구간 $[0,\ 3]$에서 연속이고 열린구간 $(0,\ 3)$에서 미분가능하므로 평균값 정리에 의하여

$$\frac{f(3)-f(0)}{3-0}=\frac{33-0}{3}=11=f'(c)$$

인 c가 열린구간 $(0,\ 3)$에 적어도 하나 존재한다.

이때 $f'(x)=3x^2+2$이므로

$f'(c)=3c^2+2=11,\ c^2=3 \qquad \therefore c=\boldsymbol{\sqrt{3}}\ (\because 0<c<3)$

KEY Point

- **평균값 정리**

함수 $f(x)$가 닫힌구간 $[a,\ b]$에서 연속이고 열린구간 $(a,\ b)$에서 미분가능하면

$$\frac{f(b)-f(a)}{b-a}=f'(c)$$

인 c가 열린구간 $(a,\ b)$에 적어도 하나 존재한다.

91 다음 함수에 대하여 주어진 구간에서 평균값 정리를 만족시키는 실수 c의 값을 구하시오.

(1) $f(x)=x^2-4x+3 \quad [2,\ 4]$ (2) $f(x)=-x^3+x \quad [0,\ 2]$

92 함수 $f(x)=\frac{1}{3}x^3-x^2+1$에 대하여 닫힌구간 $[0,\ 3]$에서 평균값 정리를 만족시키는 실수 c의 개수를 구하시오.

93 함수 $f(x)=2x^2-4x+3$에 대하여 닫힌구간 $[-2,\ a]$에서 평균값 정리를 만족시키는 실수 c의 값이 $-\frac{1}{2}$일 때, a의 값을 구하시오. (단, $a>-2$)

연습문제

STEP 1

생각해 봅시다!

89 곡선 $y=x^3+ax$ 위의 점 $(1, 1+a)$에서의 접선의 방정식이 $y=6x+b$일 때, 상수 a, b에 대하여 $a+b$의 값을 구하시오.

90 곡선 $y=x^3-1$ 위의 점 $(-1, -2)$를 지나고 이 점에서의 접선에 수직인 직선의 방정식은?

① $3x+y+5=0$ ② $3x-y+1=0$ ③ $2x+3y+8=0$
④ $x-3y-5=0$ ⑤ $x+3y+7=0$

기울기의 곱이 -1인 두 직선은 서로 수직이다.

91 곡선 $y=x^2-3x+4$에 접하고 기울기가 5인 직선의 방정식은?

① $y=5x+12$ ② $y=5x+8$ ③ $y=5x+4$
④ $y=5x-4$ ⑤ $y=5x-12$

92 곡선 $y=x^3-3x^2$ 위의 원점이 아닌 점 (a, b)에서의 접선이 x축과 평행할 때, $a+b$의 값을 구하시오.

직선이 x축에 평행하다.
⇨ 직선의 기울기가 0이다.

[평가원기출]

93 점 $(0, -4)$에서 곡선 $y=x^3-2$에 그은 접선이 x축과 만나는 점의 좌표를 $(a, 0)$이라 할 때, a의 값은?

① $\frac{7}{6}$ ② $\frac{4}{3}$ ③ $\frac{3}{2}$ ④ $\frac{5}{3}$ ⑤ $\frac{11}{6}$

94 두 곡선 $y=x^3+ax+3$, $y=x^2+2$가 한 점에서 접할 때, 상수 a의 값을 구하시오.

95 두 곡선 $y=x^3+ax^2$, $y=-x^2+4$가 점 $(t,\ -t^2+4)$에서 접할 때, 상수 a, t에 대하여 $a+t$의 값은?

① -1　② 0　③ 1　④ 3　⑤ 4

두 곡선이 접하면 두 곡선은 그 접점에서 공통의 접선을 갖는다.

96 함수 $f(x)=x^4-4x^2+1$에 대하여 닫힌구간 $[0,\ 2]$에서 롤의 정리를 만족시키는 실수 c의 값을 구하시오.

97 함수 $f(x)=-x^2+kx$에 대하여 닫힌구간 $[1,\ 3]$에서 롤의 정리를 만족시키는 실수가 2이고, 닫힌구간 $[1,\ 5]$에서 평균값 정리를 만족시키는 실수를 c라 할 때, $k+c$의 값을 구하시오. (단, k는 상수)

98 다음 함수 중 닫힌구간 $[-1,\ 1]$에서 평균값 정리가 성립하는 것은?

① $f(x)=|x|$　② $f(x)=\dfrac{1}{x}$　③ $f(x)=\sqrt{|x|}$

④ $f(x)=|x|+1$　⑤ $f(x)=\sqrt{x+1}$

99 닫힌구간 $[a,\ b]$에서 연속이고 열린구간 $(a,\ b)$에서 미분가능한 함수 $y=f(x)$의 그래프가 오른쪽 그림과 같을 때,

$$\frac{f(b)-f(a)}{b-a}=f'(c)\ (a<c<b)$$

를 만족시키는 실수 c의 개수를 구하시오.

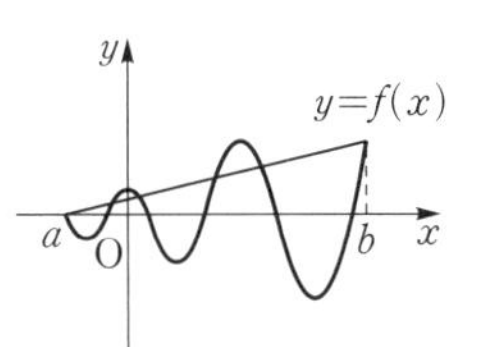

STEP 2

100 곡선 $y=x^3+kx^2-(2k-1)x+k+3$은 실수 k의 값에 관계없이 항상 한 점을 지난다. 이 점에서의 접선의 방정식을 구하시오.

k의 값에 관계없이
⇨ k에 대한 항등식

101 다항함수 $f(x)$에 대하여 $\lim_{x \to 2} \frac{f(x^3)}{x-2}=24$일 때, 곡선 $y=f(x)$ 위의 점 $(8,\ f(8))$에서의 접선의 방정식을 구하시오.

$\lim_{x \to a} \frac{f(x)}{g(x)}=\alpha$($\alpha$는 실수)이고 $\lim_{x \to a} g(x)=0$이면 $\lim_{x \to a} f(x)=0$이다.

102 곡선 $y=x^4$ 위의 점 $(a,\ a^4)$에서의 접선과 y축의 교점의 좌표를 $(0,\ h(a))$라 할 때, $\lim_{a \to \infty} \frac{h(\sqrt{a^2+a})-h(a)}{a^3}$의 값은?

① -6 ② -4 ③ -2 ④ 0 ⑤ 1

103 곡선 $y=x^3+ax^2-a-1$ 위의 점 $(1,\ 0)$에서의 접선이 이 곡선과 점 $(2,\ k)$에서 다시 만날 때, k의 값은? (단, a는 상수)

① -5 ② -3 ③ 1 ④ 3 ⑤ 5

104 곡선 $y=x^3+3x^2+ax-1$ 위의 점에서의 접선의 기울기의 최솟값이 5일 때, 상수 a의 값을 구하시오.

105 오른쪽 그림과 같이 원점 O에서 곡선 $y=x^4-2x^2+8$에 그은 두 접선의 각 접점을 P, P′이라 할 때, 삼각형 OPP′의 넓이를 구하시오.

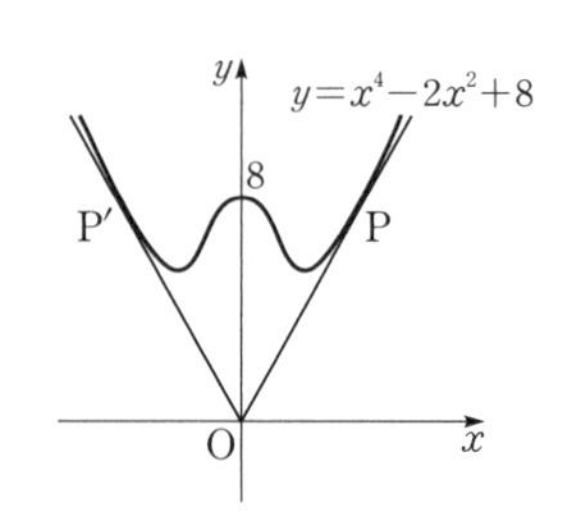

106 두 곡선 $y=x^3-3x^2-8x-4$, $y=3x^2+7x+4$이 점 P에서 접할 때, 점 P에서의 접선과 수직이고 점 P를 지나는 직선의 방정식을 구하시오.

기울기가 0이 아닌 두 직선이 수직이다.
⟺ 두 직선의 기울기의 곱이 -1이다.

실력 UP

생각해 봅시다!

[평가원기출]

107 곡선 $y=x^3-5x$ 위의 점 $A(1, -4)$에서의 접선이 점 A가 아닌 점 B에서 곡선과 만난다. 선분 AB의 길이는?

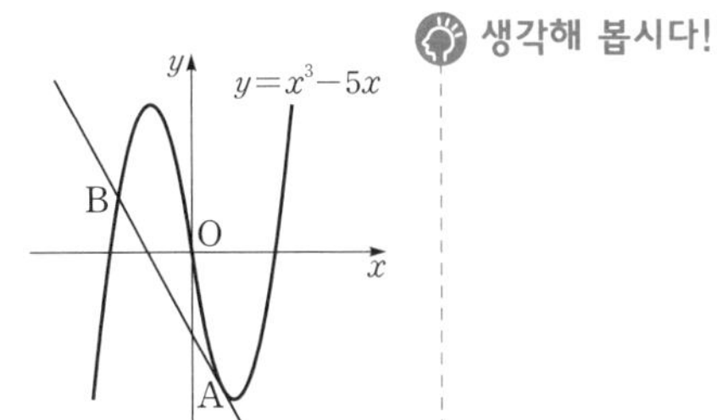

① $\sqrt{30}$ ② $\sqrt{35}$ ③ $2\sqrt{10}$
④ $3\sqrt{5}$ ⑤ $5\sqrt{2}$

[교육청기출]

108 삼차함수 $f(x)=x^3+ax$가 있다. 곡선 $y=f(x)$ 위의 점 $A(-1, -1-a)$에서의 접선이 이 곡선과 만나는 다른 한 점을 B라 하자. 또, 곡선 $y=f(x)$ 위의 점 B에서의 접선이 이 곡선과 만나는 다른 한 점을 C라 하자. 두 점 B, C의 x좌표를 각각 b, c라 할 때, $f(b)+f(c)=-80$을 만족시킨다. 상수 a의 값은?

① 8 ② 10 ③ 12 ④ 14 ⑤ 16

109 곡선 $y=x^3-3x^2+2x$를 x축의 방향으로 a만큼, y축의 방향으로 b만큼 평행이동하여 직선 $y=-x+2$에 접하도록 할 때, $a+b$의 값을 구하시오.

110 곡선 $y=-x^3+3x^2-x+1$에 접하고 기울기가 -1인 접선은 2개 있다. 이 두 접선 사이의 거리를 구하시오.

(평행한 두 직선 사이의 거리)
=(직선 위의 한 점과 다른 직선 사이의 거리)

111 곡선 $y=x^2-2x-3$ 위의 점과 직선 $y=2x-10$ 사이의 거리의 최솟값을 구하시오.

112 실수 전체의 집합에서 미분가능한 함수 $f(x)$가 $\lim_{x\to\infty} f'(x)=2$를 만족시킬 때, $\lim_{x\to\infty}\{f(x+3)-f(x-1)\}$의 값을 평균값 정리를 이용하여 구하시오.

03 함수의 증가와 감소

개념원리 이해

1. 함수의 증가와 감소

함수 $f(x)$가 어떤 구간에 속하는 임의의 두 실수 x_1, x_2에 대하여
(1) $x_1 < x_2$일 때, $f(x_1) < f(x_2)$이면 $f(x)$는 그 구간에서 **증가**한다고 한다.
(2) $x_1 < x_2$일 때, $f(x_1) > f(x_2)$이면 $f(x)$는 그 구간에서 **감소**한다고 한다.

설명

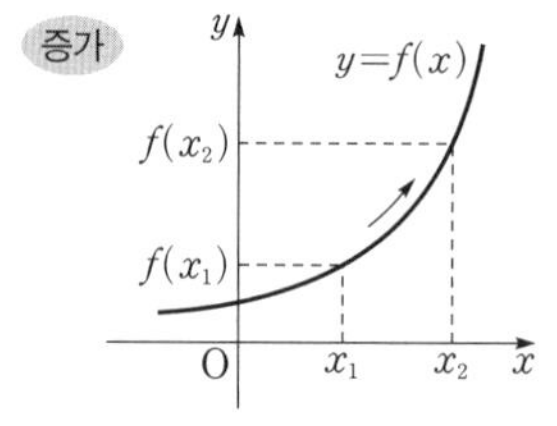

주어진 구간에서 함수 $f(x)$는 증가

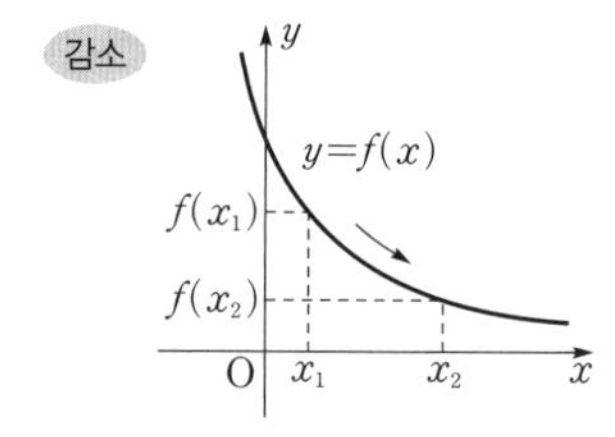

주어진 구간에서 함수 $f(x)$는 감소

예 함수 $f(x)=x^2$과 $0 \le x_1 < x_2$인 임의의 두 실수 x_1, x_2에 대하여
$f(x_1)-f(x_2)=x_1^2-x_2^2=(x_1+x_2)(x_1-x_2)<0$
$\therefore f(x_1)<f(x_2)$
따라서 함수 $f(x)=x^2$은 반닫힌 구간 $[0, \infty)$에서 증가한다.
마찬가지 방법으로 함수 $f(x)=x^2$이 반닫힌 구간 $(-\infty, 0]$에서는 감소함을 알 수 있다.

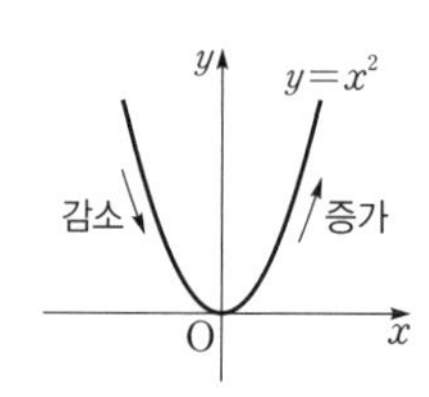

2. 함수의 증가와 감소의 판정

▷ 필수예제 11

함수 $f(x)$가 어떤 열린구간에서 미분가능할 때
(1) 그 구간의 모든 x에 대하여 $f'(x)>0$이면 $f(x)$는 그 구간에서 **증가**한다.
(2) 그 구간의 모든 x에 대하여 $f'(x)<0$이면 $f(x)$는 그 구간에서 **감소**한다.

▶ 일반적으로 위의 역은 성립하지 않는다.
예를 들어 함수 $f(x)=x^3$은 열린구간 $(-\infty, \infty)$에서 증가하지만 $f'(0)=0$이다.

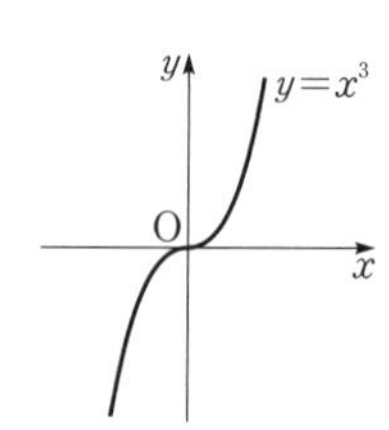

설명 함수 $f(x)$가 열린구간 (a, b)에서 미분가능하면 열린구간 (a, b)에 속하는 임의의 두 수 x_1, x_2 $(x_1<x_2)$에 대하여 평균값 정리가 성립하므로 $\dfrac{f(x_2)-f(x_1)}{x_2-x_1}=f'(c)$인 c가 열린구간 (x_1, x_2)에 적어도 하나 존재한다. 이때

(1) 열린구간 (a, b)에 속하는 모든 x에 대하여 $f'(x)>0$이면

$\dfrac{f(x_2)-f(x_1)}{x_2-x_1}=f'(c)>0$이고, $x_2-x_1>0$이므로 $f(x_2)-f(x_1)>0$

$\therefore f(x_1)<f(x_2)$

따라서 함수 $f(x)$는 열린구간 (a, b)에서 증가한다.

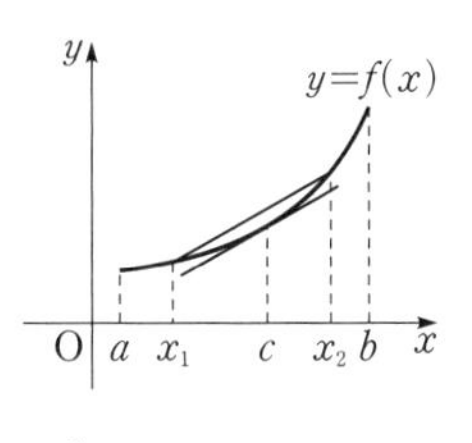

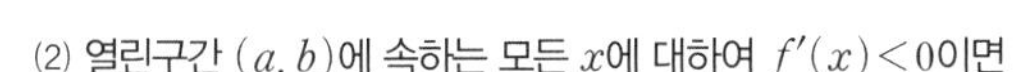

(2) 열린구간 (a, b)에 속하는 모든 x에 대하여 $f'(x)<0$이면

$\dfrac{f(x_2)-f(x_1)}{x_2-x_1}=f'(c)<0$이고, $x_2-x_1>0$이므로 $f(x_2)-f(x_1)<0$

$\therefore f(x_1)>f(x_2)$

따라서 함수 $f(x)$는 열린구간 (a, b)에서 감소한다.

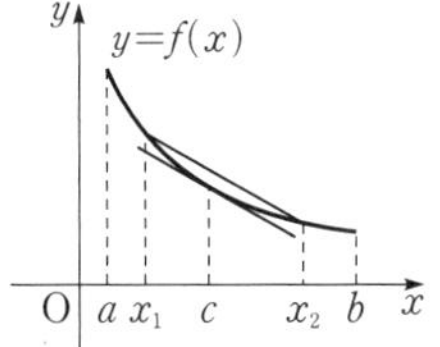

예 함수 $f(x)=x^3+6x^2+9x+2$의 증가와 감소를 조사하면

$f'(x)=3x^2+12x+9=3(x+3)(x+1)$

$f'(x)=0$을 만족시키는 x의 값은 $x=-3$ 또는 $x=-1$

함수 $f(x)$의 증가와 감소를 표로 나타내면 다음과 같다.

x	$\cdots$	-3	$\cdots$	-1	$\cdots$
$f'(x)$	$+$	0	$-$	0	$+$
$f(x)$	↗	2	↘	-2	↗

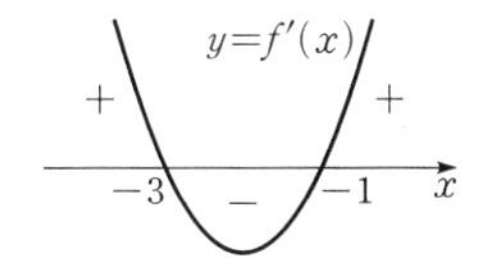

따라서 함수 $f(x)$는 반닫힌 구간 $(-\infty, -3]$과 반닫힌 구간 $[-1, \infty)$에서 증가하고, 닫힌구간 $[-3, -1]$에서 감소한다.

▶ ① $f'(x)=0$인 x의 좌우에서 $f(x)$가 증가하다가 감소(또는 감소하다가 증가)할 때, $f'(x)=0$을 만족시키는 x의 값은 증가하는 구간과 감소하는 구간에 모두 포함될 수 있다.

② 위의 표에서 ↗는 함수 $f(x)$의 증가, ↘는 함수 $f(x)$의 감소를 나타낸다.

3. 함수가 증가 또는 감소하기 위한 조건 ▷ 필수예제 12

함수 $f(x)$가 어떤 열린구간에서 미분가능하고, 그 구간에서

(1) **$f(x)$가 증가**하면 그 구간의 모든 x에 대하여 **$f'(x)\geq 0$**

(2) **$f(x)$가 감소**하면 그 구간의 모든 x에 대하여 **$f'(x)\leq 0$**

▶ ① 일반적으로 위의 역은 성립하지 않는다.

단, $f'(x)=0$인 x의 좌우에서 $f'(x)>0$이면 (1)의 역이 성립하고, $f'(x)=0$인 x의 좌우에서 $f'(x)<0$이면 (2)의 역이 성립한다.

② 함수 $f(x)$가 삼차함수이면 (1), (2)의 역도 성립한다.

필수예제 11 함수의 증가와 감소

더 다양한 문제는 RPM 수학 Ⅱ 68쪽

함수 $f(x)=x^3-3x$의 증가와 감소를 조사하시오.

설명 미분가능한 함수 $f(x)$의 증가와 감소는 $f'(x)$의 부호를 조사하여 알 수 있다. 어떤 열린구간에서

① $f'(x)>0$이면 $f(x)$는 그 구간에서 증가한다.

② $f'(x)<0$이면 $f(x)$는 그 구간에서 감소한다.

풀이 $f(x)=x^3-3x$에서 $f'(x)=3x^2-3=3(x+1)(x-1)$

$f'(x)=0$을 만족시키는 x의 값은 $x=-1$ 또는 $x=1$

함수 $f(x)$의 증가와 감소를 표로 나타내면 다음과 같다.

x	$\cdots$	-1	$\cdots$	1	$\cdots$
$f'(x)$	$+$	0	$-$	0	$+$
$f(x)$	↗	2	↘	-2	↗

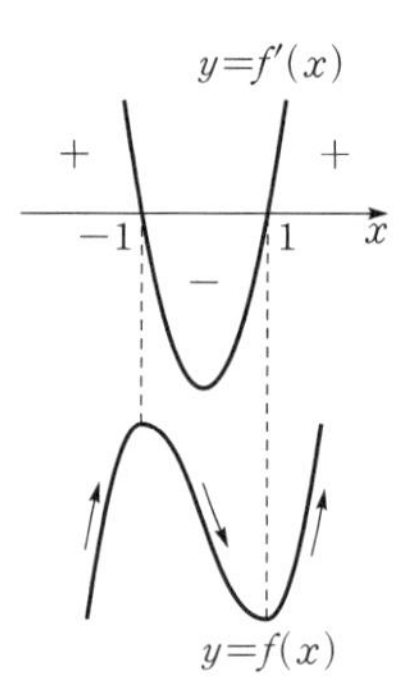

따라서 함수 $f(x)$는 **반닫힌 구간 $(-\infty, -1]$과 반닫힌 구간 $[1, \infty)$에서 증가**하고, **닫힌구간 $[-1, 1]$에서 감소**한다.

필수예제 12 삼차함수가 증가 또는 감소하기 위한 조건

더 다양한 문제는 RPM 수학 Ⅱ 68, 69쪽

함수 $f(x)=x^3-ax^2+ax$가 실수 전체의 집합에서 증가하도록 하는 실수 a의 값의 범위를 구하시오.

설명 모든 실수 x에 대하여 $ax^2+bx+c\geq0$일 필요충분조건 ⇨ $a>0$, $D\leq0$

모든 실수 x에 대하여 $ax^2+bx+c\leq0$일 필요충분조건 ⇨ $a<0$, $D\leq0$

(단, D는 이차방정식 $ax^2+bx+c=0$의 판별식)

풀이 $f(x)=x^3-ax^2+ax$에서 $f'(x)=3x^2-2ax+a$

삼차함수 $f(x)$가 실수 전체의 집합에서 증가하려면 모든 실수 x에 대하여 $f'(x)\geq0$이어야 하므로 이차방정식 $f'(x)=0$의 판별식을 D라 하면

$\frac{D}{4}=(-a)^2-3a=a^2-3a\leq0$, $a(a-3)\leq0$ $\quad\therefore$ $\mathbf{0\leq a\leq3}$

94 다음 함수의 증가와 감소를 조사하시오.

(1) $f(x)=-x^3+3x-4$ (2) $f(x)=x^3-3x^2-45x-6$

95 다음 물음에 답하시오.

(1) 함수 $f(x)=\frac{1}{3}x^3+ax^2+(5a-4)x+2$가 열린구간 $(-\infty, \infty)$에서 증가하도록 하는 실수 a의 값의 범위를 구하시오.

(2) 함수 $f(x)=-x^3+ax^2-12x-1$이 실수 전체의 집합에서 감소하도록 하는 실수 a의 값의 범위를 구하시오.

필수예제 13

주어진 구간에서 삼차함수가 증가 또는 감소하기 위한 조건

더 다양한 문제는 RPM 수학 Ⅱ 69쪽

함수 $f(x)=x^3-3x^2+ax+1$이 닫힌구간 $[0, 3]$에서 감소하도록 하는 실수 a의 값의 범위를 구하시오.

풀이

$f(x)=x^3-3x^2+ax+1$에서 $f'(x)=3x^2-6x+a$

삼차함수 $f(x)$가 닫힌구간 $[0, 3]$에서 감소하려면 닫힌구간 $[0, 3]$에서 $f'(x)\le 0$이어야 하므로 오른쪽 그림에서

$f'(0)=a\le 0$ ······ ㉠

$f'(3)=27-18+a\le 0$ $\therefore a\le -9$ ······ ㉡

㉠, ㉡을 동시에 만족시키는 실수 a의 값의 범위는 $\boldsymbol{a\le -9}$

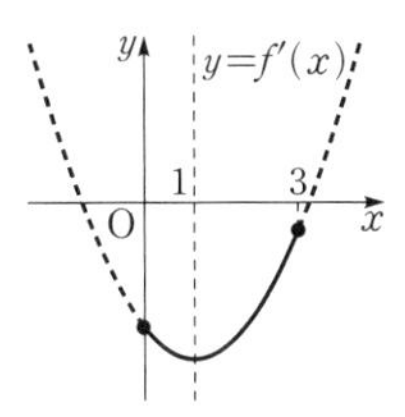

KEY Point

- **함수 $f(x)$가 어떤 열린구간에서 미분가능하고, 그 구간에서**
  (1) $f(x)$가 증가하면 그 구간의 모든 x에 대하여 $f'(x)\ge 0$
  (2) $f(x)$가 감소하면 그 구간의 모든 x에 대하여 $f'(x)\le 0$
  (단, $f(x)$가 삼차함수이면 (1), (2)의 역도 성립한다.)

96 함수 $f(x)=-4x^3+ax^2+36x-1$이 닫힌구간 $[-2, 1]$에서 증가하도록 하는 실수 a의 값의 범위를 구하시오.

97 함수 $f(x)=x^3+ax+1$이 닫힌구간 $[-1, 1]$에서 증가하도록 하는 실수 a의 최솟값을 구하시오.

98 함수 $f(x)=2x^3-3ax^2+(6a-6)x-1$이 감소하는 구간이 닫힌구간 $[1, 5]$일 때, 실수 a의 값을 구하시오.

연습문제

STEP 1

생각해 봅시다!

113 삼차함수 $f(x)=x^3+ax^2+2ax$가 열린구간 $(-\infty, \infty)$에서 증가하도록 하는 실수 a의 최댓값을 M, 최솟값을 m이라 할 때, $M-m$의 값은?

① 3 ② 4 ③ 5 ④ 6 ⑤ 7

114 함수 $f(x)=-x^3+ax^2+bx-1$이 증가하는 구간이 닫힌구간 $[1, 3]$일 때, 상수 a, b에 대하여 $a+b$의 값을 구하시오.

115 함수 $f(x)=x^3+6x^2+ax-2$가 닫힌구간 $[-3, 1]$에서 감소하기 위한 실수 a의 값의 범위를 구하시오.

STEP 2

116 실수 전체의 집합에서 정의된 함수 $f(x)=x^3+kx^2+3kx-2$의 역함수가 존재하기 위한 정수 k의 개수를 구하시오.

역함수가 존재하려면 일대일대응이어야 한다.

117 함수 $f(x)=kx^3-x^2+3kx+k$와 임의의 실수 x_1, x_2에 대하여 $x_1<x_2$이면 $f(x_1)>f(x_2)$가 성립할 때, 실수 k의 최댓값을 구하시오.

118 미분가능한 함수 $y=f(x)$의 도함수 $y=f'(x)$의 그래프가 오른쪽 그림과 같을 때, 보기 중 옳은 것만을 있는 대로 고르시오.

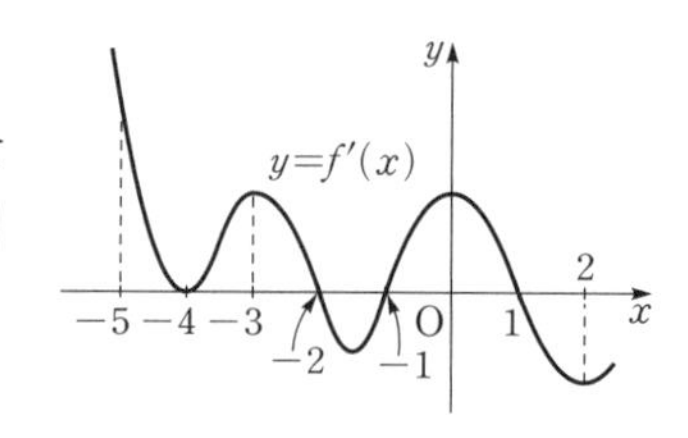

| 보기 |

ㄱ. $f(x)$는 닫힌구간 $[-5, -4]$에서 감소한다.
ㄴ. $f(x)$는 닫힌구간 $[-2, -1]$에서 감소한다.
ㄷ. $f(x)$는 닫힌구간 $[0, 1]$에서 증가한다.

04 함수의 극대와 극소

2. 도함수의 활용

개념원리 이해

1. 함수의 극대와 극소

함수 $f(x)$에서 $x=a$를 포함하는 어떤 열린구간에 속하는 모든 x에 대하여

(1) $\boldsymbol{f(x) \le f(a)}$일 때, 함수 $f(x)$는 $x=a$에서 **극대**라 하며, $f(a)$를 **극댓값**이라 한다.

(2) $\boldsymbol{f(x) \ge f(a)}$일 때, 함수 $f(x)$는 $x=a$에서 **극소**라 하며, $f(a)$를 **극솟값**이라 한다.

이때 극댓값과 극솟값을 통틀어 **극값**이라 한다.

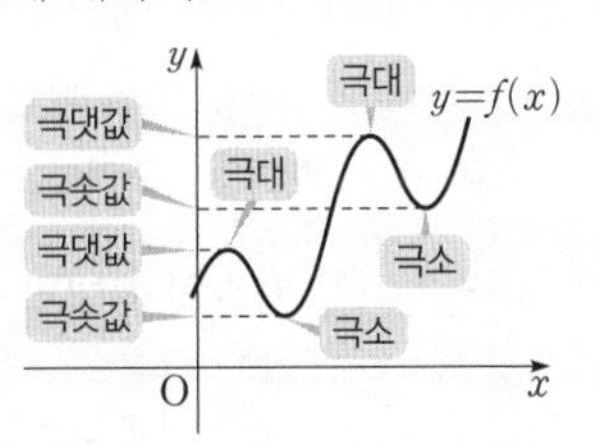

▶ ① 극댓값이 극솟값보다 반드시 큰 것은 아니다.
② 하나의 함수에서 극값은 여러 개 존재할 수 있다.
③ 상수함수는 모든 실수 x에서 극댓값과 극솟값을 갖는다.

예 오른쪽 그림에서 함수 $f(x)$는 $x=1$에서 극댓값 3, $x=3$에서 극솟값 -1을 갖는다.

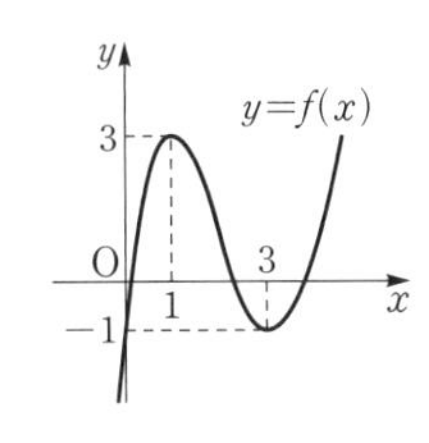

2. 극값과 미분계수

▷ 필수예제 14~16

미분가능한 함수 $f(x)$가 $x=a$에서 극값을 가지면 $\boldsymbol{f'(a)=0}$이다.

▶ ① 위의 역은 성립하지 않는다.
즉, $f'(a)=0$이라고 해서 함수 $f(x)$가 $x=a$에서 반드시 극값을 갖는 것은 아니다.
예 함수 $f(x)=x^3$에 대하여 $f'(x)=3x^2$이므로 $f'(0)=0$이지만 $f(x)$는 $x=0$에서 극값을 갖지 않는다.

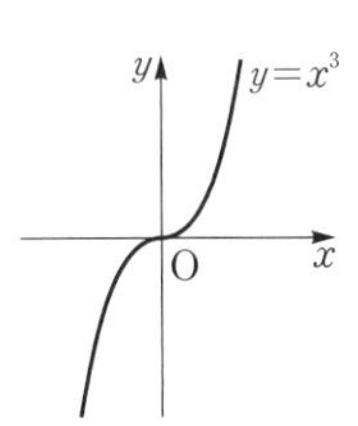

② 함수 $f(x)$가 $x=a$에서 극값을 갖더라도 $f'(a)$가 존재하지 않을 수 있다.
예 함수 $f(x)=|x|$는 $x=0$에서 극솟값을 가지지만 $f'(0)$의 값은 존재하지 않는다.

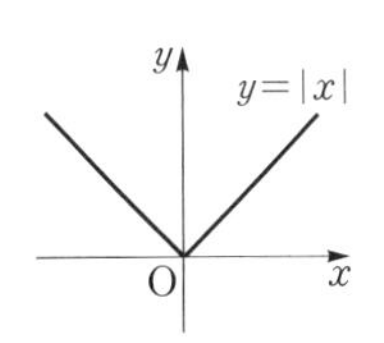

증명 **극값과 미분계수**

미분가능한 함수 $f(x)$가 $x=a$에서 극댓값을 가지면 절댓값이 충분히 작은 실수 h $(h\neq0)$에 대하여 $f(a+h)\le f(a)$이므로

$$\lim_{h\to0+}\frac{f(a+h)-f(a)}{h}\le0,\ \lim_{h\to0-}\frac{f(a+h)-f(a)}{h}\ge0$$

이다. 이때 함수 $f(x)$가 $x=a$에서 미분가능하므로

$$0\le\lim_{h\to0-}\frac{f(a+h)-f(a)}{h}=\lim_{h\to0+}\frac{f(a+h)-f(a)}{h}\le0$$

이다. 따라서 $f'(a)=0$이다.

마찬가지 방법으로 미분가능한 함수 $f(x)$가 $x=a$에서 극솟값을 가질 때에도 $f'(a)=0$임을 알 수 있다.

3. 미분가능한 함수의 극대와 극소의 판정

▷ 필수예제 14, 15, 17

미분가능한 함수 $f(x)$에 대하여 $f'(a)=0$이고, $x=a$의 좌우에서

(1) $f'(x)$의 부호가 **양(+)**에서 **음(−)**으로 바뀌면 $f(x)$는 $x=a$에서 **극대**이고, **극댓값 $f(a)$**를 갖는다.

(2) $f'(x)$의 부호가 **음(−)**에서 **양(+)**으로 바뀌면 $f(x)$는 $x=a$에서 **극소**이고, **극솟값 $f(a)$**를 갖는다.

▶ 미분가능한 함수 $f(x)$가 극값을 갖는 x의 값은 $f'(x)=0$인 x의 값 중에서 찾는다.

설명 미분가능한 함수 $f(x)$에 대하여 $f'(a)=0$이고, $x=a$의 좌우에서

(1) $f'(x)$의 부호가 양(+)에서 음(−)으로 바뀌면 $f(x)$는 $x=a$의 좌우에서 증가하다가 감소하므로 $x=a$에서 극대이다.

x	$\cdots$	a	$\cdots$
$f'(x)$	+	0	−
$f(x)$	↗	극대	↘

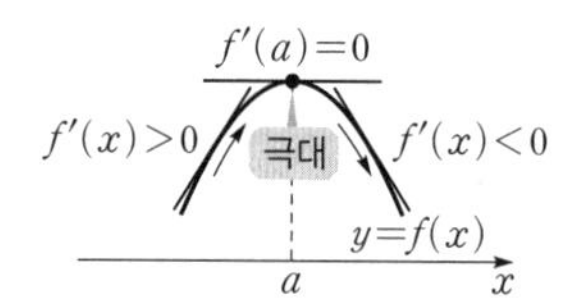

(2) $f'(x)$의 부호가 음(−)에서 양(+)으로 바뀌면 $f(x)$는 $x=a$의 좌우에서 감소하다가 증가하므로 $x=a$에서 극소이다.

x	$\cdots$	a	$\cdots$
$f'(x)$	−	0	+
$f(x)$	↘	극소	↗

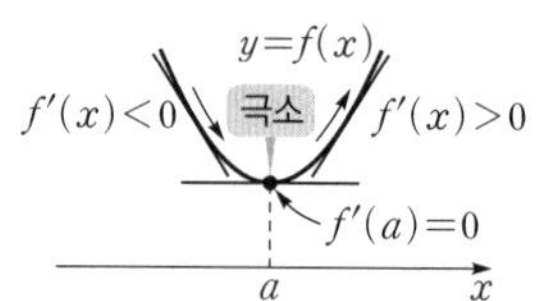

예 함수 $f(x)=x^3-3x+1$에 대하여 $f'(x)=3x^2-3=3(x+1)(x-1)$이므로 $f'(x)=0$을 만족시키는 x의 값은 $x=-1$ 또는 $x=1$

$f'(x)$의 부호를 조사하여 $f(x)$의 증가와 감소를 표로 나타내면 오른쪽과 같다.

따라서 $f(x)$는 $x=-1$에서 극댓값 3, $x=1$에서 극솟값 -1을 갖는다.

x	$\cdots$	-1	$\cdots$	1	$\cdots$
$f'(x)$	+	0	−	0	+
$f(x)$	↗	3 극대	↘	-1 극소	↗

개념원리 익히기

99 다음은 함수 $f(x)=2x^3-6x^2+3$의 극값을 구하는 과정이다. □ 안에 알맞은 것을 써넣으시오.

> $f(x)=2x^3-6x^2+3$에서 $f'(x)=\square x^2+(\square)x$
> $f'(x)=0$을 만족시키는 x의 값은 $x=0$ 또는 $x=\square$
> $f'(x)$의 부호를 조사하여 함수 $f(x)$의 증가와 감소를 표로 나타내면 다음과 같다.
>
> | x | $\cdots$ | 0 | $\cdots$ | □ | $\cdots$ |
> |---|---|---|---|---|---|
> | $f'(x)$ | + | 0 | − | 0 | + |
> | $f(x)$ | ↗ | 3
극대 | ↘ | □
극소 | ↗ |
>
> 따라서 함수 $f(x)$는 $x=0$에서 극댓값 3, $x=\square$에서 극솟값 □을(를) 갖는다.

생각해 봅시다!
미분가능한 함수 $f(x)$가 $x=a$에서 극값을 가지면 $f'(a)=0$이므로 $f(x)$가 극값을 갖는 x의 값은 $f'(x)=0$인 x의 값 중에서 찾는다.

100 다음은 함수 $f(x)=-x^4+2x^2-3$의 극값을 구하는 과정이다. □ 안에 알맞은 것을 써넣으시오.

> $f(x)=-x^4+2x^2-3$에서 $f'(x)=\square x^3+(\square)x$
> $f'(x)=0$을 만족시키는 x의 값은 $x=-1$ 또는 $x=\square$ 또는 $x=1$
> $f'(x)$의 부호를 조사하여 함수 $f(x)$의 증가와 감소를 표로 나타내면 다음과 같다.
>
> | x | $\cdots$ | -1 | $\cdots$ | □ | $\cdots$ | 1 | $\cdots$ |
> |---|---|---|---|---|---|---|---|
> | $f'(x)$ | + | 0 | □ | 0 | + | 0 | − |
> | $f(x)$ | ↗ | -2
극대 | ↘ | □
극소 | ↗ | -2
극대 | ↘ |
>
> 따라서 함수 $f(x)$는 $x=-1$과 $x=1$에서 극댓값 -2, $x=\square$에서 극솟값 □을(를) 갖는다.

필수예제 14 삼차함수의 극값

더 다양한 문제는 RPM 수학 Ⅱ 70쪽

다음 함수의 극값을 구하시오.

(1) $f(x)=x^3-3x^2-9x+2$ (2) $f(x)=-x^3+6x^2-9x+3$

설명 **$f'(x)=0$을 만족시키는 x의 값의 좌우에서의 $f'(x)$의 부호를 조사한다.**

풀이 (1) $f(x)=x^3-3x^2-9x+2$에서 $f'(x)=3x^2-6x-9=3(x+1)(x-3)$

$f'(x)=0$을 만족시키는 x의 값은 $x=-1$ 또는 $x=3$

$f'(x)$의 부호를 조사하여 $f(x)$의 증가와 감소를 표로 나타내면 오른쪽과 같다.

x	$\cdots$	-1	$\cdots$	3	$\cdots$
$f'(x)$	$+$	0	$-$	0	$+$
$f(x)$	↗	7 극대	↘	-25 극소	↗

따라서 함수 $f(x)$는 $x=-1$에서 **극댓값 7**, $x=3$에서 **극솟값 -25**를 갖는다.

(2) $f(x)=-x^3+6x^2-9x+3$에서

$f'(x)=-3x^2+12x-9=-3(x-1)(x-3)$

$f'(x)=0$을 만족시키는 x의 값은 $x=1$ 또는 $x=3$

$f'(x)$의 부호를 조사하여 $f(x)$의 증가와 감소를 표로 나타내면 오른쪽과 같다.

x	$\cdots$	1	$\cdots$	3	$\cdots$
$f'(x)$	$-$	0	$+$	0	$-$
$f(x)$	↘	-1 극소	↗	3 극대	↘

따라서 함수 $f(x)$는 $x=1$에서 **극솟값 -1**, $x=3$에서 **극댓값 3**을 갖는다.

KEY Point

- **다항함수의 극값 구하기**
  (i) $f'(x)=0$을 만족시키는 x의 값을 모두 구한다.
  (ii) (i)에서 구한 x의 값의 좌우에서의 $f'(x)$의 부호를 조사한다.
  (iii) $f'(x)$의 부호가 양($+$)에서 음($-$)으로 변하면 $f(x)$는 극대
  음($-$)에서 양($+$)으로 변하면 $f(x)$는 극소

101 다음 함수의 극값을 구하시오.

(1) $f(x)=x^2(3-x)$ (2) $f(x)=2x^3+3x^2-12x-4$

102 함수 $f(x)=-2x^3+15x^2-24x-2$의 극댓값과 극솟값의 차를 구하시오.

필수예제 15 사차함수의 극값

더 다양한 문제는 RPM 수학 Ⅱ 70쪽

다음 함수의 극값을 구하시오.

(1) $f(x)=x^4-6x^2-8x+10$ (2) $f(x)=3x^4+4x^3-12x^2+15$

설명

(1) **$f'(-1)=0$이지만 $x=-1$의 좌우에서 $f'(x)$의 부호가 음$(-)$에서 음$(-)$ 그대로이므로 $x=-1$을 포함하는 임의의 열린구간은 극값의 정의를 만족시키지 않는다. 즉, $f(x)$는 $x=-1$에서 극값을 갖지 않는다.**

풀이

(1) $f(x)=x^4-6x^2-8x+10$에서 $f'(x)=4x^3-12x-8=4(x+1)^2(x-2)$

$f'(x)=0$을 만족시키는 x의 값은 $x=-1$(중근) 또는 $x=2$

함수 $f(x)$의 증가와 감소를 표로 나타내면 다음과 같다.

x	…	-1	…	2	…
$f'(x)$	$-$	0	$-$	0	$+$
$f(x)$	↘	13	↘	-14 극소	↗

└ $f'(x)$의 부호가 계속 음$(-)$이므로 $f(x)$는 $x=-1$에서 극값을 갖지 않는다.

따라서 함수 $f(x)$는 $x=2$에서 **극솟값 -14**를 갖고, **극댓값은 없다.**

(2) $f(x)=3x^4+4x^3-12x^2+15$에서 $f'(x)=12x^3+12x^2-24x=12x(x+2)(x-1)$

$f'(x)=0$을 만족시키는 x의 값은 $x=-2$ 또는 $x=0$ 또는 $x=1$

함수 $f(x)$의 증가와 감소를 표로 나타내면 다음과 같다.

x	…	-2	…	0	…	1	…
$f'(x)$	$-$	0	$+$	0	$-$	0	$+$
$f(x)$	↘	-17 극소	↗	15 극대	↘	10 극소	↗

따라서 함수 $f(x)$는 $x=-2$에서 **극솟값 -17**, $x=0$에서 **극댓값 15**, $x=1$에서 **극솟값 10**을 갖는다.

103 다음 함수의 극값을 구하시오.

(1) $f(x)=3x^4+16x^3+18x^2+5$ (2) $f(x)=-x^4+4x^3-13$

104 함수 $f(x)=-3x^4+8x^3+6x^2-24x$의 극댓값의 합을 M, 극솟값의 합을 m이라 할 때, $M-m$의 값을 구하시오.

필수예제 16 함수의 극값과 미정계수

더 다양한 문제는 RPM 수학 Ⅱ 70, 71쪽

다음 물음에 답하시오.

(1) 함수 $f(x)=-x^3+ax^2+bx+11$이 $x=2$에서 극솟값 -21을 가질 때, 상수 a, b의 값을 구하시오.

(2) 함수 $f(x)=x^3+ax^2+bx+c$가 $x=1$과 $x=3$에서 극값을 갖고, 극솟값이 -2일 때, $f(x)$의 극댓값을 구하시오. (단, a, b, c는 상수)

풀이

(1) $f(x)=-x^3+ax^2+bx+11$에서 $f'(x)=-3x^2+2ax+b$

미분가능한 함수 $f(x)$가 $x=2$에서 극솟값 -21을 가지므로 $f'(2)=0$, $f(2)=-21$, 즉

$-12+4a+b=0$ $\quad\therefore 4a+b=12$ …… ㉠

$-8+4a+2b+11=-21$ $\quad\therefore 4a+2b=-24$ …… ㉡

㉠, ㉡을 연립하여 풀면 $\boldsymbol{a=12,\ b=-36}$

(2) $f(x)=x^3+ax^2+bx+c$에서 $f'(x)=3x^2+2ax+b$

미분가능한 함수 $f(x)$가 $x=1$과 $x=3$에서 극값을 가지므로 $f'(1)=0$, $f'(3)=0$

즉 이차방정식 $f'(x)=0$의 두 근이 $x=1$, $x=3$이므로

$f'(x)=3(x-1)(x-3)=3x^2-12x+9$

따라서 $2a=-12$, $b=9$이므로 $a=-6$

$\therefore f(x)=x^3-6x^2+9x+c$

$f'(x)=0$을 만족시키는 x의 값이 $x=1$ 또는 $x=3$이므로 함수 $f(x)$의 증가와 감소를 표로 나타내면 다음과 같다.

x	$\cdots$	1	$\cdots$	3	$\cdots$
$f'(x)$	$+$	0	$-$	0	$+$
$f(x)$	↗	$4+c$ 극대	↘	c 극소	↗

따라서 함수 $f(x)$는 $x=1$에서 극댓값 $4+c$, $x=3$에서 극솟값 c를 갖는다.

그런데 극솟값이 -2이므로 $c=-2$

따라서 $f(x)$의 극댓값은 $4+(-2)=\mathbf{2}$

KEY Point

• 미분가능한 함수 $f(x)$가 $x=\alpha$에서 극값 β를 가지면 $f'(\alpha)=0$, $f(\alpha)=\beta$

105 함수 $f(x)=ax^3+bx^2+3bx+2\ (a>0)$가 $x=-1$에서 극댓값, $x=3$에서 극솟값을 갖고, 극댓값과 극솟값의 차가 32일 때, 상수 a, b에 대하여 ab의 값을 구하시오.

106 함수 $f(x)=x^3+ax^2-24x+b$가 $x=c$에서 극솟값 2, $x=-4$에서 극댓값 d를 가질 때, 상수 a, b, c, d에 대하여 $a+b+c+d$의 값을 구하시오.

더 다양한 문제는 RPM 수학 Ⅱ 71쪽

필수예제 17 도함수 $y=f'(x)$의 그래프와 함수의 극값

미분가능한 함수 $y=f(x)$의 도함수 $y=f'(x)$의 그래프가 오른쪽 그림과 같을 때, 다음을 구하시오.

(1) 함수 $y=f(x)$가 극댓값을 갖는 x의 값

(2) 함수 $y=f(x)$가 극솟값을 갖는 x의 값

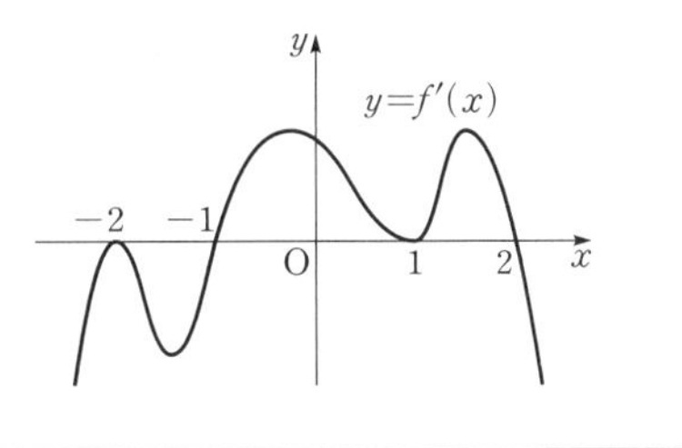

풀이 $f'(x)=0$을 만족시키는 x의 값은 -2, -1, 1, 2이므로 함수 $f(x)$의 증가와 감소를 표로 나타내면 다음과 같다.

x	$\cdots$	-2	$\cdots$	-1	$\cdots$	1	$\cdots$	2	$\cdots$
$f'(x)$	$-$	0	$-$	0	$+$	0	$+$	0	$-$
$f(x)$	↘		↘	극소	↗		↗	극대	↘

(1) 함수 $y=f(x)$가 극댓값을 갖는 x의 값은 **2**

(2) 함수 $y=f(x)$가 극솟값을 갖는 x의 값은 $\mathbf{-1}$

KEY Point 미분가능한 함수 $f(x)$에 대하여 $f'(a)=0$이고, $x=a$의 좌우에서 $f'(x)$의 부호가
- 양$(+)$에서 음$(-)$으로 바뀌면 $f(x)$는 $x=a$에서 극대 ←극댓값 $f(a)$
- 음$(-)$에서 양$(+)$으로 바뀌면 $f(x)$는 $x=a$에서 극소 ←극솟값 $f(a)$

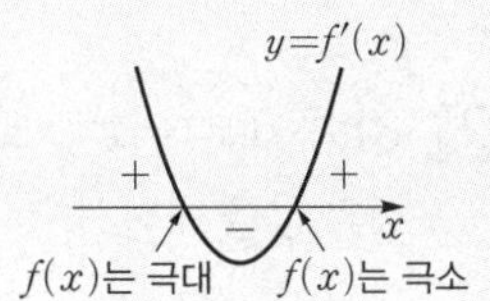

107 미분가능한 함수 $y=f(x)$의 도함수 $y=f'(x)$의 그래프가 오른쪽 그림과 같다. 열린구간 (a, b)에서 함수 $f(x)$가 극댓값을 갖는 x의 값의 개수를 m, 극솟값을 갖는 x의 값의 개수를 n이라 할 때, $m-n$의 값을 구하시오.

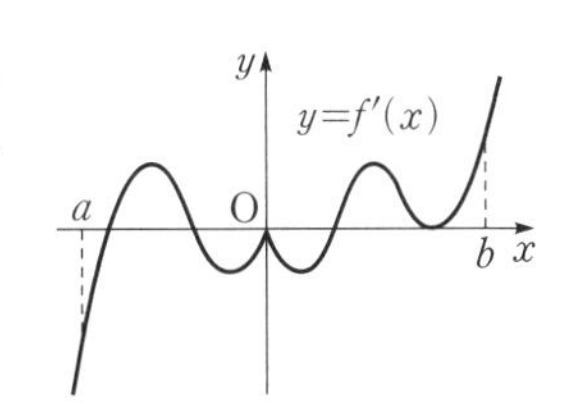

108 삼차함수 $f(x)=2x^3+ax^2+bx+c$의 도함수 $y=f'(x)$의 그래프가 오른쪽 그림과 같고, $f(x)$의 극솟값이 -12일 때, $f(-1)$의 값을 구하시오. (단, a, b, c는 상수)

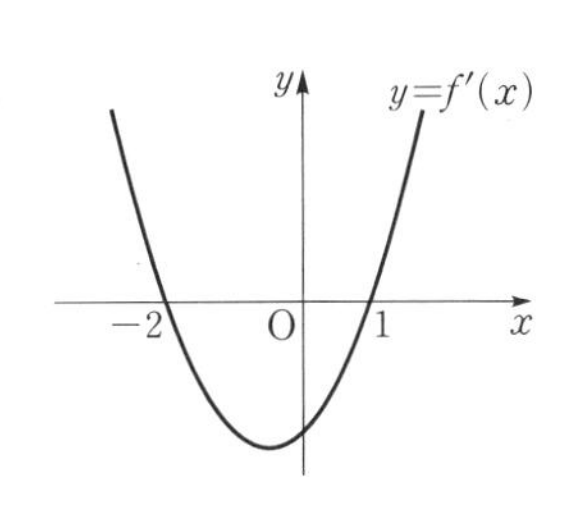

연습문제

STEP 1

생각해 봅시다!

119 함수 $f(x)=x^3+9x^2+15x+6$의 극댓값을 M, 극솟값을 m이라 할 때, $M-m$의 값은?

① 30　② 31　③ 32　④ 33　⑤ 34

120 함수 $f(x)=-2x^3-6x^2+a$가 $x=b$에서 극솟값 1을 가질 때, 상수 a, b에 대하여 $a+b$의 값은?

① 5　② 7　③ 9　④ 11　⑤ 13

121 함수 $f(x)=x^3+ax^2+bx-9$가 $x=-1$에서 극댓값, $x=3$에서 극솟값을 가질 때, 극댓값과 극솟값의 차를 구하시오. (단, a, b는 상수)

122 함수 $f(x)=x^3+3x^2-9x+a$의 극댓값과 극솟값의 절댓값이 같을 때, 상수 a의 값을 구하시오.

극댓값과 극솟값의 절댓값이 같다.
⇨ (극댓값)+(극솟값)=0

123 함수 $f(x)=x^3-\frac{3}{2}ax^2-6a^2x$가 극댓값과 극솟값을 각각 1개씩 가질 때, 극댓값과 극솟값의 차가 $\frac{1}{2}$이 되도록 하는 양수 a의 값은?

① $\frac{1}{2}$　② $\frac{1}{3}$　③ $\frac{1}{4}$　④ $\frac{1}{5}$　⑤ $\frac{1}{6}$

124 미분가능한 함수 $y=f(x)$의 도함수 $y=f'(x)$의 그래프가 오른쪽 그림과 같다. $f(x)$가 극댓값을 갖는 x의 개수를 m, 극솟값을 갖는 x의 개수를 n이라 할 때, $m-n$의 값을 구하시오.

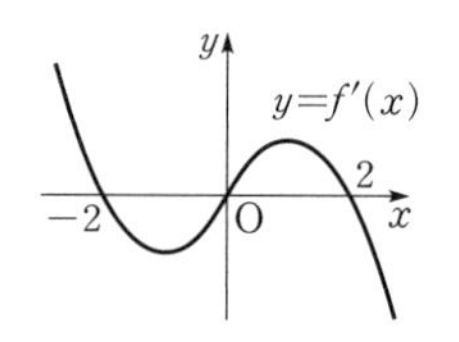

125 미분가능한 함수 $y=f(x)$의 도함수 $y=f'(x)$의 그래프가 오른쪽 그림과 같다. 열린구간 $(-5, 5)$에서 함수 $f(x)$가 극댓값을 갖는 모든 x의 값의 합을 M, 극솟값을 갖는 모든 x의 값의 합을 m이라 할 때, $M-m$의 값을 구하시오.

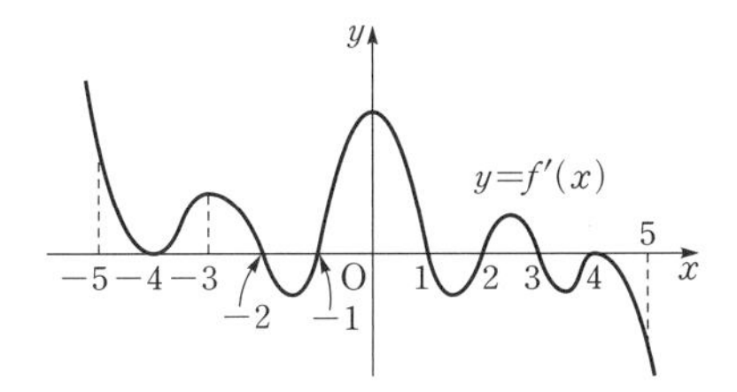

126 삼차함수 $f(x)=x^3+ax^2+bx+c$의 도함수 $y=f'(x)$의 그래프가 오른쪽 그림과 같고, $f(x)$의 극댓값이 5일 때, $f(x)$의 극솟값을 구하시오.

(단, a, b, c는 상수)

STEP 2

[평가원기출]

127 함수 $f(x)=\frac{1}{3}x^3-x^2-3x$는 $x=a$에서 극솟값 b를 갖는다. 함수 $y=f(x)$의 그래프 위의 점 $(2, f(2))$에서 접하는 직선을 l이라 할 때, 점 (a, b)에서 직선 l까지의 거리가 d이다. $90d^2$의 값을 구하시오.

곡선 $y=f(x)$ 위의 점 $(2, f(2))$에서의 접선의 방정식은
$y-f(2)=f'(2)(x-2)$

[수능기출]

128 두 다항함수 $f(x)$와 $g(x)$가 모든 실수 x에 대하여

$$g(x)=(x^3+2)f(x)$$

를 만족시킨다. $g(x)$가 $x=1$에서 극솟값 24를 가질 때, $f(1)-f'(1)$의 값을 구하시오.

129 함수 $f(x)=x^3+ax^2+bx+100$이 $x=-6$에서 극값을 갖고, 곡선 $y=f(x)$ 위의 점 $(-3, f(-3))$에서의 접선의 기울기가 9일 때, 상수 a, b에 대하여 $a+b$의 값을 구하시오.

130 삼차함수 $f(x)=x^3+ax^2+bx+c$의 그래프 위의 점 $(1, f(1))$에서의 접선의 방정식이 $y=6x-1$이고, $f(x)$는 $x=-1$에서 극댓값을 가질 때, $f(3)$의 값을 구하시오. (단, a, b, c는 상수)

131 삼차함수 $f(x)$가 다음 조건을 만족시킬 때, $f(-1)$의 값을 구하시오.

> (가) $\lim_{x \to 0} \frac{f(x)}{x} = -2$　　　　(나) $x=1$에서 극솟값 -3을 갖는다.

[평가원기출]

132 함수 $f(x)$의 도함수 $f'(x)$가 $f'(x)=x^2-1$이고, 함수 $g(x)=f(x)-kx$가 $x=-3$에서 극값을 가질 때, 상수 k의 값은?

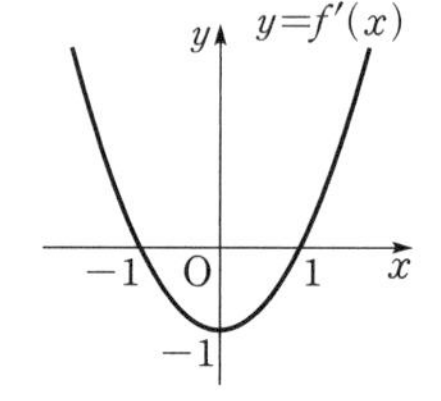

① 4　　② 5　　③ 6
④ 7　　⑤ 8

133 미분가능한 함수 $y=f(x)$의 도함수 $y=f'(x)$의 그래프가 오른쪽 그림과 같을 때, 다음 중 옳은 것은?

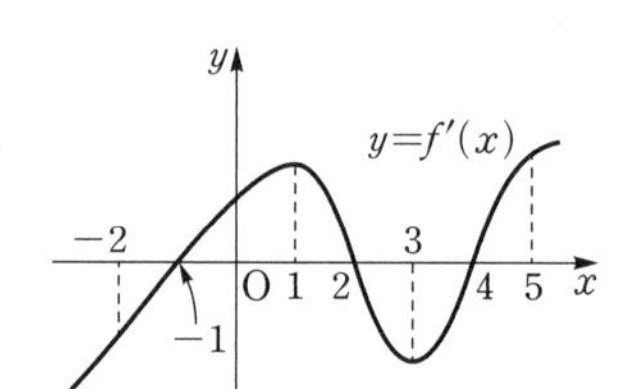

① $f(x)$는 닫힌구간 $[-1, 2]$에서 감소한다.
② $f(x)$는 닫힌구간 $[2, 4]$에서 증가한다.
③ $f(x)$는 $x=1$에서 극대이다.
④ $f(x)$는 $x=-1$에서 극소이다.
⑤ $f(x)$는 2개의 극값을 갖는다.

실력 UP

134 미분가능한 함수 $y=f(x)$의 도함수 $y=f'(x)$의 그래프가 오른쪽 그림과 같을 때, $y=f(x)$의 그래프의 개형이 될 수 있는 것은?

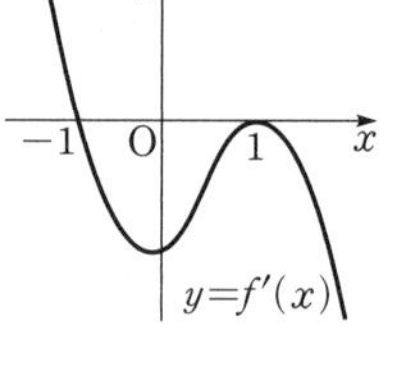
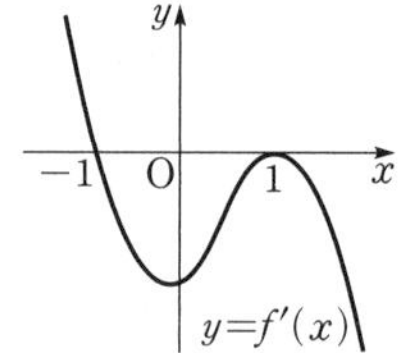

①
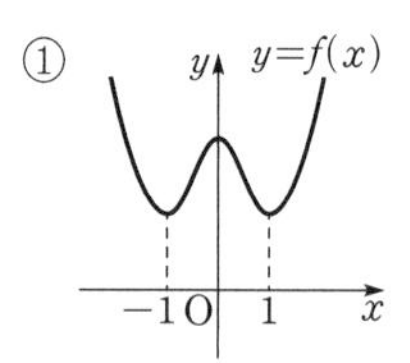

②
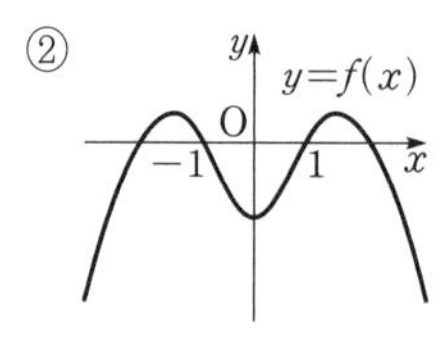

③
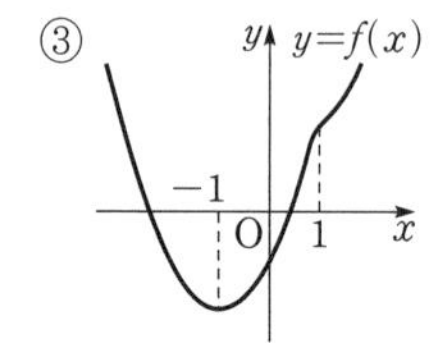

④
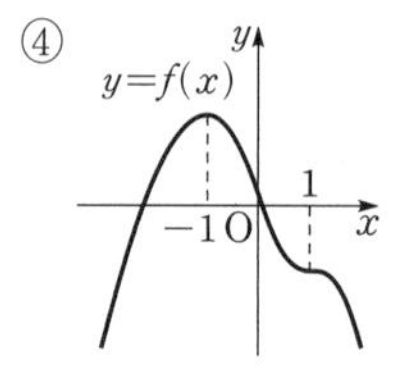

⑤
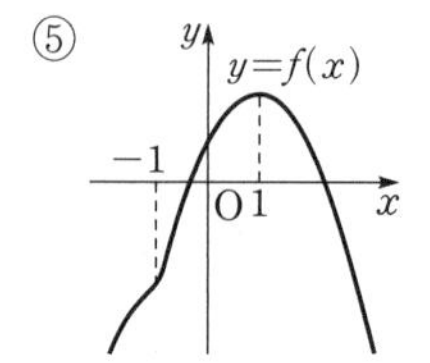

미분가능한 함수 $f(x)$에 대하여 $f'(a)=0$이고, $x=a$의 좌우에서 $f'(x)$의 부호가 양(+)에서 음(−)으로 바뀌면 $f(x)$는 $x=a$에서 극대, 음(−)에서 양(+)으로 바뀌면 $f(x)$는 $x=a$에서 극소이다.

05 함수의 그래프

2. 도함수의 활용

개념원리 이해

1. 함수의 그래프 ▷ 필수예제 18

일반적으로 미분가능한 함수 $y=f(x)$의 그래프의 개형은 다음과 같은 과정으로 그릴 수 있다.

(i) 함수 $f(x)$의 도함수 $f'(x)$를 구한다.
(ii) $f'(x)=0$을 만족시키는 x의 값을 구한다.
(iii) 함수 $f(x)$의 증가와 감소를 표로 나타내고, 극값을 구한다.
(iv) 함수 $y=f(x)$의 그래프와 x축 및 y축의 교점의 좌표를 구한다.
(v) 함수 $y=f(x)$의 그래프의 개형을 그린다.

▶ 함수 $y=f(x)$의 그래프와 x축의 교점의 좌표를 구하기 어려운 경우에는 생략할 수 있다.

예 함수 $f(x)=2x^3+9x^2+12x+2$에 대하여 $f'(x)=6x^2+18x+12=6(x+2)(x+1)$
$f'(x)=0$을 만족시키는 x의 값은 $x=-2$ 또는 $x=-1$
$f'(x)$의 부호를 조사하여 $f(x)$의 증가와 감소를 나타내면 다음과 같다.

x	$\cdots$	-2	$\cdots$	-1	$\cdots$
$f'(x)$	$+$	0	$-$	0	$+$
$f(x)$	↗	-2 극대	↘	-3 극소	↗

또한 $f(0)=2$이므로 함수 $y=f(x)$의 그래프는 오른쪽 그림과 같다.

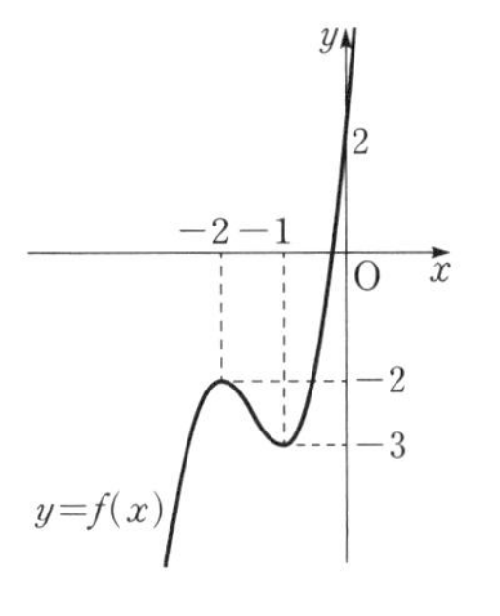

2. 함수의 그래프의 개형과 도함수의 관계, 극값을 가질 조건 ▷ 필수예제 19, 21

(1) 삼차함수 $f(x)=ax^3+bx^2+cx+d\ (a>0)$의 그래프의 개형

$f'(x)=0$이 서로 다른 두 실근 α, β를 갖는 경우	$f'(x)=0$이 중근 α를 갖는 경우	$f'(x)=0$이 서로 다른 두 허근을 갖는 경우
$y=f'(x)$, $+$, $-$, $+$, α, β, x, $y=f(x)$	$y=f'(x)$, $+$, $+$, α, x, $y=f(x)$	$y=f'(x)$, $+$, $+$, x, $y=f(x)$

개념원리 이해

삼차함수 $f(x)$의 극값과 도함수 $f'(x)$의 관계를 정리하면 다음과 같다.

① 삼차함수 $f(x)$가 극값을 갖는다. ← 극댓값과 극솟값을 모두 갖는다.
　⇔ 이차방정식 $f'(x)=0$이 서로 다른 두 실근을 갖는다.
　⇔ 이차방정식 $f'(x)=0$의 판별식을 D라 하면 $D>0$
② 삼차함수 $f(x)$가 극값을 갖지 않는다.
　⇔ 이차방정식 $f'(x)=0$이 중근을 갖거나 서로 다른 두 허근을 갖는다.
　⇔ 이차방정식 $f'(x)=0$의 판별식을 D라 하면 $D\le 0$

(2) 사차함수 $f(x)=ax^4+bx^3+cx^2+dx+e\ (a>0)$의 그래프의 개형

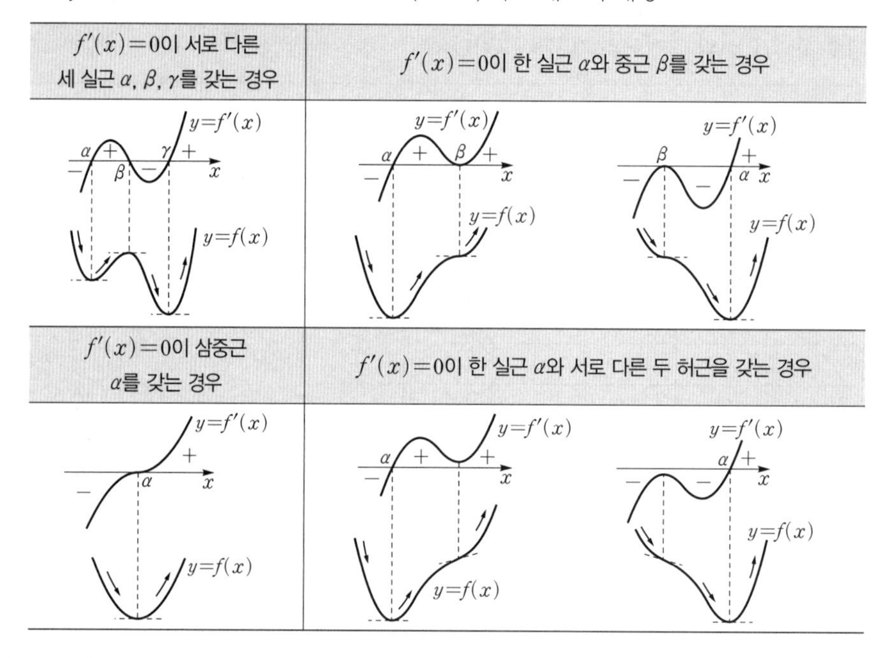

사차함수 $f(x)$의 극값과 도함수 $f'(x)$의 관계를 정리하면 다음과 같다.

(i) 최고차항의 계수가 양수일 때 ← 사차함수 $f(x)$는 적어도 1개의 극솟값을 갖는다.
　① 사차함수 $f(x)$가 극댓값을 갖는다. ← $f(x)$는 극댓값 1개, 극솟값 2개를 갖는다.
　　⇔ 삼차방정식 $f'(x)=0$이 서로 다른 세 실근을 갖는다.
　② 사차함수 $f(x)$가 극댓값을 갖지 않는다. ← $f(x)$는 극솟값 1개만을 갖는다.
　　⇔ 삼차방정식 $f'(x)=0$이 중근 또는 허근을 갖는다.
(ii) 최고차항의 계수가 음수일 때 ← 사차함수 $f(x)$는 적어도 1개의 극댓값을 갖는다.
　① 사차함수 $f(x)$가 극솟값을 갖는다. ← $f(x)$는 극댓값 2개, 극솟값 1개를 갖는다.
　　⇔ 삼차방정식 $f'(x)=0$이 서로 다른 세 실근을 갖는다.
　② 사차함수 $f(x)$가 극솟값을 갖지 않는다. ← $f(x)$는 극댓값 1개만을 갖는다.
　　⇔ 삼차방정식 $f'(x)=0$이 중근 또는 허근을 갖는다.

필수예제 18 함수의 그래프 더 다양한 문제는 RPM 수학 Ⅱ 67쪽

다음 함수의 그래프를 그리시오.

(1) $f(x)=x^3+\frac{15}{2}x^2+12x+2$ (2) $f(x)=-x^4+2x^2+3$

풀이

(1) $f(x)=x^3+\frac{15}{2}x^2+12x+2$에서 $f'(x)=3x^2+15x+12=3(x+4)(x+1)$

$f'(x)=0$을 만족시키는 x의 값은 $x=-4$ 또는 $x=-1$

함수 $f(x)$의 증가와 감소를 표로 나타내면 다음과 같다.

x	$\cdots$	-4	$\cdots$	-1	$\cdots$
$f'(x)$	$+$	0	$-$	0	$+$
$f(x)$	↗	10 극대	↘	$-\frac{7}{2}$ 극소	↗

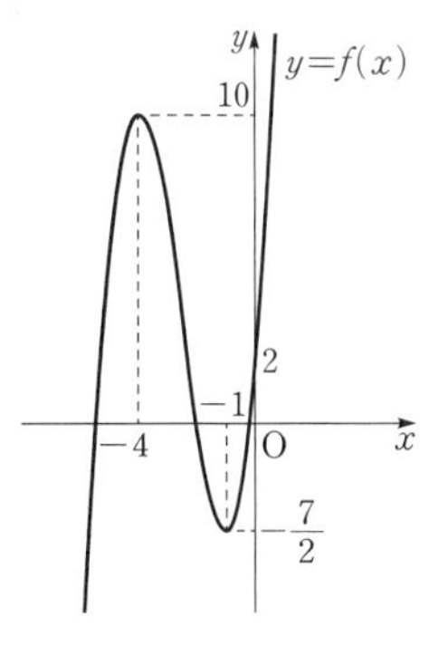

함수 $f(x)$는 $x=-4$에서 극댓값 10, $x=-1$에서 극솟값 $-\frac{7}{2}$을 갖고, $f(0)=2$이므로 $y=f(x)$의 그래프는 오른쪽 그림과 같다.

(2) $f(x)=-x^4+2x^2+3$에서 $f'(x)=-4x^3+4x=-4x(x+1)(x-1)$

$f'(x)=0$을 만족시키는 x의 값은 $x=-1$ 또는 $x=0$ 또는 $x=1$

함수 $f(x)$의 증가와 감소를 표로 나타내면 다음과 같다.

x	$\cdots$	-1	$\cdots$	0	$\cdots$	1	$\cdots$
$f'(x)$	$+$	0	$-$	0	$+$	0	$-$
$f(x)$	↗	4 극대	↘	3 극소	↗	4 극대	↘

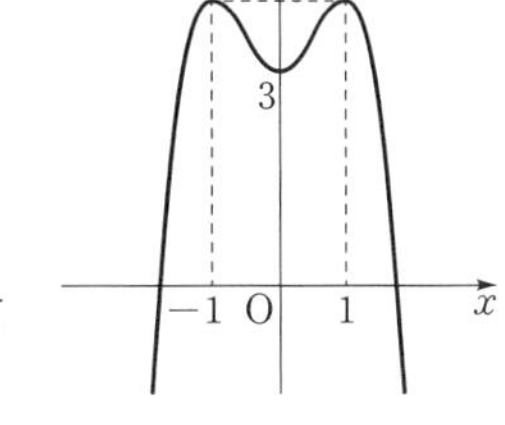

함수 $f(x)$는 $x=-1$과 $x=1$에서 극댓값 4, $x=0$에서 극솟값 3을 갖고, $f(0)=3$이므로 $y=f(x)$의 그래프는 오른쪽 그림과 같다.

109 다음 함수의 그래프를 그리시오.

(1) $f(x)=-x^3+6x^2-12x+4$ (2) $f(x)=-2x^3+3x^2-2$

(3) $f(x)=x^3+\frac{9}{2}x^2+9x+1$ (4) $f(x)=3x^4+8x^3+6x^2-2$

삼차함수가 극값을 가질 조건

더 다양한 문제는 RPM 수학 Ⅱ 73쪽

다음 물음에 답하시오.

(1) 삼차함수 $f(x)=ax^3+6x^2+(15-3a)x+1$이 극값을 가질 때, 실수 a의 값의 범위를 구하시오.

(2) 삼차함수 $f(x)=x^3+kx^2-3kx+2$가 극값을 갖지 않도록 하는 실수 k의 값의 범위를 구하시오.

설명 삼차함수 $f(x)=ax^3+bx^2+cx+d$ $(a>0)$의 그래프의 개형은 다음 세 가지 중 하나이다.

① $f'(x)=0$이 서로 다른 두 실근 α, β를 가질 때	② $f'(x)=0$이 중근 α를 가질 때	③ $f'(x)=0$이 서로 다른 두 허근을 가질 때
$y=f(x)$	$y=f(x)$	$y=f(x)$
$f'(x)=0$의 판별식 $D>0$	$f'(x)=0$의 판별식 $D=0$	$f'(x)=0$의 판별식 $D<0$
$f(x)$가 극값을 갖는다.	$f(x)$가 극값을 갖지 않는다.	

풀이 (1) $f(x)$가 삼차함수이므로 $a\neq 0$ …… ㉠

$f(x)=ax^3+6x^2+(15-3a)x+1$에서 $f'(x)=3ax^2+12x+(15-3a)$

삼차함수 $f(x)$가 극값을 가질 필요충분조건은 이차방정식 $f'(x)=0$이 서로 다른 두 실근을 갖는 것이므로 이차방정식 $f'(x)=0$의 판별식을 D라 하면

$\frac{D}{4}=6^2-3a(15-3a)>0$, $9a^2-45a+36>0$

$9(a-1)(a-4)>0$ $\quad\therefore a<1$ 또는 $a>4$ …… ㉡

㉠, ㉡의 공통 범위를 구하면 $\boldsymbol{a<0}$ **또는** $\boldsymbol{0<a<1}$ **또는** $\boldsymbol{a>4}$

(2) $f(x)=x^3+kx^2-3kx+2$에서 $f'(x)=3x^2+2kx-3k$

삼차함수 $f(x)$가 극값을 갖지 않을 필요충분조건은 이차방정식 $f'(x)=0$이 중근을 갖거나 허근을 갖는 것이므로 이차방정식 $f'(x)=0$의 판별식을 D라 하면

$\frac{D}{4}=k^2-3\cdot(-3k)=k^2+9k\leq 0$, $k(k+9)\leq 0$ $\quad\therefore \boldsymbol{-9\leq k\leq 0}$

KEY Point

- 삼차함수 $f(x)$의 도함수 $f'(x)$에 대하여 이차방정식 $f'(x)=0$의 판별식을 D라 할 때,
  $f(x)$가 극값을 가질 조건: $D>0$ ← 이차방정식 $f'(x)=0$이 서로 다른 두 실근을 가짐
  $f(x)$가 극값을 갖지 않을 조건: $D\leq 0$ ← 이차방정식 $f'(x)=0$이 중근 또는 허근을 가짐

110 함수 $f(x)=x^3+kx^2+3x+2$가 극값을 갖도록 하는 실수 k의 값의 범위를 구하시오.

111 함수 $f(x)=x^3-\frac{3}{2}(a-1)x^2-3ax+2$가 극값을 갖지 않을 때, 실수 a의 값을 구하시오.

주어진 구간에서 삼차함수가 극값을 가질 조건

더 다양한 문제는 RPM 수학 Ⅱ 74쪽

다음 물음에 답하시오.

(1) 함수 $f(x)=-x^3+a^2x^2-ax$가 $0<x<1$에서 극솟값, $x>1$에서 극댓값을 갖도록 하는 실수 a의 값의 범위를 구하시오.

(2) 함수 $f(x)=x^3+ax^2+(a-1)x$가 $-1<x<1$에서 극댓값과 극솟값을 모두 가질 때, 실수 a의 값의 범위를 구하시오.

풀이

(1) $f(x)=-x^3+a^2x^2-ax$에서 $f'(x)=-3x^2+2a^2x-a$

삼차함수 $f(x)$가 $0<x<1$에서 극솟값, $x>1$에서 극댓값을 가지려면 이차방정식 $f'(x)=0$이 $0<x<1$에서 실근 한 개, $x>1$에서 실근 한 개를 가져야 하므로 오른쪽 그림에서

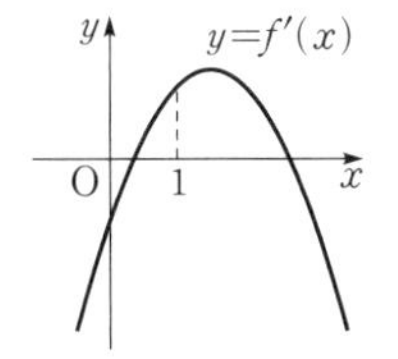

$f'(0)=-a<0$ $\quad\therefore a>0$ $\quad\cdots\cdots$ ㉠

$f'(1)=-3+2a^2-a>0$, $(2a-3)(a+1)>0$

$\therefore a<-1$ 또는 $a>\frac{3}{2}$ $\quad\cdots\cdots$ ㉡

㉠, ㉡의 공통 범위를 구하면 $\boldsymbol{a>\frac{3}{2}}$

(2) $f(x)=x^3+ax^2+(a-1)x$에서 $f'(x)=3x^2+2ax+(a-1)$

삼차함수 $f(x)$가 $-1<x<1$에서 극댓값과 극솟값을 모두 가지면 이차방정식 $f'(x)=0$은 $-1<x<1$에서 서로 다른 두 실근을 가지므로

이차방정식 $f'(x)=0$의 판별식을 D라 하면 $D>0$

$\frac{D}{4}=a^2-3(a-1)>0$, $\left(a-\frac{3}{2}\right)^2+\frac{3}{4}>0$

$\therefore a$는 모든 실수 $\quad\cdots\cdots$ ㉠

$y=f'(x)$의 그래프의 축이 직선 $x=-\frac{a}{3}$이므로 $-1<-\frac{a}{3}<1$

$\therefore -3<a<3$ $\quad\cdots\cdots$ ㉡

$f'(-1)=3-2a+(a-1)>0$ $\quad\therefore a<2$ $\quad\cdots\cdots$ ㉢

$f'(1)=3+2a+(a-1)>0$ $\quad\therefore a>-\frac{2}{3}$ $\quad\cdots\cdots$ ㉣

㉠~㉣의 공통 범위를 구하면 $\boldsymbol{-\frac{2}{3}<a<2}$

112 함수 $f(x)=x^3+3kx^2-(3k+1)x-2$가 $-1<x<1$에서 극댓값과 극솟값을 모두 가질 때, 실수 k의 값의 범위를 구하시오.

113 함수 $f(x)=x^3+2ax^2-4a^2x$가 $-1<x<1$에서 극댓값, $x>1$에서 극솟값을 가질 때, 실수 a의 값의 범위를 구하시오.

한 걸음 더

필수예제 21 사차함수가 극값을 가질 조건

더 다양한 문제는 RPM 수학 Ⅱ 74쪽

함수 $f(x)=x^4-4x^3+2ax^2$에 대하여 다음을 구하시오.

(1) $f(x)$가 극댓값을 갖기 위한 실수 a의 값의 범위

(2) $f(x)$가 극값을 하나만 갖기 위한 실수 a의 값의 범위

설명 (1) 최고차항의 계수가 양수인 사차함수 $f(x)$가 극댓값을 가지려면 삼차방정식 $f'(x)=0$이 서로 다른 세 실근을 가져야 한다.

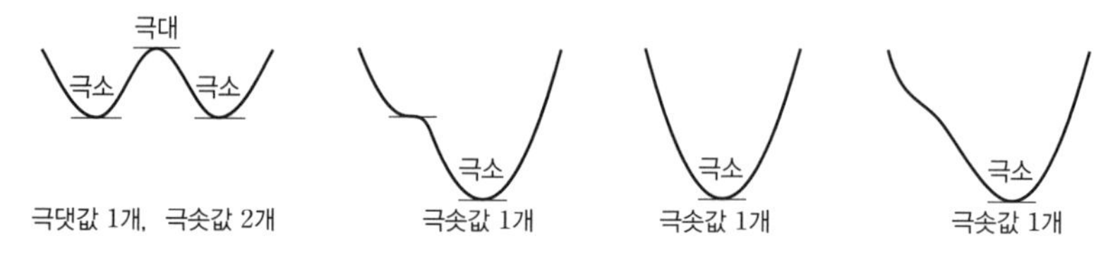

풀이 (1) $f(x)=x^4-4x^3+2ax^2$에서 $f'(x)=4x^3-12x^2+4ax=4x(x^2-3x+a)$

$f(x)$가 극댓값을 가지려면 삼차방정식 $f'(x)=0$이 서로 다른 세 실근을 가져야 하므로 이차방정식 $x^2-3x+a=0$이 0이 아닌 서로 다른 두 실근을 가져야 한다.

$x=0$이 $x^2-3x+a=0$의 근이 될 수 없으므로 $a\neq0$ …… ㉠

$x^2-3x+a=0$의 판별식을 D라 하면 $D=(-3)^2-4a=9-4a>0$ $\quad\therefore a<\frac{9}{4}$ …… ㉡

㉠, ㉡의 공통 범위를 구하면 $\boldsymbol{a<0}$ **또는** $\boldsymbol{0<a<\frac{9}{4}}$

(2) 최고차항의 계수가 양수인 사차함수가 극값을 하나만 갖는다는 것은 사차함수가 극댓값을 갖지 않는다는 뜻이다.

(1)에서 $f(x)$가 극댓값을 갖기 위한 실수 a의 값의 범위가 $a<0$ 또는 $0<a<\frac{9}{4}$이므로

$f(x)$가 극댓값을 갖지 않기 위한 실수 a의 값의 범위는 $\boldsymbol{a=0}$ **또는** $\boldsymbol{a\geq\frac{9}{4}}$

KEY Point

- 사차함수 $f(x)=ax^4+bx^3+cx^2+dx+e\ (a>0)$에 대하여

  $f(x)$가 극댓값을 가질 조건: 삼차방정식 $f'(x)=0$이 서로 다른 세 실근을 갖는다.

  $f(x)$가 극댓값을 갖지 않을 조건: 삼차방정식 $f'(x)=0$이 한 실근과 두 허근 또는 한 실근과 다른 중근 또는 삼중근을 갖는다. ←극댓값을 가질 조건을 구한 후 그 조건을 부정하여 구한다.

114 함수 $f(x)=-x^4+8x^3+2ax^2$이 극솟값을 갖기 위한 실수 a의 값의 범위를 구하시오.

115 함수 $f(x)=x^4+2(a-1)x^2+4ax$가 극댓값을 갖지 않기 위한 실수 a의 값의 범위를 구하시오.

06 함수의 최댓값과 최솟값

2. 도함수의 활용

개념원리 이해

1. 함수의 최댓값과 최솟값

▷ 필수예제 22

함수 $f(x)$가 닫힌구간 $[a, b]$에서 연속일 때, 함수의 최댓값과 최솟값은 다음과 같은 순서로 구한다.

(i) 닫힌구간 $[a, b]$에서 $f(x)$의 극댓값, 극솟값을 모두 구한다.

(ii) 닫힌구간 $[a, b]$의 양 끝에서의 함숫값 $f(a)$, $f(b)$를 구한다.

(iii) (i), (ii)에서 구한 극댓값, 극솟값, $f(a)$, $f(b)$ 중에서

가장 큰 값이 최댓값, 가장 작은 값이 최솟값이다.

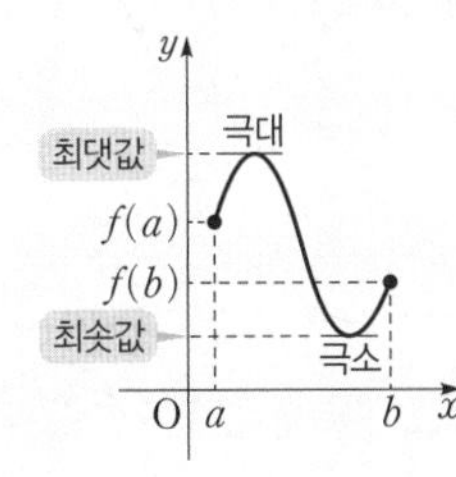

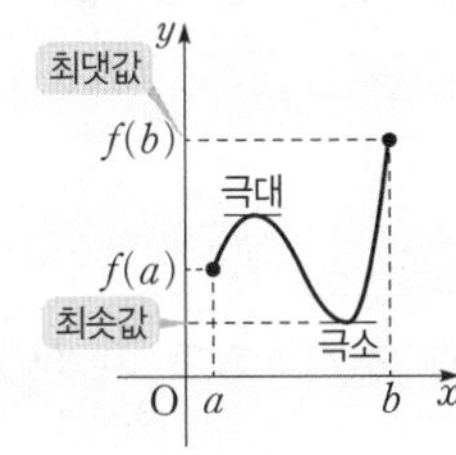

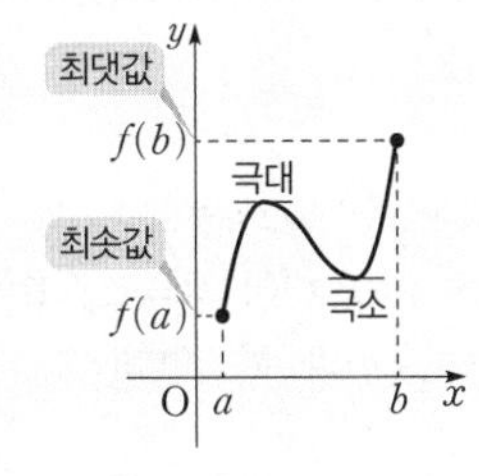

▶ 함수 $f(x)$가 닫힌구간 $[a, b]$에서 연속이면 $f(x)$는 이 구간에서 반드시 최댓값과 최솟값을 갖는다.

예 닫힌구간 $[1, 3]$에서 함수 $f(x)=2x^3-9x^2+12x-2$의 최댓값과 최솟값을 구하시오.

풀이 $f(x)=2x^3-9x^2+12x-2$에서 $f'(x)=6x^2-18x+12=6(x-1)(x-2)$

$f'(x)=0$을 만족시키는 x의 값은 $x=1$ 또는 $x=2$

닫힌구간 $[1, 3]$에서 함수 $f(x)$의 증가와 감소를 표로 나타내고 그래프를 그리면 다음과 같다.

x	1	$\cdots$	2	$\cdots$	3
$f'(x)$		$-$	0	$+$	
$f(x)$	3	↘	2 극소	↗	7

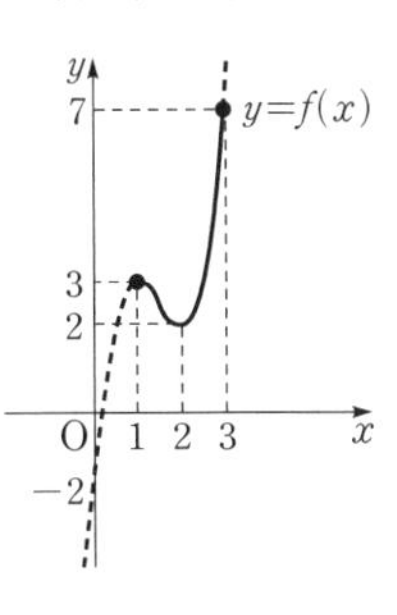

따라서 $f(x)$는 $x=2$에서 최솟값 2, $x=3$에서 최댓값 7을 갖는다.

2. 극값을 갖는 x의 값이 하나뿐일 때 연속함수의 최댓값과 최솟값

함수 $f(x)$가 닫힌구간 $[a, b]$에서 연속이고 이 구간에서 극값을 갖는 x의 값이 하나뿐일 때
(1) 극값이 극댓값이면
⇨ **(극댓값)=(최댓값)**
(2) 극값이 극솟값이면
⇨ **(극솟값)=(최솟값)**

설명 함수 $f(x)$가 닫힌구간 $[a, b]$에서 연속이고 이 구간에서 극값을 갖는 x의 값이 하나뿐일 때

(1) 극값이 극댓값인 경우
함수 $y=f(x)$의 그래프는 오른쪽 그림과 같다.
함수 $f(x)$의 극댓값이 최댓값이고, $f(a)$와 $f(b)$ 중 작은 것이 최솟값이다.

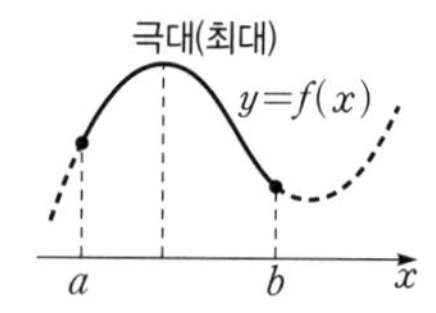

(2) 극값이 극솟값인 경우
함수 $y=f(x)$의 그래프는 오른쪽 그림과 같다.
함수 $f(x)$의 극솟값이 최솟값이고, $f(a)$와 $f(b)$ 중 큰 것이 최댓값이다.

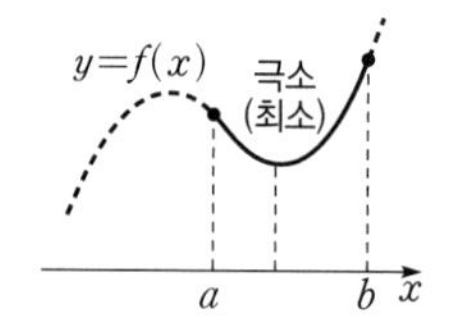

보충학습

1. 주어진 구간이 닫힌구간이 아닐 때에는 최댓값 또는 최솟값이 존재하지 않을 수도 있다.

반닫힌 구간 $[a, \infty)$ (즉, $x \ge a$일 때)	반닫힌 구간 $[a, b)$ (즉, $a \le x < b$일 때)	열린구간 (a, b) (즉, $a < x < b$일 때)	열린구간 (a, b) (즉, $a < x < b$일 때)
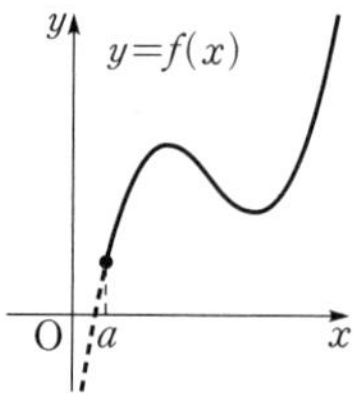 $y=f(x)$	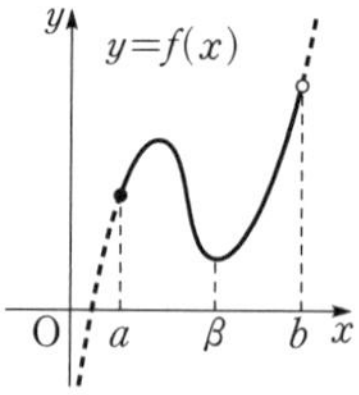 $y=f(x)$	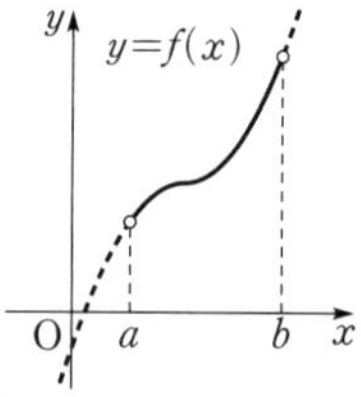 $y=f(x)$	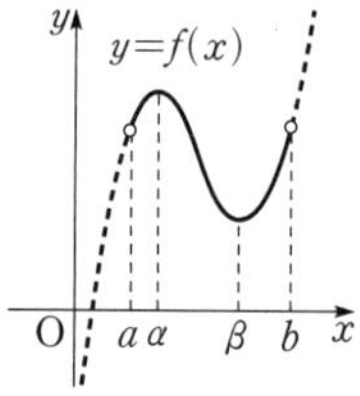 $y=f(x)$
최댓값: 없다. 최솟값: $f(a)$	최댓값: 없다. 최솟값: $f(\beta)$	최댓값: 없다. 최솟값: 없다.	최댓값: $f(\alpha)$ 최솟값: $f(\beta)$

필수예제 22 함수의 최댓값과 최솟값

더 다양한 문제는 RPM 수학 Ⅱ 75쪽

다음 구간에서 함수의 최댓값과 최솟값을 구하시오.

(1) $f(x)=2x^3-3x^2-12x+4 \quad [-2, 4]$ (2) $f(x)=3x^4-12x^3+12x^2-2 \quad \left[\frac{1}{2}, 2\right]$

풀이

(1) $f(x)=2x^3-3x^2-12x+4$에서 $f'(x)=6x^2-6x-12=6(x+1)(x-2)$

$f'(x)=0$을 만족시키는 x의 값은 $x=-1$ 또는 $x=2$

닫힌구간 $[-2, 4]$에서 함수 $f(x)$의 증가와 감소를 표로 나타내면 다음과 같다.

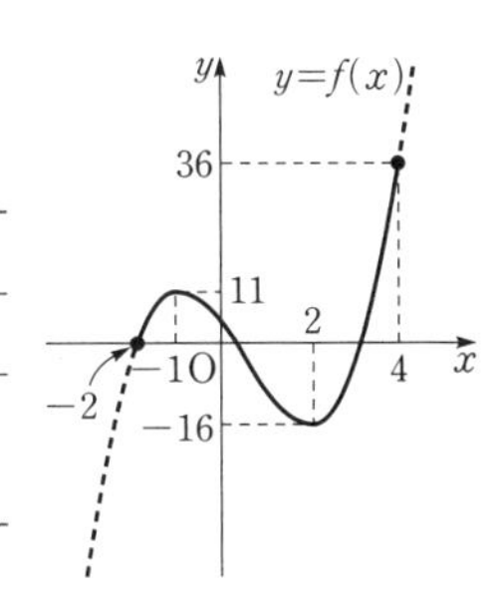

x	-2	$\cdots$	-1	$\cdots$	2	$\cdots$	4
$f'(x)$		$+$	0	$-$	0	$+$	
$f(x)$	0	↗	11 극대	↘	-16 극소	↗	36

따라서 $f(x)$는 $x=4$에서 **최댓값 36**, $x=2$에서 **최솟값 -16**을 갖는다.

(2) $f(x)=3x^4-12x^3+12x^2-2$에서 $f'(x)=12x^3-36x^2+24x=12x(x-1)(x-2)$

$f'(x)=0$을 만족시키는 x의 값은 $x=0$ 또는 $x=1$ 또는 $x=2$

닫힌구간 $\left[\frac{1}{2}, 2\right]$에서 함수 $f(x)$의 증가와 감소를 표로 나타내면 다음과 같다.

x	$\frac{1}{2}$	$\cdots$	1	$\cdots$	2
$f'(x)$		$+$	0	$-$	
$f(x)$	$-\frac{5}{16}$	↗	1 극대	↘	-2

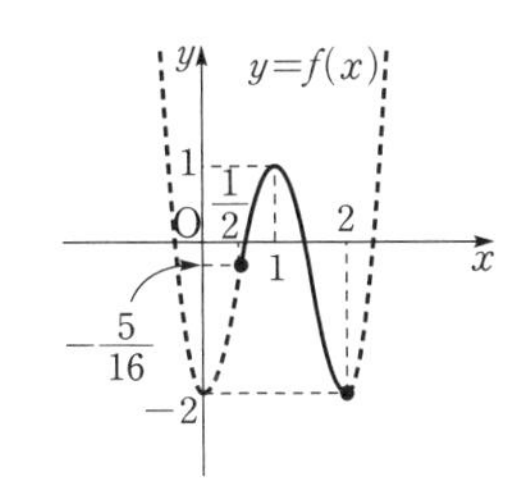

따라서 $f(x)$는 $x=1$에서 **최댓값 1**, $x=2$에서 **최솟값 -2**를 갖는다.

KEY Point

- **함수의 최댓값과 최솟값 ⇨ 함수의 그래프를 그려 구한다.**
- **닫힌구간 $[a, b]$에서 함수 $f(x)$의 최댓값과 최솟값**
  최댓값: 극댓값, $f(a)$, $f(b)$ 중에 가장 큰 값
  최솟값: 극솟값, $f(a)$, $f(b)$ 중에 가장 작은 값

116 다음 구간에서 함수의 최댓값과 최솟값을 구하시오.

(1) $f(x)=-x^3+3x^2+9x-1 \quad [-2, 2]$ (2) $f(x)=x^4+4x^3-16x \quad [-3, 2]$

117 다음 함수의 최댓값과 최솟값을 구하시오.

(1) $f(x)=3x^4-4x^3-12x^2+18$ (2) $f(x)=-x^4+2x^2$

필수예제 23 함수의 최대 · 최소와 미정계수

더 다양한 문제는 RPM 수학 Ⅱ 75쪽

닫힌구간 $[-1, 2]$에서 함수 $f(x)=ax^3-6ax^2+b$의 최댓값이 3, 최솟값이 -29일 때, 상수 a, b에 대하여 $a+b$의 값을 구하시오. (단, $a>0$)

풀이 $f(x)=ax^3-6ax^2+b$에서 $f'(x)=3ax^2-12ax=3ax(x-4)$
$f'(x)=0$을 만족시키는 x의 값은 $x=0$ 또는 $x=4$
$a>0$이므로 닫힌구간 $[-1, 2]$에서 함수 $f(x)$의 증가와 감소를 표로 나타내면 다음과 같다.

x	-1	$\cdots$	0	$\cdots$	2
$f'(x)$		$+$	0	$-$	
$f(x)$	$-7a+b$	↗	b 극대	↘	$-16a+b$

따라서 $f(x)$는 $x=0$에서 최댓값 b, $x=2$에서 최솟값 $-16a+b$를 갖는다.
그런데 $f(x)$의 최댓값이 3, 최솟값이 -29이므로 $b=3$, $-16a+b=-29$ $\therefore a=2$
$\therefore a+b=2+3=$**5**

KEY Point

- 닫힌구간 $[a, b]$에서 함수 $f(x)$의 최댓값과 최솟값
  최댓값: 극댓값, $f(a)$, $f(b)$ 중에 가장 큰 값
  최솟값: 극솟값, $f(a)$, $f(b)$ 중에 가장 작은 값

118 닫힌구간 $[0, 2]$에서 함수 $f(x)=-2x^3+3x^2+a$의 최솟값이 -5일 때, 최댓값을 구하시오. (단, a는 상수)

119 닫힌구간 $[1, 4]$에서 함수 $f(x)=ax^4-4ax^3+b$의 최댓값이 3, 최솟값이 -6일 때, 상수 a, b에 대하여 ab의 값을 구하시오. (단, $a<0$)

필수예제 24 최대 · 최소의 활용 – 비용

더 다양한 문제는 RPM 수학 Ⅱ 76쪽

인터넷 쇼핑몰에서 어떤 원피스 x벌을 판매할 때 생기는 이익이 $(-x^3+144x^2+1200x-200)$원일 때, 이 원피스를 판매한 이익이 최대가 되려면 이 원피스를 몇 벌 판매해야 하는가? (단, $0<x<150$)

① 84벌　② 96벌　③ 100벌　④ 120벌　⑤ 136벌

풀이

원피스 x벌을 판매할 때 생기는 이익을 $f(x)$(원)이라 하면

$f(x)=-x^3+144x^2+1200x-200$

$f'(x)=-3x^2+288x+1200=-3(x+4)(x-100)$

$f'(x)=0$을 만족시키는 x의 값은 $x=100$ ($\because 0<x<150$)

따라서 열린구간 $(0, 150)$에서 함수 $f(x)$의 증가와 감소를 표로 나타내면 다음과 같다.

x	0	$\cdots$	100	$\cdots$	150
$f'(x)$		+	0	−	
$f(x)$		↗	$f(100)$ 극대	↘	

따라서 $f(x)$는 $x=100$에서 최대가 되므로 원피스를 판매한 이익이 최대가 되려면 원피스를 ③ **100벌** 판매해야 한다.

KEY Point

• 함수 $f(x)$가 닫힌구간 $[a, b]$에서 연속이고 이 구간에서 극값을 갖는 x의 값이 하나뿐일 때

(1) 극값이 극댓값이면 ⇨ (극댓값)=(최댓값)

(2) 극값이 극솟값이면 ⇨ (극솟값)=(최솟값)

120 A회사의 주식을 구입하여 t년 후에 주식을 팔 경우, 순이익은

$$f(t)=-\frac{1}{4}t^4-\frac{1}{3}t^3+2t^2+4t \text{ (만 원)}$$

이라 한다. 순이익이 최대가 되려면 A회사의 주식을 구입하여 몇 년 후에 팔아야 하는지 구하시오. (단, $0<t<3$)

필수예제 25 **최대 · 최소의 활용 – 넓이, 길이**

더 다양한 문제는 RPM 수학 Ⅱ 76쪽

오른쪽 그림과 같이 직사각형 ABCD가 곡선 $y=-2x^2+12$와 x축으로 둘러싸인 부분에 내접하고, 한 변이 x축 위에 있을 때, 직사각형 ABCD의 넓이의 최댓값을 구하시오.

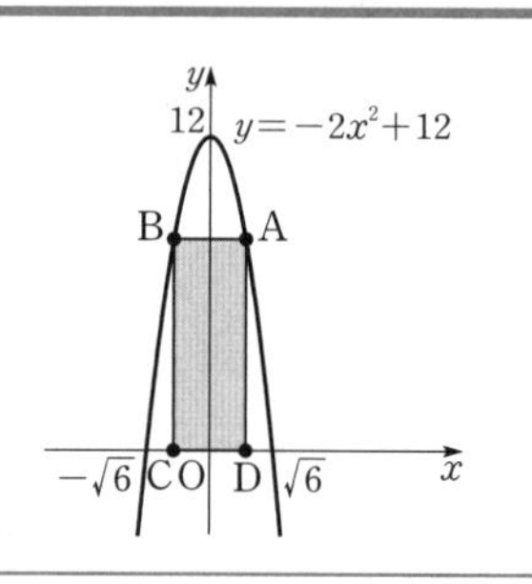

풀이

점 A의 x좌표를 t $(0<t<\sqrt{6})$라 하면 $A(t, -2t^2+12)$이고

$\overline{CD}=2t$, $\overline{AD}=-2t^2+12$이므로 직사각형 ABCD의 넓이를 $f(t)$라 하면

$f(t)=2t(-2t^2+12)=-4t^3+24t$ $(0<t<\sqrt{6})$

$f'(t)=-12t^2+24=-12(t^2-2)=-12(t+\sqrt{2})(t-\sqrt{2})$

$f'(t)=0$을 만족시키는 t의 값은 $t=\sqrt{2}$ $(\because 0<t<\sqrt{6})$

따라서 열린구간 $(0, \sqrt{6})$에서 함수 $f(t)$의 증가와 감소를 표로 나타내면 다음과 같다.

t	0	$\cdots$	$\sqrt{2}$	$\cdots$	$\sqrt{6}$
$f'(t)$		+	0	−	
$f(t)$		↗	$16\sqrt{2}$ 극대	↘	

따라서 $f(t)$는 $t=\sqrt{2}$에서 최댓값 $16\sqrt{2}$를 가지므로 직사각형 ABCD의 넓이의 최댓값은 $\mathbf{16\sqrt{2}}$이다.

KEY Point

- 도형에서의 함수의 최대 · 최소의 활용
  ⇨ 변하는 것을 x(또는 t)로 놓고, 구하는 것을 x(또는 t)에 대한 함수로 나타낸다. 이때 x(또는 t)의 범위에 유의한다.

121 곡선 $y=x^2$ 위의 점 A와 점 B(3, 0)에 대하여 선분 AB의 길이의 최솟값을 m이라 할 때, m^2의 값을 구하시오.

122 오른쪽 그림과 같이 곡선 $y=9-x^2$과 x축의 두 교점을 각각 A, B라 할 때, 곡선 $y=9-x^2$과 x축으로 둘러싸인 도형에 내접하는 사다리꼴 ABCD의 넓이의 최댓값을 구하시오.

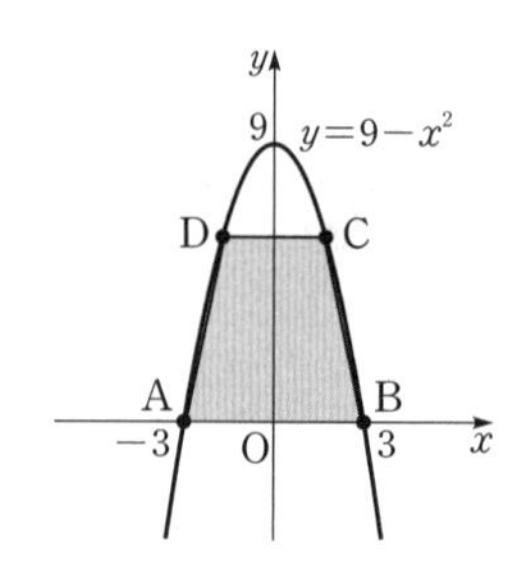

필수예제 26 최대 · 최소의 활용 – 부피

더 다양한 문제는 RPM 수학 Ⅱ 76쪽

오른쪽 그림과 같이 가로의 길이가 16, 세로의 길이가 6인 직사각형 모양의 종이의 네 꼭짓점에서 한 변의 길이가 x인 정사각형을 잘라 내고 남은 부분으로 뚜껑이 없는 직육면체를 만들 때, 이 직육면체의 부피의 최댓값을 구하시오.

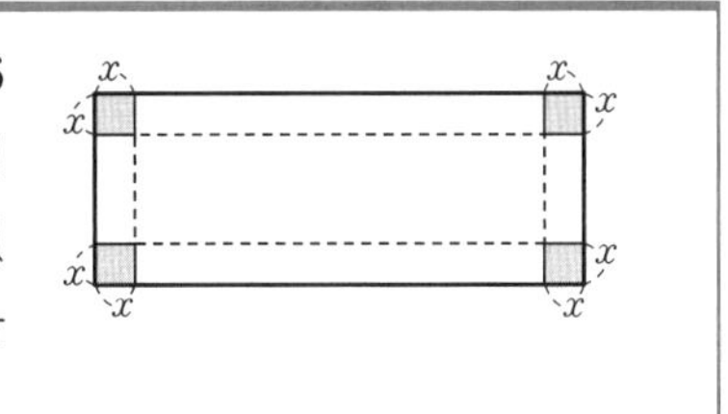

풀이

잘라 낸 정사각형의 한 변의 길이를 x $(x>0)$라 하면 $6-2x>0$이므로 $0<x<3$

직육면체의 부피를 $f(x)$라 하면

$f(x)=x(16-2x)(6-2x)=4x^3-44x^2+96x$

$f'(x)=12x^2-88x+96=4(3x-4)(x-6)$

$f'(x)=0$을 만족시키는 x의 값은 $x=\frac{4}{3}$ $(\because 0<x<3)$

따라서 열린구간 $(0, 3)$에서 함수 $f(x)$의 증가와 감소를 표로 나타내면 다음과 같다.

x	0	$\cdots$	$\frac{4}{3}$	$\cdots$	3
$f'(x)$		$+$	0	$-$	
$f(x)$		↗	$\frac{1600}{27}$ 극대	↘	

따라서 $f(x)$는 $x=\frac{4}{3}$에서 최댓값 $\frac{1600}{27}$을 가지므로 직육면체의 부피의 최댓값은 $\mathbf{\frac{1600}{27}}$이다.

KEY Point

- 도형에서의 함수의 최대 · 최소의 활용
  ⇨ 변하는 것을 x(또는 t)로 놓고, 구하는 것을 x(또는 t)에 대한 함수로 나타낸다. 이때 x(또는 t)의 범위에 유의한다.

123 오른쪽 그림과 같이 밑면의 반지름의 길이가 1, 높이가 3인 원뿔에 원기둥이 내접할 때, 원기둥의 부피가 최대가 되도록 하는 원기둥의 밑면의 반지름의 길이를 구하시오.

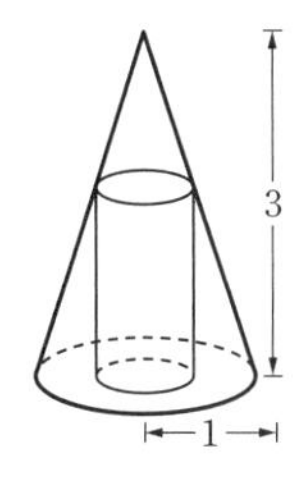

연습문제

STEP 1

생각해 봅시다!

135 함수 $f(x)=x^3+(2-a)x^2-(2a-1)x$가 $x=-1$에서 극솟값을 가질 때, 실수 a의 값의 범위를 구하시오.

136 삼차함수 $f(x)=x^3-3ax^2+4a$의 그래프가 x축에 접할 때, 상수 a의 값을 구하시오. (단, $a>0$)

137 함수 $f(x)=-2x^3+ax^2-24x-1$이 극값을 갖지 않도록 하는 자연수 a의 최댓값을 구하시오.

138 함수 $f(x)=x^3+(k-3)x^2+(2-k)x-3$이 $0<x<1$에서 극댓값, $1<x<2$에서 극솟값을 갖도록 하는 실수 k의 값의 범위는?

① $k<-\frac{2}{3}$ ② $-\frac{2}{3}<k<1$ ③ $-\frac{2}{3}<k<2$
④ $1<k<2$ ⑤ $k<1$

이차방정식 $f'(x)=0$의 한 실근은 $0<x<1$에, 다른 한 실근은 $1<x<2$에 있다.

139 함수 $f(x)=-3x^4+ax^3-24x^2+3$이 극솟값을 갖도록 하는 자연수 a의 최솟값은?

① 13 ② 14 ③ 15 ④ 16 ⑤ 17

140 닫힌구간 $[-1, 3]$에서 함수 $f(x)=x^3-3x-5$의 최댓값을 M, 최솟값을 m이라 할 때, $M-m$의 값을 구하시오.

141 닫힌구간 $[2, 5]$에서 함수 $f(x)=x^3-6x^2+a$의 최솟값이 -20일 때, $f(x)$의 최댓값은? (단, a는 상수)

① -4　　② -2　　③ 1　　④ 2　　⑤ 4

142 닫힌구간 $[1, 4]$에서 함수 $f(x)=x^3-3x^2+a$의 최댓값과 최솟값의 합이 20일 때, 상수 a의 값을 구하시오.

143 닫힌구간 $[-1, 3]$에서 함수 $f(x)=ax^3-3ax+2b$의 최댓값이 22, 최솟값이 2일 때, 상수 a, b에 대하여 ab의 값을 구하시오. (단, $a>0$)

144 함수 $f(x)=x^4-4a^3x+1$의 최솟값이 -47일 때, 상수 a의 값은? (단, $a>0$)

① 1　　② 2　　③ 3　　④ 4　　⑤ 5

STEP 2

145 함수 $f(x)=x^3+ax^2+3x+1$은 극값을 갖도록, 함수 $g(x)=x^3+ax^2-3ax+2$는 극값을 갖지 않도록 하는 정수 a의 개수를 구하시오.

146 함수 $f(x)=ax^3-3x+b$의 극댓값이 4, 극솟값이 2가 되도록 하는 상수 a, b에 대하여 ab의 값을 구하시오.

147 함수 $f(x)=-x^3+mx^2+nx$의 그래프가 원점 이외의 점에서 x축과 접하고 극솟값이 -4일 때, 상수 m, n에 대하여 mn의 값을 구하시오.

148 함수 $f(x)=-3x^4+4ax^3-6(a+3)x^2-1$이 극솟값을 갖지 않도록 하는 실수 a의 값의 범위를 구하시오.

149 함수 $f(x)=x^3-3x$에 대한 다음 보기의 설명 중 옳은 것만을 있는 대로 고르시오.

| 보기 |

ㄱ. $f(x)$는 극댓값과 극솟값을 갖는다.
ㄴ. $x\geq 2$이면 $f(x)\geq 2$이다.
ㄷ. $|x|\leq 2$이면 $|f(x)|\leq 2$이다.

어떤 구간에서 $f(x)$의 최댓값이 M이다.
⇨ 그 구간의 모든 실수 x에 대하여 $f(x)\leq M$이다.

150 하루에 A제품 x개를 생산하는 데 드는 비용이
$f(x)=x^3-60x^2+1200x+5000$(원)이고, 생산된 제품은 개당 1200원에 그날 모두 판매된다고 할 때, 이익을 최대로 하기 위해 하루에 생산해야 할 A 제품의 개수를 구하시오.

151 한 변의 길이가 15인 정삼각형 모양의 종이의 세 꼭짓점에서 오른쪽 그림과 같이 합동인 사각형을 잘라 내고 남은 부분으로 정삼각기둥 모양의 상자를 만들 때, 그 부피가 최대가 되도록 하는 x의 값을 구하시오.

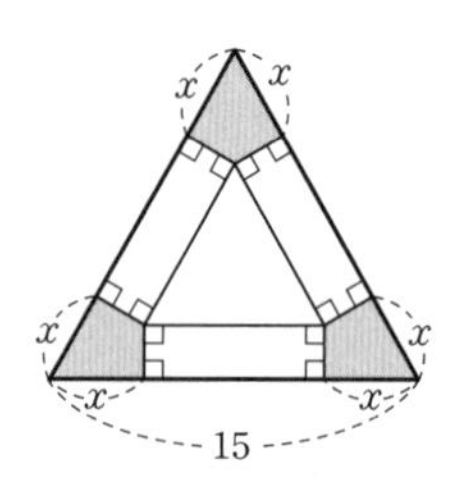

실력 UP

생각해 봅시다!

152 미분가능한 두 함수 $f(x)$, $g(x)$가 $f(0)=g(0)$, $f'(x)>g'(x)$를 만족시킬 때, 다음 중 옳은 것은?

① $f(-1)>g(-1)$ ② $f(1)>g(1)$ ③ $f(1)>f(0)$
④ $f(-1)>f(0)$ ⑤ $g(1)>g(0)$

153 함수 $f(x)=\frac{1}{3}x^3+2x^2+5|x-2a|+1$이 실수 전체의 집합에서 증가하도록 하는 실수 a의 최댓값을 구하시오.

어떤 열린구간에서 함수 $f(x)$가 증가하면 그 구간의 모든 x에 대하여 $f'(x)\geq 0$이다.

[평가원기출]

154 실수 t에 대하여 곡선 $y=x^3$ 위의 점 (t, t^3)과 직선 $y=x+6$ 사이의 거리를 $g(t)$라 하자. 옳은 것만을 보기에서 있는 대로 고른 것은?

| 보기 |
ㄱ. 함수 $g(t)$는 실수 전체의 집합에서 연속이다.
ㄴ. 함수 $g(t)$는 0이 아닌 극솟값을 갖는다.
ㄷ. 함수 $g(t)$는 $t=2$에서 미분가능하다.

① ㄱ ② ㄷ ③ ㄱ, ㄴ ④ ㄴ, ㄷ ⑤ ㄱ, ㄴ, ㄷ

155 $x^2+3y^2=9$를 만족시키는 실수 x, y에 대하여 x^2+xy^2의 최솟값을 구하시오.

[평가원기출]

156 오른쪽 그림과 같이 한 변의 길이가 1인 정사각형 ABCD의 두 대각선의 교점의 좌표는 (0, 1)이고, 한 변의 길이가 1인 정사각형 EFGH의 두 대각선의 교점은 곡선 $y=x^2$ 위에 있다. 두 정사각형의 내부의 공통부분의 넓이의 최댓값은?

(단, 정사각형의 모든 변은 x축 또는 y축에 평행하다.)

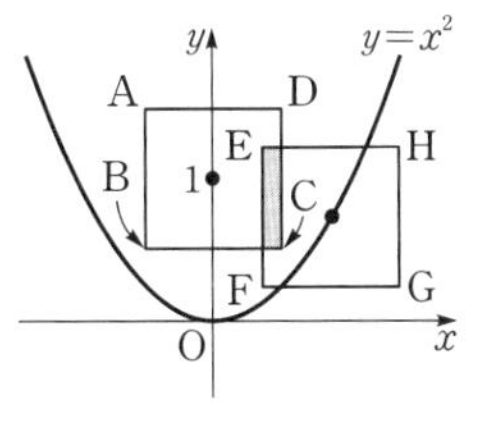

① $\frac{4}{27}$ ② $\frac{1}{6}$ ③ $\frac{5}{27}$ ④ $\frac{11}{54}$ ⑤ $\frac{2}{9}$

07 방정식과 부등식에의 활용

2. 도함수의 활용

개념원리 이해

1. 방정식의 실근의 개수 ▷ 필수예제 27, 28

(1) 방정식 $f(x)=0$의 실근

함수 $y=f(x)$의 그래프와 x축의 교점의 x좌표이다.

⇨ 방정식 **$f(x)=0$의 서로 다른 실근의 개수**는 $y=f(x)$의 그래프와 x축의 **교점의 개수**와 같다.

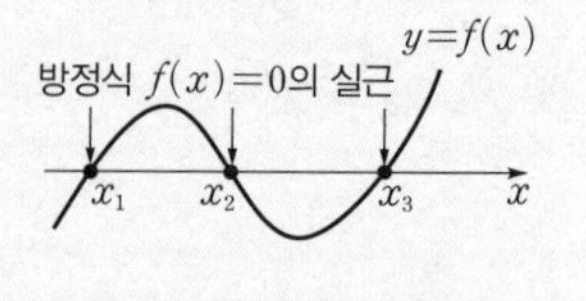

(2) 방정식 $f(x)=g(x)$의 실근

두 함수 $y=f(x)$, $y=g(x)$의 그래프의 교점의 x좌표이다.

⇨ 방정식 **$f(x)=g(x)$의 서로 다른 실근의 개수**는 두 함수 $y=f(x)$, $y=g(x)$의 그래프의 **교점의 개수**와 같다.

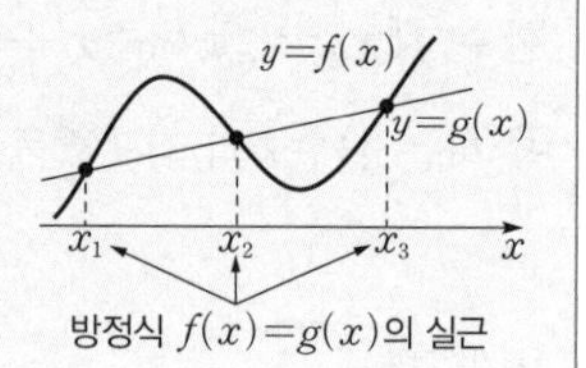

▶ ① 방정식 $f(x)=0$이 실근을 갖지 않는 경우 ⇨ $y=f(x)$의 그래프는 x축과 만나지 않는다.
② 삼차 이상의 방정식 $f(x)=0$의 실근의 개수는 $y=f(x)$의 그래프와 x축의 교점의 개수를 조사하여 구할 수 있다.

2. 삼차방정식의 근의 판별 ▷ 필수예제 30

(1) 삼차함수 $f(x)=ax^3+bx^2+cx+d\,(a>0)$가 극값을 가질 때, 삼차방정식 $f(x)=0$의 실근의 개수는 다음과 같이 판별할 수 있다.

① 서로 다른 세 실근	② 중근과 다른 한 실근	③ 한 실근과 두 허근
	$y=f(x)$의 그래프가 x축에 접한다.	
(극댓값)×(극솟값)<0	(극댓값)×(극솟값)$=0$	(극댓값)×(극솟값)>0

▶ 삼차함수 $f(x)$가 극값을 갖는다. ⟺ 이차방정식 $f'(x)=0$이 서로 다른 두 실근을 갖는다.

설명 삼차함수 $f(x)$가 극값을 가질 때(극댓값과 극솟값을 모두 가질 때)

① 삼차방정식 $f(x)=0$이 서로 다른 세 실근을 가질 조건

⇨ 극댓값과 극솟값의 부호가 $+$, $-$로 서로 다르다.

⇨ (극댓값)×(극솟값)<0

② 삼차방정식 $f(x)=0$이 중근과 다른 한 실근을 가질 조건

⇨ 극댓값 또는 극솟값이 0이다.

⇨ (극댓값)×(극솟값)$=0$

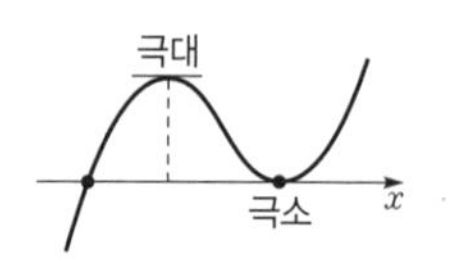

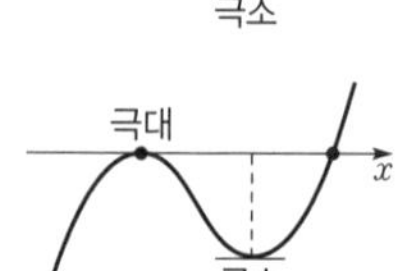

③ 삼차방정식 $f(x)=0$이 실근 하나와 두 허근을 가질 조건
(실근 하나만을 가질 조건)
⇨ 극댓값과 극솟값의 부호가 $+$, $+$(또는 $-$, $-$)로 서로 같다.
⇨ (극댓값)×(극솟값)>0

(2) 삼차함수 $f(x)=ax^3+bx^2+cx+d(a>0)$가 극값을 갖지 않을 때, 삼차방정식 $f(x)=0$은 삼중근을 갖거나 한 실근과 두 허근을 갖는다.

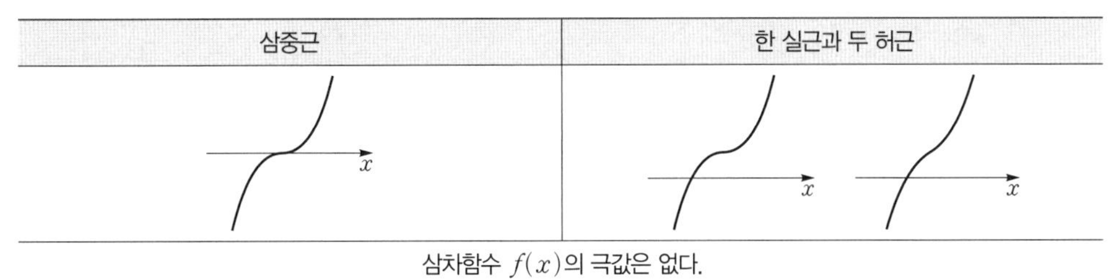

삼중근	한 실근과 두 허근
삼차함수 $f(x)$의 극값은 없다.	

▶ 삼차함수 $f(x)$가 극값을 갖지 않는다. ⟺ 이차방정식 $f'(x)=0$이 중근이나 서로 다른 두 허근을 갖는다.

예 방정식 $x^3-3x^2+1=0$의 서로 다른 실근의 개수를 구하시오.

풀이 $f(x)=x^3-3x^2+1$로 놓으면 $f'(x)=3x^2-6x=3x(x-2)$
$f'(x)=0$을 만족시키는 x의 값은 $x=0$ 또는 $x=2$
$f(x)$는 $x=0$에서 극댓값 1, $x=2$에서 극솟값 -3을 가지므로
(극댓값)×(극솟값)$=1\cdot(-3)=-3<0$
따라서 방정식 $x^3-3x^2+1=0$의 실근의 개수는 3이다.

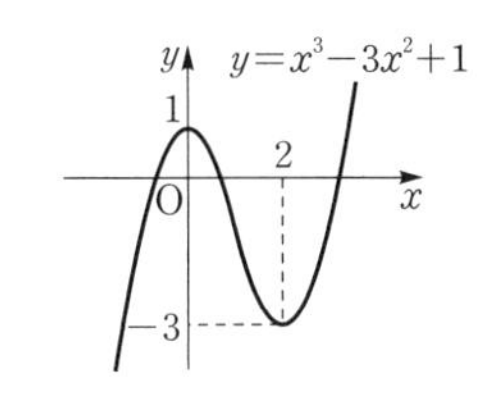

3. 부등식에의 활용 ▷ 필수예제 31, 32

(1) 모든 실수 x에 대하여 부등식 $f(x)\geq0$ (또는 $f(x)\leq0$)이 성립함을 증명하기

① 모든 실수 x에 대하여 부등식 $f(x)\geq0$이 성립함을 증명하기
⇨ ($f(x)$의 최솟값)≥0임을 보이면 된다.
② 모든 실수 x에 대하여 $f(x)\leq0$이 성립함을 증명하기
⇨ ($f(x)$의 최댓값)≤0임을 보이면 된다.

▶ ① 모든 실수 x에 대하여
부등식 $f(x)>0$이 성립함을 증명하기 ⇨ ($f(x)$의 최솟값)>0임을 보이면 된다.
부등식 $f(x)<0$이 성립함을 증명하기 ⇨ ($f(x)$의 최댓값)<0임을 보이면 된다.
② 모든 실수 x에 대하여 $f(x)\geq g(x)$임을 증명하기
⇨ $h(x)=f(x)-g(x)$로 놓고, ($h(x)$의 최솟값)≥0임을 보이면 된다.

예 모든 실수 x에 대하여 부등식 $x^4-4x+a\geq0$이 성립하도록 하는 실수 a의 값의 범위를 구하시오.

풀이 $f(x)=x^4-4x+a$로 놓으면 $f'(x)=4x^3-4=4(x-1)(x^2+x+1)$

그런데 $x^2+x+1=\left(x+\frac{1}{2}\right)^2+\frac{3}{4}>0$이므로 $f'(x)=0$을 만족시키는 x의 값은 $x=1$

함수 $f(x)$의 증가와 감소를 표로 나타내면 오른쪽과 같다.
따라서 $f(x)$는 $x=1$에서 최솟값 $-3+a$를 가지므로 모든 실수 x에 대하여 부등식 $f(x)\geq0$이 성립하려면
$f(1)=-3+a\geq0$ $\therefore a\geq3$

x	$\cdots$	1	$\cdots$
$f'(x)$	$-$	0	$+$
$f(x)$	↘	$-3+a$ 극소	↗

(2) 주어진 구간에서 부등식 $f(x)\geq0$ (또는 $f(x)\leq0$)이 성립함을 증명하기

① $x\geq a$일 때 부등식 $f(x)\geq0$이 성립함을 증명하기
⇨ ($x\geq a$일 때 $f(x)$의 최솟값)≥0임을 보이면 된다.
② $x\geq a$일 때 부등식 $f(x)\leq0$이 성립함을 증명하기
⇨ ($x\geq a$일 때 $f(x)$의 최댓값)≤0임을 보이면 된다.

▶ ① $x\geq a$일 때
부등식 $f(x)>0$이 성립함을 증명하기 ⇨ ($x\geq a$일 때 $f(x)$의 최솟값)>0임을 보이면 된다.
부등식 $f(x)<0$이 성립함을 증명하기 ⇨ ($x\geq a$일 때 $f(x)$의 최댓값)<0임을 보이면 된다.

② $x\geq a$일 때 $f(x)\geq g(x)$임을 증명하기
⇨ $h(x)=f(x)-g(x)$로 놓고, ($x\geq a$일 때 $h(x)$의 최솟값)≥0임을 보이면 된다.

보충학습

1. 미분가능한 함수 $f(x)$가 $x\geq a$에서 증가할 때, 부등식 $f(x)\geq0$의 증명

미분가능한 함수 $f(x)$에 대하여 $f(a)\geq0$이고, $x>a$인 모든 실수 x에 대하여 $f'(x)\geq0$이면
⇨ $x\geq a$일 때 부등식 $f(x)\geq0$이 성립한다.

설명 미분가능한 함수 $f(x)$에 대하여
$f(a)\geq0$이고, $x>a$인 모든 실수 x에 대하여 $f'(x)\geq0$이면
⇨ $x\geq a$일 때 함수 $f(x)$는 증가하거나 일정하므로
⇨ $x\geq a$일 때 $f(x)\geq f(a)\geq0$이다.

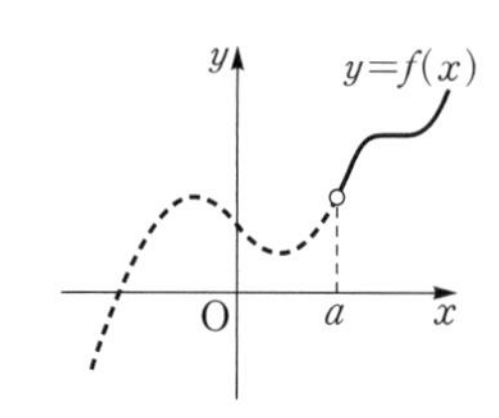

필수예제 27 실근의 개수

더 다양한 문제는 RPM 수학 Ⅱ 83쪽

방정식 $x^3-3x^2+2=0$의 서로 다른 실근의 개수를 구하시오.

설명 **함수 $y=x^3-3x^2+2$의 그래프와 x축의 교점의 개수를 조사한다.**

풀이 $f(x)=x^3-3x^2+2$로 놓으면

$f'(x)=3x^2-6x=3x(x-2)$

$f'(x)=0$을 만족시키는 x의 값은 $x=0$ 또는 $x=2$

함수 $f(x)$의 증가와 감소를 표로 나타내고 그래프를 그리면 다음과 같다.

x	$\cdots$	0	$\cdots$	2	$\cdots$
$f'(x)$	+	0	−	0	+
$f(x)$	↗	2 극대	↘	−2 극소	↗

따라서 함수 $y=f(x)$의 그래프는 x축과 서로 다른 세 점에서 만나므로 방정식 $x^3-3x^2+2=0$의 실근의 개수는 **3**이다.

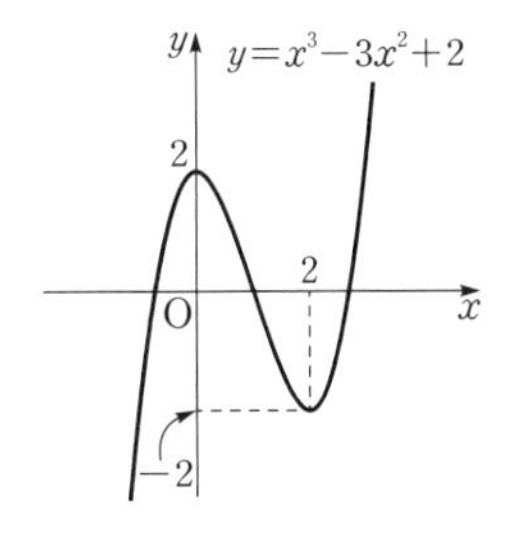

KEY Point

- **방정식 $f(x)=0$의 서로 다른 실근의 개수**
  ⇨ 함수 $y=f(x)$의 그래프와 x축의 교점의 개수와 같다.

124 다음 방정식의 실근의 개수를 구하시오.

(1) $x^3-6x^2+9x-5=0$

(2) $2x^3-3x^2-12x+15=0$

(3) $2x^4-4x^2+1=0$

(4) $x^4+4x^3+5=0$

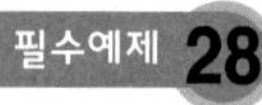

그래프를 이용한 방정식의 실근의 개수

더 다양한 문제는 RPM 수학 Ⅱ 84, 85쪽

방정식 $2x^3-3x^2-12x-k=0$이 다음과 같은 실근을 갖도록 하는 실수 k의 값의 범위를 구하시오.

(1) 서로 다른 세 실근　　(2) 서로 다른 두 실근　　(3) 한 개의 실근

설명　**방정식 $2x^3-3x^2-12x-k=0$의 실근의 개수는 두 함수 $y=2x^3-3x^2-12x$, $y=k$의 그래프의 교점의 개수와 같다.**

풀이　$2x^3-3x^2-12x-k=0$에서 $2x^3-3x^2-12x=k$　……㉠

$f(x)=2x^3-3x^2-12x$로 놓으면 $f'(x)=6x^2-6x-12=6(x+1)(x-2)$

$f'(x)=0$을 만족시키는 x의 값은 $x=-1$ 또는 $x=2$

함수 $f(x)$의 증가와 감소를 표로 나타내고 그래프를 그리면 다음과 같다.

x	…	-1	…	2	…
$f'(x)$	+	0	−	0	+
$f(x)$	↗	7 극대	↘	−20 극소	↗

방정식 ㉠의 서로 다른 실근의 개수는 두 함수 $y=f(x)$, $y=k$의 그래프의 교점의 개수와 같다. 따라서 두 함수 $y=f(x)$, $y=k$의 그래프가

(1) 서로 다른 세 점에서 만나도록 하는 실수 k의 값의 범위를 구하면
$-20<k<7$

(2) 서로 다른 두 점에서 만나도록 하는 실수 k의 값을 구하면 **$k=-20$ 또는 $k=7$**

(3) 한 점에서만 만나도록 하는 실수 k의 값의 범위를 구하면 **$k<-20$ 또는 $k>7$**

KEY Point

- **방정식 $f(x)=g(x)$의 서로 다른 실근의 개수**
  ⇨ 두 함수 $y=f(x)$, $y=g(x)$의 그래프의 교점의 개수와 같다.

125 방정식 $x^3-3x-k=0$이 다음과 같은 실근을 갖도록 하는 실수 k의 값의 범위를 구하시오.

(1) 서로 다른 세 실근　　(2) 서로 다른 두 실근　　(3) 한 개의 실근

126 방정식 $3x^4-4x^3-12x^2+15-k=0$이 서로 다른 4개의 실근을 갖도록 하는 실수 k의 값의 범위를 구하시오.

127 곡선 $y=x^3-10x-4$와 직선 $y=2x+a$에 대하여 다음 물음에 답하시오.

(1) 곡선과 직선이 서로 다른 세 점에서 만날 때, 실수 a의 값의 범위를 구하시오.

(2) 곡선과 직선이 접할 때, 실수 a의 값을 구하시오.

필수예제 29 삼차방정식의 실근의 부호

더 다양한 문제는 RPM 수학 Ⅱ 84, 85쪽

다음 물음에 답하시오.

(1) 방정식 $-x^3+\frac{3}{2}x^2+6x+k=0$이 서로 다른 두 개의 양의 실근과 한 개의 음의 실근을 갖도록 하는 실수 k의 값의 범위를 구하시오.

(2) 방정식 $x^3-2x^2-4x+k=0$이 한 개의 양의 실근과 두 개의 허근을 갖도록 하는 실수 k의 값의 범위를 구하시오.

설명

방정식 $f(x)=k$의 양의 실근 ⇨ 곡선 $y=f(x)$와 직선 $y=k$가 y축의 오른쪽에서 만나는 점의 x좌표

방정식 $f(x)=k$의 음의 실근 ⇨ 곡선 $y=f(x)$와 직선 $y=k$가 y축의 왼쪽에서 만나는 점의 x좌표

풀이

(1) $-x^3+\frac{3}{2}x^2+6x+k=0$에서 $k=x^3-\frac{3}{2}x^2-6x$ …… ㉠

$f(x)=x^3-\frac{3}{2}x^2-6x$로 놓으면 $f'(x)=3x^2-3x-6=3(x+1)(x-2)$

$f'(x)=0$을 만족시키는 x의 값은 $x=-1$ 또는 $x=2$

x	$\cdots$	-1	$\cdots$	2	$\cdots$
$f'(x)$	$+$	0	$-$	0	$+$
$f(x)$	↗	$\frac{7}{2}$ 극대	↘	-10 극소	↗

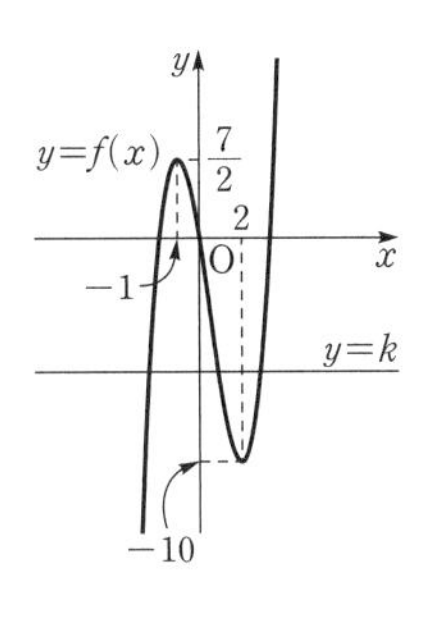

두 함수 $y=f(x)$, $y=k$의 그래프의 교점의 x좌표가 두 개는 서로 다른 양수, 한 개는 음수가 되도록 하는 실수 k의 값의 범위를 구하면 $\mathbf{-10<k<0}$

(2) $x^3-2x^2-4x+k=0$에서 $k=-x^3+2x^2+4x$ …… ㉠

$f(x)=-x^3+2x^2+4x$로 놓으면 $f'(x)=-3x^2+4x+4=-(3x+2)(x-2)$

$f'(x)=0$을 만족시키는 x의 값은 $x=-\frac{2}{3}$ 또는 $x=2$

x	$\cdots$	$-\frac{2}{3}$	$\cdots$	2	$\cdots$
$f'(x)$	$-$	0	$+$	0	$-$
$f(x)$	↘	$-\frac{40}{27}$ 극소	↗	8 극대	↘

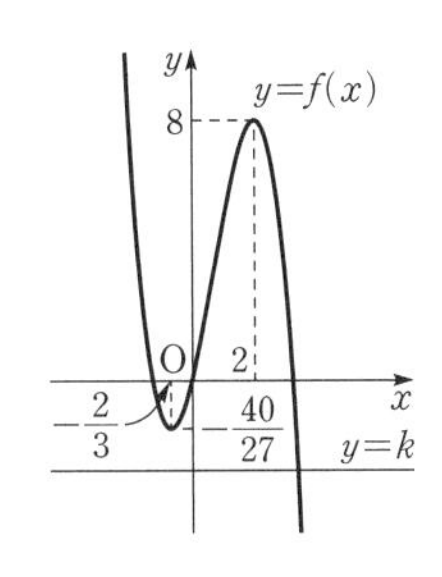

두 함수 $y=f(x)$, $y=k$의 그래프의 교점의 x좌표가 한 개뿐이고, 그것이 양수가 되도록 하는 실수 k의 값의 범위를 구하면 $\mathbf{k<-\frac{40}{27}}$

128 방정식 $x^3-3x^2-9x+k=0$의 근이 다음과 같을 때, 실수 k의 값의 범위를 구하시오.

(1) 중근과 다른 한 음의 실근

(2) 서로 다른 두 개의 양의 실근과 한 개의 음의 실근

(3) 서로 다른 두 개의 음의 실근과 한 개의 양의 실근

(4) 한 개의 양의 실근과 두 개의 허근

필수예제 30 삼차방정식의 근의 판별

더 다양한 문제는 RPM 수학 Ⅱ 85쪽

방정식 $x^3+3x^2-9x+k=0$이 다음과 같은 근을 갖도록 하는 실수 k의 값의 범위를 구하시오.

(1) 서로 다른 세 실근 (2) 한 실근과 두 허근

설명 삼차함수 $f(x)$가 극값을 가질 때, 삼차방정식 $f(x)=0$의 근이

(1) 서로 다른 세 실근	(2) 한 실근과 두 허근	(3) 서로 다른 두 실근
$y=f(x)$, α, β, x	$y=f(x)$, α, β, x / $y=f(x)$, α, β, x	$y=f(x)$, α, β, x / $y=f(x)$, α, β, x
(극댓값)×(극솟값)<0	(극댓값)×(극솟값)>0	(극댓값)×(극솟값)=0

풀이 $f(x)=x^3+3x^2-9x+k$로 놓으면 $f'(x)=3x^2+6x-9=3(x+3)(x-1)$

$f'(x)=0$을 만족시키는 x의 값은 $x=-3$ 또는 $x=1$

따라서 함수 $f(x)$는 $x=-3$에서 극댓값 $27+k$, $x=1$에서 극솟값 $-5+k$를 갖는다.

x	$\cdots$	-3	$\cdots$	1	$\cdots$
$f'(x)$	$+$	0	$-$	0	$+$
$f(x)$	↗	$27+k$ 극대	↘	$-5+k$ 극소	↗

$f(x)$가 극값을 가질 때, 삼차방정식 $f(x)=0$이

(1) 서로 다른 세 실근을 가질 필요충분조건은 (극댓값)×(극솟값)<0이므로

$(27+k)(-5+k)<0$ $\quad\therefore$ $\boldsymbol{-27<k<5}$

(2) 한 실근과 두 허근을 가질 필요충분조건은 (극댓값)×(극솟값)>0이므로

$(27+k)(-5+k)>0$ $\quad\therefore$ $\boldsymbol{k<-27}$ **또는** $\boldsymbol{k>5}$

다른풀이 $x^3+3x^2-9x+k=0$에서 $-x^3-3x^2+9x=k$ $\cdots\cdots$ ㉠

$f(x)=-x^3-3x^2+9x$로 놓으면 방정식 ㉠의 서로 다른 실근의 개수는 두 함수 $y=f(x)$, $y=k$의 그래프의 교점의 개수와 같다.

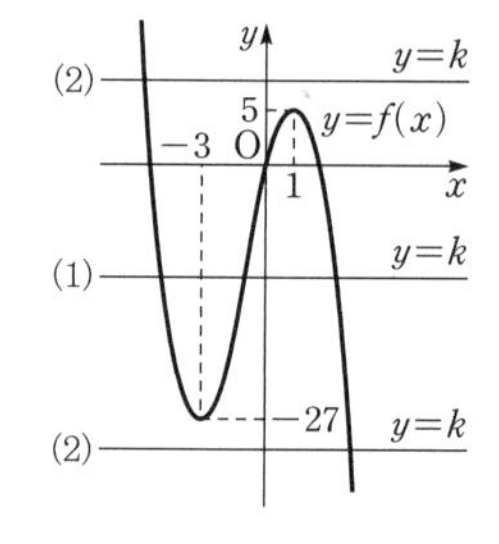

두 함수 $y=f(x)$, $y=k$의 그래프가

(1) 서로 다른 세 점에서 만나도록 하는 실수 k의 값의 범위는 $-27<k<5$

(2) 한 점에서만 만나도록 하는 실수 k의 값의 범위는 $k<-27$ 또는 $k>5$

129 방정식 $2x^3-3x^2+a=0$이 다음과 같은 근을 갖도록 하는 실수 a의 값의 범위를 구하시오.

(1) 서로 다른 세 실근 (2) 한 실근과 두 허근

130 방정식 $16x^3-12x^2-24x-k=0$이 중근과 다른 한 실근을 갖도록 하는 모든 실수 k의 값의 합을 구하시오.

필수예제 31 모든 실수 x에 대하여 부등식 $f(x)\geq0$이 성립함을 증명하기

더 다양한 문제는 RPM 수학 Ⅱ 86쪽

다음 물음에 답하시오.

(1) 모든 실수 x에 대하여 부등식 $x^4-32x+a\geq0$이 성립하도록 하는 실수 a의 값의 범위를 구하시오.

(2) 두 함수 $f(x)=3x^4-6x^3+5x^2+a$, $g(x)=2x^3-x^2+10$에 대하여 $y=f(x)$의 그래프가 $y=g(x)$의 그래프보다 항상 위쪽에 있거나 $y=g(x)$의 그래프와 만나도록 하는 실수 a의 값의 범위를 구하시오.

풀이

(1) $f(x)=x^4-32x+a$로 놓으면 $f'(x)=4x^3-32=4(x-2)(x^2+2x+4)$

$f'(x)=0$을 만족시키는 x의 값은 $x=2$

따라서 $f(x)$는 $x=2$에서 최솟값 $-48+a$를 가지므로 모든 실수 x에 대하여 $f(x)\geq0$이 성립하려면

$f(2)=-48+a\geq0$

$\therefore$ $\boldsymbol{a\geq48}$

x	$\cdots$	2	$\cdots$
$f'(x)$	$-$	0	$+$
$f(x)$	↘	$-48+a$ 극소	↗

(2) $y=f(x)$의 그래프가 $y=g(x)$의 그래프보다 항상 위쪽에 있거나 $y=g(x)$의 그래프와 만나므로 모든 실수 x에 대하여 $f(x)\geq g(x)$이어야 한다. 즉, $h(x)=f(x)-g(x)$로 놓고

$h(x)=3x^4-8x^3+6x^2+a-10\geq0$임을 보이면 된다.

$h'(x)=12x^3-24x^2+12x=12x(x-1)^2$

$h'(x)=0$을 만족시키는 x의 값은 $x=0$ 또는 $x=1$

따라서 $h(x)$는 $x=0$에서 최솟값 $a-10$을 가지므로 모든 실수 x에 대하여 $h(x)\geq0$이 성립하려면

$h(0)=a-10\geq0$ $\therefore$ $\boldsymbol{a\geq10}$

x	$\cdots$	0	$\cdots$	1	$\cdots$
$h'(x)$	$-$	0	$+$	0	$+$
$h(x)$	↘	$a-10$ 극소	↗	$a-9$	↗

KEY Point

- **모든 실수 x에 대하여 $f(x)\geq0$이 성립함을 증명할 때**
  ⇨ ($f(x)$의 최솟값)≥0임을 보이면 된다.

131 모든 실수 x에 대하여 부등식 $x^4-2x^2+a\geq0$이 성립하도록 하는 실수 a의 값의 범위를 구하시오.

132 두 함수 $f(x)=x^4-\frac{1}{3}x^3+k$, $g(x)=5x^3-6x^2$에 대하여 $y=f(x)$의 그래프가 $y=g(x)$의 그래프보다 항상 위쪽에 있도록 하는 실수 k의 값의 범위를 구하시오.

필수예제 32 주어진 구간에서 부등식 $f(x)\geq 0$이 성립함을 증명하기

더 다양한 문제는 RPM 수학 II 87쪽

다음 물음에 답하시오.

(1) $x\geq 0$일 때, 부등식 $x^3-3x^2+a\geq 0$이 항상 성립하도록 하는 실수 a의 값의 범위를 구하시오.

(2) 두 함수 $f(x)=x^3-x^2-x+1$, $g(x)=-x^2+2x+a$에 대하여 닫힌구간 $[0, 2]$에서 부등식 $f(x)\geq g(x)$가 항상 성립하도록 하는 실수 a의 값의 범위를 구하시오.

풀이

(1) $f(x)=x^3-3x^2+a$로 놓고, $x\geq 0$일 때 $f(x)\geq 0$임을 보이면 된다.

$f'(x)=3x^2-6x=3x(x-2)$

$f'(x)=0$을 만족시키는 x의 값은 $x=0$ 또는 $x=2$

$x\geq 0$일 때, $f(x)$는 $x=2$에서 최솟값 $-4+a$를 가지므로 $x\geq 0$일 때 $f(x)\geq 0$이 항상 성립하려면

$f(2)=-4+a\geq 0$ $\quad\therefore$ $\boldsymbol{a\geq 4}$

x	0	$\cdots$	2	$\cdots$
$f'(x)$		$-$	0	$+$
$f(x)$	a	↘	$-4+a$ 극소	↗

(2) $h(x)=f(x)-g(x)$로 놓고, $0\leq x\leq 2$일 때 $h(x)\geq 0$임을 보이면 된다.

$h(x)=x^3-x^2-x+1-(-x^2+2x+a)$

$=x^3-3x+1-a$

$h'(x)=3x^2-3=3(x+1)(x-1)$

$h'(x)=0$을 만족시키는 x의 값은 $x=-1$ 또는 $x=1$

$0\leq x\leq 2$일 때, $h(x)$는 $x=1$에서 최솟값 $-1-a$를 가지므로 $0\leq x\leq 2$일 때 $h(x)\geq 0$이 항상 성립하려면

$h(1)=-1-a\geq 0$ $\quad\therefore$ $\boldsymbol{a\leq -1}$

x	0	$\cdots$	1	$\cdots$	2
$h'(x)$		$-$	0	$+$	
$h(x)$	$1-a$	↘	$-1-a$ 극소	↗	$3-a$

확인 체크

133 $x>1$일 때, 부등식 $x^3+9x+a>6x^2+6$이 항상 성립하도록 하는 실수 a의 값의 범위를 구하시오.

134 두 함수 $f(x)=5x^3-10x^2+k$, $g(x)=5x^2+2$에 대하여 $0<x<3$일 때 부등식 $f(x)\geq g(x)$가 항상 성립하도록 하는 실수 k의 최솟값을 구하시오.

135 다음 물음에 답하시오.

(1) $-2<x<2$일 때, 부등식 $x^3-12x+a>0$이 항상 성립하도록 하는 실수 a의 최솟값을 구하시오.

(2) 두 함수 $f(x)=x^3+a$, $g(x)=x^2+x$에 대하여 $x\geq 2$일 때 부등식 $f(x)\geq g(x)$가 항상 성립하도록 하는 실수 a의 최솟값을 구하시오.

연습문제

STEP 1

생각해 봅시다!

[교육청기출]

157 삼차방정식 $x^3+3x^2-9x+4-k=0$이 서로 다른 세 실근을 갖도록 하는 모든 정수 k의 개수는?

① 28　② 31　③ 34　④ 37　⑤ 40

158 두 곡선 $y=x^3-2x^2-6x+2$, $y=x^2+3x+a$가 서로 다른 세 점에서 만나도록 하는 자연수 a의 최댓값을 구하시오.

159 방정식 $x^3-27x-a=0$이 한 개의 음의 실근과 서로 다른 두 개의 양의 실근을 갖도록 하는 정수 a의 개수를 구하시오.

160 곡선 $y=x^3-6x^2+9x-a$가 x축과 서로 다른 두 점에서 만나도록 하는 양수 a의 값을 구하시오.

161 모든 실수 x에 대하여 부등식 $x^4+3x^3+k\geq -x^3+16x$가 성립하도록 하는 실수 k의 최솟값을 구하시오.

모든 실수 x에 대하여 부등식 $f(x)\geq 0$이 성립함을 증명하려면 ($f(x)$의 최솟값)≥ 0임을 보이면 된다.

162 $x>0$일 때, 부등식 $x^3+a\geq 6x^2+15x$가 항상 성립하도록 하는 실수 a의 최솟값을 구하시오.

163 두 함수 $f(x)=4x^3-2x^2-4x+3$, $g(x)=x^2+2x+a$에 대하여 $-1<x<1$일 때 부등식 $f(x)\geq g(x)$가 항상 성립하도록 하는 실수 a의 값의 범위를 구하시오.

$A\geq B$
$\Longleftrightarrow A-B\geq 0$

STEP 2

164 함수 $f(x)=2x^3-6ax-3a$가 극값을 갖고, 방정식 $f(x)=0$이 한 개의 실근과 두 개의 허근을 가질 때, 실수 a의 값의 범위를 구하시오.

165 미분가능한 함수 $y=f(x)$의 도함수 $y=f'(x)$의 그래프가 오른쪽 그림과 같고, $f(a)=-2$, $f(b)=2$, $f(c)=1$일 때, 방정식 $f(x)-\frac{3}{2}=0$의 서로 다른 실근의 개수를 구하시오.

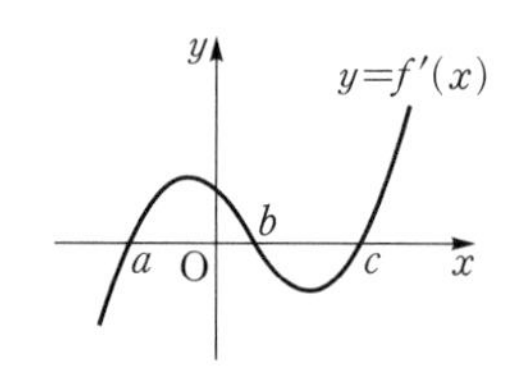

166 두 함수 $f(x)=3x^3-x^2-3x$, $g(x)=x^3-4x^2+9x+a$에 대하여 방정식 $f(x)=g(x)$가 서로 다른 두 개의 양의 실근과 한 개의 음의 실근을 갖도록 하는 정수 a의 개수를 구하시오.

167 $x<-1$일 때, 부등식 $2x^3+3x^2+k<0$이 항상 성립하도록 하는 실수 k의 최댓값을 구하시오.

[평가원기출]
168 삼차함수 $f(x)$의 도함수의 그래프와 이차함수 $g(x)$의 도함수의 그래프가 그림과 같다. 함수 $h(x)$를 $h(x)=f(x)-g(x)$라 하자. $f(0)=g(0)$일 때, 옳은 것만을 보기에서 있는 대로 고른 것은?

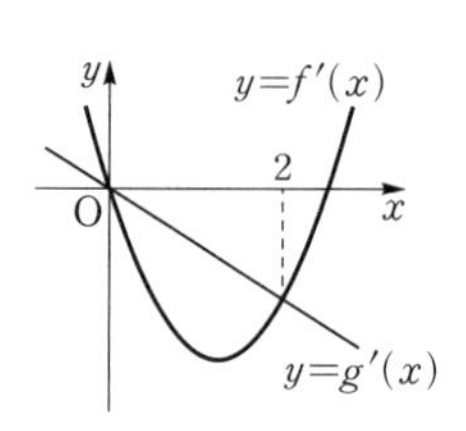

보기
ㄱ. $0<x<2$에서 $h(x)$는 감소한다. ㄴ. $h(x)$는 $x=2$에서 극솟값을 갖는다. ㄷ. 방정식 $h(x)=0$은 서로 다른 세 실근을 갖는다.

① ㄱ　　② ㄴ　　③ ㄱ, ㄴ
④ ㄱ, ㄷ　　⑤ ㄱ, ㄴ, ㄷ

08 속도와 가속도

2. 도함수의 활용

개념원리 이해

1. 수직선 위를 움직이는 점의 속도와 가속도

▷ 필수예제 33

수직선 위를 움직이는 점 P의 시각 t에서의 위치를 x라 하면 x는 t에 대한 함수이므로 $x=f(t)$와 같이 나타낼 수 있다.

(1) 시각이 t에서 $t+\Delta t$까지 변할 때, 점 P의 평균 속도는

$$\frac{\Delta x}{\Delta t}=\frac{f(t+\Delta t)-f(t)}{\Delta t}$$ ← 함수 $x=f(t)$의 평균변화율

(2) 시각 t에서의 점 P의 속도

시각 t에서의 점 P의 위치 $x=f(t)$의 순간변화율을 시각 t에서의 점 P의 속도라 하고, 보통 v로 나타낸다. 즉, 속도 v는

$$v=\lim_{\Delta t\to 0}\frac{\Delta x}{\Delta t}=\lim_{\Delta t\to 0}\frac{f(t+\Delta t)-f(t)}{\Delta t}=\frac{dx}{dt}=f'(t)$$

(3) 시각 t에서의 점 P의 가속도

시각 t에서의 점 P의 속도 v의 순간변화율을 시각 t에서의 점 P의 가속도라 하고, 보통 a로 나타낸다. 즉, 가속도 a는

$$a=\lim_{\Delta t\to 0}\frac{\Delta v}{\Delta t}=\frac{dv}{dt}$$

▶ ① $(\text{평균 속도})=\frac{(\text{위치의 변화량})}{(\text{시간의 변화량})}$

② 속력: 속도 v의 절댓값 $|v|$를 속력이라 한다. 즉, 시각 t에서의 위치 x가 $x=f(t)$인 점 P의 속도는 $f'(t)$, 속력은 $|f'(t)|$

③ 수직선 위를 움직이는 점 P의 위치가 $x=f(t)$, 속도가 $v=f'(t)$일 때

$v>0$이면 점 P는 양의 방향으로 움직인다.

$v=0$이면 점 P는 운동 방향을 바꾸거나 정지한다.

$v<0$이면 점 P는 음의 방향으로 움직인다.

$v<0$ ← P → $v>0$, $v=0$

예 수직선 위를 움직이는 점 P의 시각 t에서의 위치 x가 $x=t^3-3t^2-2t$일 때, $t=3$에서의 점 P의 속도와 가속도를 구하시오.

풀이 시각 t에서의 점 P의 속도를 v, 가속도를 a라 하면

$$v=\frac{dx}{dt}=f'(t)=3t^2-6t-2,\ a=\frac{dv}{dt}=6t-6$$

따라서 시각 $t=3$에서의 점 P의 속도는 $27-18-2=7$, 가속도는 $18-6=12$이다.

KEY Point

위치 $x=f(t)$ $\xrightarrow{\text{미분하면}}$ 속도 $v=\frac{dx}{dt}=f'(t)$ $\xrightarrow{\text{미분하면}}$ 가속도 $a=\frac{dv}{dt}$

2. 시각에 대한 길이, 넓이, 부피의 변화율 ⊳ 필수예제 36~38

시각 t에서 길이가 l, 넓이가 S, 부피가 V인 각각의 도형이 시간이 Δt만큼 경과하는 동안 길이, 넓이, 부피가 각각 Δl, ΔS, ΔV만큼 변했다고 할 때,

(1) 시각 t에서의 길이 l의 변화율

$$\lim_{\Delta t \to 0} \frac{\Delta l}{\Delta t} = \frac{dl}{dt}$$

(2) 시각 t에서의 넓이 S의 변화율

$$\lim_{\Delta t \to 0} \frac{\Delta S}{\Delta t} = \frac{dS}{dt}$$

(3) 시각 t에서의 부피 V의 변화율

$$\lim_{\Delta t \to 0} \frac{\Delta V}{\Delta t} = \frac{dV}{dt}$$

예 어떤 도형의 시각 t에서의 길이 l이 $l=t^3+t^2+t+1$일 때, $t=2$에서의 이 도형의 길이의 변화율을 구하시오.

풀이 시각 t에서의 도형의 길이 l의 변화율은

$$\frac{dl}{dt}=3t^2+2t+1$$

따라서 $t=2$에서의 도형의 길이의 변화율은

$12+4+1=17$

필수예제 33 수직선 위를 움직이는 점의 속도와 가속도

더 다양한 문제는 RPM 수학 Ⅱ 87, 88쪽

수직선 위를 움직이는 점 P의 시각 t에서의 위치 x가 $x=t^3-3t^2$일 때, 다음을 구하시오.

(1) $t=3$에서의 점 P의 속도와 가속도

(2) 점 P가 운동 방향을 바꿀 때의 위치

설명 수직선 위를 움직이는 점 P의 시각 t에서의 위치 x가 $x=f(t)$일 때,

(1) 시각 t에서의 점 P의 속도는 $v=\frac{dx}{dt}=f'(t)$, 가속도는 $a=\frac{dv}{dt}$

(2) 점 P가 운동 방향을 바꿀 때의 속도는 0이다.

풀이 (1) 시각 t에서의 점 P의 속도를 v, 가속도를 a라 하면

$v=\frac{dx}{dt}=3t^2-6t$, $a=\frac{dv}{dt}=6t-6$

따라서 $t=3$에서의 점 P의 속도는 $3\cdot3^2-6\cdot3=\mathbf{9}$

가속도는 $6\cdot3-6=\mathbf{12}$

(2) 점 P가 운동 방향을 바꿀 때의 속도는 0이므로 $v=0$에서

$3t^2-6t=0$, $3t(t-2)=0$

$\therefore t=2$ ($\because t>0$)

$0<t<2$일 때 $v<0$, $t>2$일 때 $v>0$이므로 점 P는 $t=2$에서 운동 방향을 바꾼다.

따라서 $t=2$에서의 점 P의 위치는

$2^3-3\cdot2^2=\mathbf{-4}$

KEY Point

- 수직선 위를 움직이는 점 P의 위치 x가 $x=f(t)$일 때, 시각 t에서의 점 P의

  ① 속도 $v=\frac{dx}{dt}=f'(t)$ ② 가속도 $a=\frac{dv}{dt}$

- 시각 t에서 점 P의 속도가 0이면 점 P는 정지하거나 운동 방향을 바꾼다.

136 수직선 위를 움직이는 점 P의 시각 t에서의 위치 x가 $x=2t^3-9t^2+12t$이다. 점 P의 속도가 72일 때, 점 P의 가속도를 구하시오.

137 수직선 위를 움직이는 점 P의 시각 t에서의 위치 x가 $x=\frac{1}{3}t^3-\frac{7}{2}t^2+6t$이다. 점 P가 운동 방향을 두 번째로 바꿀 때의 위치와 가속도를 각각 구하시오.

필수예제 34 **위로 던진 물체의 위치와 속도**

더 다양한 문제는 RPM 수학 Ⅱ 89쪽

지상 25 m의 위치에서 20 m/s의 속도로 지면과 수직하게 위로 던진 돌의 t초 후의 높이를 x m라 하면 $x=25+20t-5t^2$인 관계가 성립한다고 한다. 다음을 구하시오.

(1) 돌을 던지고 3초 후의 돌의 속도와 가속도
(2) 돌이 최고 높이에 도달할 때까지 걸린 시간
(3) 돌의 최고 높이
(4) 돌이 지면에 떨어지는 순간의 속도

풀이 t초 후의 돌의 속도를 v m/s, 가속도를 a m/s²이라 하면

$v=\frac{dx}{dt}=20-10t$, $a=\frac{dv}{dt}=-10$

(1) 3초 후의 돌의 속도는 $20-10\cdot3=$ **-10(m/s)**
가속도는 **-10(m/s²)**

(2) 돌이 최고 높이에 도달하는 순간의 속도는 0이므로 $v=0$에서 $20-10t=0$ $\therefore t=2$
따라서 돌이 최고 높이에 도달할 때까지 걸린 시간은 **2초**이다.

(3) (2)에서 돌이 최고 높이에 도달하는 것은 2초 후이므로 돌의 최고 높이는
$25+20\cdot2-5\cdot2^2=$ **45(m)**

(4) 돌이 지면에 떨어지는 순간의 높이는 0이므로 $x=0$에서
$25+20t-5t^2=0$, $-5(t+1)(t-5)=0$
$\therefore t=5$ ($\because t>0$)
따라서 5초 후의 돌의 속도는 $20-10\cdot5=$ **-30(m/s)**

KEY Point

- 위로 던진 물체가
  ① 최고 높이에 도달할 때: 운동 방향이 바뀌므로 속도가 0
  ② 땅에 떨어질 때: 높이가 0
  ③ 정지할 때: 속도가 0

138 지면에서 20 m/s의 속도로 지면과 수직하게 쏘아 올린 로켓의 t초 후의 높이를 x m라 하면 $x=20t-5t^2$인 관계가 성립한다고 한다. 로켓이 지면에 떨어질 때의 속도를 구하시오.

139 지상 40 m의 위치에서 50 m/s의 속도로 지면과 수직하게 위로 던진 공의 t초 후의 높이를 x m라 하면 $x=40+50t-at^2$인 관계가 성립한다고 한다. 공이 최고 높이에 도달하는 데 걸린 시간이 5초일 때, 공이 도달하는 최고 높이를 구하시오. (단, a는 상수)

필수예제 **35** **속도, 가속도와 그래프**

더 다양한 문제는 RPM 수학 Ⅱ 91쪽

원점을 출발하여 수직선 위를 움직이는 점 P의 시각 t에서의 속도 $v(t)$의 그래프가 오른쪽 그림과 같을 때, 보기 중 옳은 것만을 있는 대로 고르시오.

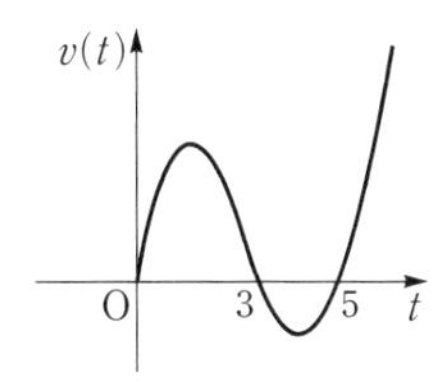

보기

ㄱ. $t=3$일 때, 점 P는 운동 방향을 바꾼다.
ㄴ. $t=2$일 때, 점 P는 양의 방향으로 움직인다.
ㄷ. $t=5$일 때, 점 P의 가속도는 0이다.

풀이

ㄱ. $t=3$에서 점 P의 속도가 0이고, 속도가 양$(+)$에서 음$(-)$으로 바뀌므로 점 P의 운동 방향이 바뀐다. (참)

ㄴ. $t=2$에서 점 P의 속도 $v(2)>0$이므로 점 P는 양의 방향으로 움직인다. (참)

ㄷ. 속도 $v(t)$의 그래프 위의 점 $(5, 0)$에서의 접선의 기울기가 0보다 크므로 $t=5$에서의 점 P의 가속도는 0보다 크다. (거짓)

따라서 옳은 것은 ㄱ, ㄴ이다.

KEY Point

- **수직선 위를 움직이는 점 P의 시각 t에서의 속도 $v(t)$의 그래프가 주어질 때,**
  ① $t=a$에서의 점 P의 가속도는 $v(t)$의 그래프 위의 $t=a$인 점에서의 접선의 기울기이다.
  ② $v(a)>0$: 시각 $t=a$에서 점 P는 양의 방향으로 움직인다.
  $v(a)=0$: 시각 $t=a$에서 점 P는 정지하거나 운동 방향을 바꾼다.
  $v(a)<0$: 시각 $t=a$에서 점 P는 음의 방향으로 움직인다.

140 원점을 출발하여 수직선 위를 움직이는 점 P의 시각 t에서의 속도 $v(t)$의 그래프가 오른쪽 그림과 같을 때, 보기 중 옳은 것만을 있는 대로 고르시오.

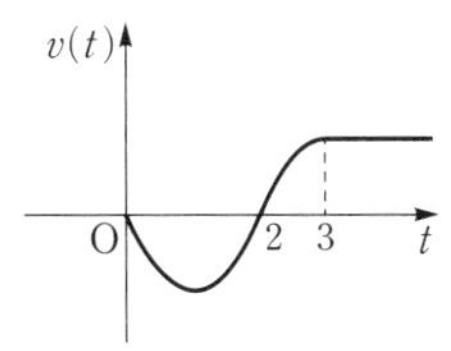

보기

ㄱ. $t=3$일 때, 점 P는 운동 방향을 바꾼다.
ㄴ. $t=2$일 때, 점 P는 양의 방향으로 움직인다.
ㄷ. $t=4$일 때, 점 P의 가속도는 0이다.

141 수직선 위를 움직이는 점 P의 시각 t에서의 위치 $x(t)$의 그래프가 오른쪽 그림과 같을 때, 보기 중 옳은 것만을 있는 대로 고르시오.

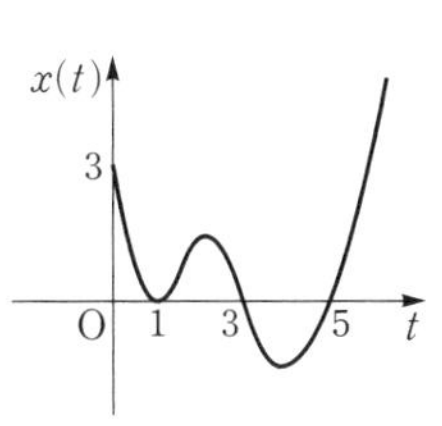

ㄱ. 점 P는 수직선 위의 점 3에서 출발한다.
ㄴ. $t=5$일 때, 점 P의 속도는 0이다.
ㄷ. $0<t<1$에서 점 P는 양의 방향으로 움직인다.

필수예제 36 **시각에 대한 길이의 변화율**

더 다양한 문제는 RPM 수학 Ⅱ 90쪽

키가 1.65 m인 사람이 지상 3 m 높이의 가로등 바로 밑에서 출발하여 일직선으로 매분 90 m의 속도로 걸어갈 때, 다음을 구하시오.

(1) 그림자의 머리끝이 움직이는 속도

(2) 그림자의 길이의 변화율

풀이

오른쪽 그림에서 가로등이 지면과 닿는 지점을 원점 O, 사람이 움직이는 방향을 수직선의 양의 방향이라 할 때,

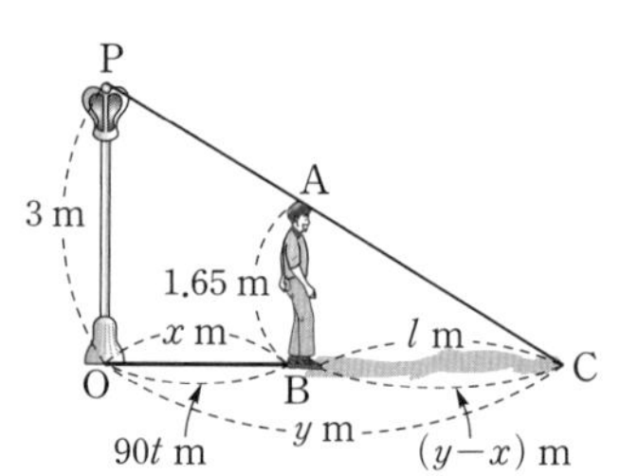

t분 후의 사람의 위치를 x m, $\overline{OC}=y$ m라 하면

(1) $x=90t$ ⋯⋯ ㉠

이고, $\triangle POC \backsim \triangle ABC$이므로

$3:1.65=y:(y-x)$, $1.65y=3(y-x)$

$\therefore y=\dfrac{3}{1.35}x$

$\therefore y=\dfrac{3}{1.35}\cdot 90t=200t$ ($\because$ ㉠)

따라서 그림자의 머리끝이 움직이는 속도는 $\dfrac{dy}{dt}=\mathbf{200(m/min)}$

(2) t분 후의 그림자의 길이를 l m라 하면

$l=y-x=200t-90t=110t$ $\quad\therefore \dfrac{dl}{dt}=\mathbf{110(m/min)}$

필수예제 37 **시각에 대한 넓이의 변화율**

더 다양한 문제는 RPM 수학 Ⅱ 90쪽

잔잔한 호수에 돌을 던지면 동심원 모양의 파문이 인다. 가장 바깥쪽 파문의 반지름의 길이가 매초 20 cm씩 늘어날 때, 돌을 던지고 나서 3초 후의 가장 바깥쪽 파문의 넓이의 변화율을 구하시오.

풀이

바깥쪽 파문의 반지름의 길이가 1초마다 20 cm씩 늘어나므로 t초 후 가장 바깥쪽 파문의 반지름의 길이를 r cm라 하면 $r=20t$

따라서 t초 후 가장 바깥쪽 파문의 넓이를 S cm^2라 하면

$S=\pi r^2=\pi\cdot(20t)^2=400\pi t^2$

이므로 시각 t에 대한 넓이 S의 변화율은 $\dfrac{dS}{dt}=800\pi t$

따라서 $t=3$일 때, 가장 바깥쪽 파문의 넓이의 변화율은 $800\pi\cdot 3=\mathbf{2400\pi(cm^2/s)}$

142 키가 1.6 m인 사람이 지상 4.8 m 높이의 가로등 바로 밑에서 출발하여 일직선으로 매분 70 m의 속도로 걸어갈 때, 다음을 구하시오.

(1) 그림자의 머리끝이 움직이는 속도 　　(2) 그림자의 길이의 변화율

143 가로의 길이가 9 cm, 세로의 길이가 4 cm인 직사각형이 있다. 이 직사각형의 가로의 길이가 매초 0.2 cm, 세로의 길이가 매초 0.3 cm씩 늘어날 때, 직사각형이 정사각형이 되는 순간의 넓이의 변화율을 구하시오.

필수예제 **38** **시각에 대한 변화율 – 넓이, 부피**

더 다양한 문제는 RPM 수학 Ⅱ 90쪽

반지름의 길이가 2 cm인 구 모양의 풍선에 공기를 넣으면 반지름의 길이가 매초 1 cm씩 커진다고 한다. 공기를 넣기 시작하여 풍선의 반지름의 길이가 6 cm가 되었을 때, 다음을 구하시오. (단, 풍선은 구 모양을 유지한다.)

(1) 풍선의 겉넓이의 변화율
(2) 풍선의 부피의 변화율

설명 반지름의 길이가 매초 1 cm씩 늘어나므로 t초 후의 풍선의 반지름의 길이는 $(2+t)$ cm이다. 이를 이용하여 t초 후의 구의 겉넓이, 부피에 대한 함수의 식을 각각 구한 후 양변을 t에 대하여 미분하여 각각의 변화율을 구한다.

풀이 풍선에 공기를 넣기 시작하고 t초 후의 풍선의 반지름의 길이를 r cm, 겉넓이를 S cm^2, 부피를 V cm^{3}라 하면

$r=2+t$

따라서 풍선의 반지름의 길이가 6 cm가 될 때의 시각은

$2+t=6 \qquad \therefore t=4$

(1) $S=4\pi r^2=4\pi(2+t)^2=4\pi(t^2+4t+4)$

시각 t에 대한 풍선의 겉넓이 S의 변화율은 $\dfrac{dS}{dt}=4\pi(2t+4)=8\pi(t+2)$

따라서 $t=4$일 때, 풍선의 겉넓이의 변화율은

$8\pi\cdot(4+2)=\mathbf{48\pi(cm^2/s)}$

(2) $V=\dfrac{4}{3}\pi r^3=\dfrac{4}{3}\pi(2+t)^3=\dfrac{4}{3}\pi(t^3+6t^2+12t+8)$

시각 t에 대한 풍선의 부피 V의 변화율은 $\dfrac{dV}{dt}=\dfrac{4}{3}\pi(3t^2+12t+12)=4\pi(t+2)^2$

따라서 $t=4$일 때, 풍선의 부피의 변화율은

$4\pi\cdot(4+2)^2=\mathbf{144\pi(cm^3/s)}$

KEY Point

• 시각 t에서의 길이 l, 넓이 S, 부피 V의 변화율은 각각

$\lim\limits_{\Delta t\to 0}\dfrac{\Delta l}{\Delta t}=\dfrac{dl}{dt}$, $\lim\limits_{\Delta t\to 0}\dfrac{\Delta S}{\Delta t}=\dfrac{dS}{dt}$, $\lim\limits_{\Delta t\to 0}\dfrac{\Delta V}{\Delta t}=\dfrac{dV}{dt}$

144 밑면의 반지름의 길이가 20 cm, 높이가 5 cm인 원기둥이 있다. 이 원기둥의 밑면의 반지름의 길이가 매초 0.2 cm씩 줄어들고, 높이는 매초 0.5 cm씩 늘어난다고 할 때, 10초 후의 원기둥의 부피의 변화율을 구하시오.

연습문제

STEP 1

> 생각해 봅시다!
> 운동 방향을 바꾼다.
> ⇨ 속도가 0이다.

169 수직선 위를 움직이는 점 P의 시각 t에서의 위치 x가 $x=9t-\frac{1}{3}t^3$일 때, 점 P가 운동 방향을 바꿀 때의 위치를 구하시오.

170 수직선 위를 움직이는 점 P의 시각 t에서의 위치 x가 $x=t^3-7t^2+12t$일 때, 점 P가 마지막으로 원점을 지날 때의 가속도를 구하시오.

[평가원기출]

171 수직선 위를 움직이는 점 P의 시각 t에서의 위치 x가 $x=-t^2+4t$이다. $t=a$에서 점 P의 속도가 0일 때, 상수 a의 값은?

① 1 ② 2 ③ 3 ④ 4 ⑤ 5

172 수직선 위를 움직이는 점 P의 시각 t에서의 위치 x가 $x=t^3-\frac{9}{2}t^2+6t$일 때, 보기 중 옳은 것만을 있는 대로 고르시오.

보기

ㄱ. 점 P가 출발할 때의 속도는 6이다.
ㄴ. 점 P는 운동 방향을 두 번 바꾼다.
ㄷ. 점 P는 출발한 다음 다시 원점을 지난다.

173 높이가 20 m인 건물의 옥상에서 10 m/s의 속도로 지면과 수직하게 위로 쏘아 올린 장난감 로켓의 t초 후의 높이 x m가 $x=20+10t-5t^2$일 때, 장난감 로켓은 쏘아 올린 후 α초만에 최고 높이에 도달하고, 그때의 높이는 β m이다. $\alpha+\beta$의 값을 구하시오.

174 지면에서부터의 높이가 50 m인 지점에서 15 m/s의 속도로 지면과 수직하게 위로 던진 공의 t초 후의 높이 x m가 $x=50+15t-5t^2$일 때, 공이 지면에 닿는 순간의 속도는 k m/s이다. k의 값을 구하시오.

175 수직선 위를 움직이는 점 P의 시각 t에서의 속도 $v(t)$의 그래프가 오른쪽 그림과 같을 때, 점 P의 운동 방향은 몇 번 바뀌는지 구하시오. (단, $0 \le t \le 10$)

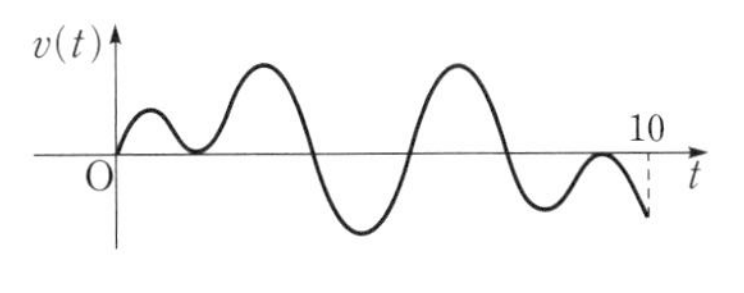

STEP 2

176 수직선 위를 움직이는 점 P의 시각 t에서의 위치 x가 $x=\frac{1}{3}t^3-4t^2+10t$일 때, $0 \le t \le 5$에서 점 P의 속력의 최댓값을 구하시오.

(속력)=(속도의 크기)

[평가원기출]

177 수직선 위를 움직이는 두 점 P, Q의 시각 t일 때의 위치는 각각 $P(t)=\frac{1}{3}t^3+4t-\frac{2}{3}$, $Q(t)=2t^2-10$이다. 두 점 P, Q의 속도가 같아지는 순간 두 점 P, Q 사이의 거리를 구하시오.

[평가원기출]

178 수직선 위를 움직이는 두 점 P, Q의 시각 t일 때의 위치는 각각 $f(t)=2t^2-2t$, $g(t)=t^2-8t$이다. 두 점 P와 Q가 서로 반대 방향으로 움직이는 시각 t의 범위는?

반대 방향으로 움직인다.
⇨ 속도의 부호가 다르다.

① $\frac{1}{2}<t<4$ ② $1<t<5$ ③ $2<t<5$

④ $\frac{3}{2}<t<6$ ⑤ $2<t<8$

179 오른쪽 그림과 같이 반지름의 길이가 5 m인 반구 모양의 물탱크에 물을 넣는다. 수면의 높이가 매분 1 m씩 올라갈 때, 물을 넣기 시작한 지 2분 후의 수면의 넓이의 변화율은 $a\pi$ m^2/min이다. a의 값을 구하시오.

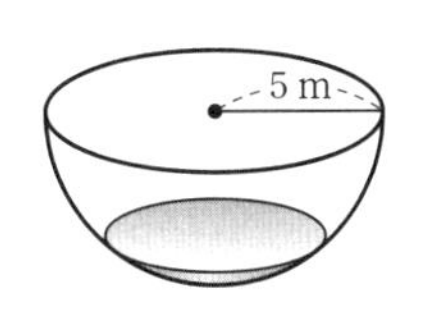

180 오른쪽 그림과 같이 밑면의 반지름의 길이가 6 cm, 높이가 24 cm인 원뿔 모양의 그릇이 있다. 수면의 높이가 매초 2 cm씩 올라가도록 물을 넣을 때, 수면의 높이가 8 cm가 되는 순간의 물의 부피의 변화율은 $k\pi$ cm^3/s이다. k의 값을 구하시오.

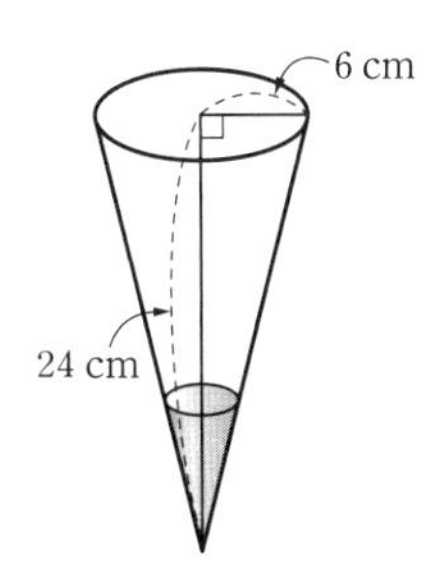

Take a Break

새로운 날은 언제 오는가?

옛날에 어떤 성자가 있었습니다.

그 성자는 제자들을 불러 모아 놓고 물었죠.

“밤의 어둠이 지나고 새날이 밝아 온 것을 그대들은 어떻게 알 수 있는가?”

제자들은 다음과 같이 대답했습니다.

“동창이 밝아 오는 것을 보고 새날이 밝아 온 것을 알 수 있습니다.”

“아닙니다. 창문을 열어 보고 사물이 그 형체를 드러내기 시작하면 새날이 밝아 온 것을 알 수 있습니다.”

……

제자들이 나름대로 의견을 말했지만 성자는 모두 틀렸다고 했지요.

그러자 이번에는 제자들이 물었습니다.

“그럼, 스승께서는 밤이 가고 새날이 밝아 온 것을 무엇으로 알 수 있습니까?”

“너희가 밖을 내다보았을 때, 지나다니는 사람들이 너희의 형제들로 보이면, 비로소 새날이 밝아 온 것임을 알 수 있다.”

「지치고 힘들 때 읽는 책」 중에서

III 적분

01 부정적분

개념원리 이해

1. 부정적분의 뜻

(1) 함수 $F(x)$의 도함수가 $f(x)$일 때, 즉 $F'(x)=f(x)$일 때 $F(x)$를 $f(x)$의 **부정적분** 또는 원시함수라 한다.

(2) 함수 $f(x)$의 부정적분을 기호 $\int f(x)dx$로 나타낸다.

(3) 함수 $f(x)$의 부정적분 중 하나를 $F(x)$라 하면 $f(x)$의 임의의 부정적분은 다음과 같이 나타낼 수 있다.

$$\int f(x)dx=F(x)+C$$

여기서 C를 **적분상수**, x를 **적분변수**, 함수 $f(x)$를 **피적분함수**라 한다.

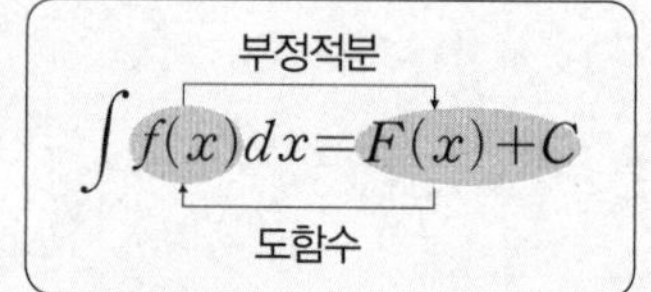

(4) 함수 $f(x)$의 부정적분, 즉 $\int f(x)dx$를 구하는 것을 $f(x)$를 **적분한다**고 하고, 그 계산법을 **적분법**이라 한다.

▶ ① 기호 $\int$은 sum의 머리 글자 s를 변형한 것이다.

② 기호 $\int f(x)dx$를 $f(x)$의 **부정적분** 또는 **인티그럴**(integral) $f(x)dx$라 읽는다.

③ $\int f(x)dx$에서 dx는 x에 대하여 적분한다는 뜻이다. (x 이외의 문자는 상수로 취급한다.)

④ '부정'은 어느 하나로 정할 수 없다는 뜻이다.

예 $(x^2)'=2x$, $(x^2+1)'=2x$, $(x^2-2)'=2x$이므로 세 함수 x^2, x^2+1, x^2-2는 모두 함수 $2x$의 부정적분이다.

2. 부정적분 ▷ 필수예제 1, 2

$F'(x)=f(x)$일 때

$$\int f(x)dx=F(x)+C \text{ (단, } C\text{는 적분상수)}$$

▶ $F(x)+C \underset{\text{적분}}{\overset{\text{미분}}{\rightleftarrows}} f(x)$

설명 두 함수 $F(x)$, $G(x)$가 모두 $f(x)$의 부정적분이라 하면

$$F'(x)=f(x),\ G'(x)=f(x)$$

이므로

$$\{G(x)-F(x)\}'=G'(x)-F'(x)=f(x)-f(x)=0$$

그런데 도함수가 0인 함수는 상수함수이므로 그 상수를 C라 하면

$$G(x)-F(x)=C, \text{ 즉 } G(x)=F(x)+C$$

따라서 함수 $f(x)$의 한 부정적분을 $F(x)$라 하면 $f(x)$의 모든 부정적분은

$F(x)+C$ (C는 상수)

와 같이 나타낼 수 있다.

예 (1) $(5x)'=5$이므로 $\int 5\,dx=5x+C$

(2) $(x^4)'=4x^3$이므로 $\int 4x^3\,dx=x^4+C$

3. 부정적분과 미분의 관계

▷ 필수예제 3, 4

(1) $\frac{d}{dx}\left\{\int f(x)dx\right\}=f(x)$

(2) $\int\left\{\frac{d}{dx}f(x)\right\}dx=f(x)+C$ (단, C는 적분상수)

▶ (1) 먼저 적분을 하고 나중에 미분을 하면 ⇨ 원래의 식

(2) 먼저 미분을 하고 나중에 적분을 하면 ⇨ (원래의 식)$+C$ (단, C는 적분상수)

주의 $\frac{d}{dx}\left\{\int f(x)dx\right\}\neq\int\left\{\frac{d}{dx}f(x)\right\}dx$

설명 (1) $f(x)$의 부정적분 중 하나를 $F(x)$라 하면

$$\int f(x)dx=F(x)+C$$

양변을 x에 대하여 미분하면

$$\frac{d}{dx}\left\{\int f(x)dx\right\}=\frac{d}{dx}\{F(x)+C\}$$

$$=\frac{d}{dx}F(x)=f(x)$$

(2) $\int\left\{\frac{d}{dx}f(x)\right\}dx=F(x)$로 놓고 양변을 x에 대하여 미분하면

$$\frac{d}{dx}f(x)=\frac{d}{dx}F(x)$$

$$\frac{d}{dx}\{F(x)-f(x)\}=0$$

따라서 $F(x)-f(x)=C$ (C는 상수)이므로

$$F(x)=f(x)+C$$

$$\therefore \int\left\{\frac{d}{dx}f(x)\right\}dx=f(x)+C \text{ (단, } C\text{는 적분상수)}$$

예 (1) $\frac{d}{dx}\left\{\int(2x^3+3x^2)dx\right\}=2x^3+3x^2$

(2) $\int\left\{\frac{d}{dx}(2x^3+3x^2)\right\}dx=2x^3+3x^2+C$

개념원리 익히기

145 다음 보기 중 함수 $5x^4$의 부정적분인 것만을 있는 대로 고르시오.

보기	
ㄱ. x^5	ㄴ. $-x^5$
ㄷ. x^5+100	ㄹ. x^5+x

생각해 봅시다!

부정적분의 뜻

146 다음 부정적분을 구하시오.

(1) $\int 7\,dx$

(2) $\int (-2)dx$

(3) $\int 6x\,dx$

(4) $\int (-4x^3)dx$

(5) $\int (-3x^2+1)dx$

(6) $\int (7x^6+2x)dx$

부정적분

147 다음 등식을 만족시키는 다항함수 $f(x)$를 구하시오. (단, C는 적분상수)

(1) $\int f(x)dx=2x+C$

(2) $\int f(x)dx=3x^2+x+C$

(3) $\int f(x)dx=-\frac{3}{4}x^2+\frac{2}{3}x+C$

(4) $\int f(x)dx=4x^3-5x^2+11x+C$

$\int f(x)dx=F(x)+C$
⇨ $f(x)=F'(x)$

필수예제 01 부정적분의 뜻 (1)

더 다양한 문제는 RPM 수학 Ⅱ 100쪽

등식 $\int(6x^2+6x+a)dx=bx^3+cx^2+6x+C$를 만족시키는 상수 a, b, c에 대하여 $a+b+c$의 값을 구하시오. (단, C는 적분상수)

풀이 $6x^2+6x+a=(bx^3+cx^2+6x+C)'=3bx^2+2cx+6$

즉, $6=3b$, $6=2c$, $a=6$이므로

$a=6$, $b=2$, $c=3$

$\therefore a+b+c=\mathbf{11}$

필수예제 02 부정적분의 뜻 (2)

더 다양한 문제는 RPM 수학 Ⅱ 100쪽

다음 등식을 만족시키는 다항함수 $f(x)$를 구하시오. (단, C는 적분상수)

(1) $\int(x-1)f(x)dx=x^3-2x^2+x+C$

(2) $\int(2x+1)f(x)dx=-\frac{2}{3}x^3+\frac{3}{2}x^2+2x+C$

풀이 (1) $(x-1)f(x)=(x^3-2x^2+x+C)'=3x^2-4x+1=(3x-1)(x-1)$

$\therefore \boldsymbol{f(x)=3x-1}$

(2) $(2x+1)f(x)=\left(-\frac{2}{3}x^3+\frac{3}{2}x^2+2x+C\right)'=-2x^2+3x+2=(2x+1)(-x+2)$

$\therefore \boldsymbol{f(x)=-x+2}$

KEY Point

- $\int f(x)dx=F(x)+C$이면 $F'(x)=f(x)$ (부정적분: $f(x)\rightarrow F(x)$, 미분: $F(x)\rightarrow f(x)$)

148 등식 $\int(8x^3+ax^2-2x+1)dx=bx^4+2x^3+cx^2+x+C$를 만족시키는 상수 a, b, c에 대하여 abc의 값을 구하시오. (단, C는 적분상수)

149 다항함수 $f(x)$에 대하여 $\int\left(\frac{1}{2}x-1\right)f(x)dx=\frac{1}{3}x^3-\frac{1}{4}x^2-3x+C$일 때, $f(1)$의 값을 구하시오. (단, C는 적분상수)

필수예제 03 부정적분과 미분의 관계

더 다양한 문제는 RPM 수학 II 100, 101쪽

다음 물음에 답하시오.

(1) 다항함수 $f(x)$에 대하여 $\frac{d}{dx}\left\{\int xf(x)dx\right\}=5x^2-2x$일 때, $f(2)$의 값을 구하시오.

(2) 함수 $f(x)=\int\left\{\frac{d}{dx}(x^3-3x^2+2x)\right\}dx$에 대하여 $f(0)=1$일 때, $f(x)$를 구하시오.

풀이

(1) $\frac{d}{dx}\left\{\int xf(x)dx\right\}=5x^2-2x$에서

$xf(x)=5x^2-2x=x(5x-2)$

따라서 $f(x)=5x-2$이므로

$f(2)=5\cdot2-2=\mathbf{8}$

(2) $f(x)=\int\left\{\frac{d}{dx}(x^3-3x^2+2x)\right\}dx=x^3-3x^2+2x+C$

이때 $f(0)=1$이므로 $C=1$

$\therefore\ \boldsymbol{f(x)=x^3-3x^2+2x+1}$

KEY Point 부정적분과 미분의 관계

- $\frac{d}{dx}\left\{\int f(x)dx\right\}=f(x)$
- $\int\left\{\frac{d}{dx}f(x)\right\}dx=f(x)+C$ (단, C는 적분상수)

150 함수 $f(x)=2x^3+2x$에 대하여 $F(x)=\frac{d}{dx}\left\{\int xf(x)dx\right\}$일 때, $F(x)$의 모든 항의 계수의 합을 구하시오.

151 함수 $f(x)=\int\left\{\frac{d}{dx}\left(\frac{2}{3}x^3-2x^2+\frac{1}{2}\right)\right\}dx$에 대하여 $f(1)=-1$일 때, $f(-1)$의 값을 구하시오.

152 함수 $f(x)=\int\left\{\frac{d}{dx}(x^2+6x)\right\}dx$의 최솟값이 -4일 때, $f(-2)$의 값을 구하시오.

필수예제 04 부정적분과 미분의 관계를 이용한 함수의 결정

더 다양한 문제는 RPM 수학 Ⅱ 101쪽

두 다항함수 $f(x)$, $g(x)$가 $\frac{d}{dx}\{f(x)+g(x)\}=3$, $\frac{d}{dx}\{f(x)-g(x)\}=4x+4$를 만족시키고 $f(0)=1$, $g(0)=-2$일 때, $f(2)+g(4)$의 값을 구하시오.

풀이

$\frac{d}{dx}\{f(x)+g(x)\}=3$에서

$\int\left[\frac{d}{dx}\{f(x)+g(x)\}\right]dx=\int 3\,dx \qquad \therefore f(x)+g(x)=3x+C_1$

양변에 $x=0$을 대입하면 $f(0)+g(0)=C_1$이고 $f(0)=1$, $g(0)=-2$이므로 $C_1=-1$

$\therefore f(x)+g(x)=3x-1 \qquad \cdots\cdots$ ㉠

$\frac{d}{dx}\{f(x)-g(x)\}=4x+4$에서

$\int\left[\frac{d}{dx}\{f(x)-g(x)\}\right]dx=\int(4x+4)dx \qquad \therefore f(x)-g(x)=2x^2+4x+C_2$

양변에 $x=0$을 대입하면 $f(0)-g(0)=C_2$이고 $f(0)=1$, $g(0)=-2$이므로 $C_2=3$

$\therefore f(x)-g(x)=2x^2+4x+3 \qquad \cdots\cdots$ ㉡

㉠+㉡을 하면 $2f(x)=2x^2+7x+2 \qquad \therefore f(x)=x^2+\frac{7}{2}x+1$

㉠−㉡을 하면 $2g(x)=-2x^2-x-4 \qquad \therefore g(x)=-x^2-\frac{1}{2}x-2$

$\therefore f(2)+g(4)=\left(2^2+\frac{7}{2}\cdot 2+1\right)+\left(-4^2-\frac{1}{2}\cdot 4-2\right)=12+(-20)=\mathbf{-8}$

KEY Point

- **함수 $f(x)$에 대하여 $\frac{d}{dx}f(x)=g(x)$의 꼴이 주어졌을 때**

  ⇨ $\int\left\{\frac{d}{dx}f(x)\right\}dx=\int g(x)dx$, 즉 $f(x)=\int g(x)dx$

153 두 다항함수 $f(x)$, $g(x)$가 $f(x)+g(x)=x^2-x-1$, $\frac{d}{dx}\{f(x)-g(x)\}=6x-5$를 만족시키고 $f(1)=0$일 때, $f(3)+g(-1)$의 값을 구하시오.

154 두 일차함수 $f(x)$, $g(x)$가 $\frac{d}{dx}\{f(x)+g(x)\}=2$, $\frac{d}{dx}\{f(x)g(x)\}=2x-4$를 만족시키고 $f(0)=1$, $g(0)=-5$일 때, $f(4)-g(3)$의 값을 구하시오.

02 부정적분의 계산

개념원리 이해

1. 함수 $y=x^n$의 부정적분 ▷ 필수예제 5~7

n이 0 또는 양의 정수일 때

$$\int x^n\,dx=\frac{1}{n+1}x^{n+1}+C \text{ (단, } C\text{는 적분상수)}$$

▶ ① $\int 1\,dx$는 보통 $\int dx$로 나타내고, $\int dx=x+C$

② $\int k\,dx=kx+C$ (단, k는 상수)

설명 적분은 미분의 역연산이므로 미분법을 역으로 생각하여

n이 양의 정수일 때

$$\left(\frac{1}{n+1}x^{n+1}\right)'=x^n$$

이므로 C를 적분상수라 할 때, x^n의 부정적분은

$$\int x^n\,dx=\frac{1}{n+1}x^{n+1}+C$$

또한 $n=0$이면 $x^0=1$이고, $\int 1\,dx=x+C$이므로

$$\int x^0\,dx=\int 1\,dx=\frac{1}{0+1}x^{0+1}+C$$

가 성립한다.

$$\left(\frac{1}{2}x^2\right)'=x^1 \Rightarrow \int x^1\,dx=\frac{1}{2}x^2+C$$

$$\left(\frac{1}{3}x^3\right)'=x^2 \Rightarrow \int x^2\,dx=\frac{1}{3}x^3+C$$

$$\left(\frac{1}{4}x^4\right)'=x^3 \Rightarrow \int x^3\,dx=\frac{1}{4}x^4+C$$

$$\vdots$$

$$\left(\frac{1}{n+1}x^{n+1}\right)'=x^n \Rightarrow \int x^n\,dx=\frac{1}{n+1}x^{n+1}+C$$

예 (1) $\int x^7\,dx=\frac{1}{7+1}x^{7+1}+C=\frac{1}{8}x^8+C$

(2) $\int 9\,dx=\frac{9}{0+1}x^{0+1}+C=9x+C$

2. 함수의 실수배, 합, 차의 부정적분 ▷ 필수예제 5~7

두 함수 $f(x)$, $g(x)$가 부정적분을 가질 때

(1) $\int kf(x)dx=k\int f(x)dx$ (단, k는 실수)

(2) $\int \{f(x)+g(x)\}dx=\int f(x)dx+\int g(x)dx$

(3) $\int \{f(x)-g(x)\}dx=\int f(x)dx-\int g(x)dx$

▶ 함수의 합, 차의 부정적분은 세 개 이상의 함수에 대해서도 성립한다.

설명 두 함수 $f(x)$, $g(x)$의 한 부정적분을 각각 $F(x)$, $G(x)$라 하면

$$F'(x)=f(x),\ \int f(x)dx=F(x)+C_1\ (C_1\text{은 적분상수})$$

$$G'(x)=g(x),\ \int g(x)dx=G(x)+C_2\ (C_2\text{는 적분상수})$$

이므로 다음이 성립한다.

실수 k에 대하여 $\{kF(x)\}'=kF'(x)=kf(x)$이므로

$$\int kf(x)dx=kF(x)+C=kF(x)+kC_1=k\{F(x)+C_1\}=k\int f(x)dx$$

또한 $\{F(x)+G(x)\}'=F'(x)+G'(x)=f(x)+g(x)$이므로

$$\int \{f(x)+g(x)\}dx=F(x)+G(x)+C_3$$

$$=\{F(x)+C_1\}+\{G(x)+C_2\}=\int f(x)dx+\int g(x)dx$$

같은 방법으로

$$\int \{f(x)-g(x)\}dx=\int f(x)dx-\int g(x)dx$$

예 (1) $\int 3x^2\,dx=3\int x^2\,dx=3\cdot\frac{1}{3}x^3+C=x^3+C$

(2) $\int (3x^2-4x+1)dx=\int 3x^2\,dx-\int 4x\,dx+\int 1\,dx=3\int x^2\,dx-4\int x\,dx+\int dx$

$$=3\left(\frac{1}{3}x^3+C_1\right)-4\left(\frac{1}{2}x^2+C_2\right)+(x+C_3)$$

$$=x^3-2x^2+x+3C_1-4C_2+C_3$$

여기서 $3C_1-4C_2+C_3=C$라 하면 ← 적분상수가 여러 개 있을 때에는 이들을 묶어서 하나의 적분상수 C로 나타낸다.

$$\int (3x^2-4x+1)dx=x^3-2x^2+x+C$$

보충학습

1. 피적분함수가 $(ax+b)^n$의 꼴인 경우의 부정적분

> n이 0 또는 양의 정수이고 $a(a\neq 0)$, b는 상수, C는 적분상수일 때
>
> $$\int (ax+b)^n\,dx=\frac{1}{a}\cdot\frac{1}{n+1}(ax+b)^{n+1}+C$$

예 부정적분 $\int (2x-1)^2\,dx$를 구하시오.

풀이 [방법 1] $\int (2x-1)^2\,dx=\int (4x^2-4x+1)dx=\frac{4}{3}x^3-2x^2+x+C$

[방법 2] $\int (2x-1)^2\,dx=\frac{1}{2}\cdot\frac{1}{3}(2x-1)^3+C=\frac{1}{6}(2x-1)^3+C$

개념원리 익히기

155 다음 부정적분을 구하시오.

(1) $\int(3x^2+7)dx$

(2) $\int(-4x^3+x+2)dx$

(3) $\int(2x^5-5x^4)dx$

(4) $\int(-8x^7+4x^2-1)dx$

생각해 봅시다!

부정적분의 계산

156 다음 부정적분을 구하시오.

(1) $\int(x+2)(2-x)dx$

(2) $\int(2x-1)(x-4)dx$

(3) $\int(3t-1)(2t+3)dt$

(4) $\int(y+1)(y^2-y+1)dy$

피적분함수를 전개한 후 계산한다.

157 다음 부정적분을 구하시오.

(1) $\int(x+1)^2dx$

(2) $\int(-3x+2)^2dx$

(3) $\int(3-2x)^3dx$

(4) $\int(3y-1)^3dy$

필수예제 05 부정적분의 계산 (1)

더 다양한 문제는 RPM 수학 II 102쪽

다음 부정적분을 구하시오.

(1) $\int(x^2-tx+t^2)dx$ (2) $\int(3x^2-5)dx+\int(2x+4)dx$

설명 (1) x 이외의 문자는 상수로 본다.

(2) 피적분함수를 먼저 더한 후 적분을 계산한다.

풀이 (1) $\int(x^2-tx+t^2)dx=\int x^2\,dx-t\int x\,dx+t^2\int dx=\boldsymbol{\frac{1}{3}x^3-\frac{t}{2}x^2+t^2x+C}$

(2) $\int(3x^2-5)dx+\int(2x+4)dx=\int(3x^2+2x-1)dx$

$=3\int x^2\,dx+2\int x\,dx-\int dx=\boldsymbol{x^3+x^2-x+C}$

필수예제 06 부정적분의 계산 (2)

더 다양한 문제는 RPM 수학 II 102쪽

다음 부정적분을 구하시오.

(1) $\int\frac{y^3+1}{y+1}\,dy$ (2) $\int\frac{x^2}{x-3}\,dx-9\int\frac{1}{x-3}\,dx$

풀이 (1) $\int\frac{y^3+1}{y+1}\,dy=\int\frac{(y+1)(y^2-y+1)}{y+1}\,dy=\int(y^2-y+1)dy=\boldsymbol{\frac{1}{3}y^3-\frac{1}{2}y^2+y+C}$

(2) $\int\frac{x^2}{x-3}\,dx-9\int\frac{1}{x-3}\,dx=\int\left(\frac{x^2}{x-3}-\frac{9}{x-3}\right)dx$

$=\int\frac{x^2-9}{x-3}\,dx=\int\frac{(x+3)(x-3)}{x-3}\,dx$

$=\int(x+3)dx=\boldsymbol{\frac{1}{2}x^2+3x+C}$

KEY Point

- $\int k\,dx=kx+C$ (단, k는 상수)
- $\int 1\,dx$는 보통 $\int dx$로 나타낸다.
- $\int x^n\,dx=\frac{1}{n+1}x^{n+1}+C$ (단, n은 0 또는 양의 정수)

158 다음 부정적분을 구하시오.

(1) $\int(x-y)^2\,dx$ (2) $\int(x+5)^2\,dx-\int(x-5)^2\,dx$

159 다음 부정적분을 구하시오.

(1) $\int\frac{y^4+y^2+1}{y^2+y+1}\,dy$ (2) $\int\frac{x^2}{x-1}\,dx+\int\frac{1}{1-x}\,dx$

(3) $\int\left(\frac{x}{2}+2\right)^2dx-\int\left(\frac{x}{2}-2\right)^2dx$ (4) $\int\frac{x^3+2x}{x-1}\,dx-\int\frac{2x+1}{x-1}\,dx$

필수예제 07 **부정적분의 계산 (3)**

더 다양한 문제는 RPM 수학 Ⅱ 102쪽

다음 물음에 답하시오.

(1) 함수 $f(x)=\int(x-1)(x^2+x+1)dx-\int x(3x-1)^2\,dx$에 대하여 $f(0)=0$일 때, $f(-1)$의 값을 구하시오.

(2) 함수 $f(x)=\int\frac{x^3-1}{x^2+x+1}\,dx+\int\frac{x^3+1}{x^2-x+1}\,dx$에 대하여 $f(-1)=3$일 때, $f(2)$의 값을 구하시오.

풀이

(1) $f(x)=\int\{(x-1)(x^2+x+1)-x(3x-1)^2\}dx$

$=\int(-8x^3+6x^2-x-1)dx$

$=-2x^4+2x^3-\frac{1}{2}x^2-x+C$

이때 $f(0)=0$이므로 $C=0$

따라서 $f(x)=-2x^4+2x^3-\frac{1}{2}x^2-x$이므로

$f(-1)=-2-2-\frac{1}{2}+1=\mathbf{-\frac{7}{2}}$

(2) $f(x)=\int\frac{x^3-1}{x^2+x+1}\,dx+\int\frac{x^3+1}{x^2-x+1}\,dx$

$=\int\frac{(x-1)(x^2+x+1)}{x^2+x+1}\,dx+\int\frac{(x+1)(x^2-x+1)}{x^2-x+1}\,dx$

$=\int(x-1)dx+\int(x+1)dx=\int\{(x-1)+(x+1)\}dx$

$=\int 2x\,dx=x^2+C$

이때 $f(-1)=3$이므로 $1+C=3$ $\quad\therefore C=2$

따라서 $f(x)=x^2+2$이므로 $f(2)=2^2+2=\mathbf{6}$

KEY Point • 피적분함수가 복잡한 경우 ⇨ 전개, 인수분해 등을 이용하여 간단히 한 후 적분한다.

160 함수 $f(x)=\int(10x^9+9x^8+8x^7+\cdots+2x+1)dx$에 대하여 $f(0)=0$일 때, $f(1)$의 값을 구하시오.

161 함수 $f(x)=\int\frac{x^3}{x+2}\,dx+\int\frac{8}{x+2}\,dx$에 대하여 $f(1)=2$일 때, $f(k)=\frac{16}{3}$을 만족시키는 실수 k의 값을 구하시오.

필수예제 08 $f'(x)$로부터 $f(x)$ 구하기

더 다양한 문제는 RPM 수학 Ⅱ 102쪽

함수 $f(x)$의 도함수가 $f'(x)=3x^2-4x$이고 $f(1)=2$일 때, $f(x)$를 구하시오.

설명 $f(x)=\int f'(x)dx$임을 이용하여 $f(x)$를 적분상수를 포함한 식으로 나타낸다.

풀이 $f(x)=\int f'(x)dx=\int(3x^2-4x)dx=x^3-2x^2+C$

이때 $f(1)=2$이므로 $1-2+C=2$ $\therefore C=3$

$\therefore$ $\boldsymbol{f(x)=x^3-2x^2+3}$

필수예제 09 $f(x)$와 그 부정적분 $F(x)$의 관계

더 다양한 문제는 RPM 수학 Ⅱ 103쪽

다항함수 $f(x)$의 한 부정적분을 $F(x)$라 하면 $F(x)=xf(x)-2x^3+x^2$이 성립하고 $f(0)=1$일 때, 함수 $f(x)$를 구하시오.

설명 $F'(x)=f(x)$, $\{xf(x)\}'=f(x)+xf'(x)$임을 이용하여 푼다.

풀이 $F(x)=xf(x)-2x^3+x^2$의 양변을 x에 대하여 미분하면

$F'(x)=f(x)+xf'(x)-6x^2+2x$

$f(x)$의 한 부정적분이 $F(x)$이므로 $F'(x)=f(x)$

$f(x)=f(x)+xf'(x)-6x^2+2x$, $xf'(x)=6x^2-2x$ $\therefore f'(x)=6x-2$

$\therefore f(x)=\int f'(x)dx=\int(6x-2)dx=3x^2-2x+C$

이때 $f(0)=1$이므로 $C=1$

$\therefore$ $\boldsymbol{f(x)=3x^2-2x+1}$

KEY Point

- $f'(x)$가 주어지고 $f(x)$를 구할 때 ⇨ $f(x)=\int f'(x)dx$임을 이용한다.
- $F(x)$가 $f(x)$의 부정적분이면 $F'(x)=f(x)$

162 함수 $f(x)$의 도함수가 $f'(x)=4x^3+6x^2-2$이고 $f(-1)=1$일 때, $f(2)$의 값을 구하시오.

163 '$f(x)$를 적분하시오.'라는 문제를 잘못 보고 $f(x)$를 미분했더니 $9x^2-2x+1$이 나왔다. $f(x)$를 바르게 적분한 식을 구하시오. (단, $f(0)=2$)

164 삼차함수 $f(x)$의 한 부정적분 $F(x)$에 대하여 $F(x)=f(x)+xf(x)-2x^4+4x^2$이 성립할 때, $f(x)$를 구하시오. $\left(\text{단, } f(1)=-\frac{1}{3}\right)$

필수예제 10 함수의 연속과 부정적분

더 다양한 문제는 RPM 수학 Ⅱ 104쪽

모든 실수 x에서 연속인 함수 $f(x)$의 도함수가 $f'(x)=\begin{cases} 4x & (x>1) \\ 3x^2 & (x<1) \end{cases}$이고 $f(2)=5$일 때, $f(-2)$의 값을 구하시오.

설명 함수 $f(x)$에 대하여 $f'(x)=\begin{cases} g(x) & (x>a) \\ h(x) & (x<a) \end{cases}$이고, $f(x)$가 $x=a$에서 연속이면

$f(x)=\begin{cases} \int g(x)dx & (x\ge a) \\ \int h(x)dx & (x<a) \end{cases}$이고 $x=a$에서 우극한과 좌극한이 같음을 이용한다.

풀이 $f'(x)=\begin{cases} 4x & (x>1) \\ 3x^2 & (x<1) \end{cases}$이므로 $f(x)=\begin{cases} 2x^2+C_1 & (x\ge 1) \\ x^3+C_2 & (x<1) \end{cases}$

$f(2)=5$에서 $8+C_1=5$이므로 $C_1=-3$

한편, 함수 $f(x)$가 모든 실수 x에서 연속이므로 $x=1$에서도 연속이다.

즉, $\lim_{x\to 1+} f(x)=\lim_{x\to 1-} f(x)=f(1)$에서 $2+C_1=1+C_2$

$2-3=1+C_2 \quad \therefore C_2=-2$

$\therefore f(x)=\begin{cases} 2x^2-3 & (x\ge 1) \\ x^3-2 & (x<1) \end{cases}$

$\therefore f(-2)=(-2)^3-2=-8-2=\mathbf{-10}$

필수예제 11 접선의 기울기와 부정적분

더 다양한 문제는 RPM 수학 Ⅱ 104쪽

점 $(0, 2)$를 지나는 곡선 $y=f(x)$ 위의 임의의 점 (x, y)에서의 접선의 기울기가 $6x^2-10x$일 때, 함수 $f(x)$를 구하시오.

설명 곡선 $y=f(x)$ 위의 점 $(x, f(x))$에서의 접선의 기울기가 $f'(x)$임을 이용한다.

풀이 점 (x, y)에서의 접선의 기울기가 $6x^2-10x$이므로

$f'(x)=6x^2-10x$

$\therefore f(x)=\int f'(x)dx=\int(6x^2-10x)dx=2x^3-5x^2+C$

곡선 $y=f(x)$가 점 $(0, 2)$를 지나므로 $C=2$

$\therefore \mathbf{f(x)=2x^3-5x^2+2}$

165 모든 실수 x에서 연속인 함수 $f(x)$의 도함수가 $f'(x)=\begin{cases} 3x^2-1 & (x>-1) \\ 2x+1 & (x<-1) \end{cases}$이고 $f(0)=2$일 때, $f(-2)+f(1)$의 값을 구하시오.

166 곡선 $y=f(x)$가 점 $(0, -2)$를 지나고, 이 곡선 위의 임의의 점 (x, y)에서의 접선의 기울기가 $3x^2-6x+4$일 때, $f(-1)$의 값을 구하시오.

필수예제 12 미분계수와 부정적분

더 다양한 문제는 RPM 수학 Ⅱ 105쪽

다음 물음에 답하시오.

(1) 함수 $f(x)=\int(x-1)(x^2+x+1)dx$에 대하여 $\lim_{h\to 0}\frac{f(2+h)-f(2-h)}{h}$의 값을 구하시오.

(2) 함수 $f(x)$에 대하여 $\lim_{h\to 0}\frac{f(x+2h)-f(x-h)}{h}=12x-3$이고 $f(1)=2$일 때, $f(x)$를 구하시오.

풀이

(1) $f(x)=\int(x-1)(x^2+x+1)dx$의 양변을 x에 대하여 미분하면

$f'(x)=(x-1)(x^2+x+1)=x^3-1$

$$\therefore \lim_{h\to 0}\frac{f(2+h)-f(2-h)}{h}=\lim_{h\to 0}\frac{\{f(2+h)-f(2)\}+\{f(2)-f(2-h)\}}{h}$$
$$=\lim_{h\to 0}\frac{f(2+h)-f(2)}{h}+\lim_{h\to 0}\frac{f(2-h)-f(2)}{-h}$$
$$=f'(2)+f'(2)=2f'(2)=2(2^3-1)=\mathbf{14}$$

(2) $$\lim_{h\to 0}\frac{f(x+2h)-f(x-h)}{h}=\lim_{h\to 0}\frac{\{f(x+2h)-f(x)\}+\{f(x)-f(x-h)\}}{h}$$
$$=2\lim_{h\to 0}\frac{f(x+2h)-f(x)}{2h}+\lim_{h\to 0}\frac{f(x-h)-f(x)}{-h}$$
$$=2f'(x)+f'(x)=3f'(x)$$

따라서 $3f'(x)=12x-3$이므로 $f'(x)=4x-1$

$\therefore f(x)=\int f'(x)dx=\int(4x-1)dx=2x^2-x+C$

이때 $f(1)=2$이므로 $2-1+C=2$ $\quad\therefore C=1$

$\therefore \boldsymbol{f(x)=2x^2-x+1}$

KEY Point

- **미분가능한 함수 $f(x)$의 $x=a$에서의 미분계수는**

  ⇨ $f'(a)=\lim_{h\to 0}\frac{f(a+h)-f(a)}{h}=\lim_{x\to a}\frac{f(x)-f(a)}{x-a}$

167 함수 $f(x)=\int(5x^2+2x-1)dx$에 대하여 $\lim_{x\to 1}\frac{f(x)-f(1)}{x^2-1}$의 값을 구하시오.

168 함수 $f(x)=\int(6x^2-4x+k)dx$에 대하여 $f(0)=1$, $\lim_{h\to 0}\frac{f(1+h)-f(1)}{h}=4$일 때, $f(1)$의 값을 구하시오. (단, k는 상수)

필수예제 13 극값과 부정적분

더 다양한 문제는 RPM 수학 Ⅱ 106쪽

함수 $f(x)$의 도함수가 $f'(x)=x^2+2x-3$이고 $f(x)$의 극댓값이 9일 때, $f(x)$의 극솟값을 구하시오.

풀이 $f'(x)=x^2+2x-3=(x+3)(x-1)$

$f'(x)=0$에서 $x=-3$ 또는 $x=1$이므로 $f(x)$의 증가와 감소를 표로 나타내면

x	$\cdots$	-3	$\cdots$	1	$\cdots$
$f'(x)$	$+$	0	$-$	0	$+$
$f(x)$	↗	극대	↘	극소	↗

따라서 $f(x)$는 $x=-3$에서 극댓값을 갖고, $x=1$에서 극솟값을 갖는다.

$\therefore f(-3)=9$

한편, $f(x)=\int f'(x)dx=\int(x^2+2x-3)dx=\frac{1}{3}x^3+x^2-3x+C$에서

$f(-3)=9$이므로 $f(-3)=\frac{1}{3}\cdot(-3)^3+(-3)^2-3\cdot(-3)+C=9$

$-9+9+9+C=9 \qquad \therefore C=0$

즉, $f(x)=\frac{1}{3}x^3+x^2-3x$이므로 $f(x)$의 극솟값은

$f(1)=\frac{1}{3}+1-3=\mathbf{-\frac{5}{3}}$

KEY Point

- 미분가능한 함수 $f(x)$에 대하여 $f'(a)=0$이고
  (1) $x=a$의 좌우에서 $f'(x)$의 부호가 양(+)에서 음(−)으로 바뀌면
  ⇨ $f(x)$는 $x=a$에서 극댓값 $f(a)$를 갖는다.
  (2) $x=a$의 좌우에서 $f'(x)$의 부호가 음(−)에서 양(+)으로 바뀌면
  ⇨ $f(x)$는 $x=a$에서 극솟값 $f(a)$를 갖는다.

169 함수 $f(x)=\int(3x^2+ax-24)dx$가 $x=4$에서 극솟값 -72를 가질 때, 상수 a의 값과 $f(x)$의 극댓값을 각각 구하시오.

170 도함수가 $f'(x)=k(x^2-4)\,(k<0)$인 함수 $f(x)$의 극댓값이 20이고 극솟값이 -12일 때, $f(x)$를 구하시오. (단, k는 상수)

한 걸음 더

필수예제 **14** **도함수의 정의를 이용한 부정적분**

더 다양한 문제는 RPM 수학 Ⅱ 105쪽

다항함수 $f(x)$가 임의의 실수 x, y에 대하여 $f(x+y)=f(x)+f(y)+xy-2$를 만족시키고 $f'(0)=1$일 때, $f(2)$의 값을 구하시오.

풀이 $f(x+y)=f(x)+f(y)+xy-2$의 양변에 $x=0$, $y=0$을 대입하면

$f(0+0)=f(0)+f(0)+0-2$에서 $f(0)=2f(0)-2$

$\therefore f(0)=2$

$f'(0)=1$이므로 $f'(0)=\lim_{h\to 0}\frac{f(0+h)-f(0)}{h}=\lim_{h\to 0}\frac{f(h)-2}{h}=1$

도함수의 정의를 이용하여 $f'(x)$를 구하면

$$f'(x)=\lim_{h\to 0}\frac{f(x+h)-f(x)}{h}=\lim_{h\to 0}\frac{f(x)+f(h)+xh-2-f(x)}{h}$$

$$=\lim_{h\to 0}\frac{f(h)-2+xh}{h}=x+\lim_{h\to 0}\frac{f(h)-2}{h}=x+1$$

$\therefore f(x)=\int f'(x)dx=\int (x+1)dx=\frac{1}{2}x^2+x+C$

이때 $f(0)=2$이므로 $C=2$

따라서 $f(x)=\frac{1}{2}x^2+x+2$이므로

$f(2)=\frac{1}{2}\cdot 2^2+2+2=\mathbf{6}$

KEY Point

- **$f(x+y)=f(x)+f(y)+\square$의 꼴의 식이 주어지면**
  - **(i) $x=0$, $y=0$을 대입하여 $f(0)$의 값을 구한다.**
  - **(ii) $f'(x)=\lim_{h\to 0}\frac{f(x+h)-f(x)}{h}$임을 이용하여 $f'(x)$를 구한다.**
  - **(iii) $f'(x)$의 부정적분을 구하고, $f(0)$의 값을 대입하여 적분상수를 구한다.**

171 미분가능한 함수 $f(x)$가 임의의 실수 x, y에 대하여 $f(x+y)=f(x)+f(y)+xy(x+y)$를 만족시키고 $f'(0)=6$일 때, $f(x)$를 구하시오.

172 미분가능한 함수 $f(x)$가 임의의 실수 x, y에 대하여 $f(x+y)=f(x)+f(y)+2xy$를 만족시키고 $f'(1)=3$일 때, $f(-2)$의 값을 구하시오.

연습문제

STEP 1

생각해 봅시다!

181 함수 $F(x)=2x^3+ax^2+3bx$가 함수 $f(x)$의 부정적분 중 하나이고 $f(0)=-3$, $f'(1)=0$일 때, 상수 a, b에 대하여 $a+b$의 값을 구하시오.

함수 $F(x)$가 함수 $f(x)$의 부정적분
⇨ $F'(x)=f(x)$

182 다항함수 $f(x)$의 도함수 $f'(x)$가

$$\int(2x-1)f'(x)dx=2x^3+\frac{1}{2}x^2-2x+3$$

을 만족시키고 $f(-1)=\frac{1}{2}$일 때, $f(2)$의 값을 구하시오.

183 함수 $f(x)=2x^2-x$에 대하여 두 함수 $f_1(x)$, $f_2(x)$를

$$f_1(x)=\int\left\{\frac{d}{dx}f(x)\right\}dx,\ f_2(x)=\frac{d}{dx}\left\{\int f(x)dx\right\}$$

라 하자. $f_1(1)=2$일 때, $f_1(2)-f_2(-1)$의 값을 구하시오.

$\int\left\{\frac{d}{dx}f(x)\right\}dx=f(x)+C$
$\frac{d}{dx}\left\{\int f(x)dx\right\}=f(x)$

184 함수 $f(x)=\int\frac{x^3}{1-x}dx+\int\frac{1}{x-1}dx$에 대하여 $f(0)=1$일 때, $f(2)$의 값을 구하시오.

$\int\{f(x)+g(x)\}dx$
$=\int f(x)dx+\int g(x)dx$

[수능기출]
185 다항함수 $f(x)$의 도함수 $f'(x)$가 $f'(x)=6x^2+4$이다. 함수 $y=f(x)$의 그래프가 점 $(0, 6)$을 지날 때, $f(1)$의 값을 구하시오.

함수 $y=f(x)$의 그래프가 점 $(0, 6)$을 지나면
⇨ $f(0)=6$

186 함수 $f(x)$가 x^2-3x+2로 나누어떨어지고, $f'(x)=12x^2-4x+a$일 때, 상수 a의 값을 구하시오.

$f(x)$가 $x-a$로 나누어떨어진다. ⇨ $f(a)=0$

187 두 점 $(0, -1)$, $(1, 3)$을 지나는 곡선 $y=f(x)$ 위의 임의의 점 (x, y)에서의 접선의 기울기가 $2x+1$에 정비례할 때, 함수 $f(x)$를 구하시오.

곡선 $y=f(x)$ 위의 임의의 점 (x, y)에서의 접선의 기울기
⇨ $f'(x)$

188 함수 $f(x)=\int(2x^2-3)dx$에 대하여 $\lim_{x\to1}\frac{f(x^2)-f(1)}{x-1}$의 값을 구하시오.

미분가능한 함수 $f(x)$에 대하여
$\lim_{x\to a}\frac{f(x)-f(a)}{x-a}=f'(a)$

189 함수 $f(x)$의 도함수 $f'(x)$는 이차함수이고, $y=f'(x)$의 그래프는 오른쪽 그림과 같다. $f(x)$의 극댓값이 1, 극솟값이 -1일 때, $f(x)$를 구하시오.

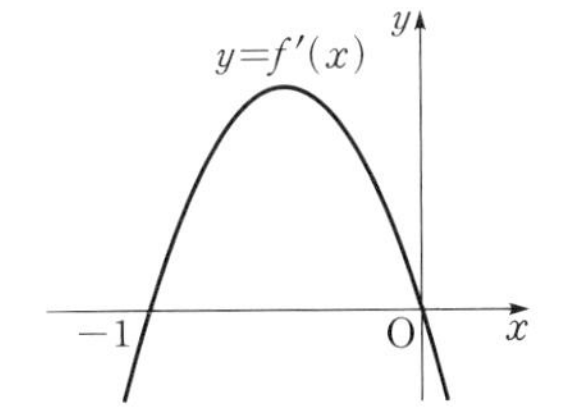

$f'(x)=ax(x+1)\,(a<0)$로 놓는다.

STEP 2

[교육청기출]
190 두 다항함수 $f(x)$, $g(x)$가

$$f(x)=\int xg(x)dx,\ \frac{d}{dx}\{f(x)-g(x)\}=4x^3+2x$$

를 만족시킬 때, $g(1)$의 값은?

① 10　② 11　③ 12　④ 13　⑤ 14

191 두 다항함수 $f(x)$, $g(x)$에 대하여 $f(0)=2$, $g(0)=-1$이고

$$\frac{d}{dx}\{f(x)+g(x)\}=2x+1,\ \frac{d}{dx}\{f(x)g(x)\}=3x^2-2x+2$$

가 성립할 때, $f(2)+g(1)$의 값을 구하시오.

192 함수 $f(x)$의 도함수가 $f'(x)=1+2x+3x^2+\cdots+nx^{n-1}$이고 $f(0)=1$, $f(1)=4$일 때, $n+f(2)$의 값을 구하시오. (단, n은 자연수)

적분상수와 n의 값을 차례로 구한다.

193 실수 전체의 집합에서 미분가능한 함수 $f(x)$의 도함수가

$$f'(x)=\begin{cases} 3x^2+1 & (x\geq 1) \\ 4x & (x<1) \end{cases}$$

이고 $f(0)=3$일 때, $f(2)$의 값을 구하시오.

> 함수 $f(x)$가 실수 전체의 집합에서 미분가능하면 $f(x)$는 실수 전체의 집합에서 연속이다.

194 함수 $f(x)=\int(x+1)(x^2+2x+4)dx$에 대하여 $\lim_{h\to 0}\frac{f(1+h)-f(1-h)}{h}$의 값을 구하시오.

> 미분가능한 함수 $f(x)$에 대하여 $\lim_{h\to 0}\frac{f(a+h)-f(a)}{h}=f'(a)$

195 함수 $f(x)$의 도함수가 $f'(x)=8x+k$이고 $\lim_{x\to 2}\frac{f(x)}{x-2}=1$일 때, $f(1)$의 값을 구하시오. (단, k는 상수)

> $\lim_{x\to a}\frac{f(x)}{g(x)}=\alpha$ (α는 상수)일 때, $\lim_{x\to a}g(x)=0$이면 $\lim_{x\to a}f(x)=0$

196 삼차함수 $y=f(x)$는 그 그래프 위의 임의의 점 (x, y)에서의 접선의 기울기가 ax^2-3x-6이고, $x=-1$에서 극댓값 $\frac{11}{2}$을 갖는다. 이때 상수 a의 값과 $y=f(x)$의 극솟값을 각각 구하시오.

> 함수 $f(x)$가 $x=a$에서 극댓값 k를 가지면 ⇨ $f'(a)=0$, $f(a)=k$

실력 UP

197 다항함수 $f(x)$의 한 부정적분 $F(x)$에 대하여 $F(x)=xf(x)-6x^3(x-1)$이 성립한다. 닫힌구간 $[-1, 1]$에서 함수 $f(x)$의 최댓값을 M, 최솟값을 m이라 할 때, $M-m$의 값을 구하시오.

(단, $f(1)=0$)

실력 UP

198 미분가능한 함수 $f(x)$가 임의의 실수 x, y에 대하여

$$f(x+y)=f(x)+f(y)+xy$$

를 만족시키고, $f'(0)=3$일 때, $f(-2)$의 값을 구하시오.

> 주어진 식에 $x=0$, $y=0$을 대입하여 $f(0)$의 값을 구한다.

III

적분

01 정적분

개념원리 이해

1. 정적분의 정의 ▷ 필수예제 1, 2

(1) 함수 $f(x)$가 닫힌구간 $[a, b]$에서 연속일 때, 함수 $f(x)$의 한 부정적분 $F(x)$에 대하여 $F(b)-F(a)$를 $f(x)$의 a에서 b까지의 **정적분**이라 하고, 이것을 기호로 다음과 같이 나타낸다.

$$\int_a^b f(x)dx$$

(2) 정적분 $\int_a^b f(x)dx$의 값을 구하는 것을 함수 $f(x)$를 a에서 b까지 **적분한다**고 하고, a를 **아래끝**, b를 **위끝**, 닫힌구간 $[a, b]$를 **적분 구간**이라 한다.

(3) **정적분의 정의**

닫힌구간 $[a, b]$에서 연속인 함수 $f(x)$의 한 부정적분을 $F(x)$라 할 때

$$\int_a^b f(x)dx=\Big[F(x)\Big]_a^b=F(b)-F(a)$$

▶ ① $\int_a^b f(x)dx$에서 닫힌구간 $[a, b]$는 $a \le x \le b$를 뜻한다.

② 부정적분 $F(x)$를 구하여 $\int_a^b f(x)dx$의 값을 구할 때, 적분상수 C에 관계없이 같은 값이 나오므로 적분상수 C는 쓰지 않는 것이 일반적이다.

③ 정적분 $\int_a^b f(x)dx$의 값은 0 또는 음수가 될 수 있다.

④ 정적분 $\int_a^b f(x)dx$에서 적분변수 x 대신 다른 문자를 사용하여 나타내어도 그 값은 변하지 않는다.

즉, $\int_a^b f(x)dx=\int_a^b f(t)dt=\int_a^b f(y)dy$

주의 부정적분은 함수를 나타내므로 $\int f(x)dx \neq \int f(t)dt \neq \int f(y)dy$

설명 닫힌구간 $[a, b]$에서 연속인 함수 $f(x)$의 두 부정적분을 $F(x)$, $G(x)$라 하면

$F(x)=G(x)+C$ (C는 적분상수)

이므로 $F(b)-F(a)$의 값은

$F(b)-F(a)=\{G(b)+C\}-\{G(a)+C\}=G(b)-G(a)$

즉, $F(b)-F(a)$의 값은 적분상수 C에 관계없이 하나로 결정된다.

이 값을 함수 $f(x)$의 a에서 b까지의 정적분이라 한다.

예 (1) $\int_2^3 2x\,dx=\Big[x^2\Big]_2^3=3^2-2^2=5$

(2) $\int_1^2 (3x^2+4x-2)dx=\Big[x^3+2x^2-2x\Big]_1^2=(2^3+2\cdot2^2-2\cdot2)-(1^3+2\cdot1^2-2\cdot1)=11$

2. 정적분의 기본 정의 ▷ 필수예제 1

지금까지는 실수 a, b에 대하여 $a<b$일 때에만 정적분 $\int_a^b f(x)dx$를 정의하였으나 $a=b$일 때와 $a>b$일 때의 정적분도 다음과 같이 정의한다.

(1) $a=b$일 때, $\int_a^a f(x)dx=0$ ← 위끝과 아래끝이 서로 같을 때

(2) $a>b$일 때, $\int_a^b f(x)dx=-\int_b^a f(x)dx$ ← 위끝과 아래끝이 서로 바뀔 때

▶ 정적분은 a, b의 대소에 관계없이 $\int_a^b f(x)dx=F(b)-F(a)$로 정의할 수 있다.

설명 함수 $f(x)$의 한 부정적분을 $F(x)$라 하면

(1) $\int_a^a f(x)dx=\Big[F(x)\Big]_a^a=F(a)-F(a)=0$

(2) $\int_a^b f(x)dx=\Big[F(x)\Big]_a^b=F(b)-F(a)=-\{F(a)-F(b)\}=-\Big[F(x)\Big]_b^a=-\int_b^a f(x)dx$

예 (1) $\int_3^3 x^2\,dx=0$

(2) $\int_2^1 (3x+1)dx=-\int_1^2 (3x+1)dx=-\Big[\frac{3}{2}x^2+x\Big]_1^2=-\frac{11}{2}$

3. 정적분의 성질 (1) ▷ 필수예제 3

두 함수 $f(x)$, $g(x)$가 닫힌구간 $[a, b]$에서 연속일 때

(1) $\int_a^b kf(x)dx=k\int_a^b f(x)dx$ (단, k는 실수)

(2) $\int_a^b \{f(x)\pm g(x)\}dx=\int_a^b f(x)dx\pm\int_a^b g(x)dx$ (복부호동순)

증명 닫힌구간 $[a, b]$에서 연속인 두 함수 $f(x)$, $g(x)$의 한 부정적분을 각각 $F(x)$, $G(x)$라 하면

(1) $\int kf(x)dx=k\int f(x)dx=kF(x)+C$ (C는 적분상수)이므로

$$\int_a^b kf(x)dx=\Big[kF(x)\Big]_a^b=kF(b)-kF(a)=k\{F(b)-F(a)\}=k\int_a^b f(x)dx$$

(2) $\int \{f(x)\pm g(x)\}dx=F(x)\pm G(x)+C$ (C는 적분상수)이므로

$$\begin{aligned}\int_a^b \{f(x)\pm g(x)\}dx&=\Big[F(x)\pm G(x)\Big]_a^b\\&=\{F(b)\pm G(b)\}-\{F(a)\pm G(a)\}\\&=\{F(b)-F(a)\}\pm\{G(b)-G(a)\}\\&=\int_a^b f(x)dx\pm\int_a^b g(x)dx \text{ (복부호동순)}\end{aligned}$$

4. 정적분의 성질 (2)

▷ 필수예제 3

함수 $f(x)$가 세 실수 a, b, c를 포함하는 닫힌구간에서 연속일 때

$$\int_a^c f(x)dx+\int_c^b f(x)dx=\int_a^b f(x)dx$$

▶ 위의 성질은 a, b, c의 대소에 관계없이 성립한다.

증명 실수 a, b, c를 포함하는 닫힌구간에서 연속인 함수 $f(x)$의 한 부정적분을 $F(x)$라 하면

$$\begin{aligned}\int_a^c f(x)dx+\int_c^b f(x)dx&=\Big[F(x)\Big]_a^c+\Big[F(x)\Big]_c^b\\&=\{F(c)-F(a)\}+\{F(b)-F(c)\}\\&=F(b)-F(a)\\&=\int_a^b f(x)dx\end{aligned}$$

예 정적분 $\int_{-1}^0 (x^2-2x+3)dx+\int_0^1 (x^2-2x+3)dx$의 값을 구하시오.

풀이 $\int_{-1}^0 (x^2-2x+3)dx+\int_0^1 (x^2-2x+3)dx$

$=\int_{-1}^1 (x^2-2x+3)dx=\Big[\frac{1}{3}x^3-x^2+3x\Big]_{-1}^1=\frac{20}{3}$

보충학습

1. 부정적분과 정적분의 차이

(1) 부정적분 $\int f(x)dx$

① 구간이 정해지지 않은 적분

② $\int f(x)dx$ ⇨ x에 대한 함수

(2) 정적분 $\int_a^b f(x)dx$

① 구간이 정해진 적분

② 정적분 $\int_a^b f(x)dx$는 실수이다.

개념원리 익히기

173 다음 정적분의 값을 구하시오.

(1) $\int_{0}^{1} 4x\,dx$

(2) $\int_{2}^{4} 3x^2\,dx$

(3) $\int_{-1}^{2} (2x+3)dx$

(4) $\int_{-2}^{0} (-t^2+2t-1)dt$

생각해 봅시다!

정적분의 정의

174 다음 정적분의 값을 구하시오.

(1) $\int_{2}^{2} (x^3-6x+1)dx$

(2) $\int_{-1}^{-1} (5t^2+3t-2)dt$

(3) $\int_{0}^{-1} (-2x^2+4x)dx$

(4) $\int_{3}^{1} (3y^2-y+1)dy$

정적분의 기본 정의

175 다음 정적분의 값을 구하시오.

(1) $\int_{1}^{2} 6(x-1)^2dx$

(2) $\int_{0}^{1} (x^2+2)dx+\int_{0}^{1} (-x^2+2)dx$

(3) $\int_{1}^{2} (2x-1)dx+\int_{2}^{3} (2x-1)dx$

(4) $\int_{0}^{1} (3x^2-2x+1)dx-\int_{2}^{1} (3x^2-2x+1)dx$

정적분의 성질

필수예제 01 정적분의 정의

더 다양한 문제는 RPM 수학 II 112쪽

다음 정적분의 값을 구하시오.

(1) $\int_{-1}^{2} x(x^2-2)dx$

(2) $\int_{3}^{3} (t^3+2t^2+3t+4)dt$

(3) $\int_{3}^{2} \frac{t^2-1}{t-1} dt$

(4) $\int_{1}^{0} (2x+1)(x-2)dx$

풀이

(1) $\int_{-1}^{2} x(x^2-2)dx=\int_{-1}^{2}(x^3-2x)dx=\left[\frac{1}{4}x^4-x^2\right]_{-1}^{2}=(4-4)-\left(\frac{1}{4}-1\right)=\mathbf{\frac{3}{4}}$

(2) $\int_{3}^{3}(t^3+2t^2+3t+4)dt=\mathbf{0}$

(3) $\int_{3}^{2}\frac{t^2-1}{t-1}dt=-\int_{2}^{3}\frac{t^2-1}{t-1}dt=-\int_{2}^{3}\frac{(t+1)(t-1)}{t-1}dt$

$=-\int_{2}^{3}(t+1)dt=-\left[\frac{1}{2}t^2+t\right]_{2}^{3}$

$=-\left\{\left(\frac{9}{2}+3\right)-(2+2)\right\}=\mathbf{-\frac{7}{2}}$

(4) $\int_{1}^{0}(2x+1)(x-2)dx=-\int_{0}^{1}(2x+1)(x-2)dx=-\int_{0}^{1}(2x^2-3x-2)dx$

$=-\left[\frac{2}{3}x^3-\frac{3}{2}x^2-2x\right]_{0}^{1}=-\left\{\left(\frac{2}{3}-\frac{3}{2}-2\right)-0\right\}=\mathbf{\frac{17}{6}}$

KEY Point

- **닫힌구간 $[a, b]$에서 연속인 함수 $f(x)$의 한 부정적분을 $F(x)$라 하면**
  $\int_{a}^{b}f(x)dx=\Big[F(x)\Big]_{a}^{b}=F(b)-F(a)$
- $\int_{a}^{a}f(x)dx=0,\ \int_{a}^{b}f(x)dx=-\int_{b}^{a}f(x)dx$

176 다음 정적분의 값을 구하시오.

(1) $\int_{-1}^{1}(4x^3-3x^2+2x)dx$

(2) $\int_{-1}^{-3}(3y+1)(3y-1)dy$

(3) $\int_{1}^{0}\frac{x^3+1}{x+1}dx$

177 함수 $f(x)=x^2+4x$에 대하여 정적분 $\int_{0}^{1}x^2f(x)dx$의 값을 구하시오.

필수예제 **02** **정적분의 정의의 활용**

더 다양한 문제는 RPM 수학 Ⅱ 112쪽

다음 물음에 답하시오.

(1) $\int_k^0 (2x+1)dx=\frac{1}{4}$일 때, 실수 k의 값을 구하시오.

(2) 정적분 $\int_{-1}^3 (3x^2+4kx-1)dx$의 값이 8보다 클 때, 정수 k의 최솟값을 구하시오.

설명 정적분의 값을 먼저 계산한 후 문제의 조건에 맞는 k의 값을 구한다.

풀이 (1) $\int_k^0 (2x+1)dx=\left[x^2+x\right]_k^0=0-(k^2+k)=-k^2-k$

이므로 $-k^2-k=\frac{1}{4}$, $4k^2+4k+1=0$

$(2k+1)^2=0$ $\therefore k=-\frac{1}{2}$

(2) $\int_{-1}^3 (3x^2+4kx-1)dx=\left[x^3+2kx^2-x\right]_{-1}^3$

$=(27+18k-3)-(-1+2k+1)$

$=24+16k$

이므로 $24+16k>8$

$\therefore k>-1$

따라서 정수 k의 최솟값은 **0**이다.

KEY Point

• 정적분의 정의의 활용

(i) 정적분 $\int_a^b f(x)dx$의 값을 계산한다.

(ii) 문제의 조건에 맞는 k의 값을 구한다.

178 $\int_{-1}^k (2x+k)dx=9$일 때, 양수 k의 값을 구하시오.

179 정적분 $\int_1^k (-4x+2)dx$의 최댓값을 구하시오. (단, k는 실수)

필수예제 03 정적분의 계산

더 다양한 문제는 RPM 수학 Ⅱ 113쪽

다음 정적분의 값을 구하시오.

(1) $\int_{1}^{2}(2x^2+6x)dx-2\int_{1}^{2}(x^2-3x-2)dx$

(2) $\int_{1}^{2}(2x^2-x+1)dx+\int_{2}^{1}(y^2-y)dy$

(3) $\int_{-1}^{0}(x^3+2x-1)dx+\int_{0}^{1}(x^3+2x-1)dx+\int_{1}^{2}(x^3+2x-1)dx$

풀이

(1) (주어진 식)$=\int_{1}^{2}(2x^2+6x)dx-\int_{1}^{2}2(x^2-3x-2)dx=\int_{1}^{2}\{(2x^2+6x)-(2x^2-6x-4)\}dx$

$=\int_{1}^{2}(12x+4)dx=\Big[6x^2+4x\Big]_{1}^{2}=(24+8)-(6+4)=\mathbf{22}$

(2) (주어진 식)$=\int_{1}^{2}(2x^2-x+1)dx-\int_{1}^{2}(y^2-y)dy=\int_{1}^{2}(2x^2-x+1)dx-\int_{1}^{2}(x^2-x)dx$

$=\int_{1}^{2}\{(2x^2-x+1)-(x^2-x)\}dx=\int_{1}^{2}(x^2+1)dx$

$=\Big[\frac{1}{3}x^3+x\Big]_{1}^{2}=\left(\frac{8}{3}+2\right)-\left(\frac{1}{3}+1\right)=\mathbf{\frac{10}{3}}$

(3) (주어진 식)$=\int_{-1}^{2}(x^3+2x-1)dx$

$=\Big[\frac{1}{4}x^4+x^2-x\Big]_{-1}^{2}=(4+4-2)-\left(\frac{1}{4}+1+1\right)=\mathbf{\frac{15}{4}}$

KEY Point

- $\int_{a}^{b}f(x)dx=-\int_{b}^{a}f(x)dx$
- $\int_{a}^{b}kf(x)dx=k\int_{a}^{b}f(x)dx$ (단, k는 실수)
- $\int_{a}^{b}\{f(x)\pm g(x)\}dx=\int_{a}^{b}f(x)dx\pm\int_{a}^{b}g(x)dx$ (복부호동순)
- $\int_{a}^{c}f(x)dx+\int_{c}^{b}f(x)dx=\int_{a}^{b}f(x)dx$

확인 체크

180 다음 정적분의 값을 구하시오.

(1) $\int_{-2}^{1}(2x^2+3x-1)dx+\int_{1}^{-2}(2x^2-x+3)dx$

(2) $\int_{0}^{1}(3x^2+1)dx+\int_{1}^{2}(3x^2+1)dx$

(3) $\int_{0}^{1}\frac{8}{t-2}dt+\int_{1}^{0}\frac{y^3}{y-2}dy$

(4) $\int_{2}^{4}(x^2-4x)dx-\int_{3}^{4}(x^2-4x)dx+\int_{1}^{2}(x^2-4x)dx$

02 정적분의 기하적 의미

개념원리 이해

1. 정적분의 기하적 의미

함수 $f(x)$가 닫힌구간 $[a, b]$에서 연속이고 $f(x) \geq 0$일 때, 정적분 $\int_a^b f(x)dx$의 값은 **곡선 $y=f(x)$와 x축 및 두 직선 $x=a$, $x=b$로 둘러싸인 도형의 넓이**와 같다.

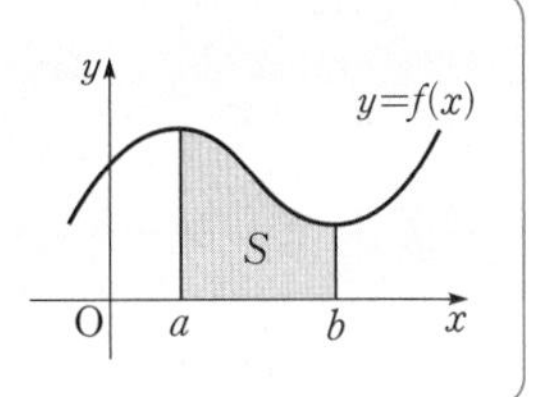

설명 함수 $f(t)$가 닫힌구간 $[a, b]$에서 연속이고 $f(t) \geq 0$일 때, [그림 1]과 같이 곡선 $y=f(t)$와 t축 및 두 직선 $t=a$, $t=x$ $(a \leq x \leq b)$로 둘러싸인 도형의 넓이를 $S(x)$라 하자.
또한, t의 값이 x에서 $x+\Delta x$까지 변할 때 넓이 $S(x)$의 증분을 ΔS라 하고 [그림 2]와 같이 사각형 ABCD의 넓이가 ΔS가 되도록 t축에 평행한 직선 AD를 그려 보자.

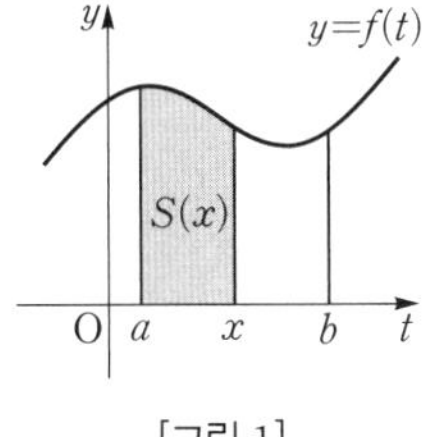

[그림 1]

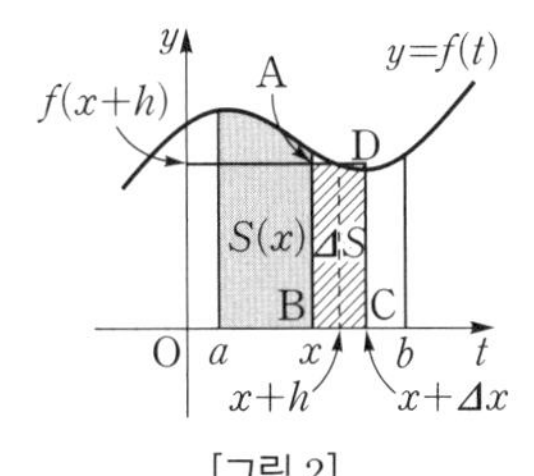

[그림 2]

곡선 $y=f(t)$와 직선 AD의 교점의 x좌표를 $x+h$ $(0 \leq h \leq \Delta x)$라 하면 사각형 ABCD의 넓이는

$$\Delta S = \{(x+\Delta x)-x\} \times f(x+h) = \Delta x \times f(x+h)$$

$$\therefore \frac{\Delta S}{\Delta x} = f(x+h)$$

이때 $\Delta x \rightarrow 0$이면 $h \rightarrow 0$이므로

$$\lim_{\Delta x \to 0} \frac{\Delta S}{\Delta x} = \lim_{h \to 0} f(x+h)$$

또한, $\lim_{\Delta x \to 0} \frac{\Delta S}{\Delta x} = S'(x)$, $\lim_{h \to 0} f(x+h) = f(x)$이므로

$$S'(x) = f(x)$$

즉, $S(x)$는 $f(x)$의 한 부정적분이므로

$$\int_a^x f(t)dt = \Big[S(t)\Big]_a^x = S(x) - S(a)$$

그런데 $x=a$이면 $S(a)=0$이므로

$$\int_a^x f(t)dt = S(x)$$

이 식의 x 대신 b를 대입하면

$$S(b) = \int_a^b f(t)dt$$

따라서 곡선 $y=f(x)$와 x축 및 두 직선 $x=a$, $x=b$로 둘러싸인 도형의 넓이는

$$S = S(b) = \int_a^b f(t)dt$$

2. 구간에 따라 함수가 다를 때의 정적분 ▷ 필수예제 4

함수 $f(x)=\begin{cases} g(x) & (x\le c) \\ h(x) & (x\ge c) \end{cases}$가 닫힌구간 $[a, b]$에서 연속이고

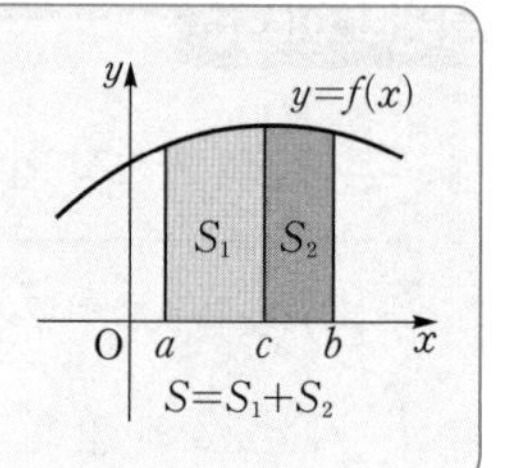

$a<c<b$일 때

$$\int_a^b f(x)dx=\int_a^c g(x)dx+\int_c^b h(x)dx$$

예 　함수 $f(x)=\begin{cases} x^2 & (x\le 0) \\ x & (x\ge 0) \end{cases}$일 때, 정적분 $\int_{-2}^1 f(x)dx$의 값을 구하시오.

풀이 　$-2\le x\le 0$일 때 $f(x)=x^2$, $0\le x\le 1$일 때 $f(x)=x$이므로

$$\begin{aligned}\int_{-2}^1 f(x)dx&=\int_{-2}^0 f(x)dx+\int_0^1 f(x)dx\\&=\int_{-2}^0 x^2\,dx+\int_0^1 x\,dx\\&=\left[\frac{1}{3}x^3\right]_{-2}^0+\left[\frac{1}{2}x^2\right]_0^1=\left\{0-\left(-\frac{8}{3}\right)\right\}+\left(\frac{1}{2}-0\right)=\frac{19}{6}\end{aligned}$$

3. 절댓값 기호가 포함된 함수의 정적분 ▷ 필수예제 5

절댓값 기호를 포함한 함수 $y=|f(x)|$의 정적분은 절댓값 기호 안의 식의 값이 0이 되는 x의 값을 경계로 적분 구간을 나눈다.

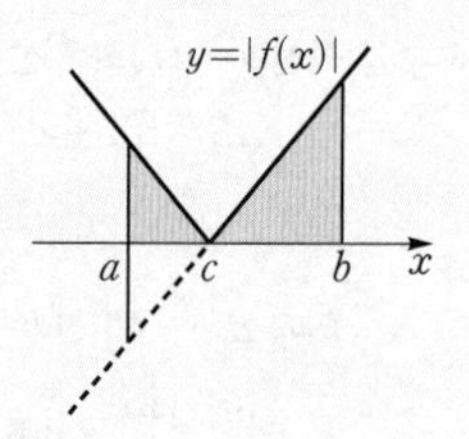

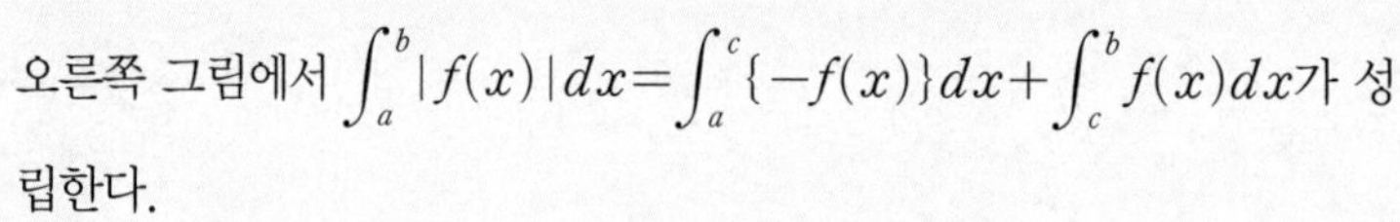

오른쪽 그림에서 $\int_a^b |f(x)|dx=\int_a^c \{-f(x)\}dx+\int_c^b f(x)dx$가 성립한다.

예 　정적분 $\int_0^2 |x^2-x|dx$의 값을 구하시오.

풀이 　$f(x)=|x^2-x|$라 하면 닫힌구간 $[0, 2]$에서

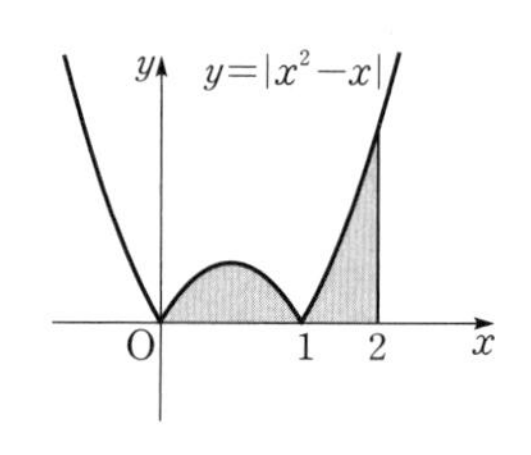

$$f(x)=\begin{cases} -x^2+x & (0\le x\le 1) \\ x^2-x & (1\le x\le 2) \end{cases}$$

따라서 구하는 정적분의 값은

$$\begin{aligned}\int_0^2 |x^2-x|dx&=\int_0^1 (-x^2+x)dx+\int_1^2 (x^2-x)dx\\&=\left[-\frac{1}{3}x^3+\frac{1}{2}x^2\right]_0^1+\left[\frac{1}{3}x^3-\frac{1}{2}x^2\right]_1^2\\&=\left\{\left(-\frac{1}{3}+\frac{1}{2}\right)-0\right\}+\left\{\left(\frac{8}{3}-2\right)-\left(\frac{1}{3}-\frac{1}{2}\right)\right\}=1\end{aligned}$$

4. 우함수와 기함수의 정적분 ▷ 필수예제 6, 7

위끝, 아래끝의 절댓값이 같고 부호가 다를 때, 다음의 정적분의 성질을 이용하여 정적분을 구할 수 있다.

함수 $f(x)$가 닫힌구간 $[-a, a]$에서 연속일 때

(1) $f(-x)=f(x)$이면 함수 $f(x)$를 우함수라 하고

$$\int_{-a}^{a} f(x)dx=2\int_{0}^{a} f(x)dx$$ ← $f(x)$는 짝수차항으로 이루어진 함수

(2) $f(-x)=-f(x)$이면 함수 $f(x)$를 기함수라 하고

$$\int_{-a}^{a} f(x)dx=0$$ ← $f(x)$는 홀수차항으로 이루어진 함수

▶ ① 모든 실수 x에 대하여 $f(-x)=f(x)$이면 $y=f(x)$의 그래프는 y축에 대하여 대칭이다. (우함수)
모든 실수 x에 대하여 $f(-x)=-f(x)$이면 $y=f(x)$의 그래프는 원점에 대하여 대칭이다. (기함수)

② y축에 대하여 대칭인 함수를 우함수(짝수함수)라 하고, 원점에 대하여 대칭인 함수를 기함수(홀수함수)라 한다.
예를 들어, x^2, x^4, $6x^4+2x^2$, $-x^2+3$은 우함수이고 x, x^3, $3x^3-2x$는 기함수이다.

③ 일반적으로 우함수와 기함수를 연산하면 다음과 같다.
(우함수)±(우함수)=(우함수), (기함수)±(기함수)=(기함수)
(우함수)×(우함수)=(우함수), (기함수)×(기함수)=(우함수), (우함수)×(기함수)=(기함수)
[주의] (우함수)±(기함수) ⇨ 우함수도 기함수도 아니다.

설명 〈우함수〉

$f(-x)=f(x)$

(i) 그래프는 y축에 대하여 대칭

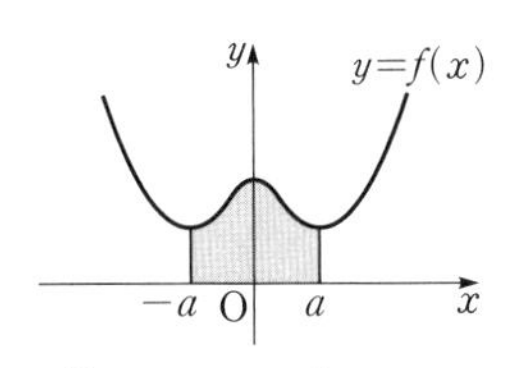

(ii) $\int_{-a}^{0} f(x)dx=\int_{0}^{a} f(x)dx$이므로

$\int_{-a}^{a} f(x)dx$

$=\int_{-a}^{0} f(x)dx+\int_{0}^{a} f(x)dx$

$=2\int_{0}^{a} f(x)dx$

〈기함수〉

$f(-x)=-f(x)$

(i) 그래프는 원점에 대하여 대칭

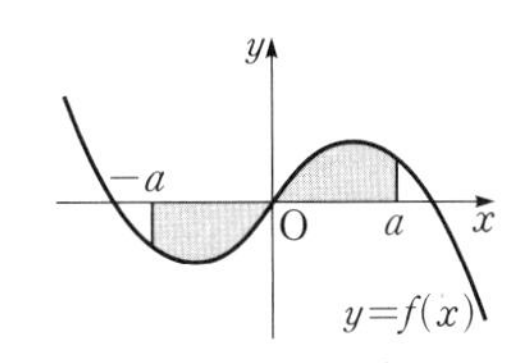

(ii) $\int_{-a}^{0} f(x)dx=-\int_{0}^{a} f(x)dx$이므로

$\int_{-a}^{a} f(x)dx$

$=\int_{-a}^{0} f(x)dx+\int_{0}^{a} f(x)dx$

$=0$

예 정적분 $\int_{-2}^{2} (x^7-4x^5+2x^3+3x^2+x-1)dx$의 값을 구하시오.

풀이 $y=x^7$, $y=-4x^5$, $y=2x^3$, $y=x$의 그래프는 원점에 대하여 대칭이고, $y=3x^2$, $y=-1$의 그래프는 y축에 대하여 대칭이므로

(주어진 식)$=\int_{-2}^{2} (x^7-4x^5+2x^3+x)dx+\int_{-2}^{2} (3x^2-1)dx$

$=0+2\int_{0}^{2} (3x^2-1)dx=2\Big[x^3-x\Big]_{0}^{2}=2\{(8-2)-0\}=12$

한 걸음 더

5. 주기함수의 정적분

▷ 필수예제 8

상수함수가 아닌 함수 $f(x)$의 정의역에 속하는 모든 실수 x에 대하여 $f(x+p)=f(x)$를 만족시키는 0이 아닌 상수 p가 존재할 때, 함수 $f(x)$를 **주기함수**라 한다.
이때 $f(x+p)=f(x)$를 만족시키는 상수 p의 값 중 가장 작은 양수를 함수 $f(x)$의 **주기**라 한다.

함수 $f(x)$가 임의의 실수 x에 대하여 $f(x+p)=f(x)$(p는 0이 아닌 상수)일 때

(1) $\int_a^b f(x)dx=\int_{a+p}^{b+p} f(x)dx=\int_{a+2p}^{b+2p} f(x)dx=\cdots=\int_{a+np}^{b+np} f(x)dx$ (단, n은 정수)

(2) $\int_a^{a+p} f(x)dx=\int_0^p f(x)dx$, $\int_a^{a+np} f(x)dx=n\int_0^p f(x)dx$ (단, n은 정수)

(3) $\int_a^{a+p} f(x)dx=\int_b^{b+p} f(x)dx$

▶ ① $f(x+6)=f(x)$를 만족시키는 함수라 해서 반드시 주기가 6인 것은 아니다. 주기가 3인 함수도 $f(x+6)=f(x)$를 만족시킬 수 있다.
② 모든 실수 x에 대하여 $f(x+p)=f(x)$가 성립하면
$\int_0^{np} f(x)dx=n\int_0^p f(x)dx$ (단, n은 정수)

설명 (1) 모든 구간에서 연속이고 주기가 p인 주기함수 $y=f(x)$의 그래프는 오른쪽 그림과 같이 닫힌구간 $[a, b]$에서의 그래프가 반복해서 나타나므로 $\int_a^b f(x)dx$의 값은 주기 p만큼 평행이동한 닫힌구간 $[a+p, b+p]$에서의 정적분의 값인 $\int_{a+p}^{b+p} f(x)dx$의 값과 항상 같다. 즉,

$$\int_a^b f(x)dx=\int_{a+p}^{b+p} f(x)dx$$

따라서 정수 n에 대하여

$$\int_a^b f(x)dx=\int_{a+p}^{b+p} f(x)dx=\int_{a+2p}^{b+2p} f(x)dx=\cdots=\int_{a+np}^{b+np} f(x)dx$$

가 성립한다.

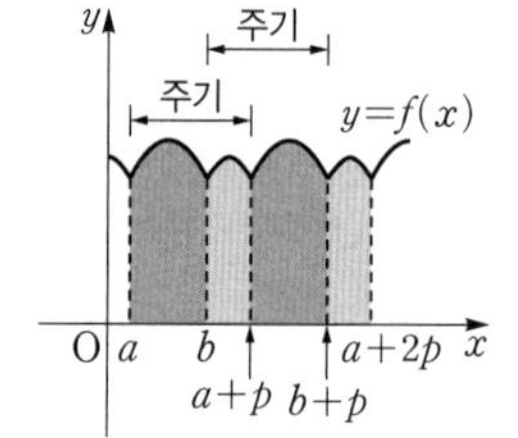

(3) 주기함수는 한 주기의 정적분의 값이 항상 같으므로 $\int_a^{a+p} f(x)dx=\int_b^{b+p} f(x)dx$가 성립한다.

예 연속함수 $f(x)$가 모든 실수 x에 대하여 $f(x+2)=f(x)$를 만족시키고 $-1\le x\le 1$에서 $f(x)=x^2$일 때, 정적분 $\int_{-1}^5 f(x)dx$의 값을 구하시오.

풀이 $\int_{-1}^1 f(x)dx=\int_1^3 f(x)dx=\int_3^5 f(x)dx$이므로

$$\int_{-1}^5 f(x)dx=\int_{-1}^1 f(x)dx+\int_1^3 f(x)dx+\int_3^5 f(x)dx=3\int_{-1}^1 f(x)dx$$
$$=3\int_{-1}^1 x^2\,dx=3\left[\frac{1}{3}x^3\right]_{-1}^1=3\left\{\frac{1}{3}-\left(-\frac{1}{3}\right)\right\}=2$$

필수예제 04 **구간에 따라 함수가 다를 때의 정적분**

더 다양한 문제는 RPM 수학 II 114쪽

함수 $f(x)=\begin{cases} x^2+1 & (x\le 0) \\ 1-5x & (x\ge 0) \end{cases}$에 대하여 정적분 $\int_{-1}^{2} f(x)dx$의 값을 구하시오.

설명

$x\le c$일 때와 $x\ge c$일 때의 함수가 다르게 정의된 경우의 정적분은 $x=c$를 기준으로 구간을 나눈 후 $\int_a^b f(x)dx=\int_a^c f(x)dx+\int_c^b f(x)dx$임을 이용하여 계산한다.

풀이

$-1\le x\le 0$일 때, $f(x)=x^2+1$
$0\le x\le 2$일 때, $f(x)=1-5x$
이므로

$$\begin{aligned}\int_{-1}^{2} f(x)dx &= \int_{-1}^{0} f(x)dx+\int_{0}^{2} f(x)dx \\ &= \int_{-1}^{0}(x^2+1)dx+\int_{0}^{2}(1-5x)dx \\ &= \left[\frac{1}{3}x^3+x\right]_{-1}^{0}+\left[x-\frac{5}{2}x^2\right]_{0}^{2} \\ &= \left\{0-\left(-\frac{1}{3}-1\right)\right\}+\{(2-10)-0\}=\mathbf{-\frac{20}{3}}\end{aligned}$$

KEY Point

- 함수 $f(x)=\begin{cases} g(x) & (x\le c) \\ h(x) & (x\ge c) \end{cases}$가 닫힌구간 $[a, b]$에서 연속이고 $a<c<b$일 때
⇨ $\int_a^b f(x)dx=\int_a^c g(x)dx+\int_c^b h(x)dx$

181 함수 $f(x)=\begin{cases} x^2 & (x\le 1) \\ -2x+3 & (x\ge 1) \end{cases}$에 대하여 정적분 $\int_{0}^{2} xf(x)dx$의 값을 구하시오.

182 함수 $f(x)=\begin{cases} x+1 & (x\le 0) \\ x^2-2x+1 & (x\ge 0) \end{cases}$에 대하여 정적분 $\int_{-1}^{2} f(x-1)dx$의 값을 구하시오.

더 다양한 문제는 RPM 수학 Ⅱ 114쪽

필수예제 05 절댓값 기호가 포함된 함수의 정적분

다음 정적분의 값을 구하시오.

(1) $\int_{0}^{3} |x-2|\,dx$　　　　(2) $\int_{-1}^{3} |x(x-2)|\,dx$

설명

• 피적분함수에 절댓값 기호가 포함되어 있을 때는 그래프를 그려서 생각하되 범위에 따라 구간을 나누어 생각한다.

• $|A|=\begin{cases} A & (A\geq 0) \\ -A & (A<0) \end{cases}$

풀이

(1) $f(x)=|x-2|$라 하면 닫힌구간 $[0, 3]$에서

$$f(x)=\begin{cases} -x+2 & (0\leq x\leq 2) \\ x-2 & (2\leq x\leq 3) \end{cases}$$

따라서 구하는 정적분의 값은

$$\int_{0}^{3} |x-2|\,dx=\int_{0}^{2}(-x+2)\,dx+\int_{2}^{3}(x-2)\,dx$$

$$=\left[-\frac{1}{2}x^2+2x\right]_{0}^{2}+\left[\frac{1}{2}x^2-2x\right]_{2}^{3}=\mathbf{\frac{5}{2}}$$

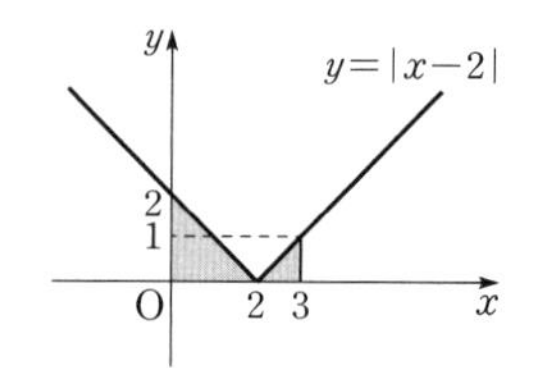

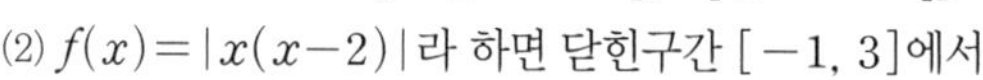

(2) $f(x)=|x(x-2)|$라 하면 닫힌구간 $[-1, 3]$에서

$$f(x)=\begin{cases} x(x-2) & (-1\leq x\leq 0 \text{ 또는 } 2\leq x\leq 3) \\ -x(x-2) & (0\leq x\leq 2) \end{cases}$$

따라서 구하는 정적분의 값은

$$\int_{-1}^{3} |x(x-2)|\,dx$$

$$=\int_{-1}^{0}(x^2-2x)\,dx+\int_{0}^{2}(-x^2+2x)\,dx+\int_{2}^{3}(x^2-2x)\,dx$$

$$=\left[\frac{1}{3}x^3-x^2\right]_{-1}^{0}+\left[-\frac{1}{3}x^3+x^2\right]_{0}^{2}+\left[\frac{1}{3}x^3-x^2\right]_{2}^{3}$$

$$=\frac{4}{3}+\frac{4}{3}+\frac{4}{3}=\mathbf{4}$$

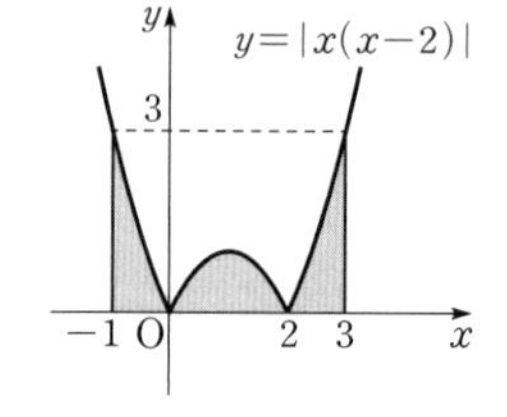

▶ $y=|f(x)|$의 그래프는 $y=f(x)$의 그래프의 (x축 윗부분)+(x축 아랫부분을 x축에 대하여 대칭이동한 부분)이다.

KEY Point

• 절댓값 기호를 포함한 함수 $y=|f(x)|$의 정적분은 절댓값 기호 안의 식의 값이 0이 되는 x의 값을 경계로 적분 구간을 나누어 계산한다.

183 다음 정적분의 값을 구하시오.

(1) $\int_{-2}^{0} |2x+3|\,dx$　　　　(2) $\int_{-1}^{1} |x-x^2|\,dx$

(3) $\int_{0}^{2} |x^2+x-2|\,dx$　　　　(4) $\int_{-2}^{1} (|x|+x+1)^2\,dx$

184 등식 $\int_{0}^{a} |x^2-1|\,dx=\frac{56}{3}$을 만족시키는 실수 a의 값을 구하시오. (단, $a>1$)

필수예제 06 우함수와 기함수의 정적분 (1)

더 다양한 문제는 RPM 수학 Ⅱ 115쪽

정적분 $\int_{-1}^{1}(x^7+5x^5-4x^3+3x^2-7x+2)dx$의 값을 구하시오.

설명 위끝과 아래끝의 절댓값이 같고 부호가 다를 때, 피적분함수를 우함수, 기함수로 나누어 계산한다.

풀이 (주어진 식)$=\int_{-1}^{1}(x^7+5x^5-4x^3-7x)dx+\int_{-1}^{1}(3x^2+2)dx$

$=2\int_{0}^{1}(3x^2+2)dx=2\Big[x^3+2x\Big]_0^1=\mathbf{6}$

필수예제 07 우함수와 기함수의 정적분 (2)

더 다양한 문제는 RPM 수학 Ⅱ 115쪽

두 다항함수 $f(x)$, $g(x)$가 모든 실수 x에 대하여 $f(x)=f(-x)$, $g(-x)=-g(x)$를 만족시킨다. $\int_{0}^{2}f(x)dx=3$, $\int_{0}^{2}g(x)dx=4$일 때, 정적분 $\int_{-2}^{2}\{f(x)-2g(x)\}dx$의 값을 구하시오.

풀이 모든 실수 x에 대하여 $f(x)=f(-x)$이므로 $y=f(x)$는 그래프가 y축에 대하여 대칭인 우함수이다.

$\therefore \int_{-2}^{2}f(x)dx=2\int_{0}^{2}f(x)dx=2\cdot3=6$

모든 실수 x에 대하여 $g(-x)=-g(x)$이므로 $y=g(x)$는 그래프가 원점에 대하여 대칭인 기함수이다.

$\therefore \int_{-2}^{2}g(x)dx=0$

$\therefore \int_{-2}^{2}\{f(x)-2g(x)\}dx=\int_{-2}^{2}f(x)dx-2\int_{-2}^{2}g(x)dx$

$=6-2\cdot0=\mathbf{6}$

KEY Point

- $f(-x)=f(x)$이면 ⇨ $f(x)$는 우함수
- $f(-x)=-f(x)$이면 ⇨ $f(x)$는 기함수

185 다음 정적분의 값을 구하시오.

(1) $\int_{-2}^{2}(x^5-2x^3+6x^2-3x-1)dx$

(2) $\int_{-1}^{0}(1+2t+3t^2+4t^3)dt+\int_{0}^{1}(4x^3+3x^2+2x+1)dx$

186 두 다항함수 $f(x)$, $g(x)$가 모든 실수 x에 대하여 $f(-x)=-f(x)$, $g(x)=g(-x)$를 만족시킨다. $\int_{0}^{3}f(x)dx=1$, $\int_{0}^{3}g(x)dx=2$일 때, 정적분 $\int_{-3}^{3}\{f(x)+g(x)\}dx$의 값을 구하시오.

한 걸음 더

필수예제 08 주기함수의 정적분

더 다양한 문제는 RPM 수학 Ⅱ 119쪽

연속함수 $f(x)$가 모든 실수 x에 대하여 $f(x)=f(x+2)$를 만족시키고, $-1\le x\le 1$에서 $f(x)=-x^2+2$이다. 이때 정적분 $\int_{-1}^{6} f(x)dx$의 값을 구하시오.

풀이 $f(x)=f(x+2)$이므로

$$\int_{-1}^{1} f(x)dx=\int_{1}^{3} f(x)dx=\int_{3}^{5} f(x)dx \quad \cdots\cdots ㉠$$

이때 $f(x)$가 우함수이므로

$$\int_{-1}^{1} f(x)dx=2\int_{0}^{1} f(x)dx \quad \cdots\cdots ㉡$$

㉠, ㉡에서

$$\begin{aligned}\int_{-1}^{6} f(x)dx&=\int_{-1}^{1} f(x)dx+\int_{1}^{3} f(x)dx+\int_{3}^{5} f(x)dx+\int_{5}^{6} f(x)dx\\&=\int_{-1}^{1} f(x)dx+\int_{-1}^{1} f(x)dx+\int_{-1}^{1} f(x)dx+\int_{-1}^{0} f(x)dx\\&=2\int_{0}^{1} f(x)dx+2\int_{0}^{1} f(x)dx+2\int_{0}^{1} f(x)dx+\int_{0}^{1} f(x)dx\\&=7\int_{0}^{1} f(x)dx=7\int_{0}^{1}(-x^2+2)dx\\&=7\left[-\frac{1}{3}x^3+2x\right]_0^1=\mathbf{\frac{35}{3}}\end{aligned}$$

← $f(x)$가 우함수이므로 $\int_{-1}^{0} f(x)dx=\int_{0}^{1} f(x)dx$

KEY Point

- 함수 $f(x)$가 모든 실수 x에 대하여 $f(x+p)=f(x)$를 만족시킬 때, 닫힌구간 $[a, b]$에서의 정적분의 값은 닫힌구간 $[a+p, b+p]$에서의 정적분의 값과 같다.
  ⇨ $\int_{a}^{b} f(x)dx=\int_{a+p}^{b+p} f(x)dx$

187 연속함수 $f(x)$가 모든 실수 x에 대하여 $f(x+3)=f(x)$, $\int_{1}^{4} f(x)dx=5$를 만족시킬 때, 정적분 $\int_{1}^{10} f(x)dx$의 값을 구하시오.

188 연속함수 $f(x)$가 다음 두 조건을 모두 만족시킬 때, 정적분 $\int_{0}^{10} f(x)dx$의 값을 구하시오.

> (가) $0\le x\le 4$일 때, $f(x)=-x^2+4x$
> (나) 모든 실수 x에 대하여 $f(x+4)=f(x)$

연습문제

STEP 1

생각해 봅시다!

199 함수 $f(x)=6x^2+2ax$가 $\int_0^1 f(x)dx=f(1)$을 만족시킬 때, 상수 a의 값을 구하시오.

200 $\int_{-2}^{1}(-3x^2+4kx-2)dx<3$을 만족시키는 정수 k의 최솟값을 구하시오.

정적분의 값을 계산한 후 정수 k의 최솟값을 구한다.

201 다음 정적분의 값을 구하시오.

(1) $\int_{-2}^{0}(3x+2)dx-\int_{-2}^{5}(3x+2)dx+\int_{0}^{5}(3x+2)dx$

(2) $\int_{-1}^{0}\frac{y^3}{y-1}dy-\int_{-1}^{0}\frac{1}{x-1}dx-\int_{1}^{0}(x^2+x+1)dx$

(3) $\int_{-1}^{3}(2x-1)dx+\int_{1}^{2}(2t-1)dt+\int_{3}^{1}(2y-1)dy$

202 함수 $f(x)=\begin{cases}x^2+4 & (x\le1)\\ 2x+3 & (x\ge1)\end{cases}$에 대하여 정적분 $\int_0^2 f(x)dx$의 값을 구하시오.

203 다음 정적분의 값을 구하시오.

(1) $\int_{-2}^{2}|x^2+4x-5|dx$

(2) $\int_{0}^{4}(|x-2|+|x-3|)dx$

절댓값 기호가 포함된 함수의 정적분
⇨ 그래프를 그리고 구간을 나누어 생각한다.

204 다항함수 $f(x)$가 모든 실수 x에 대하여 $f(-x)=f(x)$, $\int_0^2 f(x)dx=\frac{1}{4}$을 만족시킬 때, 정적분 $\int_{-2}^{2}(3x^3-2x+6)f(x)dx$의 값을 구하시오.

$f(-x)=f(x)$
⇨ $f(x)$는 우함수

STEP 2

205 삼차함수 $f(x)=ax^3+bx+3$이 $\lim_{x\to 1}\frac{f(x)}{x-1}=1$을 만족시킬 때, 정적분 $\int_0^1 f(x)dx$의 값을 구하시오. (단, a, b는 상수)

> $x\to 1$일 때 (분모)$\to 0$이므로 $f(1)=0$
> $\lim_{x\to 1}\frac{f(x)}{x-1}=f'(1)$

206 함수 $f(x)$가 $\int_0^1 f(x)dx=1$, $\int_0^1 xf(x)dx=2$를 만족시킬 때, 정적분 $\int_0^1 (x-k)^2 f(x)dx$의 값이 최소가 되도록 하는 실수 k의 값을 구하시오.

[수능기출]

207 이차함수 $f(x)$는 $f(0)=-1$이고 $\int_{-1}^1 f(x)dx=\int_0^1 f(x)dx=\int_{-1}^0 f(x)dx$를 만족시킨다. $f(2)$의 값을 구하시오.

> $\int_a^b f(x)dx$
> $=\int_a^c f(x)dx+\int_c^b f(x)dx$

208 연속함수 $f(x)=\begin{cases} 3x^2-4x+a & (x\le 1) \\ 2x+3 & (x>1) \end{cases}$에 대하여 $\int_{-1}^3 f(x)dx=b$일 때, $a+b$의 값을 구하시오. (단, a는 상수)

> $f(x)$가 $x=1$에서 연속
> ⇨ $\lim_{x\to 1-}f(x)=\lim_{x\to 1+}f(x)$
> $=f(1)$

209 일차함수 $f(x)$가 $\int_{-1}^1 xf(x)dx=2$, $\int_{-1}^1 x^2 f(x)dx=-2$를 만족시킬 때, $f(-2)$의 값을 구하시오.

210 연속함수 $f(x)$가 다음 두 조건을 모두 만족시킬 때, 정적분 $\int_{2018}^{2020} f(x)dx$의 값을 구하시오.

> (가) $-2\le x\le 2$일 때, $f(x)=x^3-4x$
> (나) 모든 실수 x에 대하여 $f(x)=f(x+4)$

실력 UP

> **생각해 봅시다!**
> 삼차함수 $f(x)$가 극값을 갖지 않을 조건
> ⇨ 이차방정식 $f'(x)=0$의 판별식을 D라 할 때, $D\le 0$

211 삼차함수 $f(x)=x^3+ax^2+(2a-3)x+1$이 극값을 갖지 않을 때, 정적분 $6\left\{\int_1^2 \frac{f(x)}{x}dx+\int_2^1 \frac{1}{x}dx\right\}$의 값을 구하시오. (단, a는 상수)

212 도함수 $y=f'(x)$의 그래프가 오른쪽 그림과 같은 함수 $y=f(x)$에 대하여 $f(0)=2$이고, $F(x)=\int_0^1 f(x-t)dt$라 할 때, $F(x)$의 최솟값을 구하시오.

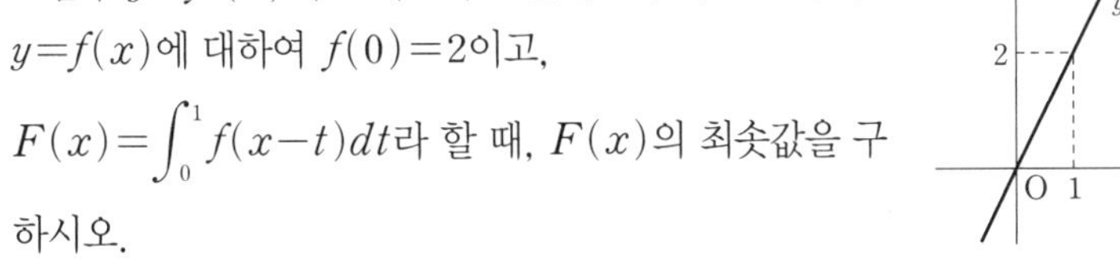

213 $0\le a\le 1$일 때, 정적분 $\int_0^1 x|x-a|dx$의 값이 최대가 되도록 하는 실수 a의 값을 구하시오.

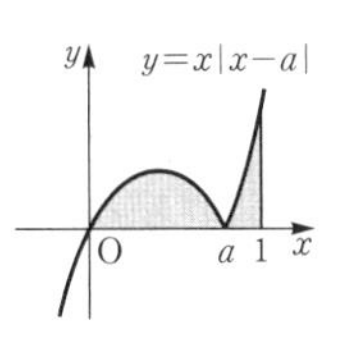

214 연속함수 $f(x)$가 다음 두 조건을 모두 만족시킬 때, 정적분 $\int_0^1 f(x)dx$를 a, b로 나타내시오.

> (가) 모든 실수 x에 대하여 $f(1+x)=f(1-x)$
> (나) $\int_{-1}^0 f(x)dx=a$, $\int_0^3 f(x)dx=b$

215 연속함수 $f(x)$는 임의의 실수 x에 대하여 다음 두 조건을 모두 만족시킨다.

> (가) $f(-x)=f(x)$　　　(나) $f(x)=f(x+4)$

$\int_0^2 f(x)dx=16$일 때, 정적분 $\int_{-4}^8 f(x)dx$의 값을 구하시오.

> $f(-x)=f(x)$
> ⇨ $f(x)$는 우함수

03 정적분으로 정의된 함수

개념원리 이해

1. 정적분으로 정의된 함수

(1) 정적분의 위끝이나 아래끝 또는 피적분함수에 적분변수 외의 변수가 포함되어 있는 함수

⇨ $\int_a^x f(t)dt$, $\int_x^{x+1} f(t)dt$, $\int_0^1 (x-t)f(t)dt$, $\int_0^2 (x+t)dt$ 등

(2) 정적분 $\int_a^b f(t)dt$의 값은 일반적으로 실수이지만 a, b에 적분변수 t가 아닌 다른 변수 x가 있으면 이 정적분은 t에 대한 함수가 아니라 **x에 대한 함수**가 된다.

예 $\int_1^x (t^2-2t)dt=\left[\frac{1}{3}t^3-t^2\right]_1^x=\left(\frac{1}{3}x^3-x^2\right)-\left(\frac{1}{3}-1\right)=\frac{1}{3}x^3-x^2+\frac{2}{3}$

2. 정적분으로 정의된 함수의 미분

(1) $\frac{d}{dx}\int_a^x f(t)dt=f(x)$ (단, a는 실수)

└ $f(t)$의 t 대신에 x를 대입한다.

(2) $\frac{d}{dx}\int_x^{x+a} f(t)dt=f(x+a)-f(x)$ (단, a는 실수)

▶ ① $f(t)$의 변수 t는 적분변수 t와 같아야 한다.

② t는 적분변수이므로 $\int_a^x f(t)dt$는 t에 대한 함수가 아니라 x에 대한 함수이다.

③ $\frac{d}{dx}\int_a^x tf(t)dt=xf(x)$

설명 닫힌구간 $[a, b]$에서 연속인 함수 $f(t)$가 $a<x<b$이면 $\int_a^x f(t)dt$는 x의 값에 따라 그 값이 하나씩 정해지므로 x에 대한 함수이다. 이때 $f(t)$의 한 부정적분을 $F(t)$라 하면 $F'(t)=f(t)$

(1) $\int_a^x f(t)dt=\Big[F(t)\Big]_a^x=F(x)-F(a)$

$\therefore \frac{d}{dx}\int_a^x f(t)dt=\frac{d}{dx}\{F(x)-F(a)\}=F'(x)-0=f(x)$

(2) $\int_x^{x+a} f(t)dt=\Big[F(t)\Big]_x^{x+a}=F(x+a)-F(x)$

$\therefore \frac{d}{dx}\int_x^{x+a} f(t)dt=\frac{d}{dx}\{F(x+a)-F(x)\}=f(x+a)-f(x)$

예 (1) $\frac{d}{dx}\int_1^x (t^2+2t+1)dt=x^2+2x+1$

(2) $\frac{d}{dx}\int_x^{x+1} (t^2+t)dt=\{(x+1)^2+(x+1)\}-(x^2+x)=2x+2$

3. 정적분으로 정의된 함수에서 $f(x)$ 구하기

(1) 적분 구간이 상수인 경우 ⊳ 필수예제 9

$f(x)=g(x)+\int_a^b f(t)dt$($a$, b는 상수)의 꼴일 때, 함수 $f(x)$ 구하기

⇨ $\int_a^b f(t)dt=k$(k는 상수)로 놓으면 $f(x)=g(x)+k$, 즉 $f(t)=g(t)+k$

따라서 $\int_a^b \{g(t)+k\}dt=k$이므로 이를 만족시키는 k의 값을 구한다.

(2) 적분 구간에 변수 x가 있는 경우 ⊳ 필수예제 10

$\int_a^x f(t)dt=g(x)$(a는 상수)의 꼴일 때, 함수 $f(x)$ 구하기

⇨ $\int_a^x f(t)dt=g(x)$의 양변을 x에 대하여 미분하고 $\int_a^a f(t)dt=g(a)=0$임을 이용한다.

(3) 적분 구간과 피적분함수에 변수 x가 있는 경우 ⊳ 필수예제 11

$\int_a^x (x-t)f(t)dt=g(x)$($a$는 상수)의 꼴일 때, 함수 $f(x)$ 구하기

⇨ $\int_a^x (x-t)f(t)dt=x\int_a^x f(t)dt-\int_a^x tf(t)dt$로 변형한 후 양변을 x에 대하여 미분한다.

4. 정적분으로 정의된 함수의 극한 $\left(\lim+\int\text{의 꼴}\right)$ ⊳ 필수예제 14

(1) $\displaystyle\lim_{x\to a}\frac{1}{x-a}\int_a^x f(t)dt=f(a)$

(2) $\displaystyle\lim_{x\to 0}\frac{1}{x}\int_a^{x+a} f(t)dt=f(a)$

설명 함수 $f(t)$의 한 부정적분을 $F(t)$라 하면 $F'(t)=f(t)$

(1) $\displaystyle\lim_{x\to a}\frac{1}{x-a}\int_a^x f(t)dt=\lim_{x\to a}\frac{\Big[F(t)\Big]_a^x}{x-a}=\lim_{x\to a}\frac{F(x)-F(a)}{x-a}=F'(a)=f(a)$

(2) $\displaystyle\lim_{x\to 0}\frac{1}{x}\int_a^{x+a} f(t)dt=\lim_{x\to 0}\frac{\Big[F(t)\Big]_a^{x+a}}{x}=\lim_{x\to 0}\frac{F(x+a)-F(a)}{x}=F'(a)=f(a)$

예 (1) $\displaystyle\lim_{x\to 2}\frac{1}{x-2}\int_2^x (t^2-t-1)dt=2^2-2-1=1$

(2) $\displaystyle\lim_{x\to 0}\frac{1}{x}\int_1^{x+1} (3t^2-2)dt=3-2=1$

개념원리 익히기

189 다음을 구하시오.

(1) $\dfrac{d}{dx}\displaystyle\int_{0}^{x}(t^2+2)dt$

(2) $\dfrac{d}{dx}\displaystyle\int_{-1}^{x}(3t^2-2t+3)dt$

(3) $\dfrac{d}{dx}\displaystyle\int_{2}^{x}(5t^3-3t^2)dt$

(4) $\dfrac{d}{dx}\displaystyle\int_{-2}^{x}(3t^2+t)(t-1)dt$

(5) $\dfrac{d}{dx}\displaystyle\int_{x}^{x+2}(t^2-2t+1)dt$

(6) $\dfrac{d}{dx}\displaystyle\int_{x}^{x+1}(2t+1)(t-2)dt$

생각해 봅시다!

정적분으로 정의된 함수의 미분

190 모든 실수 x에 대하여 다음 등식이 성립할 때, $f(x)$를 구하시오.

(1) $\displaystyle\int_{1}^{x}f(t)dt=2x^2-5x+3$

(2) $\displaystyle\int_{-1}^{x}f(t)dt=-x^2+3x+4$

(3) $\displaystyle\int_{2}^{x}f(t)dt=3x^3-6x-12$

(4) $\displaystyle\int_{0}^{x}f(t)dt=4x^3+3x^2+2x$

(5) $\displaystyle\int_{3}^{x}f(t)dt=(x+1)(x-3)$

(6) $\displaystyle\int_{-2}^{x}f(t)dt=(2x^2+3)(x+2)$

적분 구간에 변수 x가 있는 경우

적분 구간이 상수인 경우

더 다양한 문제는 RPM 수학 Ⅱ 116쪽

다음 등식을 만족시키는 함수 $f(x)$를 구하시오.

(1) $f(x)=x^3-3x^2+4\int_0^1 f(t)dt$ (2) $f(x)=x^3+\int_0^2 (x-t)f(t)dt$

설명

(1) 적분 구간이 상수로만 되어 있으므로 $\int_0^1 f(t)dt=k$ (k는 상수)로 놓고 k의 값을 구한 다음 $f(x)$를 구한다.

(2) 피적분함수에서 적분변수 이외의 문자는 상수로 취급하여 적분 기호 밖으로 끌어낸다. 적분변수가 t이므로 x는 상수이다.

풀이

(1) $\int_0^1 f(t)dt=k$(k는 상수) …… ㉠로 놓으면

$f(x)=x^3-3x^2+4k$

이것을 ㉠에 대입하면

$k=\int_0^1 f(t)dt=\int_0^1 (t^3-3t^2+4k)dt=\left[\frac{1}{4}t^4-t^3+4kt\right]_0^1=4k-\frac{3}{4}$

즉, $k=4k-\frac{3}{4}$이므로 $k=\frac{1}{4}$

$\therefore$ $\boldsymbol{f(x)=x^3-3x^2+1}$

(2) 주어진 식에서 $f(x)=x^3+\int_0^2 \{xf(t)-tf(t)\}dt=x^3+x\int_0^2 f(t)dt-\int_0^2 tf(t)dt$

$\int_0^2 f(t)dt=a$, $\int_0^2 tf(t)dt=b$ (a, b는 상수)로 놓으면 $f(x)=x^3+ax-b$

$a=\int_0^2 f(t)dt=\int_0^2 (t^3+at-b)dt=\left[\frac{1}{4}t^4+\frac{a}{2}t^2-bt\right]_0^2=4+2a-2b$

$\therefore$ $a-2b+4=0$ …… ㉠

$b=\int_0^2 tf(t)dt=\int_0^2 (t^4+at^2-bt)dt=\left[\frac{1}{5}t^5+\frac{a}{3}t^3-\frac{b}{2}t^2\right]_0^2=\frac{32}{5}+\frac{8a}{3}-2b$

$\therefore$ $40a-45b+96=0$ …… ㉡

㉠, ㉡을 연립하여 풀면 $a=-\frac{12}{35}$, $b=\frac{64}{35}$ $\therefore$ $\boldsymbol{f(x)=x^3-\frac{12}{35}x-\frac{64}{35}}$

KEY Point

- 적분 구간이 상수인 경우

$f(x)=g(x)+\int_a^b f(t)dt$($a$, b는 상수)의 꼴일 때, 함수 $f(x)$ 구하기

⇨ $\int_a^b f(t)dt=k$(k는 상수)로 놓고 $f(x)=g(x)+k$임을 이용한다.

191 다음 등식을 만족시키는 함수 $f(x)$에 대하여 $f(1)$의 값을 구하시오.

(1) $f(x)=x^2+\int_0^1 xf(t)dt$ (2) $f(x)=-2x^2+3x+\int_0^1 tf(t)dt$

(3) $f(x)=x^2+\int_0^2 (3x+1)f(t)dt$ (4) $f(x)=3x^2+\int_0^1 (2x-t)f(t)dt$

필수예제 10 적분 구간에 변수가 있는 경우 (1)

더 다양한 문제는 RPM 수학 Ⅱ 116, 117쪽

다음 물음에 답하시오.

(1) 다항함수 $f(x)$가 모든 실수 x에 대하여 $\int_{1}^{x} f(t)dt=x^4+x^3-2ax$를 만족시킬 때, $f(1)$의 값을 구하시오. (단, a는 상수)

(2) 다항함수 $f(x)$가 모든 실수 x에 대하여 $xf(x)=\frac{2}{3}x^3+\int_{3}^{x} f(t)dt$를 만족시킬 때, $f(2)$의 값을 구하시오.

설명 적분 구간이 변수로 되어 있을 때는 양변을 미분하고 $\int_{a}^{a} f(t)dt=0$임을 이용한다.

풀이 (1) 주어진 식의 양변을 x에 대하여 미분하면

$f(x)=4x^3+3x^2-2a$

주어진 식의 양변에 $x=1$을 대입하면

$\int_{1}^{1} f(t)dt=1+1-2a$ $\quad \leftarrow \int_{1}^{1} f(t)dt=0$

$0=2-2a \quad \therefore a=1$

따라서 $f(x)=4x^3+3x^2-2$이므로

$f(1)=4+3-2=\mathbf{5}$

(2) 주어진 식의 양변을 x에 대하여 미분하면

$f(x)+xf'(x)=2x^2+f(x) \quad \therefore f'(x)=2x$

$\therefore f(x)=\int 2x\,dx=x^2+C$ (C는 적분상수) ...... ㉠ $\quad \leftarrow f(x)=\int f'(x)dx$

주어진 식의 양변에 $x=3$을 대입하면

$3f(3)=18 \quad \therefore f(3)=6$

㉠의 양변에 $x=3$을 대입하면

$6=9+C \quad \therefore C=-3$

따라서 $f(x)=x^2-3$이므로

$f(2)=4-3=\mathbf{1}$

192 다항함수 $f(x)$가 모든 실수 x에 대하여 $\int_{a}^{x} f(t)dt=x^2-3x-10$을 만족시킬 때, $f(a)$의 값을 구하시오. (단, $a<0$)

193 다항함수 $f(x)$가 모든 실수 x에 대하여 다음 등식을 만족시킬 때, $f(-1)$의 값을 구하시오.

(1) $xf(x)=x^3-3x^2-\int_{x}^{2} f(t)dt$

(2) $x^2f(x)=\frac{2}{3}x^6-\frac{1}{2}x^4-\frac{1}{6}+2\int_{1}^{x} tf(t)dt$

필수예제 11 적분 구간에 변수가 있는 경우 (2)

더 다양한 문제는 RPM 수학 Ⅱ 117쪽

임의의 실수 x에 대하여 다항함수 $f(x)$가 $\int_{-1}^{x}(x-t)f(t)dt=x^3+4x^2+5x+2$를 만족시킬 때, $f(x)$를 구하시오.

설명 $\int_a^x xf(t)dt$와 같이 적분변수가 t인 정적분에서 적분변수 t가 아닌 다른 변수 x는 상수로 취급한다.

⇨ $\int_a^x xf(t)dt=x\int_a^x f(t)dt$

풀이 주어진 등식의 좌변을 정리하면

$\int_{-1}^{x}(x-t)f(t)dt=\int_{-1}^{x}xf(t)dt-\int_{-1}^{x}tf(t)dt=x\int_{-1}^{x}f(t)dt-\int_{-1}^{x}tf(t)dt$이므로

$x\int_{-1}^{x}f(t)dt-\int_{-1}^{x}tf(t)dt=x^3+4x^2+5x+2$

이 식의 양변을 x에 대하여 미분하면

$\int_{-1}^{x}f(t)dt+xf(x)-xf(x)=3x^2+8x+5$

$\therefore \int_{-1}^{x}f(t)dt=3x^2+8x+5$

이 식의 양변을 다시 x에 대하여 미분하면

$\boldsymbol{f(x)=6x+8}$

KEY Point

- $\int_a^x (x-t)f(t)dt=x\int_a^x f(t)dt-\int_a^x tf(t)dt$
- $\int_a^x (x-t)f(t)dt=g(x)$의 꼴
  ⇨ 양변을 x에 대하여 두 번 미분하여 $f(x)$를 구한다.

194 임의의 실수 x에 대하여 다항함수 $f(x)$가 $\int_1^x (x-t)f(t)dt=x^4-3x^2+2x$를 만족시킬 때, $f(-1)$의 값을 구하시오.

195 임의의 실수 x에 대하여 다음 등식을 만족시키는 다항함수 $f(x)$를 구하시오. (단, a, b는 상수)

(1) $\int_1^x (x-t)f(t)dt=x^4+ax^2+1$

(2) $\int_1^x (x-t)f(t)dt=x^3+ax^2+bx$

필수예제 **12** **정적분으로 정의된 함수의 극대 · 극소**

더 다양한 문제는 RPM 수학 Ⅱ 119, 120쪽

함수 $f(x)=\int_{x}^{x+1}(t^3-t)dt$의 극댓값을 M, 극솟값을 m이라 할 때, $M-m$의 값을 구하시오.

설명 $f'(x)=0$을 만족시키는 x의 값을 이용하여 함수 $f(x)$의 증가와 감소를 나타내는 표를 그리고 함숫값(극값)을 찾는다.

풀이 $f(x)=\int_{x}^{x+1}(t^3-t)dt$의 양변을 x에 대하여 미분하면

$f'(x)=\{(x+1)^3-(x+1)\}-(x^3-x)=3x(x+1)$

$f'(x)=0$에서 $x=-1$ 또는 $x=0$

x	$\cdots$	-1	$\cdots$	0	$\cdots$
$f'(x)$	$+$	0	$-$	0	$+$
$f(x)$	↗	극대	↘	극소	↗

따라서 함수 $f(x)$는 $x=-1$에서 극대이므로 극댓값은

$M=f(-1)=\int_{-1}^{0}(t^3-t)dt$

$=\left[\frac{1}{4}t^4-\frac{1}{2}t^2\right]_{-1}^{0}=\frac{1}{4}$

또, $x=0$에서 극소이므로 극솟값은

$m=f(0)=\int_{0}^{1}(t^3-t)dt$

$=\left[\frac{1}{4}t^4-\frac{1}{2}t^2\right]_{0}^{1}=-\frac{1}{4}$

$\therefore M-m=\frac{1}{4}-\left(-\frac{1}{4}\right)=\mathbf{\frac{1}{2}}$

KEY Point

- $f(x)=\int_{a}^{x}g(t)dt$(a는 상수)와 같이 정의된 다항함수 $f(x)$의 극값을 구할 때
  ⇨ 양변을 x에 대하여 미분한 다음 $f'(x)=0$을 만족시키는 x의 값을 구한다.

196 함수 $f(x)=\int_{-3}^{x}(t^2+t+k)dt$가 $x=-3$에서 극댓값을 가질 때, $f(x)$의 극솟값을 구하시오. (단, k는 상수)

197 이차함수 $y=f(x)$의 그래프가 오른쪽 그림과 같을 때, $F(x)=\int_{1}^{x}f(t)dt$를 만족시키는 함수 $F(x)$의 극댓값을 구하시오.

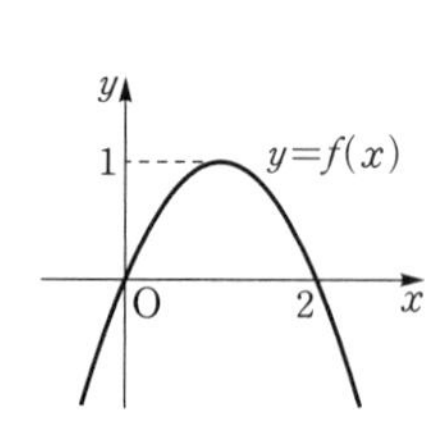

필수예제 **13** **정적분으로 정의된 함수의 최대 · 최소**

더 다양한 문제는 RPM 수학 Ⅱ 120쪽

닫힌구간 $[0, 2]$에서 함수 $f(x)=\int_{0}^{x}(1-t)(2+t)dt$의 최댓값과 최솟값을 각각 구하시오.

설명 **닫힌구간 $[a, b]$에서 극값과 $f(a)$, $f(b)$의 값을 비교하여 최댓값과 최솟값을 찾는다.**

풀이 $f(x)=\int_{0}^{x}(1-t)(2+t)dt$의 양변을 x에 대하여 미분하면

$f'(x)=(1-x)(2+x)$

$f'(x)=0$에서 $x=1$ ($\because 0\le x\le 2$)

x	0	$\cdots$	1	$\cdots$	2
$f'(x)$		+	0	−	
$f(x)$		↗	극대	↘	

이때

$f(0)=\int_{0}^{0}(-t^2-t+2)dt=0$

$f(1)=\int_{0}^{1}(-t^2-t+2)dt=\left[-\frac{1}{3}t^3-\frac{1}{2}t^2+2t\right]_0^1=\frac{7}{6}$

$f(2)=\int_{0}^{2}(-t^2-t+2)dt=\left[-\frac{1}{3}t^3-\frac{1}{2}t^2+2t\right]_0^2=-\frac{2}{3}$

이므로 닫힌구간 $[0, 2]$에서 함수 $f(x)$의 **최댓값은 $\frac{7}{6}$, 최솟값은 $-\frac{2}{3}$**이다.

KEY Point

- 정적분으로 정의된 함수의 최대 · 최소
  ⇨ 주어진 닫힌구간에서 $f'(x)=0$이 되는 x의 값과 양 끝 값에서의 함숫값 중 최댓값과 최솟값을 찾는다.

198 $0\le x\le 3$에서 함수 $f(x)=\int_{0}^{x}(t-1)(t-5)dt$의 최댓값을 구하시오.

199 $-2\le x\le 1$에서 함수 $f(x)=\int_{x}^{x+1}(2t^2+2t)dt$의 최댓값을 M, 최솟값을 m이라 할 때, $M-m$의 값을 구하시오.

필수예제 **14** **정적분으로 정의된 함수의 극한 $\left(\lim + \int \text{의 꼴}\right)$**

더 다양한 문제는 RPM 수학 Ⅱ 118쪽

다음 극한값을 구하시오.

(1) $f(x)=2x^3-4x^2+3x+1$일 때, $\lim_{x\to 2}\frac{1}{x-2}\int_2^x f(t)dt$

(2) $\lim_{h\to 0}\frac{1}{h}\int_2^{2+2h}(x^2+x+1)dx$

설명 정적분으로 정의된 함수의 극한 ⇨ 피적분함수 $f(x)$의 한 부정적분을 $F(x)$로 놓고 미분계수의 정의와 $F'(x)=f(x)$임을 이용한다.

풀이 (1) $f(x)$의 한 부정적분을 $F(x)$라 하면

$$\int_2^x f(t)dt=\int_2^x(2t^3-4t^2+3t+1)dt=\Big[F(t)\Big]_2^x=F(x)-F(2)$$

$$\therefore \lim_{x\to 2}\frac{1}{x-2}\int_2^x f(t)dt=\lim_{x\to 2}\frac{F(x)-F(2)}{x-2}=F'(2)$$

이때 $F'(x)=f(x)$이므로

$F'(2)=f(2)=16-16+6+1=\mathbf{7}$

(2) $f(x)=x^2+x+1$로 놓고 $f(x)$의 한 부정적분을 $F(x)$라 하면

$$\int_2^{2+2h}(x^2+x+1)dx=\Big[F(x)\Big]_2^{2+2h}=F(2+2h)-F(2)$$

$$\therefore \lim_{h\to 0}\frac{1}{h}\int_2^{2+2h}(x^2+x+1)dx=\lim_{h\to 0}\frac{F(2+2h)-F(2)}{h}$$

$$=\lim_{h\to 0}\frac{F(2+2h)-F(2)}{2h}\cdot 2=2F'(2)$$

이때 $F'(x)=f(x)$이므로

$2F'(2)=2f(2)=2(4+2+1)=\mathbf{14}$

다른풀이 (1) 공식을 이용하면 $\lim_{x\to 2}\frac{1}{x-2}\int_2^x f(t)dt=f(2)=16-16+6+1=7$

KEY Point

- $\lim_{x\to a}\frac{f(x)-f(a)}{x-a}=\lim_{h\to 0}\frac{f(a+h)-f(a)}{h}=f'(a)$ ⟵ 미분계수의 정의
- $\lim_{x\to a}\frac{1}{x-a}\int_a^x f(t)dt=f(a)$, $\lim_{x\to 0}\frac{1}{x}\int_a^{x+a} f(t)dt=f(a)$

200 다음 극한값을 구하시오.

(1) $\lim_{x\to 1}\frac{1}{x-1}\int_1^x (t-2)^3dt$

(2) $\lim_{x\to 1}\frac{1}{x-1}\int_1^{x^2} (2t^2+3t-1)dt$

(3) $\lim_{x\to 1}\frac{1}{x^2-1}\int_1^x |t-4|dt$

(4) $\lim_{h\to 0}\frac{1}{h}\int_{2-h}^{2+h} (3x^2-x+1)dx$

201 $\lim_{h\to 0}\frac{1}{h}\int_{-1}^{-1+h}(ax-x^2)dx=-3$을 만족시키는 상수 a의 값을 구하시오.

연습문제

STEP 1

생각해 봅시다!

216 함수 $F(x)=\int_0^x (t^3-1)dt$에 대하여 $F'(2)$의 값은?

① 3 ② 5 ③ 7 ④ 9 ⑤ 11

217 함수 $f(x)$에 대하여 $f(x)=2x+\int_0^2 f(t)dt$일 때, $f(1)$의 값은?

① -4 ② -2 ③ 0 ④ 2 ⑤ 4

$\int_0^2 f(t)dt=k$(k는 상수)로 놓는다.

218 임의의 실수 x에 대하여 다항함수 $f(x)$가 $\int_2^x f(t)dt=x^3-3ax^2+3a^2x-a^3$을 만족시킬 때, $f(x)$의 최솟값은? (단, a는 상수)

① -2 ② -1 ③ 0 ④ 1 ⑤ 2

$\int_a^a f(t)dt=0$

[평가원기출]

219 다항함수 $f(x)$에 대하여 $\int_0^x f(t)dt=x^3-2x^2-2x\int_0^1 f(t)dt$일 때, $f(0)=a$라 하자. $60a$의 값을 구하시오.

220 함수 $f(x)=\int_{-3}^x (3t^2-6t-9)dt$의 극값을 구하시오.

양변을 x에 대하여 미분한 후, $f'(x)=0$을 만족시키는 x의 값을 구한다.

221 $\lim_{x\to 0}\frac{1}{x}\int_{2-x}^{2+x}|t^2-9|dt$의 값은?

① 7 ② 8 ③ 9 ④ 10 ⑤ 11

$\lim_{x\to 0}\frac{f(a+x)-f(a)}{x}=f'(a)$

STEP 2

[평가원기출]

222 이차함수 $f(x)$에 대하여

$$f(x)=\frac{12}{7}x^2-2x\int_1^2 f(t)dt+\left\{\int_1^2 f(t)dt\right\}^2$$

일 때, $10\int_1^2 f(x)dx$의 값을 구하시오.

> $\int_1^2 f(t)dt=k$ (k는 상수)로 놓는다.

223 임의의 실수 x에 대하여 다항함수 $f(x)$가

$\int_0^x f(t)dt=\frac{8}{3}x^3-3x^2+4x\int_0^2 tf(t)dt$를 만족시킬 때,

$\int_0^2 tf(t)dt+f(2)$의 값을 구하시오.

224 임의의 실수 x에 대하여 다항함수 $f(x)$가

$\int_1^x (x-t)f(t)dt=x^4+ax^2+bx$를 만족시킬 때, ab의 값을 구하시오.

(단, a, b는 상수)

> 좌변을 전개한 후 양변을 x에 대하여 미분한다.

225 함수 $f(x)=\int_0^x (t^2+at+b)dt$가 $x=3$에서 극솟값 0을 가질 때, 이 함수의 극댓값과 그때의 x의 값을 구하시오. (단, a, b는 상수)

226 이차함수 $y=f(x)$의 그래프가 오른쪽 그림과 같을 때, 함수 $g(x)=\int_{x-1}^x f(t)dt$의 최댓값은?

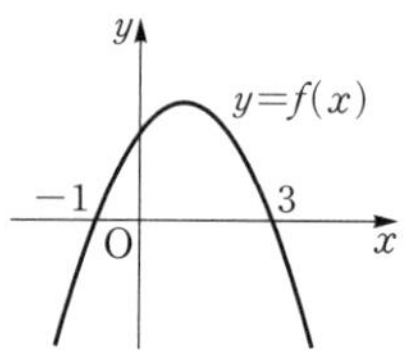

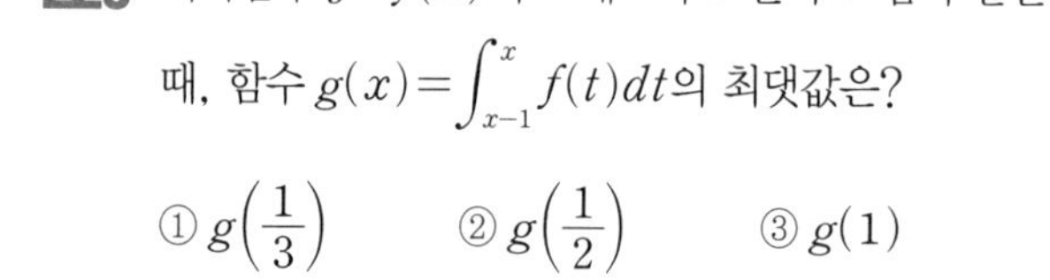

① $g\left(\frac{1}{3}\right)$ ② $g\left(\frac{1}{2}\right)$ ③ $g(1)$
④ $g\left(\frac{3}{2}\right)$ ⑤ $g(2)$

> $f(x)=a(x+1)(x-3)$ $(a<0)$으로 놓는다.

227 임의의 실수 x에 대하여 다항함수 $f(x)$가 $\int_0^x f(t)dt=\frac{1}{3}x^3+nx$를 만족시키고 $f(1)=4$일 때, $\lim_{x\to -3}\frac{1}{x^2-9}\int_{-3}^x t^2f(t)dt$의 값을 구하시오.

(단, n은 자연수)

> $\lim_{x\to a}\frac{f(x)-f(a)}{x-a}=f'(a)$

실력 UP

228 함수 $f(x)$가 $f(x)-x^2+2ax=3\int_0^a \left\{2+\frac{df(t)}{dt}\right\}dt$를 만족시키고 $f(0)=0$일 때, 양수 a의 값을 구하시오.

생각해 봅시다!
$\frac{df(t)}{dt}=f'(t)$이므로
$\int_0^a \{2+f'(t)\}dt=k$
(k는 상수)로 놓는다.

229 함수 $f(x)=-x^3+\frac{3}{2}x^2+6x-k$에 대하여 함수 $G(x)=\int_1^x f(t)dt$가 극솟값을 갖도록 하는 정수 k의 최댓값을 M, 최솟값을 m이라 할 때, $\frac{M}{m}$의 값은?

① -5　② -4　③ -3　④ -2　⑤ -1

[교육청기출]

230 양수 a, b에 대하여 함수 $f(x)=\int_0^x (t-a)(t-b)dt$가 다음 조건을 만족시킬 때, $a+b$의 값을 구하시오.

> (가) 함수 $f(x)$는 $x=\frac{1}{2}$에서 극값을 갖는다.
>
> (나) $f(a)-f(b)=\frac{1}{6}$

함수 $f(x)$는 $x=\frac{1}{2}$에서 극값을 갖는다.
⇨ $f'\left(\frac{1}{2}\right)=0$

231 다항함수 $f(x)$가 $\lim_{x\to 2}\frac{f(x)-\int_2^x f(t)dt}{x^3-8}=\frac{1}{2}$을 만족시킬 때, $f'(2)$의 값은?

① 0　② 2　③ 4　④ 6　⑤ 8

Take a Break

사랑의 열병

세상에는 마음대로 할 수 없는 일이 많지만, 그중에서도 누군가를 사랑하게 되는 일만큼 자신의 의지대로 되지 않는 것은 없는 것 같습니다.
여기, 사랑의 쓰라림을 겪은 사람이 있다고 합시다.
그 사람은 다시는 사랑하지 않겠노라고 단단히 결심을 합니다.
하지만 그 결심이 평생 흔들리지 않는다는 보장을 할 수 없죠.
'그렇게 큰 아픔을 겪었는데, 그 미친 짓을 왜 또 해?'
그렇게 넌더리를 치다가도 어느 순간 누군가를 사랑하고 있는 자신을 발견하고는 깜짝 놀라게 될 때도 있을 것입니다.
사랑이 당신에게 그렇게 요구하면 순종하기를 바랍니다.
설사 다시 한 번 아픔을 겪는다 해도, 사랑 없는 빈껍데기 인생을 사는 것보다는 나으니까요.

「내 삶을 기쁘게 하는 모든 것들」 중에서

III

적분

01 넓이 (1)

3. 정적분의 활용

개념원리 이해

1. 곡선과 x축 사이의 넓이 ⊳ 필수예제 1, 2

함수 $f(x)$가 닫힌구간 $[a, b]$에서 연속일 때, 곡선 $y=f(x)$와 x축 및 두 직선 $x=a$, $x=b$로 둘러싸인 도형의 넓이 S는

$$S=\int_a^b |f(x)|dx$$

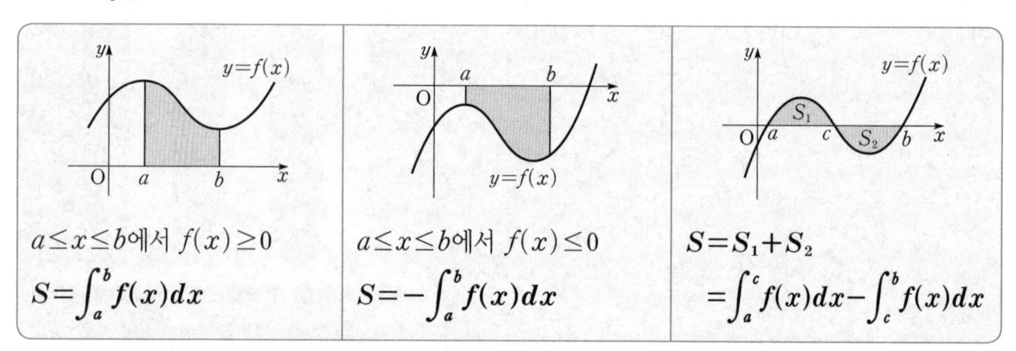

$a\le x\le b$에서 $f(x)\ge 0$	$a\le x\le b$에서 $f(x)\le 0$	$S=S_1+S_2$
$S=\int_a^b f(x)dx$	$S=-\int_a^b f(x)dx$	$=\int_a^c f(x)dx-\int_c^b f(x)dx$

▶ ① 닫힌구간 $[a, b]$에서 $f(x)\le 0$일 때, $-f(x)\ge 0$이고 두 곡선 $y=f(x)$, $y=-f(x)$는 x축에 대하여 대칭이므로 구하는 넓이 S는

$$S=\int_a^b \{-f(x)\}dx=-\int_a^b f(x)dx$$

② $S=S_1+S_2$를 절댓값 기호를 써서 다음과 같이 하나의 식으로 나타낼 수 있다.

$$S_1+S_2=\int_a^c f(x)dx+\int_c^b \{-f(x)\}dx=\int_a^c |f(x)|dx+\int_c^b |f(x)|dx=\int_a^b |f(x)|dx$$

③ $f(x)\ge 0$이면 (정적분의 값)$=$(넓이), $f(x)<0$이면 (정적분의 값)$\ne$(넓이)

2. 두 곡선 사이의 넓이 ⊳ 필수예제 3, 4

두 함수 $f(x)$, $g(x)$가 닫힌구간 $[a, b]$에서 연속일 때, 두 곡선 $y=f(x)$, $y=g(x)$ 및 두 직선 $x=a$, $x=b$로 둘러싸인 도형의 넓이 S는

$$S=\int_a^b |f(x)-g(x)|dx$$

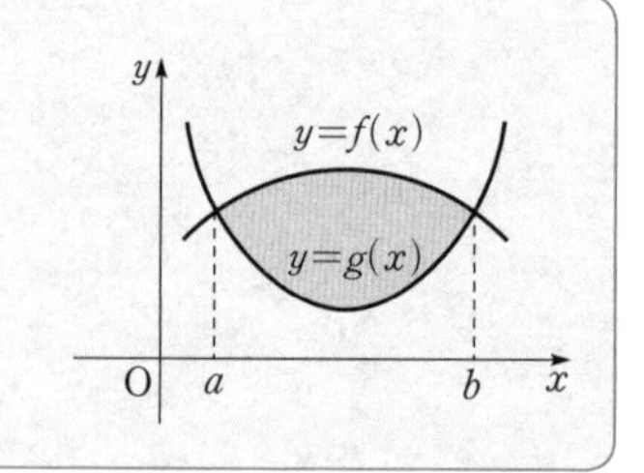

▶ ① $S=\int_a^b \{(\text{위 식})-(\text{아래 식})\}dx$

② $f(x)\ge g(x)\ge 0$일 때, S는 곡선 $y=f(x)$와 x축 및 두 직선 $x=a$, $x=b$로 둘러싸인 도형의 넓이에서 곡선 $y=g(x)$와 x축 및 두 직선 $x=a$, $x=b$로 둘러싸인 도형의 넓이를 뺀 것이다.

③ 두 그래프가 x축보다 위쪽에 있든, 아래쪽에 있든, x축을 사이에 두고 있든 두 곡선 사이의 넓이의 식은 변함이 없다.

설명 두 함수 $f(x)$와 $g(x)$가 닫힌구간 $[a, b]$에서 연속일 때, 두 곡선 $y=f(x)$, $y=g(x)$ 및 두 직선 $x=a$, $x=b$로 둘러싸인 도형의 넓이 S를 구해 보자.

(1) (i) $f(x) \geq g(x) \geq 0$일 때

구하는 넓이 S는

$$S=\int_a^b f(x)dx-\int_a^b g(x)dx$$

$$=\int_a^b \{f(x)-g(x)\}dx \quad \cdots\cdots \text{㉠}$$

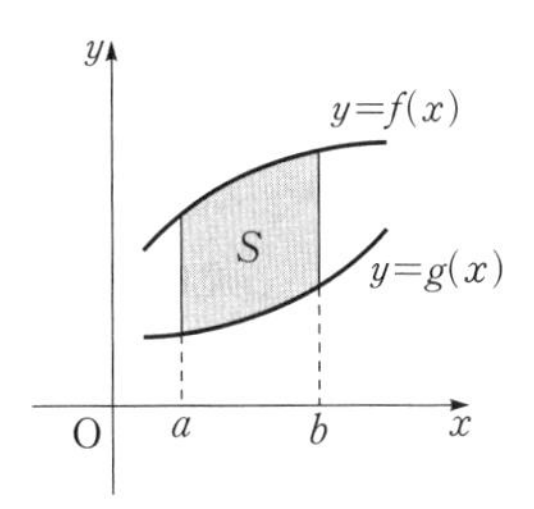

(ii) $f(x) \geq g(x)$이고 $f(x)$ 또는 $g(x)$가 음의 값을 가질 때

두 곡선 $y=f(x)$, $y=g(x)$를 y축의 양의 방향으로 적당히 m만큼 평행이동하여 $f(x)+m \geq g(x)+m \geq 0$이 되게 할 수 있다.

이때 두 곡선이 평행이동하여도 구하는 도형의 넓이는 변하지 않으므로 S는 두 곡선 $y=f(x)+m$, $y=g(x)+m$ 및 두 직선 $x=a$, $x=b$로 둘러싸인 도형의 넓이와 같다.

따라서 구하는 넓이 S는

$$S=\int_a^b \{f(x)+m\}dx-\int_a^b \{g(x)+m\}dx$$

$$=\int_a^b [\{f(x)+m\}-\{g(x)+m\}]dx$$

$$=\int_a^b \{f(x)-g(x)\}dx$$

따라서 $f(x)$, $g(x)$의 양, 음에 관계없이 $f(x) \geq g(x)$이면 ㉠이 성립한다.

(2) 두 곡선 $y=f(x)$와 $y=g(x)$가 오른쪽 그림과 같을 때, 두 곡선으로 둘러싸인 도형의 넓이 S는

$S=S_1+S_2$

$a \leq x \leq c$일 때, $f(x) \geq g(x)$이므로

$$S_1=\int_a^c \{f(x)-g(x)\}dx$$

$c \leq x \leq b$일 때, $f(x) \leq g(x)$이므로

$$S_2=\int_c^b \{g(x)-f(x)\}dx$$

$$\therefore S=\int_a^c \{f(x)-g(x)\}dx+\int_c^b \{g(x)-f(x)\}dx$$

$$=\int_a^c |f(x)-g(x)|dx+\int_c^b |f(x)-g(x)|dx=\int_a^b |f(x)-g(x)|dx$$

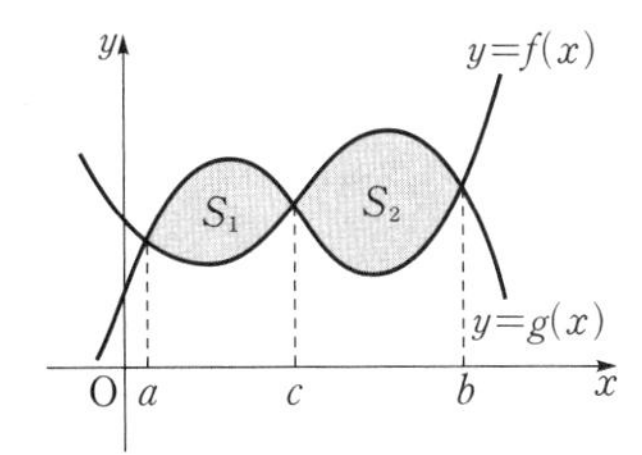

KEY Point

- **두 곡선 사이의 넓이를 구할 때**
  - **(i) 두 곡선의 교점의 x좌표를 구한다.**
  - **(ii) 각 구간별로 $\int_a^b \{(\text{위 식})-(\text{아래 식})\}dx$를 이용하여 정적분의 값을 구한다.**
  - **(iii) 각 구간별로 구한 정적분의 값을 더하여 넓이를 구한다.**

보충학습

1. 넓이를 구할 때 사용되는 특수한 공식들

포물선과 직선 또는 포물선과 포물선으로 둘러싸인 도형의 넓이를 구할 때는 다음과 같은 공식을 이용하여 쉽게 구할 수 있다.

(1) 포물선과 x축이 서로 다른 두 점에서 만날 때

포물선 $y=ax^2+bx+c$와 x축이 서로 다른 두 점에서 만날 때, 교점의 x좌표를 α, $\beta(\alpha<\beta)$라 하면 포물선과 x축으로 둘러싸인 도형의 넓이 S는

$$S=\frac{|a|(\beta-\alpha)^3}{6}$$

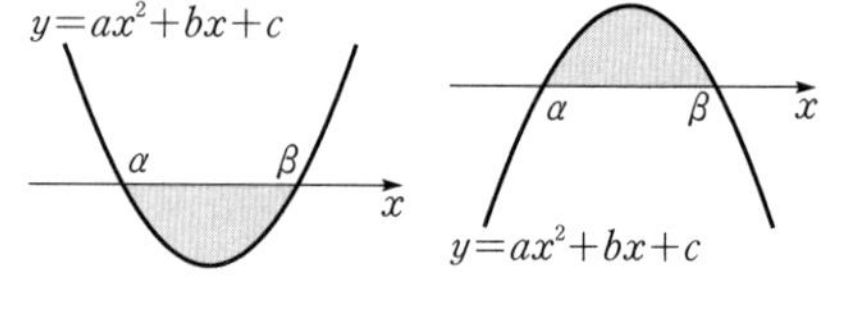

(2) 포물선과 직선이 서로 다른 두 점에서 만날 때

포물선 $y=ax^2+bx+c$와 직선 $y=mx+n$이 서로 다른 두 점에서 만날 때, 교점의 x좌표를 α, $\beta(\alpha<\beta)$라 하면 포물선과 직선으로 둘러싸인 도형의 넓이 S는

$$S=\frac{|a|(\beta-\alpha)^3}{6}$$

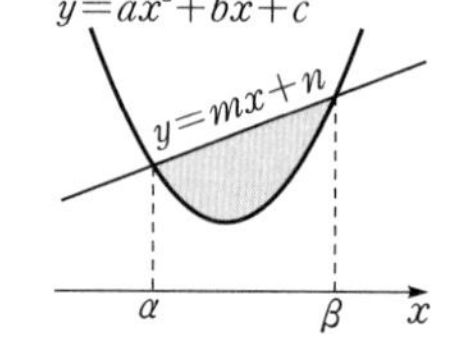

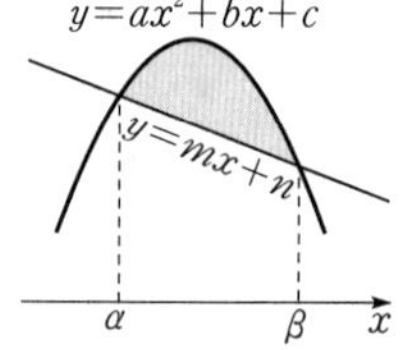

(3) 포물선과 포물선이 서로 다른 두 점에서 만날 때

두 포물선 $y=ax^2+bx+c$, $y=a'x^2+b'x+c'$이 서로 다른 두 점에서 만날 때, 교점의 x좌표를 α, $\beta(\alpha<\beta)$라 하면 두 포물선으로 둘러싸인 도형의 넓이 S는

$$S=\frac{|a-a'|(\beta-\alpha)^3}{6}$$

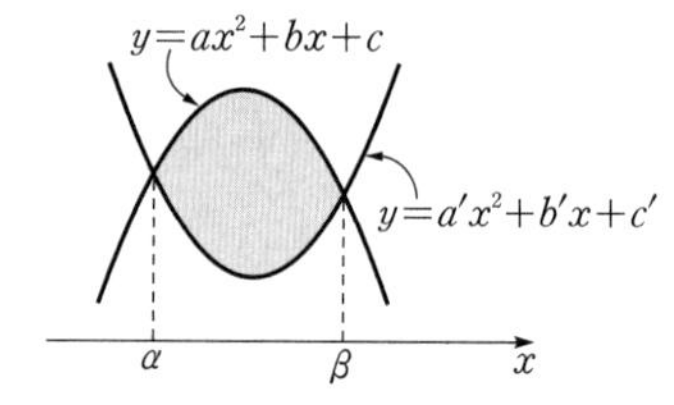

증명 (1) 방정식 $ax^2+bx+c=0\,(a\neq0)$의 두 실근이 α, $\beta(\alpha<\beta)$이므로

$$ax^2+bx+c=a(x-\alpha)(x-\beta)$$

$$\begin{aligned}\therefore S&=\int_\alpha^\beta|ax^2+bx+c|dx\\&=\int_\alpha^\beta|a(x-\alpha)(x-\beta)|dx\\&=|a|\int_\alpha^\beta\{-(x-\alpha)(x-\beta)\}dx\\&=-|a|\int_\alpha^\beta\{x^2-(\alpha+\beta)x+\alpha\beta\}dx\\&=-|a|\left[\frac{1}{3}x^3-\frac{1}{2}(\alpha+\beta)x^2+\alpha\beta x\right]_\alpha^\beta\\&=-|a|\left\{\frac{1}{3}(\beta^3-\alpha^3)-\frac{1}{2}(\alpha+\beta)(\beta^2-\alpha^2)+\alpha\beta(\beta-\alpha)\right\}\\&=-\frac{|a|}{6}(\beta-\alpha)\{2(\beta^2+\alpha\beta+\alpha^2)-3(\alpha+\beta)^2+6\alpha\beta\}\\&=\frac{|a|}{6}(\beta-\alpha)(\beta^2-2\alpha\beta+\alpha^2)=\frac{|a|(\beta-\alpha)^3}{6}\end{aligned}$$

같은 방법으로 하면 (2), (3)의 공식도 증명할 수 있다.

특강 곡선과 y축 사이의 넓이 (교육과정 外)

1. 곡선과 y축 사이의 넓이

함수 $g(y)$가 닫힌구간 $[c, d]$에서 연속일 때, 곡선 $x=g(y)$와 y축 및 두 직선 $y=c$, $y=d$로 둘러싸인 도형의 넓이 S는

$$S=\int_c^d |g(y)|dy$$

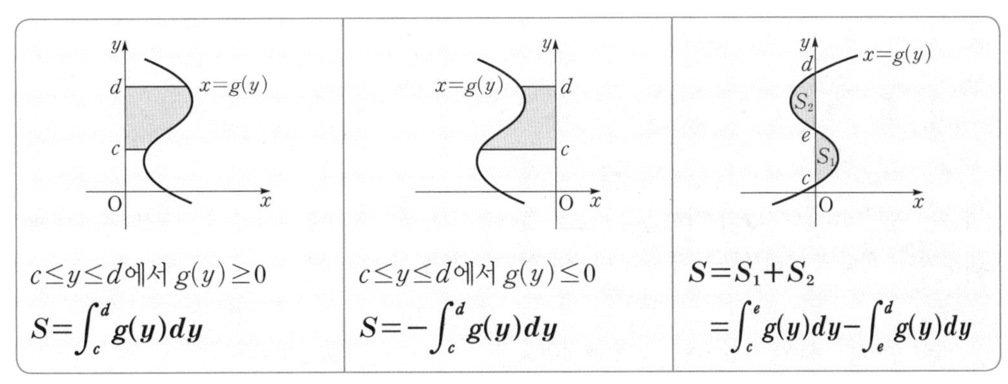

▶ ① 닫힌구간 $[c, d]$에서 $g(y)\le 0$일 때, 즉 곡선이 y축의 왼쪽에 있으면 '$-$'를 붙여서 $S=-\int_c^d g(y)dy$라 해야 한다.

② $S=S_1+S_2$를 절댓값 기호를 써서 다음과 같이 하나의 식으로 나타낼 수 있다.

$$S_1+S_2=\int_c^e g(y)dy+\int_e^d \{-g(y)\}dy=\int_c^e |g(y)|dy+\int_e^d |g(y)|dy=\int_c^d |g(y)|dy$$

특강 1 곡선과 y축 사이의 넓이

곡선 $x=-y^2+9$와 y축으로 둘러싸인 도형의 넓이를 구하시오.

풀이

곡선 $x=-y^2+9$와 y축과의 교점의 y좌표는

$-y^2+9=0$에서 $(y+3)(y-3)=0$ $\therefore y=-3$ 또는 $y=3$

따라서 곡선 $x=-y^2+9$와 y축으로 둘러싸인 부분은 오른쪽 그림의 색칠한 부분과 같다.

$-3\le y\le 3$에서 $x\ge 0$이므로 구하는 넓이를 S라 하면

$$S=\int_{-3}^{3}(-y^2+9)dy=\left[-\frac{1}{3}y^3+9y\right]_{-3}^{3}=\mathbf{36}$$

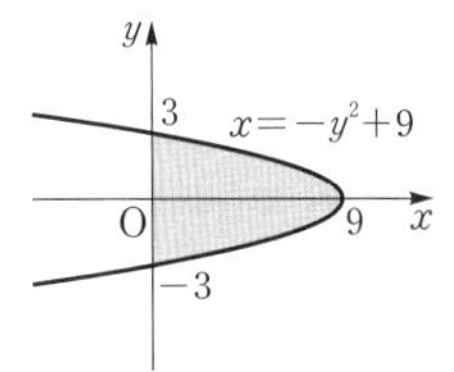

202 오른쪽 그림과 같이 곡선 $x=y(y-k)^2$과 y축으로 둘러싸인 도형의 넓이가 12일 때, 양수 k의 값을 구하시오.

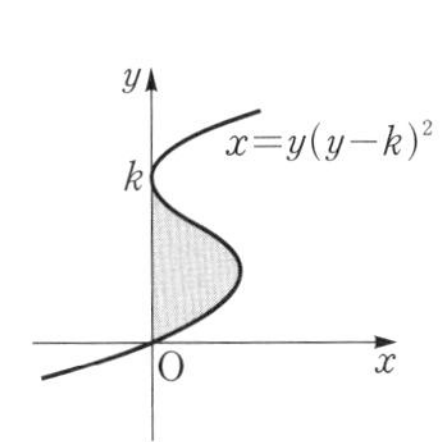

개념원리 익히기

203 다음은 곡선 $y=-x^2+2x$와 x축으로 둘러싸인 도형의 넓이를 구하는 과정이다. 함수의 그래프를 이용하여 빈칸에 알맞은 것을 써넣으시오.

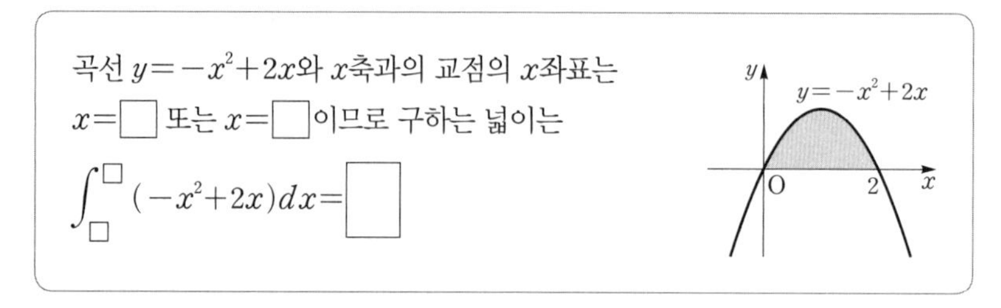

> 생각해 봅시다!
> 곡선과 x축 사이의 넓이

204 다음은 곡선 $y=x^2-4x$와 직선 $y=-x$로 둘러싸인 도형의 넓이를 구하는 과정이다. 함수의 그래프를 이용하여 빈칸에 알맞은 것을 써넣으시오.

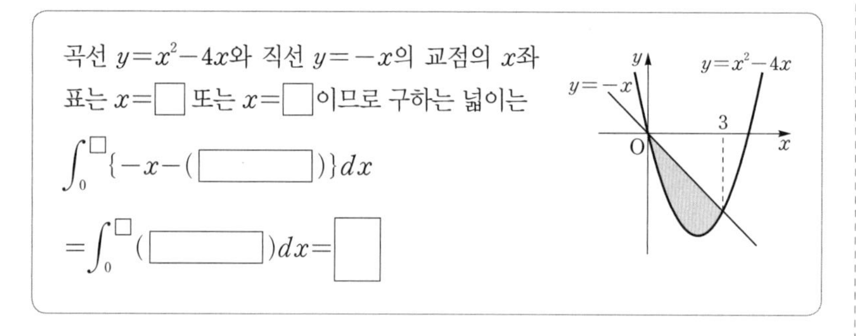

> 곡선과 직선 사이의 넓이

205 다음은 두 곡선 $y=x^2+x$, $y=-2x^2+x+3$으로 둘러싸인 도형의 넓이를 구하는 과정이다. 함수의 그래프를 이용하여 빈칸에 알맞은 것을 써넣으시오.

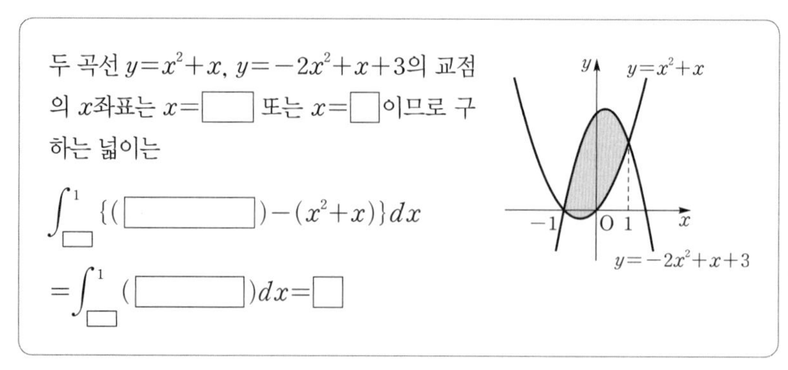

> 두 곡선 사이의 넓이

더 다양한 문제는 RPM 수학 Ⅱ 126쪽

필수예제 01 곡선과 x축 사이의 넓이 (1)

다음 곡선과 x축으로 둘러싸인 도형의 넓이를 구하시오.

(1) $y=x^2-2x-3$ (2) $y=x^3-4x^2+3x$

풀이

(1) 곡선 $y=x^2-2x-3$과 x축과의 교점의 x좌표는

$x^2-2x-3=0$에서 $(x+1)(x-3)=0$ $\therefore x=-1$ 또는 $x=3$

따라서 곡선 $y=x^2-2x-3$과 x축으로 둘러싸인 부분은 오른쪽 그림의 색칠한 부분과 같다.

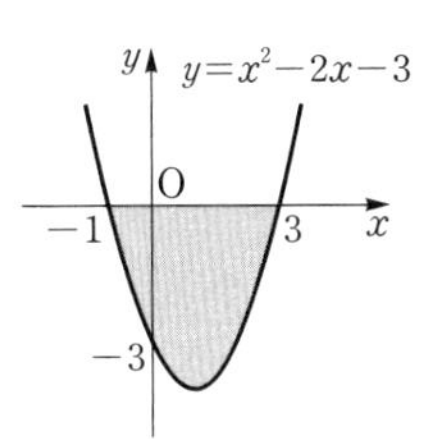

$-1\le x\le 3$에서 $y\le 0$이므로 구하는 넓이를 S라 하면

$$S=-\int_{-1}^{3}(x^2-2x-3)dx=-\left[\frac{1}{3}x^3-x^2-3x\right]_{-1}^{3}=\mathbf{\frac{32}{3}}$$

(2) 곡선 $y=x^3-4x^2+3x$와 x축과의 교점의 x좌표는

$x^3-4x^2+3x=0$에서 $x(x-1)(x-3)=0$

$\therefore x=0$ 또는 $x=1$ 또는 $x=3$

따라서 곡선 $y=x^3-4x^2+3x$와 x축으로 둘러싸인 부분은 오른쪽 그림의 색칠한 부분과 같다.

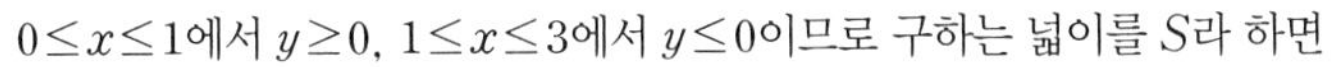
$0\le x\le 1$에서 $y\ge 0$, $1\le x\le 3$에서 $y\le 0$이므로 구하는 넓이를 S라 하면

$$S=\int_{0}^{1}(x^3-4x^2+3x)dx-\int_{1}^{3}(x^3-4x^2+3x)dx$$

$$=\left[\frac{1}{4}x^4-\frac{4}{3}x^3+\frac{3}{2}x^2\right]_{0}^{1}-\left[\frac{1}{4}x^4-\frac{4}{3}x^3+\frac{3}{2}x^2\right]_{1}^{3}=\mathbf{\frac{37}{12}}$$

다른풀이

(1) 공식을 이용하면 $S=\dfrac{|1|\{3-(-1)\}^3}{6}=\dfrac{32}{3}$

KEY Point

- **곡선 $y=f(x)$와 x축 사이의 넓이**
  - **(i) 곡선과 x축과의 교점의 x좌표를 구한 후 그래프를 그린다.**
  - **(ii) $y\ge 0$인 구간과 $y\le 0$인 구간으로 나누어 정적분의 값을 구한다.**
  - **⇨ $S=S_1+S_2=\int_a^b f(x)dx-\int_b^c f(x)dx$**

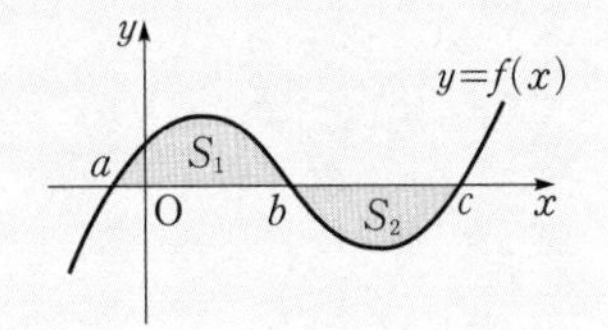

확인 체크

206 다음 곡선과 x축으로 둘러싸인 도형의 넓이를 구하시오.

(1) $y=-x^2+6x-8$ (2) $y=x^2-2x-8$

(3) $y=x^3-x^2-2x$ (4) $y=-x^3-3x^2+x+3$

207 곡선 $y=-x^2+kx(k<0)$와 x축으로 둘러싸인 도형의 넓이가 36일 때, 상수 k의 값을 구하시오.

필수예제 02 곡선과 x축 사이의 넓이 (2)

더 다양한 문제는 RPM 수학 Ⅱ 126쪽

다음 도형의 넓이를 구하시오.

(1) 곡선 $y=x^2-6x+5$와 x축 및 두 직선 $x=3$, $x=6$으로 둘러싸인 도형

(2) 곡선 $y=-2x^2+x+1$과 x축 및 직선 $x=-1$로 둘러싸인 도형

풀이 (1) 곡선 $y=x^2-6x+5$와 x축과의 교점의 x좌표는

$x^2-6x+5=0$에서 $(x-1)(x-5)=0$

$\therefore x=1$ 또는 $x=5$

따라서 곡선 $y=x^2-6x+5$와 x축 및 두 직선 $x=3$, $x=6$으로 둘러싸인 부분은 오른쪽 그림의 색칠한 부분과 같다.

$3\le x\le 5$에서 $y\le 0$, $5\le x\le 6$에서 $y\ge 0$이므로

구하는 넓이를 S라 하면

$$S=-\int_3^5 (x^2-6x+5)dx+\int_5^6 (x^2-6x+5)dx$$

$$=-\left[\frac{1}{3}x^3-3x^2+5x\right]_3^5+\left[\frac{1}{3}x^3-3x^2+5x\right]_5^6=\mathbf{\frac{23}{3}}$$

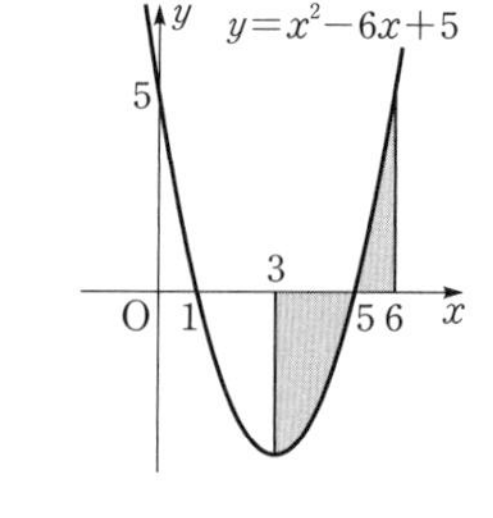

(2) 곡선 $y=-2x^2+x+1$과 x축과의 교점의 x좌표는

$-2x^2+x+1=0$에서 $2x^2-x-1=0$, $(2x+1)(x-1)=0$

$\therefore x=-\frac{1}{2}$ 또는 $x=1$

따라서 곡선 $y=-2x^2+x+1$과 x축 및 직선 $x=-1$로 둘러싸인 부분은 오른쪽 그림의 색칠한 부분과 같다.

$-1\le x\le -\frac{1}{2}$에서 $y\le 0$, $-\frac{1}{2}\le x\le 1$에서 $y\ge 0$이므로

구하는 넓이를 S라 하면

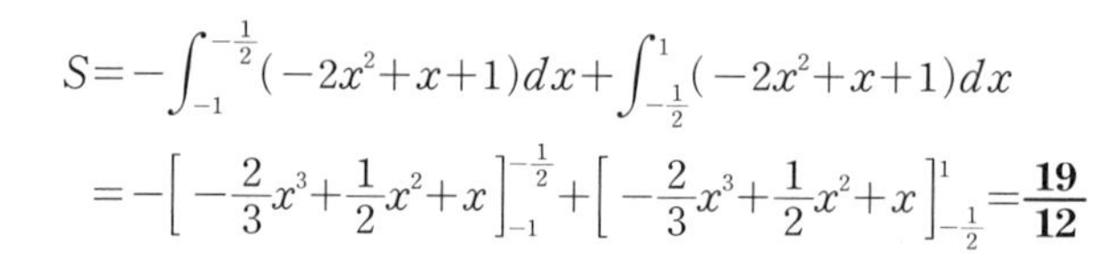

$$S=-\int_{-1}^{-\frac{1}{2}}(-2x^2+x+1)dx+\int_{-\frac{1}{2}}^{1}(-2x^2+x+1)dx$$

$$=-\left[-\frac{2}{3}x^3+\frac{1}{2}x^2+x\right]_{-1}^{-\frac{1}{2}}+\left[-\frac{2}{3}x^3+\frac{1}{2}x^2+x\right]_{-\frac{1}{2}}^{1}=\mathbf{\frac{19}{12}}$$

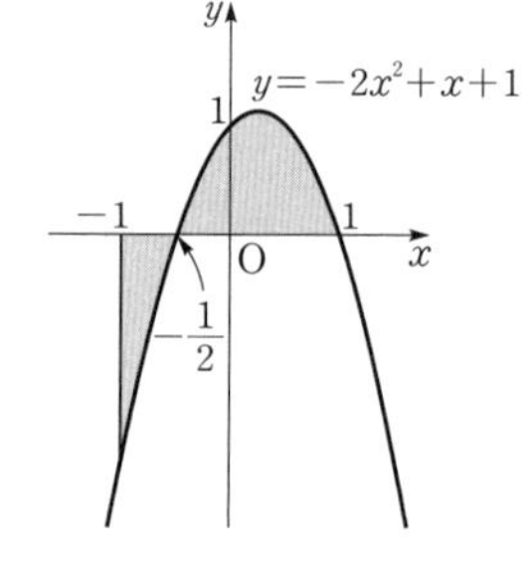

확인 체크

208 곡선 $y=x^2-3x+2$와 x축 및 직선 $x=3$으로 둘러싸인 도형의 넓이를 구하시오.

209 0보다 작은 정수 a에 대하여 곡선 $y=-x^2+3x$와 x축 및 직선 $x=a$로 둘러싸인 도형의 넓이가 $\frac{19}{3}$일 때, a의 값을 구하시오.

필수예제 03 곡선과 직선 사이의 넓이

더 다양한 문제는 RPM 수학 Ⅱ 127쪽

다음 곡선과 직선으로 둘러싸인 도형의 넓이를 구하시오.

(1) $y=x^2-1$, $y=-x+1$

(2) $y=x^3-3x^2+3x$, $y=x$

풀이

(1) 곡선 $y=x^2-1$과 직선 $y=-x+1$의 교점의 x좌표는

$x^2-1=-x+1$에서 $x^2+x-2=0$, $(x+2)(x-1)=0$

$\therefore x=-2$ 또는 $x=1$

오른쪽 그래프에서 $-2\le x\le 1$일 때, $x^2-1\le -x+1$

따라서 구하는 넓이를 S라 하면

$$S=\int_{-2}^{1}\{(-x+1)-(x^2-1)\}dx=\int_{-2}^{1}(-x^2-x+2)dx$$

$$=\left[-\frac{1}{3}x^3-\frac{1}{2}x^2+2x\right]_{-2}^{1}=\mathbf{\frac{9}{2}}$$

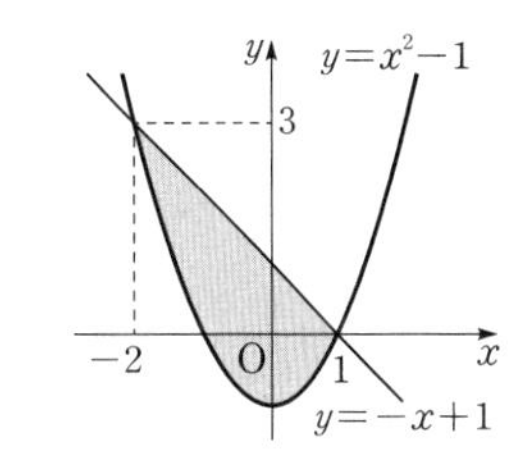

(2) 곡선 $y=x^3-3x^2+3x$와 직선 $y=x$의 교점의 x좌표는

$x^3-3x^2+3x=x$에서 $x^3-3x^2+2x=0$, $x(x-1)(x-2)=0$

$\therefore x=0$ 또는 $x=1$ 또는 $x=2$

오른쪽 그래프에서 $0\le x\le 1$일 때, $x^3-3x^2+3x\ge x$,

$1\le x\le 2$일 때, $x^3-3x^2+3x\le x$

따라서 구하는 넓이를 S라 하면

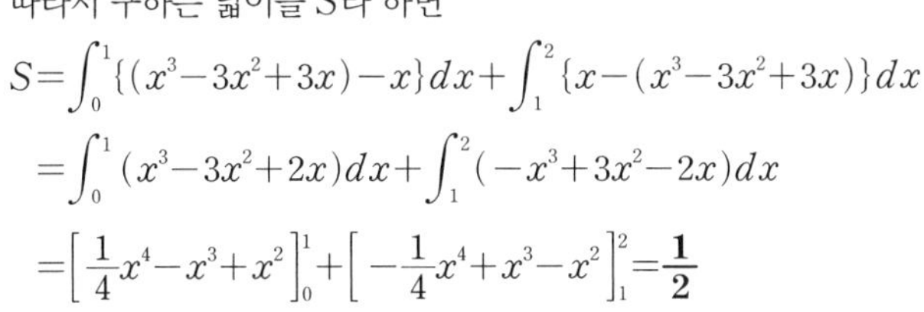

$$S=\int_{0}^{1}\{(x^3-3x^2+3x)-x\}dx+\int_{1}^{2}\{x-(x^3-3x^2+3x)\}dx$$

$$=\int_{0}^{1}(x^3-3x^2+2x)dx+\int_{1}^{2}(-x^3+3x^2-2x)dx$$

$$=\left[\frac{1}{4}x^4-x^3+x^2\right]_{0}^{1}+\left[-\frac{1}{4}x^4+x^3-x^2\right]_{1}^{2}=\mathbf{\frac{1}{2}}$$

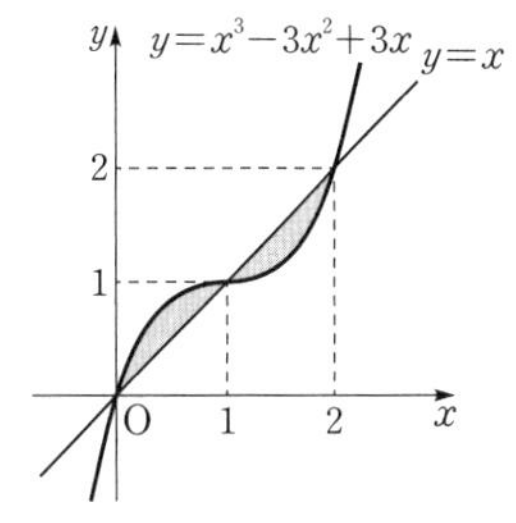

다른풀이

(1) 공식을 이용하면 $S=\dfrac{|1|\{1-(-2)\}^3}{6}=\dfrac{9}{2}$

KEY Point

- 곡선과 직선 사이의 넓이

⇨ 곡선과 직선의 교점의 x좌표를 구하여 적분 구간을 정한 다음 {(위 식)−(아래 식)}의 정적분의 값을 구한다.

210 다음 곡선과 직선으로 둘러싸인 도형의 넓이를 구하시오.

(1) $y=-2x^2+x+4$, $y=x+2$　　(2) $y=x^3-6x^2+9x$, $y=x$

211 곡선 $y=x^2-2x$와 직선 $y=ax$로 둘러싸인 도형의 넓이가 $\dfrac{9}{2}$일 때, 양수 a의 값을 구하시오.

두 곡선 사이의 넓이

더 다양한 문제는 RPM 수학 Ⅱ 127쪽

다음 두 곡선으로 둘러싸인 도형의 넓이를 구하시오.

(1) $y=x^2-2,\ y=2+2x-x^2$

(2) $y=x^3+2x^2-2,\ y=-x^2+2$

풀이 (1) 두 곡선 $y=x^2-2,\ y=2+2x-x^2$의 교점의 x좌표는

$x^2-2=2+2x-x^2$에서 $x^2-x-2=0,\ (x+1)(x-2)=0$

$\therefore x=-1$ 또는 $x=2$

오른쪽 그래프에서 $-1\le x\le 2$일 때, $x^2-2\le 2+2x-x^2$

따라서 구하는 넓이를 S라 하면

$$S=\int_{-1}^{2}\{(2+2x-x^2)-(x^2-2)\}dx$$

$$=\int_{-1}^{2}(-2x^2+2x+4)dx$$

$$=\left[-\frac{2}{3}x^3+x^2+4x\right]_{-1}^{2}$$

$$=\mathbf{9}$$

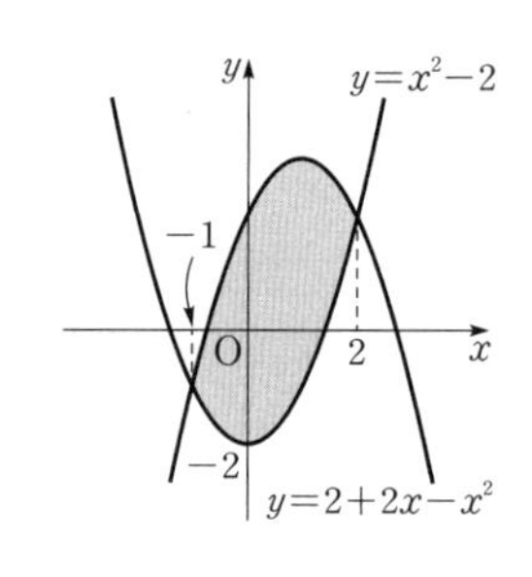

(2) 두 곡선 $y=x^3+2x^2-2,\ y=-x^2+2$의 교점의 x좌표는

$x^3+2x^2-2=-x^2+2$에서 $x^3+3x^2-4=0$

$(x+2)^2(x-1)=0 \qquad \therefore x=-2$ 또는 $x=1$

오른쪽 그래프에서 $-2\le x\le 1$일 때, $x^3+2x^2-2\le -x^2+2$

따라서 구하는 넓이를 S라 하면

$$S=\int_{-2}^{1}\{(-x^2+2)-(x^3+2x^2-2)\}dx$$

$$=\int_{-2}^{1}(-x^3-3x^2+4)dx$$

$$=\left[-\frac{1}{4}x^4-x^3+4x\right]_{-2}^{1}$$

$$=\mathbf{\frac{27}{4}}$$

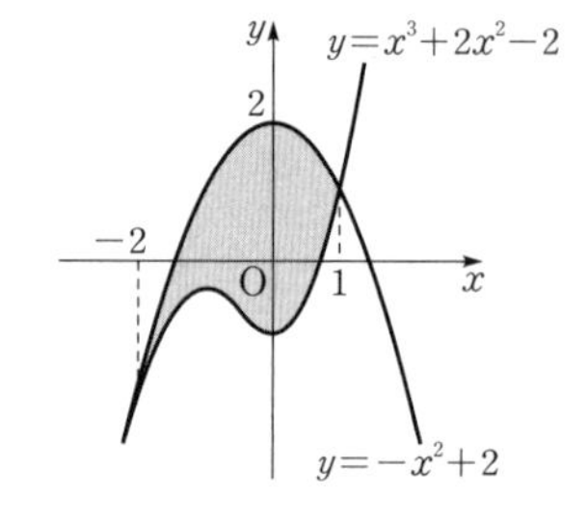

다른풀이 (1) 공식을 이용하면 $S=\dfrac{|1-(-1)|\{2-(-1)\}^3}{6}=9$

212 다음 두 곡선으로 둘러싸인 도형의 넓이를 구하시오.

(1) $y=x^3,\ y=3x^2-4$

(2) $y=x^3-3x^2-x+3,\ y=x^2-2x-3$

213 두 곡선 $y=\frac{1}{2}x^2,\ y=-\frac{1}{2}x^2+x$ 및 직선 $x=2$로 둘러싸인 도형의 넓이를 구하시오.

02 넓이 (2)

개념원리 이해

1. 곡선과 접선으로 둘러싸인 도형의 넓이 ⊳ 필수예제 5

곡선 $y=f(x)$와 $y=f(x)$ 위의 점 $(a,\ f(a))$에서의 접선으로 둘러싸인 도형의 넓이를 구할 때
(ⅰ) 곡선 $y=f(x)$ 위의 점 $(a,\ f(a))$에서의 접선의 방정식을 구한다.
이때 접선의 기울기는 $f'(a)$이다.
(ⅱ) 곡선과 접선을 그려 적분 구간에서 {(위 식)−(아래 식)}의 정적분의 값을 구한다.

▶ 삼차곡선 $y=ax^3+bx^2+cx+d\,(a\neq0)$와 그 접선 $y=mx+n$이 서로 다른 두 점에서 만날 때, 교점의 x좌표를 α, $\beta\,(\alpha<\beta)$라 하면 곡선과 접선으로 둘러싸인 도형의 넓이 S는

$$S=\frac{|a|(\beta-\alpha)^4}{12}$$

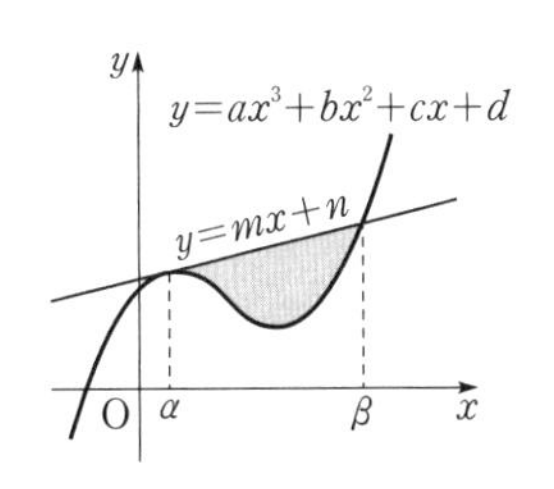

2. 넓이가 같을 때 ⊳ 필수예제 7

(1) 곡선과 x축으로 둘러싸인 두 도형의 넓이를 각각 S_1, S_2라 할 때

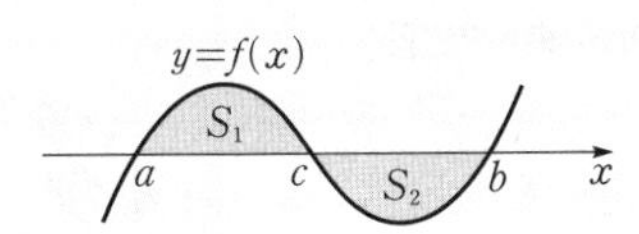

$S_1=S_2$이면

$$\int_a^b f(x)dx=0$$

(2) 두 곡선으로 둘러싸인 두 도형의 넓이를 각각 S_1, S_2라 할 때

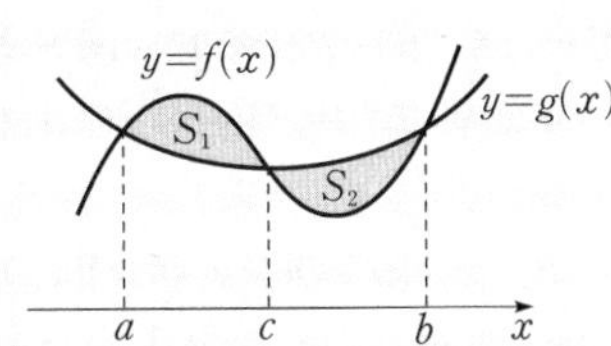

$S_1=S_2$이면

$$\int_a^b \{f(x)-g(x)\}dx=0$$

설명 (1) $S_1=\int_a^c f(x)dx$이고 $S_2=-\int_c^b f(x)dx$이므로 $S_1=S_2$에서

$$\int_a^c f(x)dx=-\int_c^b f(x)dx$$

$$\int_a^c f(x)dx+\int_c^b f(x)dx=0$$

$$\therefore \int_a^b f(x)dx=0$$

예 삼차함수 $f(x)=x^3-6x^2+8x$에 대하여 정적분 $\int_0^4 f(x)dx$의 값을 구하시오.

풀이 $x^3-6x^2+8x=0$에서 $x(x-2)(x-4)=0$ $\quad\therefore x=0$ 또는 $x=2$ 또는 $x=4$
삼차함수 $y=f(x)$의 그래프가 점 $(2,\ 0)$에 대하여 대칭이므로 $\int_0^4 f(x)dx=0$

3. 역함수와 넓이의 관계 ▷ 필수예제 10

함수 $y=f(x)$와 그 역함수 $y=g(x)$의 그래프로 둘러싸인 도형의 넓이는 함수 $y=f(x)$의 그래프와 그 역함수 $y=g(x)$의 그래프가 직선 $y=x$에 대하여 대칭임을 이용하여 다음과 같이 구할 수 있다.

(1) 함수와 그 역함수의 그래프로 둘러싸인 도형의 넓이

오른쪽 그림과 같이 함수 $y=f(x)$와 그 역함수 $y=g(x)$의 그래프로 둘러싸인 도형의 넓이 S는 직선 $y=x$와 곡선 $y=f(x)$로 둘러싸인 도형의 넓이의 2배이다.

$$S=2\int_{\alpha}^{\beta}|x-f(x)|dx$$

(2) 역함수의 그래프와 좌표축으로 둘러싸인 도형의 넓이

오른쪽 그림과 같이 함수 $y=f(x)$의 역함수 $y=g(x)$의 그래프와 x축 및 직선 $x=a$로 둘러싸인 도형의 넓이 A는

$$A=B=ab-\int_{0}^{b}f(x)dx$$

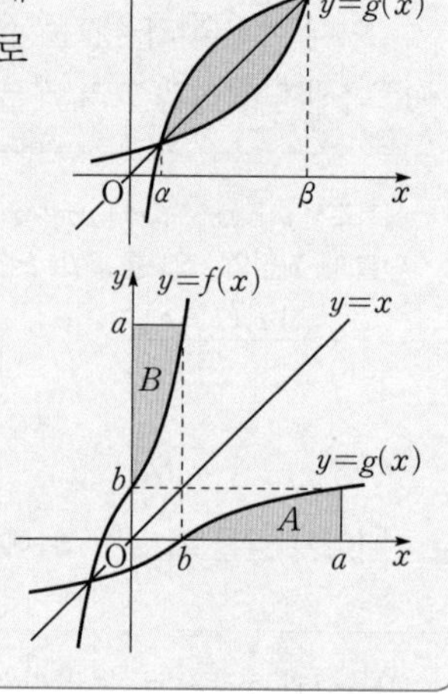

설명 (1) 곡선 $y=f(x)$와 직선 $y=x$로 둘러싸인 도형의 넓이를 S_1, 곡선 $y=g(x)$와 직선 $y=x$로 둘러싸인 도형의 넓이를 S_2라 하면 함수 $y=f(x)$의 그래프와 역함수 $y=g(x)$의 그래프는 직선 $y=x$에 대하여 대칭이므로

$S_1=S_2$

$S=S_1+S_2$이므로 함수 $y=f(x)$와 그 역함수 $y=g(x)$의 그래프로 둘러싸인 도형의 넓이는 직선 $y=x$와 곡선 $y=f(x)$로 둘러싸인 도형의 넓이의 2배이다.

즉,

$$S=\int_{\alpha}^{\beta}|f(x)-g(x)|dx=2\int_{\alpha}^{\beta}|x-f(x)|dx=2\int_{\alpha}^{\beta}|g(x)-x|dx$$

(2) 함수 $y=f(x)$의 역함수 $y=g(x)$의 그래프와 x축 및 직선 $x=a$로 둘러싸인 도형의 넓이를 A, 함수 $y=f(x)$의 그래프와 y축 및 직선 $y=a$로 둘러싸인 도형의 넓이를 B라 하면 함수 $y=f(x)$의 그래프와 역함수 $y=g(x)$의 그래프는 직선 $y=x$에 대하여 대칭이므로

$A=B$

따라서 함수 $y=f(x)$의 역함수 $y=g(x)$의 그래프와 x축 및 직선 $x=a$로 둘러싸인 도형의 넓이는

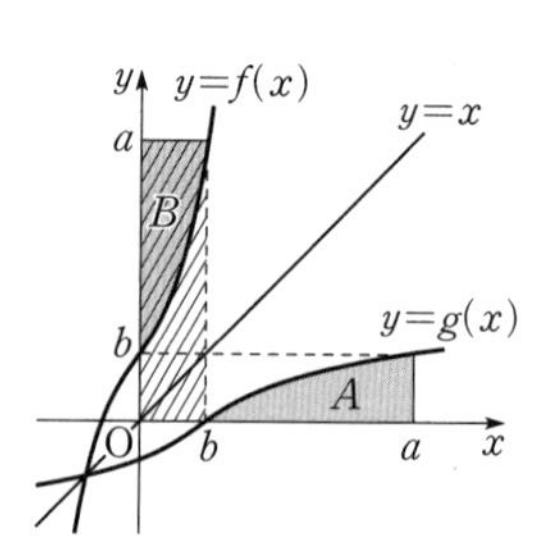

$A=B=$(빗금 친 사각형의 넓이)$-$(곡선 $y=f(x)$와 x축, y축 및 직선 $x=b$로 둘러싸인 도형의 넓이)

$$=ab-\int_{0}^{b}f(x)dx$$

필수예제 05 **곡선과 접선으로 둘러싸인 도형의 넓이**

더 다양한 문제는 RPM 수학 Ⅱ 128, 129쪽

곡선 $y=x^3+2$ 위의 점 $(1, 3)$에서 접하는 직선을 이 곡선에 그을 때, 직선과 곡선으로 둘러싸인 도형의 넓이를 구하시오.

설명 곡선 $y=f(x)$ 위의 점 $(a, f(a))$에서의 접선의 기울기는 $f'(a)$이다.

풀이 $f(x)=x^3+2$라 하면 $f'(x)=3x^2$ $\quad\therefore f'(1)=3$

따라서 점 $(1, 3)$에서의 접선의 방정식은

$y-3=3(x-1)$ $\quad\therefore y=3x$

곡선 $y=x^3+2$와 직선 $y=3x$의 교점의 x좌표는

$x^3+2=3x$에서 $(x-1)^2(x+2)=0$

$\therefore x=1$ 또는 $x=-2$

따라서 오른쪽 그림에서 구하는 넓이를 S라 하면

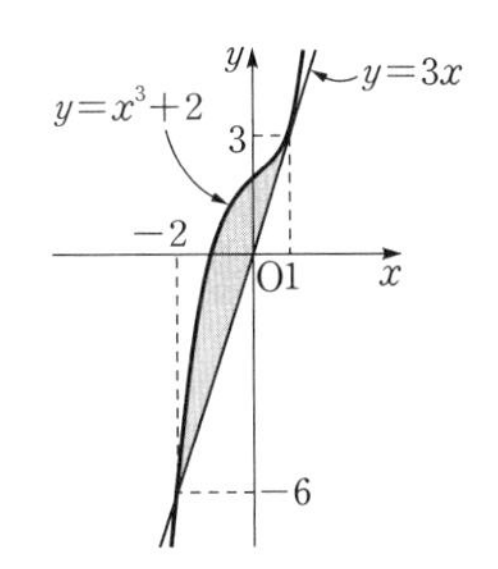

$$S=\int_{-2}^{1}\{(x^3+2)-3x\}dx$$

$$=\left[\frac{1}{4}x^4-\frac{3}{2}x^2+2x\right]_{-2}^{1}$$

$$=\mathbf{\frac{27}{4}}$$

다른풀이 공식을 이용하면 $S=\dfrac{|1|\{1-(-2)\}^4}{12}=\dfrac{27}{4}$

KEY Point

- 곡선과 접선으로 둘러싸인 도형의 넓이
  (i) 곡선 위의 점 $(a, f(a))$에서의 접선의 방정식을 구한다.
  (ii) 곡선과 접선의 위치 관계를 파악한 후 곡선과 접선으로 둘러싸인 도형의 넓이를 구한다.

214 곡선 $y=x^2-1$과 이 곡선 위의 점 $(2, 3)$에서의 접선 및 y축으로 둘러싸인 도형의 넓이를 구하시오.

215 곡선 $y=x^3-3x^2+x+4$ 위의 점 $(0, 4)$에서 접하는 직선을 이 곡선에 그을 때, 직선과 곡선으로 둘러싸인 도형의 넓이를 구하시오.

필수예제 06 절댓값이 있을 때의 넓이

더 다양한 문제는 RPM 수학 Ⅱ 128쪽

곡선 $y=|x^2-1|$과 직선 $y=1$로 둘러싸인 도형의 넓이를 구하시오.

설명 $y=|f(x)|$의 그래프 ⇨ $y=f(x)$의 그래프에서 x축의 아랫부분을 x축에 대하여 대칭이동시킨다.

풀이 $y=|x^2-1|=\begin{cases} x^2-1 & (x\le -1 \text{ 또는 } x\ge 1) \\ -x^2+1 & (-1\le x\le 1) \end{cases}$

(ⅰ) $x\le -1$ 또는 $x\ge 1$일 때

곡선 $y=x^2-1$과 직선 $y=1$의 교점의 x좌표는

$x^2-1=1$에서 $x^2=2$

$\therefore x=-\sqrt{2}$ 또는 $x=\sqrt{2}$

(ⅱ) $-1\le x\le 1$일 때

곡선 $y=-x^2+1$과 x축과의 교점의 x좌표는

$-x^2+1=0$에서 $x^2=1$

$\therefore x=-1$ 또는 $x=1$

그런데 $y=|x^2-1|$의 그래프와 직선 $y=1$은 y축에 대하여 대칭이므로 구하는 넓이를 S라 하면

$$S=2\left[\int_0^1\{1-(-x^2+1)\}dx+\int_1^{\sqrt{2}}\{1-(x^2-1)\}dx\right]$$

$$=2\left\{\int_0^1 x^2\,dx+\int_1^{\sqrt{2}}(-x^2+2)dx\right\}$$

$$=2\left(\left[\frac{1}{3}x^3\right]_0^1+\left[-\frac{1}{3}x^3+2x\right]_1^{\sqrt{2}}\right)=\mathbf{\frac{8}{3}(\sqrt{2}-1)}$$

KEY Point

- $y=|f(x)|$의 그래프와 직선으로 둘러싸인 도형의 넓이
  (ⅰ) $y=f(x)$의 그래프에서 x축의 아랫부분을 x축에 대하여 대칭이동시켜 그래프를 그린다.
  (ⅱ) 적분 구간을 나누어 정적분을 계산한다.

216 곡선 $y=|2x^2+2x|$와 x축 및 직선 $x=-2$로 둘러싸인 도형의 넓이를 구하시오.

217 곡선 $y=|x(x-1)|$과 직선 $y=x+3$으로 둘러싸인 도형의 넓이를 구하시오.

필수예제 07 두 도형의 넓이가 같을 때

더 다양한 문제는 RPM 수학 Ⅱ 129쪽

$k>1$일 때, 곡선 $y=x(x-1)(x-k)$와 x축으로 둘러싸인 두 도형의 넓이가 같게 되도록 하는 상수 k의 값을 구하시오.

풀이 곡선 $y=x(x-1)(x-k)$와 x축과의 교점의 x좌표는

$x(x-1)(x-k)=0$에서 $x=0$ 또는 $x=1$ 또는 $x=k$

곡선과 x축으로 둘러싸인 두 도형의 넓이가 같아야 하므로

$\int_0^k x(x-1)(x-k)dx=0$

$\int_0^k \{x^3-(k+1)x^2+kx\}dx=\left[\frac{1}{4}x^4-\frac{k+1}{3}x^3+\frac{1}{2}kx^2\right]_0^k=0$

$\frac{1}{4}k^4-\frac{(k+1)k^3}{3}+\frac{1}{2}k^3=0$

$k^3(k-2)=0 \qquad \therefore k=\mathbf{2}\ (\because k>1)$

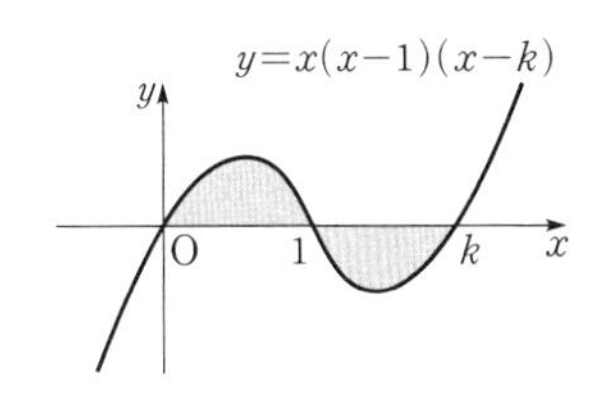

KEY Point

• 두 도형의 넓이가 같을 때

⇨ 오른쪽 그림에서 $S_1=S_2$이면 $\int_a^c f(x)dx=0$

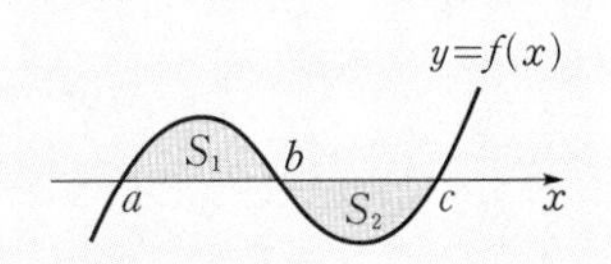

확인 체크

218 곡선 $y=x(x-4)(x-2a)$와 x축으로 둘러싸인 두 도형의 넓이가 같을 때, 상수 a의 값을 구하시오. (단, $a>2$)

219 두 곡선 $y=x(k-x)$와 $y=x^2(k-x)$로 둘러싸인 두 도형의 넓이가 같게 되도록 하는 상수 k의 값을 구하시오. (단, $k>1$)

220 오른쪽 그림과 같이 곡선 $y=x^2-6x+a$와 x축 및 y축으로 둘러싸인 도형의 넓이를 A, 이 곡선과 x축으로 둘러싸인 도형의 넓이를 B라 할 때, $A:B=1:2$이다. 이때 상수 a의 값을 구하시오.

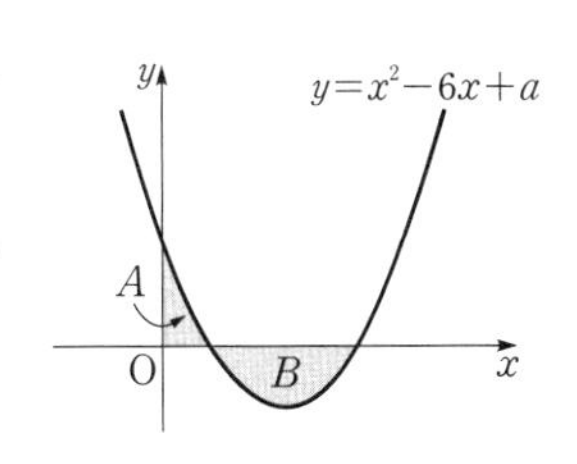

필수예제 08 넓이를 이등분할 때

더 다양한 문제는 RPM 수학 Ⅱ 130쪽

곡선 $y=-x^2+4x$와 x축으로 둘러싸인 도형의 넓이를 직선 $y=ax$가 이등분하도록 하는 a의 값을 구하시오. (단, a는 실수)

풀이 곡선 $y=-x^2+4x$와 직선 $y=ax$의 교점의 x좌표는

$-x^2+4x=ax$에서 $x(x+a-4)=0$

$\therefore x=0$ 또는 $x=4-a$

곡선과 x축으로 둘러싸인 도형의 넓이를 S라 하면

$$S=\int_0^4(-x^2+4x)dx=\left[-\frac{1}{3}x^3+2x^2\right]_0^4=\frac{32}{3}$$

곡선과 직선으로 둘러싸인 도형의 넓이를 S_1이라 하면

$$S_1=\int_0^{4-a}(-x^2+4x-ax)dx=\int_0^{4-a}\{-x^2+(4-a)x\}dx$$

$$=\left[-\frac{1}{3}x^3+\frac{4-a}{2}x^2\right]_0^{4-a}=\frac{1}{6}(4-a)^3$$

$S=2S_1$이므로 $\frac{32}{3}=2\cdot\frac{1}{6}(4-a)^3$

$(4-a)^3=32 \qquad \therefore a=\mathbf{4-2\sqrt[3]{4}}$

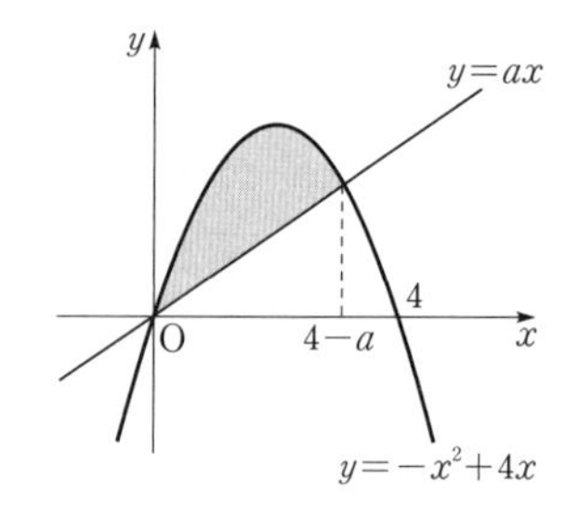

KEY Point

- 곡선 $y=f(x)$와 x축으로 둘러싸인 도형의 넓이 S가 곡선 $y=g(x)$에 의하여 이등분되면

⇨ $\int_0^a|f(x)-g(x)|dx=\frac{1}{2}S$

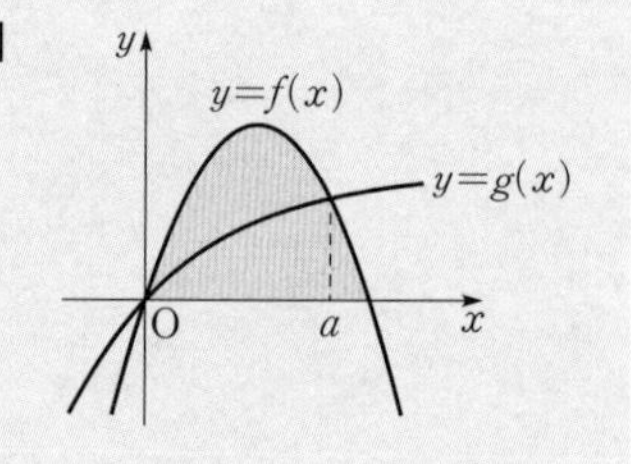

확인 체크

221 곡선 $y=-x^2+2x$와 x축으로 둘러싸인 도형의 넓이가 직선 $y=ax$에 의하여 이등분될 때, $(2-a)^3$의 값을 구하시오. (단, a는 실수)

222 직선 $y=ax$와 곡선 $y=x^2-3x$로 둘러싸인 도형의 넓이가 x축에 의하여 이등분되도록 하는 a의 값을 구하시오. (단, a는 실수)

필수예제 09 넓이가 최소일 때

더 다양한 문제는 RPM 수학 Ⅱ 133쪽

곡선 $y=x^2-x-2$와 직선 $y=ax$로 둘러싸인 도형의 넓이가 최소가 되도록 하는 상수 a의 값과 그때의 넓이를 각각 구하시오.

풀이 곡선과 직선의 교점의 x좌표를 α, $\beta(\alpha<\beta)$라 하면 α, β는 방정식 $x^2-x-2=ax$, 즉 $x^2-(a+1)x-2=0$의 두 근이다.

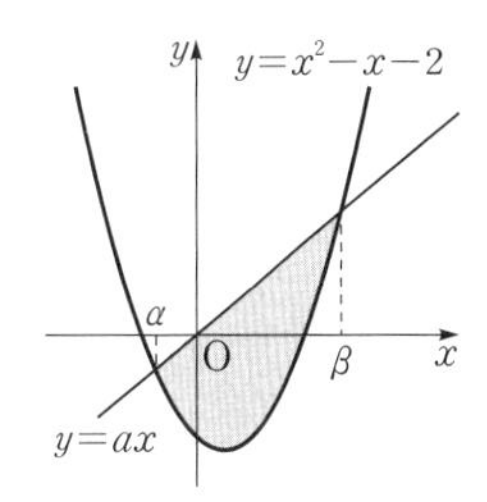

근과 계수의 관계에 의하여

$\alpha+\beta=a+1$, $\alpha\beta=-2$

$(\beta-\alpha)^2=(\beta+\alpha)^2-4\alpha\beta=(a+1)^2-4\cdot(-2)=a^2+2a+9$

$\therefore \beta-\alpha=\sqrt{a^2+2a+9}=\sqrt{(a+1)^2+8}$ $(\because \alpha<\beta)$

곡선과 직선으로 둘러싸인 도형의 넓이를 $S(a)$라 하면

$$S(a)=\int_\alpha^\beta \{ax-(x^2-x-2)\}dx=\frac{(\beta-\alpha)^3}{6}$$

$$=\frac{1}{6}\{\sqrt{(a+1)^2+8}\}^3=\frac{1}{6}\{(a+1)^2+8\}^{\frac{3}{2}}$$

따라서 도형의 넓이는 $a=-1$일 때 최소가 되고, 그때의 넓이는 $S(-1)=\frac{1}{6}\cdot(\sqrt{8})^3=\frac{8\sqrt{2}}{3}$

$\therefore$ **$a=-1$, (넓이)$=\frac{8\sqrt{2}}{3}$**

참고 곡선 $y=ax^2+bx+c$와 직선 $y=mx+n$의 교점의 x좌표를 α, β $(\alpha<\beta)$라 하면 곡선과 직선으로 둘러싸인 도형의 넓이는 $\frac{|a|(\beta-\alpha)^3}{6}$이다.

KEY Point

- **넓이의 최솟값**
  (i) 곡선과 직선 사이의 넓이를 정적분을 이용하여 나타낸다.
  (ii) 이차함수의 최솟값을 이용하여 넓이의 최솟값을 구한다.

223 곡선 $y=x^2$과 점 $(1, 2)$를 지나는 직선으로 둘러싸인 도형의 넓이가 최소가 되도록 하는 직선의 기울기를 구하시오.

224 곡선 $y=x^2+2$와 이 곡선 위의 점 (a, a^2+2)에서의 접선 및 y축, 직선 $x=2$로 둘러싸인 도형의 넓이가 최소가 되도록 하는 a의 값을 구하시오.

한 걸음 더

필수예제 10 역함수의 그래프와 넓이

더 다양한 문제는 RPM 수학 Ⅱ 133쪽

다음 물음에 답하시오.

(1) 함수 $f(x)=x^3-2x^2+2x$의 역함수를 $g(x)$라 할 때, 두 곡선 $y=f(x)$와 $y=g(x)$로 둘러싸인 도형의 넓이를 구하시오.

(2) 함수 $f(x)=x^3+2x+1$의 역함수를 $g(x)$라 할 때, $\int_0^1 f(x)dx+\int_1^4 g(x)dx$의 값을 구하시오.

설명 $y=g(x)$는 $y=f(x)$의 역함수이므로 두 함수의 그래프는 직선 $y=x$에 대하여 대칭이다.

풀이 (1) 두 곡선 $y=f(x)$와 $y=g(x)$는 직선 $y=x$에 대하여 대칭이므로 두 곡선으로 둘러싸인 도형의 넓이는 곡선 $y=f(x)$와 직선 $y=x$로 둘러싸인 도형의 넓이의 2배와 같다.

y, y=f(x), y=x, y=g(x), 1, O, 1, x

곡선 $y=x^3-2x^2+2x$와 직선 $y=x$의 교점의 x좌표는

$x^3-2x^2+2x=x$에서 $x^3-2x^2+x=0$, $x(x-1)^2=0$

$\therefore x=0$ 또는 $x=1$

따라서 구하는 넓이를 S라 하면

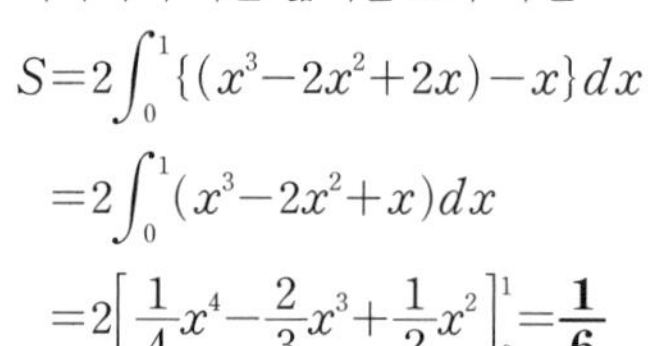

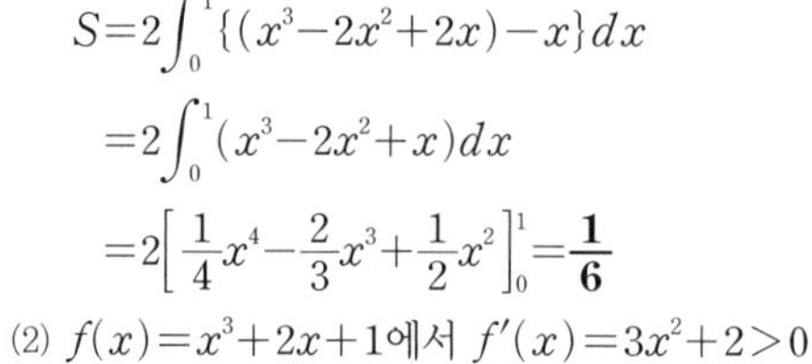

$$S=2\int_0^1\{(x^3-2x^2+2x)-x\}dx$$
$$=2\int_0^1(x^3-2x^2+x)dx$$
$$=2\left[\frac{1}{4}x^4-\frac{2}{3}x^3+\frac{1}{2}x^2\right]_0^1=\mathbf{\frac{1}{6}}$$

(2) $f(x)=x^3+2x+1$에서 $f'(x)=3x^2+2>0$

$f(0)=1$, $f(1)=4$

이므로 $y=f(x)$의 그래프는 두 점 $(0, 1)$, $(1, 4)$를 지나는 증가하는 곡선이다.

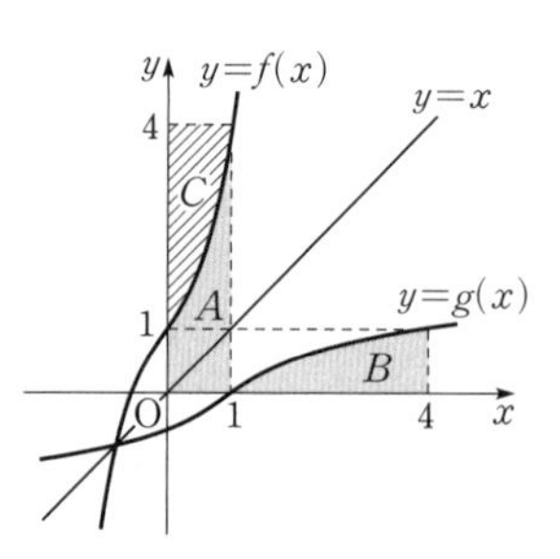

오른쪽 그림에서 $\int_0^1 f(x)dx=A$, $\int_1^4 g(x)dx=B$, 빗금 친 부분의 넓이를 C라 하면 $B=C$이므로

$$\int_0^1 f(x)dx+\int_1^4 g(x)dx=A+B=A+C=1\cdot 4=\mathbf{4}$$

확인 체크

225 함수 $f(x)=2x^3+x^2+x$의 역함수를 $g(x)$라 할 때, 두 곡선 $y=f(x)$와 $y=g(x)$로 둘러싸인 도형의 넓이를 구하시오.

226 함수 $f(x)=x^3+3$의 역함수를 $g(x)$라 할 때, $\int_0^2 f(x)dx+\int_{f(0)}^{f(2)} g(x)dx$의 값을 구하시오.

연습문제

STEP 1

생각해 봅시다!

232 곡선 $y=x^3+x^2-2x$와 x축으로 둘러싸인 도형의 넓이를 $\frac{q}{p}$라 할 때, $p+q$의 값을 구하시오. (단, p, q는 서로소인 자연수)

곡선과 x축과의 교점의 x좌표를 구한 후 그래프를 그린다.

233 곡선 $y=x(x-3)^2$과 직선 $y=x$로 둘러싸인 도형의 넓이를 구하시오.

234 두 곡선 $y=x^2$, $y=-x^2+1$로 둘러싸인 도형의 넓이를 구하시오.

235 오른쪽 그림과 같이 곡선 $y=|3x(x+1)|$과 x축 및 직선 $x=-2$로 둘러싸인 도형의 넓이를 구하시오.

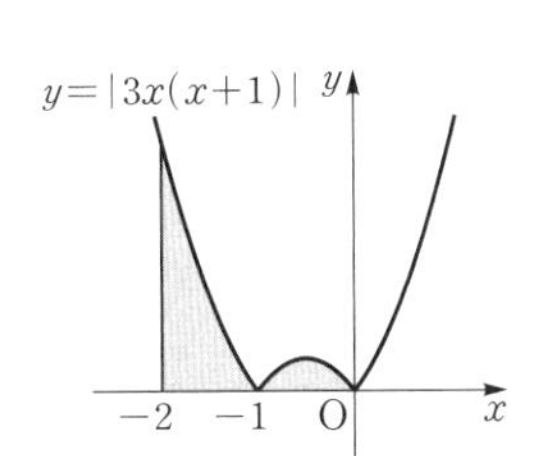

구간을 나누어서 넓이를 구한다.

236 두 곡선 $y=x^2(x-3)$과 $y=ax(x-3)$으로 둘러싸인 두 도형 A, B의 넓이가 같을 때, 상수 a의 값을 구하시오. (단, $0<a<3$)

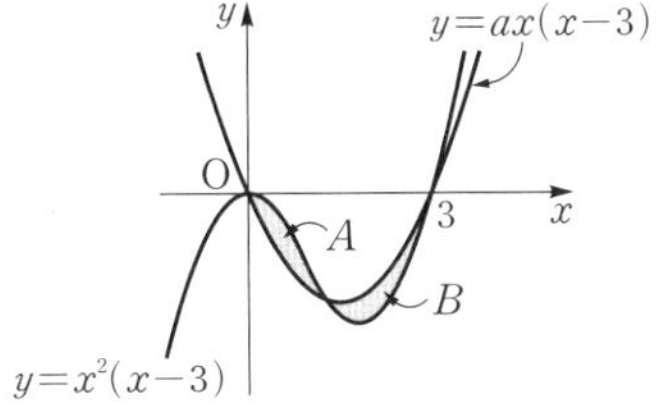

다음 그림에서 $S_1=S_2$이면 $\int_a^b\{f(x)-g(x)\}dx=0$

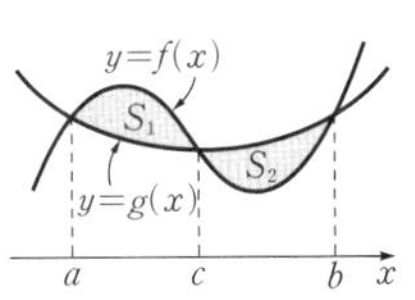

237 좌표평면 위의 점 A$(1, -3)$에서 곡선 $y=2x^2+3$에 그은 두 접선과 곡선 $y=2x^2+3$으로 둘러싸인 도형의 넓이를 S라 할 때, $3S$의 값을 구하시오.

STEP 2

[평가원기출]

238 함수 $f(x)$의 도함수 $f'(x)$가 $f'(x)=x^2-1$이고 $f(0)=0$일 때, 곡선 $y=f(x)$와 x축으로 둘러싸인 부분의 넓이는?

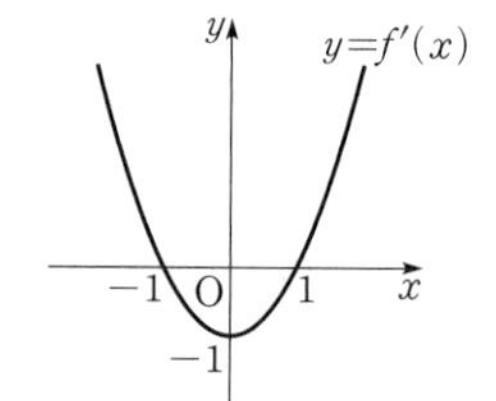

① $\frac{9}{8}$ ② $\frac{5}{4}$ ③ $\frac{11}{8}$
④ $\frac{3}{2}$ ⑤ $\frac{13}{8}$

부정적분을 이용하여 $f(x)$를 구한다.

239 곡선 $y=x^2$을 x축에 대하여 대칭이동한 다음 다시 x축의 방향으로 -1만큼, y축의 방향으로 5만큼 평행이동한 곡선을 $y=g(x)$라 할 때, 두 곡선 $y=x^2$과 $y=g(x)$로 둘러싸인 도형의 넓이를 구하시오.

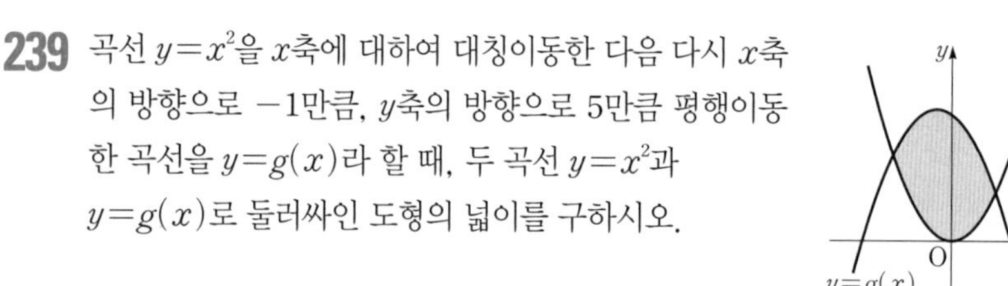

조건에 따라 이동시킨다.

240 곡선 $y=x^3+3x^2-x-3$ 위의 점 $(-3, 0)$에서의 접선과 이 곡선으로 둘러싸인 도형의 넓이를 구하시오.

접선의 방정식을 먼저 구한다.

241 곡선 $y=(x-a)(x-b)x^2$과 직선 $y=0$으로 둘러싸인 두 도형의 넓이가 같을 때, $\frac{3b}{a}$의 값을 구하시오. (단, $0<a<b$)

242 오른쪽 그림은 함수 $y=f(x)$와 그 역함수 $y=g(x)$의 그래프이다. 두 그래프가 점 $(1, 1)$과 점 $(3, 3)$에서 만나고 $\int_1^3 f(x)dx=\frac{11}{2}$일 때, 함수 $y=f(x)$와 그 역함수 $y=g(x)$의 그래프로 둘러싸인 도형의 넓이를 구하시오.

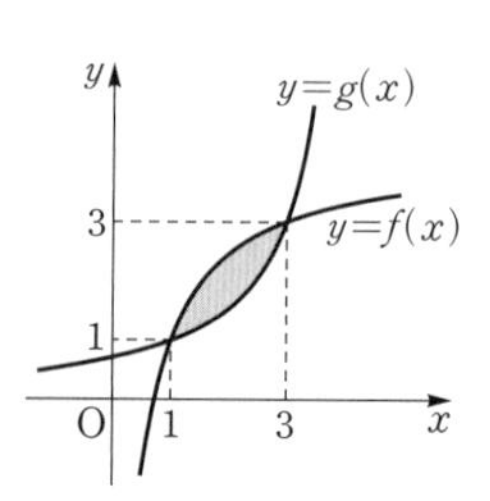

함수 $y=f(x)$의 그래프와 그 역함수 $y=g(x)$의 그래프는 직선 $y=x$에 대하여 대칭이다.

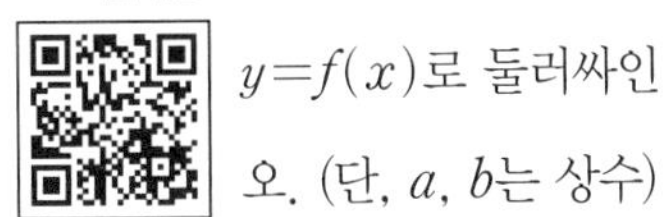

생각해 봅시다!

243 곡선 $f(x)=-x^3+ax+b$ 위의 점 $(t,\ f(t))$에서 그은 접선과 곡선 $y=f(x)$로 둘러싸인 도형의 넓이가 $\frac{4}{3}$가 되도록 하는 양수 t의 값을 구하시오. (단, a, b는 상수)

244 오른쪽 그림과 같이 곡선 $y=x^2-2x$와 x축 및 직선 $x=a$로 둘러싸인 두 도형의 넓이를 각각 S_1, S_2라 할 때, $S_1=2S_2$가 성립하기 위한 상수 a의 값을 구하시오. (단, $a>2$)

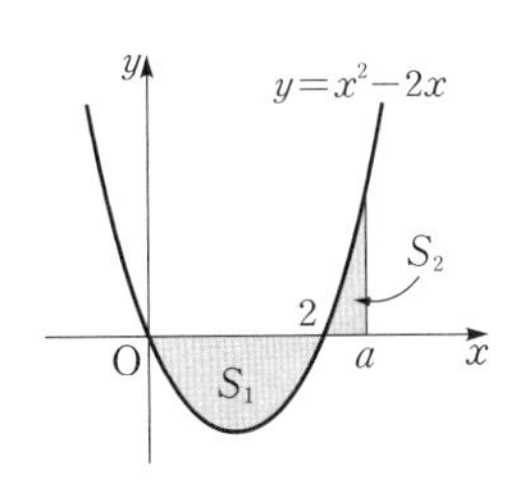

$y=x^2-2x$의 그래프는 직선 $x=1$에 대하여 대칭이다.

245 곡선 $y=-x^2+2x$와 x축으로 둘러싸인 도형의 넓이가 곡선 $y=ax^2$에 의하여 이등분될 때, 상수 a의 값을 구하시오. (단, $a>0$)

246 곡선 $y=x(x-2)(x-a)$와 x축으로 둘러싸인 도형의 넓이가 최소가 되는 상수 a의 값과 그때의 넓이를 각각 구하시오. (단, $0<a<2$)

곡선과 x축으로 둘러싸인 도형의 넓이 $S(a)$를 미분한다.

[교육청기출]

247 함수 $f(x)=x^3+x-1$의 역함수를 $g(x)$라 할 때,

$\int_1^9 g(x)dx$의 값은?

① $\frac{47}{4}$　② $\frac{49}{4}$　③ $\frac{51}{4}$

④ $\frac{53}{4}$　⑤ $\frac{55}{4}$

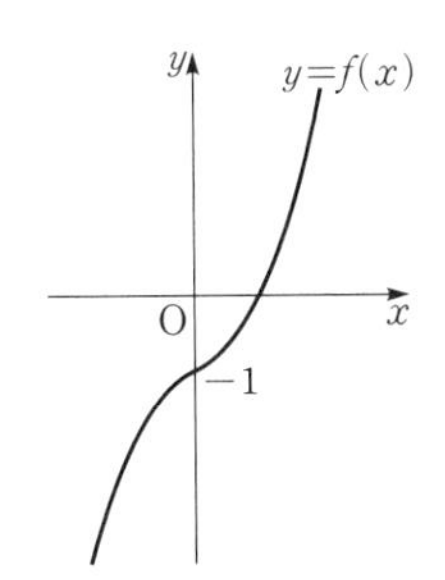

함수 $y=f(x)$의 그래프와 그 역함수 $y=g(x)$의 그래프를 이용한다.

03 속도와 거리

3. 정적분의 활용

개념원리 이해

1. 수직선 위를 움직이는 점의 위치와 움직인 거리

▷ 필수예제 11~13

수직선 위를 움직이는 점 P의 시각 t에서의 속도가 $v(t)$이고 시각 $t=a$에서의 점 P의 위치가 x_0일 때

(1) 시각 t에서 점 P의 위치 x는

$$x=x_0+\int_a^t v(t)dt$$ ← x_0은 출발점의 위치

(2) 시각 $t=a$에서 $t=b$까지 점 P의 위치의 변화량은

$$\int_a^b v(t)dt$$

(3) 시각 $t=a$에서 $t=b$까지 점 P가 움직인 거리 s는

$$s=\int_a^b |v(t)|dt$$ ← 점 P가 움직인 거리의 총합을 뜻한다.

▶ ① 점 P가 움직인 거리는 운동 방향에 관계없이 일정한 시간 동안에 경과한 거리를 말한다.

② 속도 $v=0$인 경우

- 최고 높이에 도달할 때
- 운동 방향을 바꿀 때
- 정지할 때

③ $v(t)>0$이면 점 P는 양의 방향으로 움직이고, $v(t)<0$이면 점 P는 음의 방향으로 움직인다.

설명 보충학습 1 참조

예 원점을 출발하여 수직선 위를 움직이는 점 P의 시각 t에서의 속도가 $v(t)=t^2-4t+3$일 때, 다음을 구하시오.

(1) 시각 $t=1$에서 점 P의 위치

(2) 시각 $t=0$에서 $t=2$까지 점 P의 위치의 변화량

(3) 시각 $t=0$에서 $t=2$까지 점 P가 움직인 거리

풀이 (1) $0+\int_0^1 v(t)dt=\int_0^1 (t^2-4t+3)dt=\left[\frac{1}{3}t^3-2t^2+3t\right]_0^1=\frac{4}{3}$

(2) $\int_0^2 v(t)dt=\int_0^2 (t^2-4t+3)dt=\left[\frac{1}{3}t^3-2t^2+3t\right]_0^2=\frac{2}{3}$

(3) $\int_0^2 |v(t)|dt=\int_0^2 |t^2-4t+3|dt$

$=\int_0^1 (t^2-4t+3)dt+\int_1^2 (-t^2+4t-3)dt$

$=\left[\frac{1}{3}t^3-2t^2+3t\right]_0^1+\left[-\frac{1}{3}t^3+2t^2-3t\right]_1^2=2$

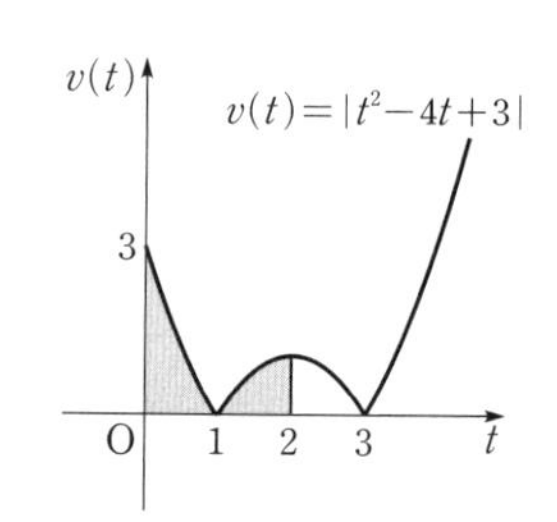

보충학습

1. 물체의 위치의 변화량과 물체가 움직인 거리를 구해 보자.

우리는 앞에서 위치의 함수를 미분하면 속도의 함수가 됨을 공부하였다. 적분이 미분의 역연산임을 생각하고 속도의 함수를 적분하면 위치의 함수를 구할 수 있다.

위치 ⇄ 속도 (속도 → 위치: 적분, 위치 → 속도: 미분)

(1) 이제 수직선 위를 움직이는 물체의 시각 t에서의 속도 $v(t)$와 시각 $t=a$에서의 위치 x_0을 알 때, 이 물체의 시각 t에서의 위치 $x=f(t)$와 위치의 변화량을 구해 보자.

$v(t)=\dfrac{dx}{dt}=f'(t)$이므로 $f(t)$는 $v(t)$의 한 부정적분이다.

시각 $t=a$에서의 위치가 x_0이면 $f(a)=x_0$이므로

$$\int_a^t v(t)dt=f(t)-f(a)=f(t)-x_0 \quad \cdots\cdots ㉠$$

$$\therefore f(t)=x_0+\int_a^t v(t)dt$$

또, 시각 $t=a$에서 $t=b$까지 물체의 위치의 변화량은 $f(b)-f(a)$이므로 ㉠에 $t=b$를 대입하면

$$f(b)-f(a)=\int_a^b v(t)dt$$

(2) 어떤 자동차가 시각에 따라 움직인 경로가 다음과 같다고 하자.

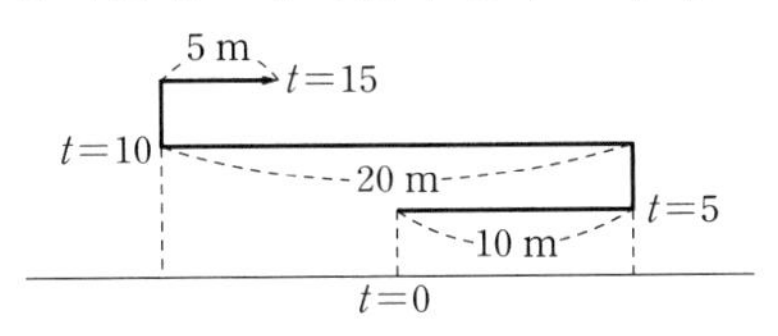

자동차가 위와 같은 경로로 이동할 경우

$t=0$에서 $t=15$까지의 위치의 변화량: $10-20+5=-5(\mathrm{m})$
$t=0$에서 $t=15$까지 움직인 거리: $10+20+5=35(\mathrm{m})$

이처럼 **위치의 변화량은 단순히 위치가 변화한 양을 나타내지만** 실제로 **움직인 거리**는 말 그대로 양의 방향이든 음의 방향이든 **움직인 거리의 총합**을 말하는 것이다.

움직인 거리는 항상 양수의 값을 갖지만 위치의 변화량은 음수가 나올 수도 있다. 위치의 변화량이 음수라는 것은 처음 움직인 방향과 반대 방향으로 움직였다는 뜻이다.

점 P의 시각 t에서의 속도 $v(t)$를 나타내는 그래프가 오른쪽 그림과 같다고 하면 $t=a$에서 $t=b$까지 움직인 거리 s는 양의 방향으로 움직인 거리(S_1의 넓이)와 음의 방향으로 움직인 거리(S_2의 넓이)의 합이므로 다음과 같이 나타낼 수 있다.

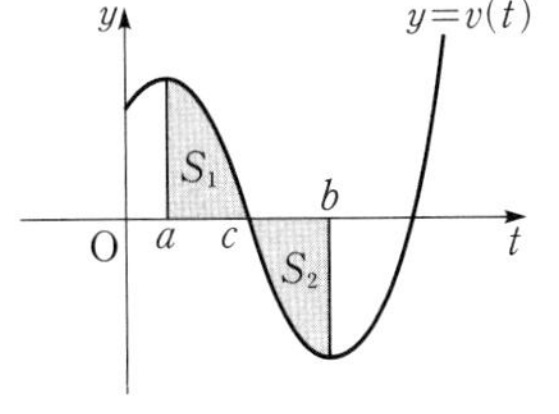

$$s=\int_a^c v(t)dt-\int_c^b v(t)dt=\int_a^b |v(t)|dt$$

따라서 수직선 위를 움직이는 점 P의 속도가 $v(t)$일 때, 점 P가 $t=a$에서 $t=b$까지 실제로 움직인 거리는 $\displaystyle\int_a^b |v(t)|dt$

필수예제 11 직선 운동에서의 위치와 움직인 거리

더 다양한 문제는 RPM 수학 Ⅱ 130, 131쪽

수직선 위를 움직이는 점 P의 시각 t에서의 속도가 $v(t)=6t^2-18t+12$이고 $t=0$일 때의 점 P의 위치가 1일 때, 다음을 구하시오.

(1) 시각 $t=2$에서 점 P의 위치
(2) 시각 $t=1$에서 $t=3$까지 점 P의 위치의 변화량
(3) 시각 $t=1$에서 $t=3$까지 점 P가 움직인 거리

풀이

(1) 시각 $t=2$에서 점 P의 위치를 x라 하면 $t=0$일 때의 점 P의 위치가 1이므로

$$x=1+\int_0^2(6t^2-18t+12)dt=1+\Big[2t^3-9t^2+12t\Big]_0^2=\mathbf{5}$$

(2) 시각 $t=1$에서 $t=3$까지 점 P의 위치의 변화량은

$$\int_1^3(6t^2-18t+12)dt=\Big[2t^3-9t^2+12t\Big]_1^3=\mathbf{4}$$

(3) 시각 $t=1$에서 $t=3$까지 점 P가 움직인 거리는

$$\int_1^3|6t^2-18t+12|dt$$
$$=\int_1^2(-6t^2+18t-12)dt+\int_2^3(6t^2-18t+12)dt$$
$$=\Big[-2t^3+9t^2-12t\Big]_1^2+\Big[2t^3-9t^2+12t\Big]_2^3=\mathbf{6}$$

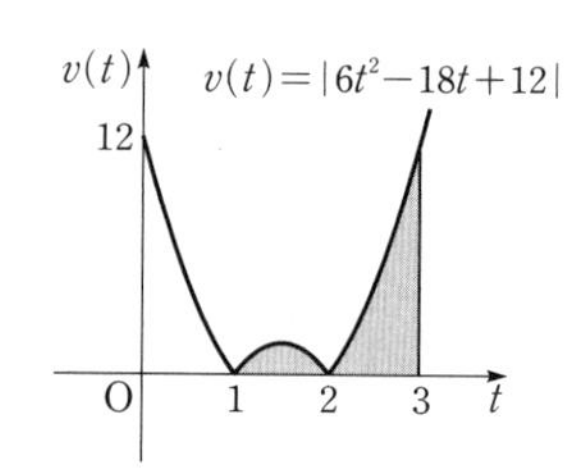

KEY Point 수직선 위를 움직이는 점 P의 시각 t에서의 속도가 $v(t)$이고 시각 $t=a$에서의 점 P의 위치가 x_0일 때

- 시각 t에서 점 P의 위치 ⇨ $x_0+\int_a^t v(t)dt$
- 시각 $t=a$에서 $t=b$까지 점 P의 위치의 변화량 ⇨ $\int_a^b v(t)dt$
- 시각 $t=a$에서 $t=b$까지 점 P가 움직인 거리 ⇨ $\int_a^b |v(t)|dt$

227 원점을 출발하여 수직선 위를 움직이는 점 P의 시각 t에서의 속도가 $v(t)=-t^2-t+6$일 때, 다음을 구하시오.

(1) 점 P가 운동 방향을 바꿀 때의 점 P의 위치
(2) 시각 $t=0$에서 $t=3$까지 점 P의 위치의 변화량
(3) 시각 $t=0$에서 $t=3$까지 점 P가 움직인 거리

228 철도 위를 24 m/s의 속도로 달리고 있는 어느 열차가 제동을 건 후 t초가 지났을 때의 속도가 $v(t)=24-2t$(m/s)라 한다. 이 열차가 제동을 건 후로부터 정지할 때까지 달린 거리를 구하시오.

상하 운동에서의 위치와 움직인 거리

더 다양한 문제는 RPM 수학 Ⅱ 130, 131쪽

지상 10 m의 높이에서 처음 속도 30 m/s로 똑바로 위로 발사한 물체의 t초 후의 속도가 $v(t)=30-10t$(m/s)라 할 때, 다음을 구하시오.

(1) 발사 후 5초가 지났을 때 물체의 지상으로부터의 높이

(2) 이 물체가 최고 높이에 도달했을 때 지상으로부터의 높이

(3) 발사 후 5초 동안 물체가 움직인 거리

설명 위로 발사한 물체가 최고 높이에 도달할 때의 속도는 $v(t)=0$이 된다.

풀이 (1) 발사 후 5초가 지났을 때 물체의 지상으로부터의 높이를 x m라 하면

$$x=10+\int_0^5 (30-10t)dt$$
$$=10+\Big[30t-5t^2\Big]_0^5$$
$$=\mathbf{35(m)}$$

(2) 이 물체가 최고 높이에 도달했을 때는 $v(t)=0$이므로

$30-10t=0$에서 $t=3$(초)

따라서 $t=3$일 때 최고 높이에 도달하게 되며, 그때의 최고 높이 x m는

$$x=10+\int_0^3 (30-10t)dt$$
$$=10+\Big[30t-5t^2\Big]_0^3$$
$$=\mathbf{55(m)}$$

(3) 발사 후 5초 동안 물체가 실제로 움직인 거리 s m는

$$s=\int_0^5 |30-10t|dt$$
$$=\int_0^3 (30-10t)dt+\int_3^5 (-30+10t)dt$$
$$=\Big[30t-5t^2\Big]_0^3+\Big[-30t+5t^2\Big]_3^5$$
$$=\mathbf{65(m)}$$

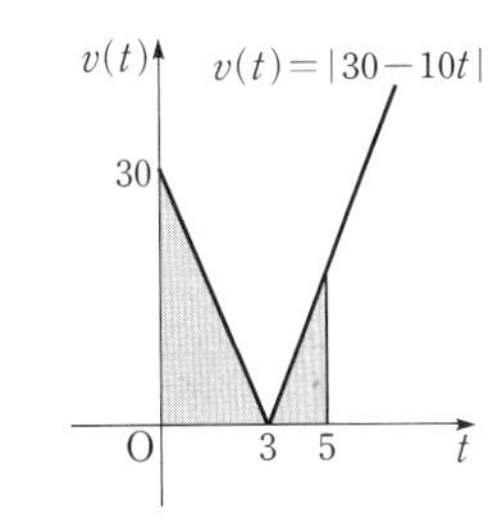

▶ (1) 발사 지점이 지상일 때는 $x=\int_0^5 (30-10t)dt$이다.

229 지상에서 처음 속도 60 m/s로 똑바로 위로 발사한 물체의 t초 후의 속도가 $v(t)=-10t+60$(m/s)이라 할 때, 다음을 구하시오.

(1) 이 물체가 최고 높이에 도달했을 때 지상으로부터의 높이

(2) 발사 후 8초 동안 물체가 움직인 거리

(3) 물체가 땅에 떨어질 때의 속도

필수예제 **13** **그래프에서의 위치와 움직인 거리**

더 다양한 문제는 RPM 수학 Ⅱ 132쪽

원점을 출발하여 수직선 위를 움직이는 점 P의 시각 t에서의 속도 $v(t)$의 그래프가 오른쪽 그림과 같을 때, 다음을 구하시오. (단, $0\le t\le 6$)

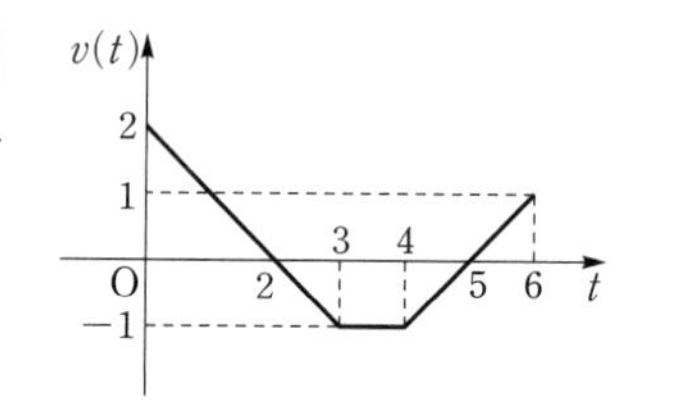

(1) 시각 $t=6$에서 점 P의 위치

(2) 출발 후 처음으로 운동 방향을 바꿀 때부터 두 번째로 운동 방향을 바꿀 때까지의 움직인 거리

설명 주어진 구간에서 속도 $v(t)$의 정적분의 값이 위치의 변화량이고 $|v(t)|$의 정적분의 값이 움직인 거리이다. 움직인 거리는 속도의 그래프와 t축 사이의 넓이와 같으므로 삼각형 또는 사각형의 넓이를 이용하여 구할 수 있다.

풀이 점 P의 속도 $v(t)$를 구하면 $v(t)=\begin{cases} -t+2 & (0\le t\le 3) \\ -1 & (3\le t\le 4) \\ t-5 & (4\le t\le 6)\end{cases}$

(1) 시각 $t=6$에서 점 P의 위치를 x라 하면

$$x=\int_0^6 v(t)dt=\int_0^3(-t+2)dt+\int_3^4(-1)dt+\int_4^6(t-5)dt$$

$$=\left[-\frac{1}{2}t^2+2t\right]_0^3+\left[-t\right]_3^4+\left[\frac{1}{2}t^2-5t\right]_4^6=\mathbf{\frac{1}{2}}$$

(2) 운동 방향을 바꾸게 되는 시각은 $v(t)=0$인 시각 $t=2$, $t=5$이므로 출발 후 $t=2$에서 처음 방향을 바꾸고 $t=5$에서 두 번째로 방향을 바꾼다. 따라서 시각 $t=2$에서 $t=5$까지 점 P가 움직인 거리는

$$\int_2^5|v(t)|dt=\int_2^3|-t+2|dt+\int_3^4|-1|dt+\int_4^5|t-5|dt$$

$$=-\int_2^3(-t+2)dt-\int_3^4(-1)dt-\int_4^5(t-5)dt$$

$$=-\left[-\frac{1}{2}t^2+2t\right]_2^3-\left[-t\right]_3^4-\left[\frac{1}{2}t^2-5t\right]_4^5=\mathbf{2}$$

다른풀이 넓이를 이용하여 구할 수도 있다.

(1) $\int_0^6 v(t)dt=\int_0^2 v(t)dt+\int_2^5 v(t)dt+\int_5^6 v(t)dt=\frac{1}{2}\cdot2\cdot2-\frac{1}{2}\cdot(3+1)\cdot1+\frac{1}{2}\cdot1\cdot1=\frac{1}{2}$

(2) $\int_2^5|v(t)|dt=\frac{1}{2}\cdot(3+1)\cdot1=2$

KEY Point

- 속도의 그래프가 주어질 때 움직인 거리는 속도의 그래프와 t축으로 둘러싸인 부분의 넓이와 같다.
- 운동 방향이 바뀌게 되는 시각 ⇨ $v(t)=0$인 시각

230 원점을 출발하여 수직선 위를 움직이는 점 P의 시각 t에서의 속도 $v(t)$의 그래프가 오른쪽 그림과 같을 때, 다음을 구하시오. (단, $0\le t\le 5$)

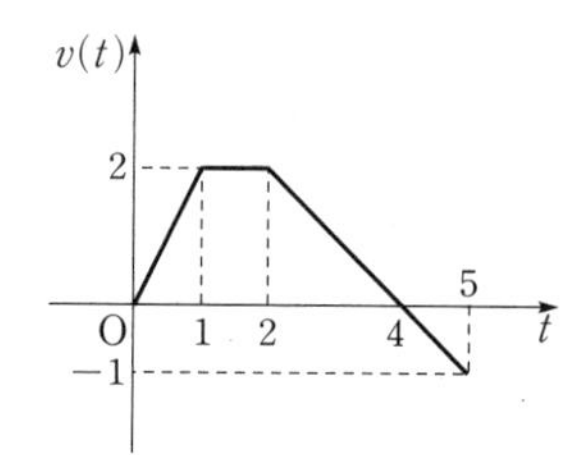

(1) 시각 $t=5$에서 점 P의 위치

(2) 운동 방향을 바꿀 때까지 움직인 거리

(3) 시각 $t=0$에서 $t=5$까지 움직인 거리

연습문제

STEP 1

생각해 봅시다!

248 원점을 출발하여 수직선 위를 움직이는 점 P의 t초 후의 속도가 $v(t)=6t-3t^2$이다. 시각 $t=3$에서 점 P의 위치를 a, 시각 $t=0$에서 $t=3$까지 점 P가 움직인 거리를 b라 할 때, $a+b$의 값을 구하시오.

249 원점을 동시에 출발하여 수직선 위를 움직이는 두 점 P, Q가 있다. 출발한 지 t초 후의 속도가 각각 $v_1(t)=3t^2-8t+4$, $v_2(t)=12-8t$이다. 출발 후 두 점 P, Q가 다시 만나는 것은 몇 초 후인지 구하시오.

t초 후의 두 점 P, Q의 위치를 각각 x_1, x_2라 하면 $x_1=x_2$일 때, 두 점 P, Q는 다시 만난다.

250 지상에서 v_0의 속도로 똑바로 위로 던진 돌의 t초 후의 속도가 $v(t)=v_0-9.8t$(m/s)일 때, 던진 후 2초 후에 5 m의 상공에 도달하려면 v_0은 몇 m/s이어야 하는지 구하시오.

$\int_0^2 v(t)dt=5$

251 지면에 정지해 있던 열기구가 수직 방향으로 출발한 지 t분 후의 속도 $v(t)$(m/min)를 $v(t)=\begin{cases} t & (0\le t\le 20) \\ 60-2t & (20\le t\le 40) \end{cases}$라 하자. 출발한 지 35분 후의 지면으로부터 열기구의 높이를 구하시오.

(단, 열기구는 수직 방향으로만 움직이는 것으로 가정한다.)

252 직선 운동을 하는 점 P가 출발한 지 t초 후의 속도 $v(t)$의 그래프가 오른쪽 그림과 같을 때, 점 P가 출발한 점에 처음으로 다시 돌아올 때까지 걸리는 시간을 구하시오.

(위치의 변화량)$=0$

253 원점을 출발하여 수직선 위를 움직이는 점 P의 시각 $t(0\le t\le 6)$에서의 속도 $v(t)$의 그래프가 오른쪽 그림과 같다. 점 P가 시각 $t=0$에서 $t=6$까지 움직인 거리를 구하시오.

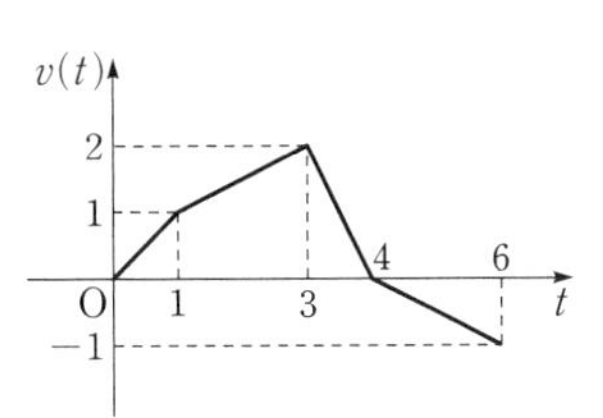

움직인 거리는 속도의 그래프와 t축으로 둘러싸인 부분의 넓이와 같다.

STEP 2

254 원점을 출발하여 t초 후에 $-3t^2-2t+12$의 속도로 수직선 위를 움직이는 점 P가 있다. 점 P가 출발한 후 원점으로 다시 돌아오는 것은 몇 초 후인지 구하시오.

(위치의 변화량)$=0$

[교육청기출]

255 원점을 출발하여 수직선 위를 움직이는 점 P의 시각 t에서의 속도를 $v(t)=3t^2-6t$라 하자. 점 P가 시각 $t=0$에서 $t=a$까지 움직인 거리가 58일 때, $v(a)$의 값을 구하시오.

$\int_0^2 |v(t)|dt<58$이므로 $a>2$이다.

256 지상 20 m의 높이에서 40 m/s의 속도로 똑바로 위로 쏘아 올린 물체의 t초 후의 속도가 $v(t)=40-8t$(m/s)일 때, 지면에 도달할 때까지 물체가 움직인 거리를 구하시오.

지상 20 m의 높이에서 쏘아 올렸음에 주의한다.

실력 UP

257 시속 72 km로 달리는 자동차가 브레이크를 밟았더니 50 m를 더 간 후 정지하였다. 브레이크를 밟은 후 속도가 일정하게 감소하였다면 브레이크를 밟은 후 정지할 때까지 걸린 시간은 몇 초인지 구하시오.

실력 UP

258 원점을 출발하여 수직선 위를 7초 동안 움직이는 점 P의 t초 후의 속도 $v(t)$의 그래프가 오른쪽 그림과 같을 때, 다음 보기 중에서 옳은 것만을 있는 대로 고르시오.

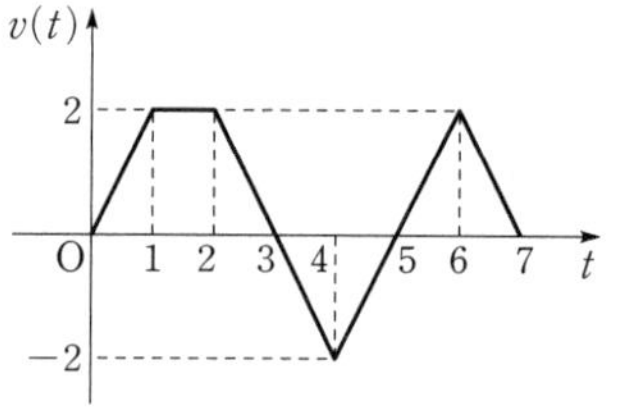

| 보기 |

ㄱ. 점 P는 출발하고 나서 5초 후 출발점에 있었다.
ㄴ. 점 P는 출발하고 나서 2초 동안 멈춘 적이 있었다.
ㄷ. 점 P는 움직이는 동안 방향을 2번 바꿨다.
ㄹ. 점 P가 출발하고 나서 3초 동안 움직인 거리는 4이다.

$t=a$에서 $t=b$까지의 (위치의 변화량) $=\int_a^b v(t)dt$

(움직인 거리) $=\int_a^b |v(t)|dt$

1 (1) 0 (2) -3 (3) -2 (4) 9

2 (1) ∞ (2) $-\infty$

3 (1) ∞ (2) $-\infty$ (3) $-\infty$ (4) ∞

4 (1) 3 (2) 0

5 (1) 3 (2) $\frac{2}{3}$ (3) 6 (4) 3 (5) 3 (6) $\sqrt{5}$

6 (1) $-\infty$ (2) ∞ (3) $-\infty$ (4) $-\infty$

7 (1) 2 (2) 3 (3) 1 (4) 0 (5) 1 (6) -2

8 (1) 0 (2) 3 (3) 1 (4) 2 (5) 존재하지 않는다.

9 (1) 존재하지 않는다. (2) 존재하지 않는다. (3) 0

10 1

11 (1) 2 (2) 5 (3) -3 (4) 1 (5) -3 (6) $\frac{1}{3}$

12 (1) -1 (2) -1 (3) 9 (4) 2 (5) -6 (6) 5

13 7

14 1

15 (1) 3 (2) $\frac{1}{2}$ (3) $-\frac{7}{8}$ (4) 2 (5) 4 (6) 1

16 (1) $\frac{1}{3}$ (2) 0 (3) $-\infty$ (4) $\frac{1}{2}$ (5) -3 (6) $\frac{2}{3}$

17 (1) $-\infty$ (2) $\frac{3}{4}$ (3) -1 (4) $\frac{7}{2}$

18 (1) 2 (2) $\frac{1}{3}$ (3) $\frac{3}{16}$ (4) $\frac{1}{18}$

19 (1) $a=4$, $b=4$ (2) $a=4$, $b=3$
(3) $a=2$, $b=-2$

20 2

21 $f(x)=2x^3+2x^2-3x$

22 3

23 5

24 8

25 1

26 (1) $f(1)$의 값이 존재하지 않는다.
(2) $\lim_{x \to 1} f(x)$의 값이 존재하지 않는다.
(3) $\lim_{x \to 1} f(x) \neq f(1)$

27 (1) 연속 (2) 불연속

28 (1) $[-2, 1]$ (2) $(-1, 2)$ (3) $[0, 2)$
(4) $(1, 3]$ (5) $(-\infty, -2)$ (6) $[3, \infty)$

29 (1) $(-\infty, \infty)$ (2) $[1, \infty)$

30 (1) 연속 (2) 불연속 (3) 불연속
(4) 연속 (5) 불연속

31 2

32 ㄱ

33 4

34 6

35 $\frac{1}{8}$

36 9

37 ㄱ, ㄷ

38 (1) 최댓값: 3, 최솟값: 0 (2) 최댓값: 4, 최솟값: 2

39 (1) 최댓값: 없다., 최솟값: 3
(2) 최댓값: 없다., 최솟값: 3

40 풀이 참조

41 2개

42 2

43 16

44 (1) 0 (2) -6 (3) 2 (4) 2

45 -7

46 4

47 -1

48 0

49 5

50 11

51 ㄱ, ㄴ, ㄷ

52 (1) 연속, 미분가능하지 않다.
(2) 연속, 미분가능하지 않다.
(3) 연속, 미분가능하다.

53 ⑤

54 (1) $f'(x)=0$ (2) $f'(x)=1$ (3) $f'(x)=16x+7$

55 (1) $y'=0$ (2) $y'=12x^2-x$
(3) $y'=20x^3+3x^2-3$

56 (1) $y'=5x^4-3x^2+4x$
(2) $y'=24x^3-3x^2-16x+1$
(3) $y'=24(2x-1)^3$

57 15

58 $a=-3$, $b=2$, $c=5$

59 $\frac{1}{4}$

60 -2

61 $\frac{1}{3}$

62 -4

63 1

64 11

65 23

66 $a=-1$, $b=8$

67 -3

68 39

69 $94x-91$

70 -9

71 (1) 8 (2) 10

72 $2x-4$, 4, 4, 4, -1, 4, 4, $4x-17$

73 $6x+2$, $6a+2$, 6, 6, 8, 1, $8x-2$

74 $a=2$, $b=2$

75 $\frac{1}{2}$

76 $y=7x+5$

77 $a=-2$, $b=2$

78 $y=-\frac{1}{2}x+\frac{3}{2}$

79 $y=x-\frac{1}{4}$

80 $y=2x+2$

81 $y=-8x+4$, $y=-8x$

82 (1) $y=4$, $y=-4x+12$ (2) $y=x+2$

83 4

84 $3\sqrt{2}$

85 3

86 -2

87 (1) $a=-1$, $b=-1$, $c=1$ (2) $y=2x+2$

88 $-\frac{1}{3}$

89 (1) 3 (2) 1 (3) $\frac{5}{3}$

90 $c=1$, $a=3$

91 (1) 3 (2) $\frac{2\sqrt{3}}{3}$

92 1

93 1

94 (1) 반닫힌 구간 $(-\infty, -1]$과 반닫힌 구간 $[1, \infty)$에서 감소, 닫힌구간 $[-1, 1]$에서 증가

(2) 반닫힌 구간 $(-\infty, -3]$과 반닫힌 구간 $[5, \infty)$에서 증가, 닫힌구간 $[-3, 5]$에서 감소

95 (1) $1 \le a \le 4$ (2) $-6 \le a \le 6$

96 $-12 \le a \le -3$

97 0

98 6

99 6, -12, 2, 2, -5, 2, -5

100 -4, 4, 0, 0, $-$, -3, 0, -3

101 (1) 극댓값: 4, 극솟값: 0

(2) 극댓값: 16, 극솟값: -11

102 27

103 (1) 극댓값: 10, 극솟값: -22, 5

(2) 극댓값: 14, 극솟값: 없다.

104 24

105 -3

106 145

107 -1

108 8

109 풀이 참조

110 $k<-3$ 또는 $k>3$

111 -1

112 $-\frac{2}{3}<k<\frac{2}{9}$

113 $-\frac{3}{2}<a<-\frac{1}{2}$

114 $-9<a<0$ 또는 $a>0$

115 $a=-2$ 또는 $a \ge \frac{1}{4}$

116 (1) 최댓값: 21, 최솟값: -6

(2) 최댓값: 21, 최솟값: -11

117 (1) 최댓값: 없다., 최솟값: -14

(2) 최댓값: 1, 최솟값: 없다.

118 0

119 2

120 2년 후

121 5

122 32

123 $\frac{2}{3}$

124 (1) 1 (2) 3 (3) 4 (4) 2

125 (1) $-2<k<2$ (2) $k=-2$ 또는 $k=2$
(3) $k<-2$ 또는 $k>2$

126 $10<k<15$

127 (1) $-20<a<12$ (2) $a=-20$ 또는 $a=12$

128 (1) $k=27$ (2) $0<k<27$ (3) $-5<k<0$
(4) $k<-5$

129 (1) $0<a<1$ (2) $a<0$ 또는 $a>1$

130 -13

131 $a\ge1$

132 $k>9$

133 $a>6$

134 22

135 (1) 16 (2) -2

136 42

137 위치: -18, 가속도: 5

138 -20 m/s

139 165 m

140 ㄷ

141 ㄱ

142 (1) 105 m/min (2) 35 m/min

143 9.5 cm^2/s

144 90π cm^3/s

145 ㄱ, ㄷ

146 (1) $7x+C$ (2) $-2x+C$ (3) $3x^2+C$
(4) $-x^4+C$ (5) $-x^3+x+C$ (6) x^7+x^2+C

147 (1) $f(x)=2$ (2) $f(x)=6x+1$
(3) $f(x)=-\frac{3}{2}x+\frac{2}{3}$
(4) $f(x)=12x^2-10x+11$

148 -12

149 5

150 4

151 $-\frac{7}{3}$

152 -3

153 5

154 7

155 (1) x^3+7x+C (2) $-x^4+\frac{1}{2}x^2+2x+C$
(3) $\frac{1}{3}x^6-x^5+C$ (4) $-x^8+\frac{4}{3}x^3-x+C$

156 (1) $-\frac{1}{3}x^3+4x+C$ (2) $\frac{2}{3}x^3-\frac{9}{2}x^2+4x+C$
(3) $2t^3+\frac{7}{2}t^2-3t+C$ (4) $\frac{1}{4}y^4+y+C$

157 (1) $\frac{1}{3}x^3+x^2+x+C$ (2) $3x^3-6x^2+4x+C$
(3) $-2x^4+12x^3-27x^2+27x+C$
(4) $\frac{27}{4}y^4-9y^3+\frac{9}{2}y^2-y+C$

158 (1) $\frac{1}{3}x^3-x^2y+xy^2+C$ (2) $10x^2+C$

159 (1) $\frac{1}{3}y^3-\frac{1}{2}y^2+y+C$ (2) $\frac{1}{2}x^2+x+C$
(3) $2x^2+C$ (4) $\frac{1}{3}x^3+\frac{1}{2}x^2+x+C$

160 10

161 2

162 28

163 $\frac{3}{4}x^4-\frac{1}{3}x^3+\frac{1}{2}x^2+2x+C$

164 $f(x)=\frac{8}{3}x^3-4x^2+1$

165 6

166 -10

167 3

168 3

169 $a=-6$, 극댓값: 36

170 $f(x)=-x^3+12x+4$

171 $f(x)=\frac{1}{3}x^3+6x$

172 2

173 (1) 2 (2) 56 (3) 12 (4) $-\frac{26}{3}$

174 (1) 0 (2) 0 (3) $\frac{8}{3}$ (4) -24

175 (1) 2 (2) 4 (3) 6 (4) 6

176 (1) -2 (2) -76 (3) $-\frac{5}{6}$

177 $\frac{6}{5}$

178 2

179 $\frac{1}{2}$

180 (1) -18 (2) 10 (3) $-\frac{16}{3}$ (4) $-\frac{22}{3}$

181 $\frac{1}{12}$

182 $\frac{1}{3}$

183 (1) $\frac{5}{2}$ (2) 1 (3) 3 (4) $\frac{19}{3}$

184 4

185 (1) 28 (2) 4

186 4

187 15

188 $\frac{80}{3}$

189 (1) x^2+2 (2) $3x^2-2x+3$ (3) $5x^3-3x^2$
(4) $3x^3-2x^2-x$ (5) $4x$ (6) $4x-1$

190 (1) $f(x)=4x-5$ (2) $f(x)=-2x+3$
(3) $f(x)=9x^2-6$ (4) $f(x)=12x^2+6x+2$
(5) $f(x)=2x-2$ (6) $f(x)=6x^2+8x+3$

191 (1) $\frac{5}{3}$ (2) 2 (3) $-\frac{11}{21}$ (4) $\frac{17}{4}$

192 -7

193 (1) $\frac{23}{2}$ (2) 0

194 6

195 (1) $f(x)=12x^2-4$ (2) $f(x)=6x-4$

196 $-\frac{125}{6}$

197 $\frac{2}{3}$

198 $\frac{7}{3}$

199 8

200 (1) -1 (2) 8 (3) $\frac{3}{2}$ (4) 22

201 2

202 $2\sqrt{3}$

203 $0,\ 2,\ 2,\ 0,\ \frac{4}{3}$

204 $0,\ 3,\ 3,\ x^2-4x,\ 3,\ -x^2+3x,\ \frac{9}{2}$

205 $-1,\ 1,\ -1,\ -2x^2+x+3,\ -1,\ -3x^2+3,\ 4$

206 (1) $\frac{4}{3}$ (2) 36 (3) $\frac{37}{12}$ (4) 8

207 -6

208 1

209 -1

210 (1) $\frac{8}{3}$ (2) 8

211 1

212 (1) $\frac{27}{4}$ (2) $\frac{71}{6}$

213 1

214 $\frac{8}{3}$

215 $\frac{27}{4}$

216 2

217 $\frac{31}{3}$

218 4

219 2

220 6

221 4

222 $3(\sqrt[3]{2}-1)$

223 2

224 1

225 $\frac{1}{48}$

226 22

227 (1) $\frac{22}{3}$ (2) $\frac{9}{2}$ (3) $\frac{61}{6}$

228 144 m

229 (1) 180 m (2) 200 m (3) -60 m/s

230 (1) $\frac{9}{2}$ (2) 5 (3) $\frac{11}{2}$

빠른답 체크 연습문제 · 실력 UP

1 존재하지 않는다.

2 존재하지 않는다.

3 4

4 10

5 ②

6 ⑤

7 ④

8 ③

9 5

10 -9

11 $\frac{3}{4}$

12 2

13 ②

14 1

15 4

16 $\frac{1}{3}$

17 $\frac{1}{5}$

18 3

19 14

20 $\frac{5}{6}$

21 -3

22 2

23 -1

24 -4

25 $\frac{5}{4}$

26 21

27 $f(x)=-(x-1)(x+1)(x+2)$

28 $f(x)=2x-4$, $p=\frac{2}{5}$

29 -2

30 0

31 14

32 2

33 -4

34 0

35 ④

36 ③, ⑤

37 -4

38 1

39 4

40 ㄱ, ㄴ, ㄷ

41 ㄱ, ㄴ

42 2

43 $\frac{1}{2}$

44 -3

45 20

46 1

47 3

48 -3

49 $(-\infty, -1)$, $(-1, 3)$, $(3, \infty)$

50 5

51 ②

52 3개

53 -1

54 3개

55 -4

56 ①

57 2

58 2

59 $\frac{1}{4}$

60 0

61 ③

62 ⑤

63 4

64 ⑤

65 14

66 a

67 (1) $\frac{5}{2}$ (2) -3

68 5

69 28

70 28
71 ㄴ
72 ④
73 ④
74 $a=1$, $b=-3$
75 20
76 0
77 -8
78 -3
79 7
80 5
81 14
82 18
83 20
84 $f(x)=-x^2-\frac{1}{3}x+\frac{5}{9}$ 또는 $f(x)=3x^2-3x+1$
85 4
86 ③
87 12
88 풀이 참조
89 1
90 ⑤
91 ⑤
92 -2
93 ②
94 -1
95 ②
96 $\sqrt{2}$
97 7
98 ⑤
99 5
100 $y=4x+1$
101 $y=2x-16$
102 ①
103 ①
104 8
105 $8\sqrt{2}$
106 $y=-x-1$
107 ④
108 ③
109 1
110 $2\sqrt{2}$
111 $\frac{3\sqrt{5}}{5}$
112 8
113 ④
114 -3
115 $a\le-15$
116 10
117 $-\frac{1}{3}$
118 ㄴ, ㄷ
119 ③
120 ②
121 32
122 -11
123 ②
124 1
125 1
126 1
127 16
128 16
129 87
130 43
131 -7
132 ⑤
133 ④
134 ④
135 $a<-1$
136 1
137 12
138 ②
139 ⑤
140 20
141 ①
142 4
143 2

144 ②

145 6

146 12

147 -54

148 $a=-3$ 또는 $-2\le a\le 6$

149 ㄱ, ㄴ, ㄷ

150 40

151 $\frac{5}{2}$

152 ②

153 $-\frac{5}{2}$

154 ③

155 $-\frac{5}{3}$

156 ①

157 ②

158 6

159 53

160 4

161 11

162 100

163 $a\le -2$

164 $0<a<\frac{9}{16}$

165 4

166 6

167 -1

168 ③

169 18

170 10

171 ②

172 ㄱ, ㄴ

173 26

174 -35

175 3번

176 10

177 12

178 ①

179 6

180 8

181 -7

182 11

183 4

184 $-\frac{17}{3}$

185 12

186 -22

187 $f(x)=2x^2+2x-1$

188 -2

189 $f(x)=-4x^3-6x^2+1$

190 ⑤

191 6

192 18

193 13

194 28

195 3

196 $a=3$, 극솟값: -8

197 17

198 -4

199 -4

200 -2

201 (1) 0 (2) $\frac{8}{3}$ (3) 0

202 $\frac{31}{3}$

203 (1) $\frac{64}{3}$ (2) 9

204 3

205 1

206 2

207 11

208 34

209 -9

210 4

211 59

212 $\frac{25}{12}$

213 0

214 $\frac{b-a}{2}$

215 96

216 ③

217 ②

218 ③

219 40

220 극댓값: 32, 극솟값: 0

221 ④

222 20

223 $\frac{60}{7}$

224 -6

225 $x=1$일 때, 극댓값 $\frac{4}{3}$

226 ④

227 -18

228 2

229 ③

230 2

231 ④

232 49

233 8

234 $\frac{2\sqrt{2}}{3}$

235 3

236 $\frac{3}{2}$

237 32

238 ④

239 9

240 108

241 5

242 3

243 $\frac{2}{3}$

244 $1+\sqrt{3}$

245 $-1+\sqrt{2}$

246 $a=1$, (넓이)$=\frac{1}{2}$

247 ③

248 8

249 $2\sqrt{2}$초 후

250 12.3 m/s

251 275 m

252 4초

253 $\frac{11}{2}$

254 3초 후

255 45

256 220 m

257 5초

258 ㄷ, ㄹ

개념원리와 만나는 모든 방법

다양한 이벤트, 동기부여 콘텐츠 등
공부 자극에 필요한 모든 콘텐츠를 보고 싶다면?

개념원리 공식 인스타그램
@wonri_with

교재 속 QR코드 문제 풀이 영상 공부법까지
수학 공부에 필요한 모든 것

개념원리 공식 유튜브 채널
youtube.com/개념원리2022

개념원리에서 만들어지는 모든 콘텐츠를
정기적으로 받고 싶다면?

개념원리 공식
카카오뷰 채널

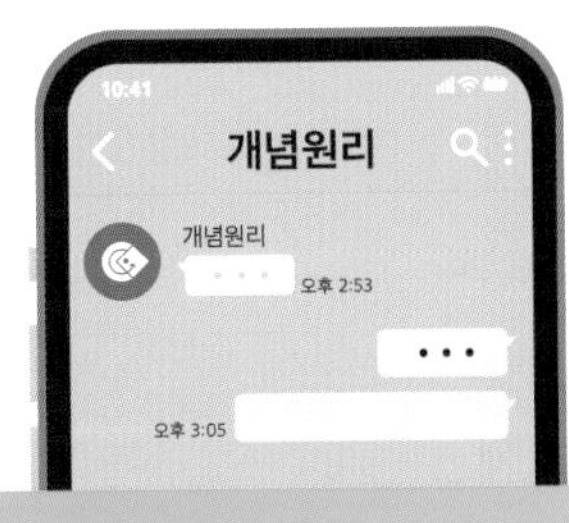

개념원리
교재 소개

문제 난이도

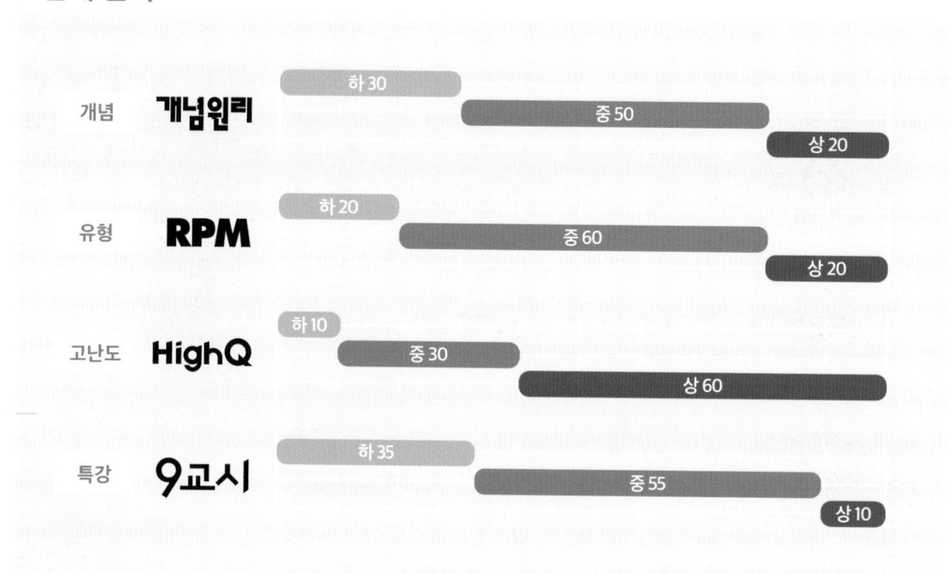

고등

개념원리 | 수학의 시작 　개념

하나를 알면 10개, 20개를 풀 수 있는 개념원리 수학
수학(상), 수학(하), 수학 Ⅰ, 수학 Ⅱ, 확률과 통계, 미적분, 기하

RPM | 유형의 완성 　유형

다양한 유형의 문제를 통해 수학의 문제 해결력을 높일 수 있는 RPM
수학(상), 수학(하), 수학 Ⅰ, 수학 Ⅱ, 확률과 통계, 미적분, 기하

High Q | 고난도 정복 (고1 내신 대비) 　고난도

최고를 향한 핵심 고난도 문제서 High Q
수학(상), 수학(하)

9교시 | 학교 안 개념원리 　특강

쉽고 빠르게 정리하는 9종 교과서 시크릿
수학(상), 수학(하), 수학 Ⅰ

중등

개념원리 | 수학의 시작 　개념

하나를 알면 10개, 20개를 풀 수 있는 개념원리 수학
중학수학 1-1, 1-2, 2-1, 2-2, 3-1, 3-2

RPM | 유형의 완성 　유형

다양한 유형의 문제를 통해 수학의 문제 해결력을 높일 수 있는 RPM
중학수학 1-1, 1-2, 2-1, 2-2, 3-1, 3-2

megastudy

개념원리

'모두가 기다린 만남'

메가스터디 × 개념원리

이제 메가스터디에서
개념원리 인강을
수강할 수 있습니다!

고1·2 전문 선생님
탄탄한 수학 실력 완성

개념원리 교재
맞춤 강좌 수강 가능
(개념원리, RPM, 하이큐, 9교시)

인강 학습 후에도 독학 가능
필수 자료 모두 제공!

선생님께 직접 질문하고
답변 받는 학습 Q&A

내신부터 수능까지 전 강좌 무제한 수강

MEGAPASS next

메가패스 구매 시, 개념원리 포함 메가스터디 전 강좌 무제한 수강 가능

www.megastudy.net

개념원리

수학Ⅱ

개념원리는 상표법에 의해 보호받는 본사의 고유한 상표입니다.
구입 후에는 철회되지 않으며 파본은 바꾸어 드립니다.
이 책에 실린 모든 글과 사진 및 편집 형태에 대한 저작권은
(주)개념원리에 있으므로 무단으로 복사, 복제할 수 없습니다.

KC마크는 이 제품이 공통안전기준에 적합하였음을 의미합니다.

개념원리

수학 II

정답과 풀이

개념원리 수학연구소

개념원리 수학 II

정답과 풀이

- 친절한 풀이　정확하고 이해하기 쉬운 친절한 풀이
- 다른 풀이　수학적 사고력을 키우는 다양한 해결 방법 제시
- key point　문제 해결을 돕는 보충 설명 제공

교재 만족도 조사

개념원리는 모든 학생들의 의견을 소중하게 생각합니다.

· 참여 혜택 : 매월 10분을 추첨해서 문화상품권 1만원을 드립니다.

· 당첨자 발표 : 매월 초 개별 연락

개념원리

수학 Ⅱ

정답과 풀이

개념원리 익히기 · 확인체크

I. 함수의 극한과 연속

1

(1) $f(x)=x+1$로 놓으면 함수 $y=f(x)$의 그래프는 오른쪽 그림과 같고, x의 값이 -1에 한없이 가까워질 때, $f(x)$의 값은 0에 한없이 가까워지므로

$\lim_{x\to -1}(x+1)=0$

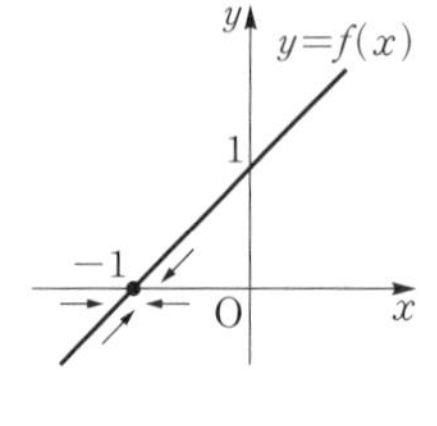

(2) $f(x)=-2x+3$으로 놓으면 함수 $y=f(x)$의 그래프는 오른쪽 그림과 같고, x의 값이 3에 한없이 가까워질 때, $f(x)$의 값은 -3에 한없이 가까워지므로

$\lim_{x\to 3}(-2x+3)=-3$

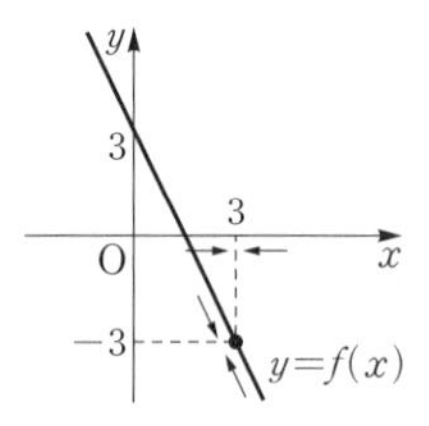

(3) $f(x)=x^2-3x$로 놓으면 함수 $y=f(x)$의 그래프는 오른쪽 그림과 같고, x의 값이 1에 한없이 가까워질 때, $f(x)$의 값은 -2에 한없이 가까워지므로

$\lim_{x\to 1}(x^2-3x)=-2$

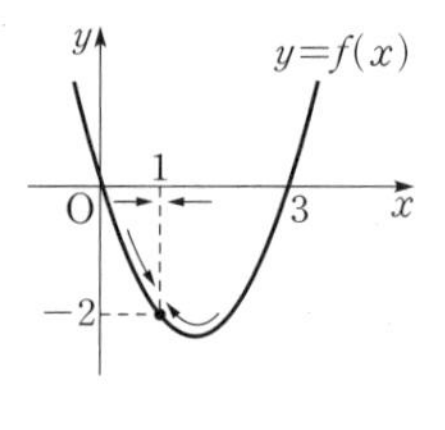

(4) $f(x)=9$로 놓으면 함수 $y=f(x)$의 그래프는 오른쪽 그림과 같고, x의 값이 0에 한없이 가까워질 때, $f(x)$의 값은 항상 9이므로

$\lim_{x\to 0}9=9$

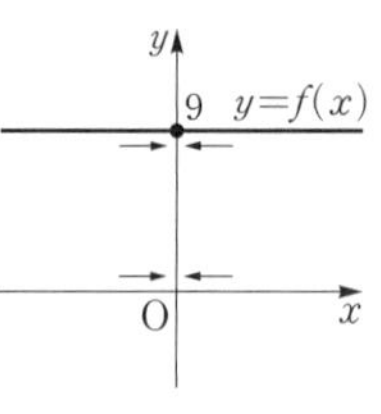

답 (1) **0** (2) **−3** (3) **−2** (4) **9**

2

(1) $f(x)=\frac{1}{x^2}-7$로 놓으면 함수 $y=f(x)$의 그래프는 오른쪽 그림과 같고, x의 값이 0에 한없이 가까워질 때, $f(x)$의 값은 한없이 커지므로

$\lim_{x\to 0}\left(\frac{1}{x^2}-7\right)=\infty$

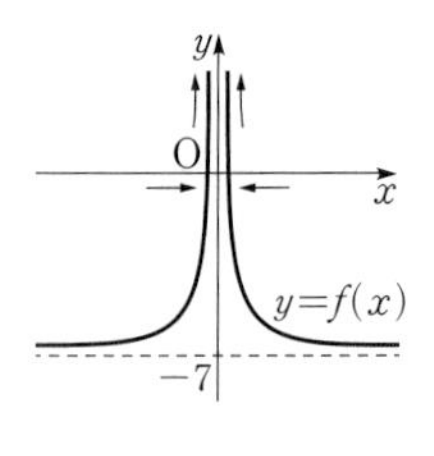

(2) $f(x)=-\frac{1}{x^2}+1$로 놓으면 함수 $y=f(x)$의 그래프는 오른쪽 그림과 같고, x의 값이 0에 한없이 가까워질 때, $f(x)$의 값은 음수이면서 그 절댓값이 한없이 커지므로

$\lim_{x\to 0}\left(-\frac{1}{x^2}+1\right)=-\infty$

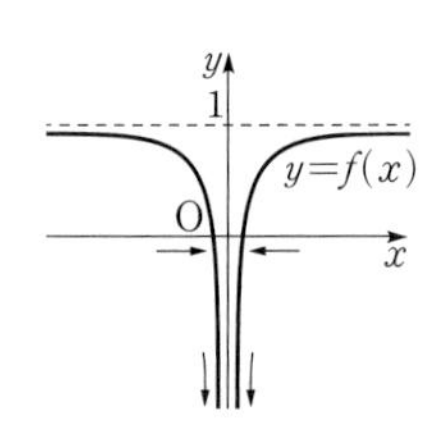

답 (1) **∞** (2) **−∞**

3

(1) $f(x)=3x-2$로 놓으면 함수 $y=f(x)$의 그래프는 오른쪽 그림과 같고, x의 값이 한없이 커질 때, $f(x)$의 값은 한없이 커지므로

$\lim_{x\to\infty}(3x-2)=\infty$

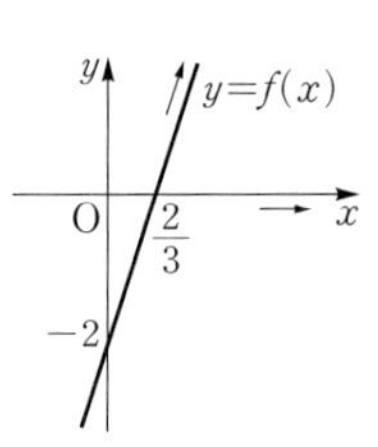

(2) $f(x)=-5x+1$로 놓으면 함수 $y=f(x)$의 그래프는 오른쪽 그림과 같고, x의 값이 한없이 커질 때, $f(x)$의 값은 음수이면서 그 절댓값이 한없이 커지므로

$\lim_{x\to\infty}(-5x+1)=-\infty$

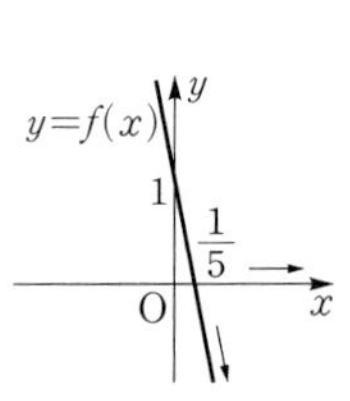

(3) $f(x)=2x-1$로 놓으면 함수 $y=f(x)$의 그래프는 오른쪽 그림과 같고, x의 값이 음수이면서 그 절댓값이 한없이 커질 때, $f(x)$의 값은 음수이면서 그 절댓값이 한없이 커지므로

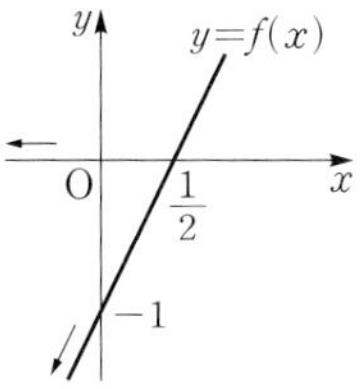

$\lim_{x \to -\infty}(2x-1)=-\infty$

(4) $f(x)=-x+4$로 놓으면 함수 $y=f(x)$의 그래프는 오른쪽 그림과 같고, x의 값이 음수이면서 그 절댓값이 한없이 커질 때, $f(x)$의 값은 한없이 커지므로

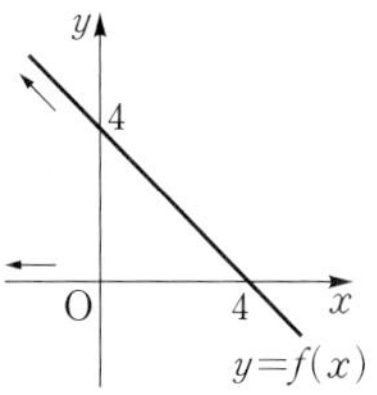

$\lim_{x \to -\infty}(-x+4)=\infty$

답 (1) ∞ (2) $-\infty$ (3) $-\infty$ (4) ∞

4

(1) $f(x)=3$으로 놓으면 함수 $y=f(x)$의 그래프는 오른쪽 그림과 같고, x의 값이 한없이 커질 때, $f(x)$의 값은 항상 3이므로

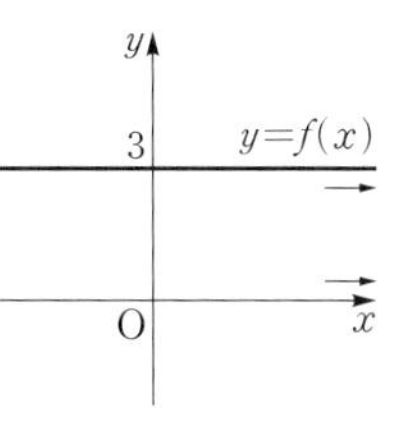

$\lim_{x \to \infty}3=3$

(2) $f(x)=\frac{1}{x^2}$로 놓으면 함수 $y=f(x)$의 그래프는 오른쪽 그림과 같고, x의 값이 음수이면서 그 절댓값이 한없이 커질 때, $f(x)$의 값은 0에 한없이 가까워지므로

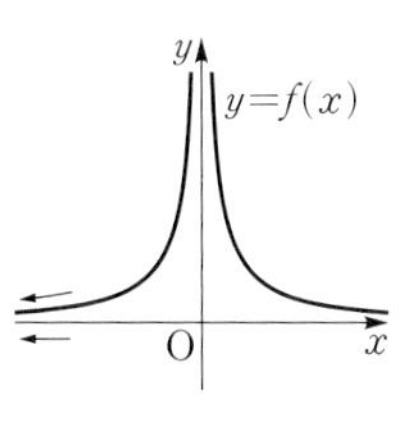

$\lim_{x \to -\infty}\frac{1}{x^2}=0$

답 (1) 3 (2) 0

5

(1) $f(x)=\frac{x}{x-2}$로 놓으면

$f(x)=\frac{x}{x-2}=\frac{(x-2)+2}{x-2}=1+\frac{2}{x-2}$

이므로 함수 $y=f(x)$의 그래프는 오른쪽 그림과 같고, x의 값이 3에 한없이 가까워질 때, $f(x)$의 값은 3에 한없이 가까워지므로

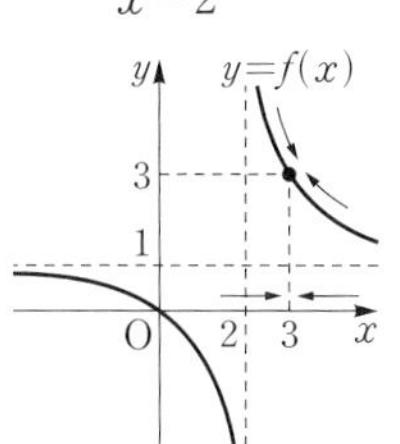

$\lim_{x \to 3}\frac{x}{x-2}=3$

(2) $f(x)=\frac{x^2+2x}{3x}$로 놓으면

$x\neq0$일 때,

$f(x)=\frac{x^2+2x}{3x}=\frac{x+2}{3}$

이므로 함수 $y=f(x)$의 그래프는 오른쪽 그림과 같고, x의 값이 0에 한없이 가까워질 때, $f(x)$의 값은 $\frac{2}{3}$에 한없이 가까워지므로

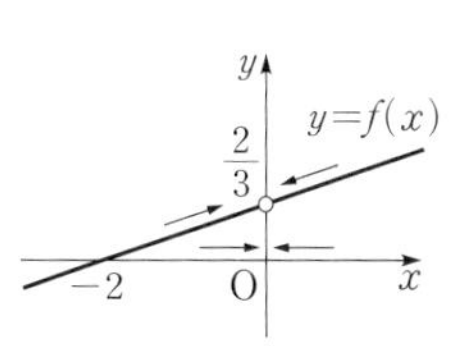

$\lim_{x \to 0}\frac{x^2+2x}{3x}=\frac{2}{3}$

(3) $f(x)=\frac{x^2-9}{x-3}$로 놓으면

$x\neq3$일 때,

$f(x)=\frac{x^2-9}{x-3}=\frac{(x-3)(x+3)}{x-3}$

$=x+3$

이므로 함수 $y=f(x)$의 그래프는 오른쪽 그림과 같고, x의 값이 3에 한없이 가까워질 때, $f(x)$의 값은 6에 한없이 가까워지므로

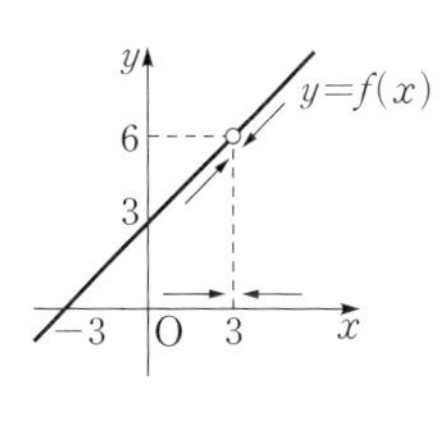

$\lim_{x \to 3}\frac{x^2-9}{x-3}=6$

(4) $f(x)=\frac{x^3-1}{x-1}$로 놓으면

$x\neq1$일 때,

$f(x)=\frac{x^3-1}{x-1}=\frac{(x-1)(x^2+x+1)}{x-1}$

$=x^2+x+1$

이므로 함수 $y=f(x)$의 그래프는 오른쪽 그림과 같고, x의 값이 1에 한없이 가까워질 때, $f(x)$의 값은 3에 한없이 가까워지므로

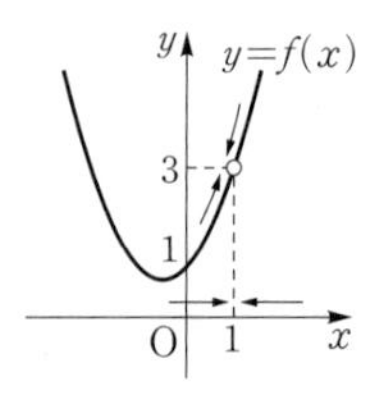

$\lim_{x \to 1} \frac{x^3-1}{x-1}=3$

(5) $f(x)=\sqrt{3x+6}$으로 놓으면 함수 $y=f(x)$의 그래프는 오른쪽 그림과 같고, x의 값이 1에 한없이 가까워질 때, $f(x)$의 값은 3에 한없이 가까워지므로

$\lim_{x \to 1} \sqrt{3x+6}=3$

(6) $f(x)=\sqrt{-x+3}$으로 놓으면 함수 $y=f(x)$의 그래프는 오른쪽 그림과 같고, x의 값이 -2에 한없이 가까워질 때, $f(x)$의 값은 $\sqrt{5}$에 한없이 가까워지므로

$\lim_{x \to -2} \sqrt{-x+3}=\sqrt{5}$

답 (1) **3** (2) $\mathbf{\frac{2}{3}}$ (3) **6** (4) **3** (5) **3** (6) $\mathbf{\sqrt{5}}$

6

(1) $f(x)=3-\frac{1}{(x-2)^2}$로 놓으면 함수 $y=f(x)$의 그래프는 오른쪽 그림과 같고, x의 값이 2에 한없이 가까워질 때, $f(x)$의 값은 음수이면서 그 절댓값이 한없이 커지므로

$\lim_{x \to 2} \left\{3-\frac{1}{(x-2)^2}\right\}=-\infty$

(2) $f(x)=\frac{1}{|x+3|}$로 놓으면 함수 $y=f(x)$의 그래프는 오른쪽 그림과 같고, x의 값이 -3에 한없이 가까워질 때,

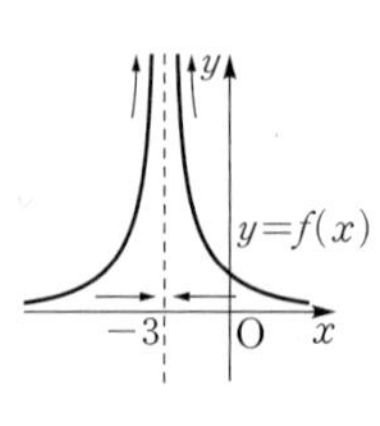

$f(x)$의 값은 한없이 커지므로

$\lim_{x \to -3} \frac{1}{|x+3|}=\infty$

(3) $f(x)=5-x^2$으로 놓으면 함수 $y=f(x)$의 그래프는 오른쪽 그림과 같고, x의 값이 한없이 커질 때, $f(x)$의 값은 음수이면서 그 절댓값이 한없이 커지므로

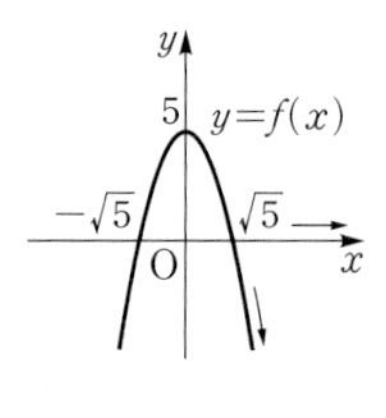

$\lim_{x \to \infty} (5-x^2)=-\infty$

(4) $f(x)=-\sqrt{3-x}$로 놓으면 함수 $y=f(x)$의 그래프는 오른쪽 그림과 같고, x의 값이 음수이면서 그 절댓값이 한없이 커질 때, $f(x)$의 값은 음수이면서 그 절댓값이 한없이 커지므로

$\lim_{x \to -\infty} (-\sqrt{3-x})=-\infty$

답 (1) $\mathbf{-\infty}$ (2) $\mathbf{\infty}$ (3) $\mathbf{-\infty}$ (4) $\mathbf{-\infty}$

7

(1) $f(x)=2-\frac{1}{x}$로 놓으면 함수 $y=f(x)$의 그래프는 오른쪽 그림과 같고, x의 값이 한없이 커질 때, $f(x)$의 값은 2에 한없이 가까워지므로

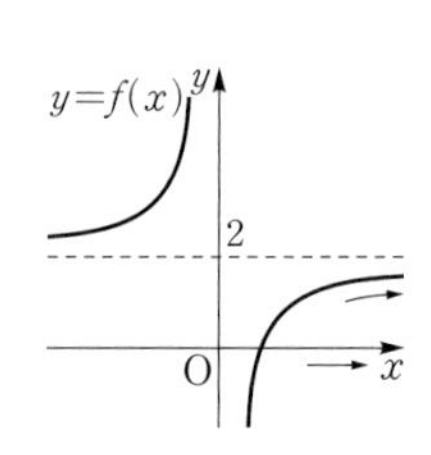

$\lim_{x \to \infty} \left(2-\frac{1}{x}\right)=2$

(2) $f(x)=\frac{3x}{x+1}$로 놓으면

$f(x)=\frac{3(x+1)-3}{x+1}$

$=3-\frac{3}{x+1}$

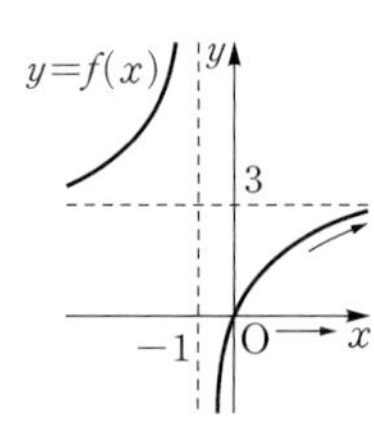

함수 $y=f(x)$의 그래프는 오른쪽 그림과 같고, x의 값이 한없이 커질 때, $f(x)$의 값은 3에 한없이 가까워지므로

$\lim_{x \to \infty} \frac{3x}{x+1}=3$

(3) $f(x)=\frac{1}{|x-2|}+1$로 놓으면 함수 $y=f(x)$의 그래프는 오른쪽 그림과 같고, x의 값이 한없이 커질 때, $f(x)$의 값은 1에 한없이 가까워지므로

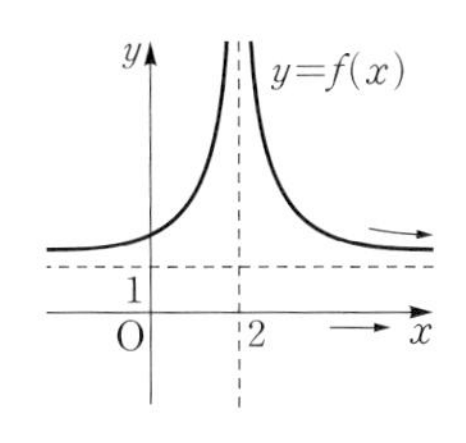

$\lim_{x \to \infty}\left(\frac{1}{|x-2|}+1\right)=1$

(4) $f(x)=\frac{1}{x-3}$로 놓으면 함수 $y=f(x)$의 그래프는 오른쪽 그림과 같고, x의 값이 음수이면서 그 절댓값이 한없이 커질 때, $f(x)$의 값은 0에 한없이 가까워지므로

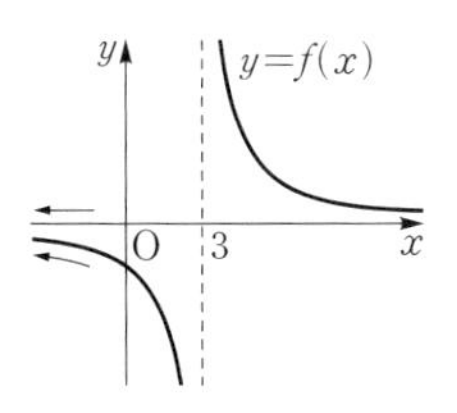

$\lim_{x \to -\infty}\frac{1}{x-3}=0$

(5) $f(x)=1+\frac{1}{x^2}$로 놓으면 함수 $y=f(x)$의 그래프는 오른쪽 그림과 같고, x의 값이 음수이면서 그 절댓값이 한없이 커질 때, $f(x)$의 값은 1에 한없이 가까워지므로

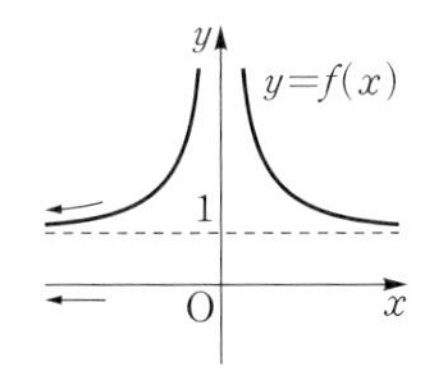

$\lim_{x \to -\infty}\left(1+\frac{1}{x^2}\right)=1$

(6) $f(x)=\frac{1}{(x-3)^2}-2$로 놓으면 함수 $y=f(x)$의 그래프는 오른쪽 그림과 같고, x의 값이 음수이면서 그 절댓값이 한없이 커질 때, $f(x)$의 값은 -2에 한없이 가까워지므로

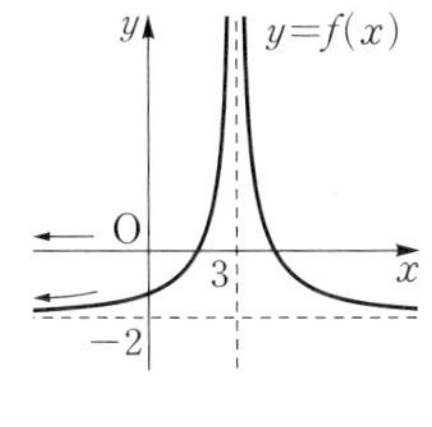

$\lim_{x \to -\infty}\left\{\frac{1}{(x-3)^2}-2\right\}=-2$

답 (1) **2** (2) **3** (3) **1** (4) **0** (5) **1** (6) **−2**

8

(1) x의 값이 3보다 크면서 3에 한없이 가까워질 때, $f(x)$의 값은 0에 한없이 가까워지므로

$\lim_{x \to 3+} f(x)=0$

(2) x의 값이 4보다 작으면서 4에 한없이 가까워질 때, $f(x)$의 값은 3에 한없이 가까워지므로

$\lim_{x \to 4-} f(x)=3$

(3) x의 값이 1보다 크면서 1에 한없이 가까워질 때, $f(x)$의 값은 1에 한없이 가까워지므로

$\lim_{x \to 1+} f(x)=1$

x의 값이 1보다 작으면서 1에 한없이 가까워질 때, $f(x)$의 값은 1에 한없이 가까워지므로

$\lim_{x \to 1-} f(x)=1$

즉, $\lim_{x \to 1+} f(x)=\lim_{x \to 1-} f(x)=1$이므로

$\lim_{x \to 1} f(x)=1$

(4) x의 값이 2보다 크면서 2에 한없이 가까워질 때, $f(x)$의 값은 2에 한없이 가까워지므로

$\lim_{x \to 2+} f(x)=2$

x의 값이 2보다 작으면서 2에 한없이 가까워질 때, $f(x)$의 값은 2에 한없이 가까워지므로

$\lim_{x \to 2-} f(x)=2$

즉, $\lim_{x \to 2+} f(x)=\lim_{x \to 2-} f(x)=2$이므로

$\lim_{x \to 2} f(x)=2$

(5) x의 값이 -1보다 크면서 -1에 한없이 가까워질 때, $f(x)$의 값은 2에 한없이 가까워지므로

$\lim_{x \to -1+} f(x)=2$

x의 값이 -1보다 작으면서 -1에 한없이 가까워질 때, $f(x)$의 값은 -1에 한없이 가까워지므로

$\lim_{x \to -1-} f(x)=-1$

즉, $\lim_{x \to -1+} f(x)\neq\lim_{x \to -1-} f(x)$이므로

$\lim_{x \to -1} f(x)$는 존재하지 않는다.

답 (1) **0** (2) **3** (3) **1** (4) **2**
(5) **존재하지 않는다.**

9

(1) $x=-2$에서의 우극한과 좌극한을 각각 구하면

$$\lim_{x\to-2+}\frac{x-2}{x+2}=-\infty$$

$$\lim_{x\to-2-}\frac{x-2}{x+2}=\infty$$

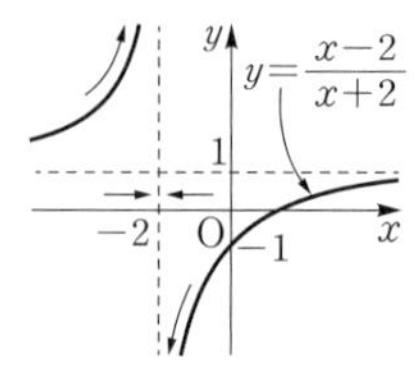

따라서

$$\lim_{x\to-2+}\frac{x-2}{x+2}\neq\lim_{x\to-2-}\frac{x-2}{x+2}$$

이므로 $\lim_{x\to-2}\frac{x-2}{x+2}$는 존재하지 않는다.

(2) $x\to-1+$일 때,

$x>-1$이므로

$|x+1|=x+1$

$$\therefore \lim_{x\to-1+}\frac{2x^2+x-1}{|x+1|}$$

$$=\lim_{x\to-1+}\frac{(2x-1)(x+1)}{x+1}$$

$$=\lim_{x\to-1+}(2x-1)=-3$$

$x\to-1-$일 때, $x<-1$이므로

$|x+1|=-(x+1)$

$$\therefore \lim_{x\to-1-}\frac{2x^2+x-1}{|x+1|}$$

$$=\lim_{x\to-1-}\frac{(2x-1)(x+1)}{-(x+1)}$$

$$=\lim_{x\to-1-}(1-2x)=3$$

즉, $\lim_{x\to-1+}\frac{2x^2+x-1}{|x+1|}\neq\lim_{x\to-1-}\frac{2x^2+x-1}{|x+1|}$이므로 $\lim_{x\to-1}\frac{2x^2+x-1}{|x+1|}$은 존재하지 않는다.

(3) $-1<x<0$일 때, $0<x+1<1$이므로

$[x+1]=0$

$$\therefore \lim_{x\to-1+}\frac{[x+1]}{x+1}=0$$

답 (1) **존재하지 않는다.** (2) **존재하지 않는다.** (3) **0**

10

$$\lim_{x\to1+}f(x)=\lim_{x\to1+}(x-1)=0$$

$$\lim_{x\to1-}f(x)=\lim_{x\to1-}(-x+k)=-1+k$$

$\lim_{x\to1}f(x)$의 값이 존재하려면

$\lim_{x\to1+}f(x)=\lim_{x\to1-}f(x)$이어야 하므로

$0=-1+k$

$\therefore k=1$

답 1

11

(1) $\lim_{x\to1}\{f(x)+g(x)\}=\lim_{x\to1}f(x)+\lim_{x\to1}g(x)$

$=3+(-1)=2$

(2) $\lim_{x\to1}\{f(x)-2g(x)\}=\lim_{x\to1}f(x)-2\lim_{x\to1}g(x)$

$=3-2\cdot(-1)=5$

(3) $\lim_{x\to1}f(x)g(x)=\lim_{x\to1}f(x)\cdot\lim_{x\to1}g(x)$

$=3\cdot(-1)=-3$

(4) $\lim_{x\to1}\{g(x)\}^2=\{\lim_{x\to1}g(x)\}^2$

$=(-1)^2=1$

(5) $\lim_{x\to1}\frac{f(x)}{g(x)}=\frac{\lim_{x\to1}f(x)}{\lim_{x\to1}g(x)}$

$=\frac{3}{-1}=-3$

(6) $\lim_{x\to1}\frac{2f(x)+3g(x)}{\{f(x)\}^2}$

$=\frac{2\lim_{x\to1}f(x)+3\lim_{x\to1}g(x)}{\{\lim_{x\to1}f(x)\}^2}$

$=\frac{2\cdot3+3\cdot(-1)}{3^2}$

$=\frac{1}{3}$

답 (1) **2** (2) **5** (3) **−3** (4) **1** (5) **−3** (6) $\mathbf{\frac{1}{3}}$

12

(1) $\lim_{x\to-1}x^3=(-1)^3=-1$

(2) $\lim_{x\to0}(x^2-1)=0-1=-1$

(3) $\lim_{x\to2}(x^3+x^2-3)=2^3+2^2-3=9$

(4) $\lim_{x\to-2}x(2x+3)=-2\{2\cdot(-2)+3\}=2$

(5) $\lim_{x\to1}(x-2)(x^2+5)=(1-2)(1^2+5)=-6$

(6) $\lim_{x\to3}\frac{x^2-2x+7}{5-x}=\frac{\lim_{x\to3}(x^2-2x+7)}{\lim_{x\to3}(5-x)}$

$=\frac{3^2-2\cdot3+7}{5-3}=5$

답 (1) **−1** (2) **−1** (3) **9** (4) **2** (5) **−6** (6) **5**

13

주어진 식의 분모, 분자를 각각 x^2으로 나누면

$$\lim_{x\to0}\frac{1+\frac{3f(x)}{x^2}}{3-\frac{2f(x)}{x^2}}=\frac{\lim_{x\to0}1+3\lim_{x\to0}\frac{f(x)}{x^2}}{\lim_{x\to0}3-2\lim_{x\to0}\frac{f(x)}{x^2}}$$

$$=\frac{1+3a}{3-2a}=-2$$

즉, $1+3a=-2(3-2a)$에서

$a=7$ 답 **7**

14

$x-a=t$로 놓으면 $x\to a$일 때 $t\to0$이므로

$$\lim_{x\to a}\frac{f(x-a)}{x-a}=\lim_{t\to0}\frac{f(t)}{t}=1$$

$$\therefore \lim_{x\to0}\frac{f(x)}{x}=1$$

$$\therefore \lim_{x\to0}\frac{x+2f(x)}{2x^2+3f(x)}=\lim_{x\to0}\frac{1+\frac{2f(x)}{x}}{2x+\frac{3f(x)}{x}}$$

$$=\frac{\lim_{x\to0}1+2\lim_{x\to0}\frac{f(x)}{x}}{2\lim_{x\to0}x+3\lim_{x\to0}\frac{f(x)}{x}}$$

$$=\frac{1+2\cdot1}{0+3\cdot1}=1$$ 답 **1**

15

(1) $\lim_{x\to0}\frac{6x+5x^2}{2x-3x^2}=\lim_{x\to0}\frac{x(6+5x)}{x(2-3x)}$

$=\lim_{x\to0}\frac{6+5x}{2-3x}=3$

(2) $\lim_{x\to1}\frac{2x^2-3x+1}{x^2-1}=\lim_{x\to1}\frac{(x-1)(2x-1)}{(x-1)(x+1)}$

$=\lim_{x\to1}\frac{2x-1}{x+1}=\frac{1}{2}$

(3) $\lim_{x\to-3}\frac{2x^2+5x-3}{x^3+3x^2-x-3}$

$=\lim_{x\to-3}\frac{(x+3)(2x-1)}{(x+3)(x^2-1)}$

$=\lim_{x\to-3}\frac{2x-1}{x^2-1}=-\frac{7}{8}$

(4) $\lim_{x\to0}\frac{x}{\sqrt{x+1}-1}$

$=\lim_{x\to0}\frac{x(\sqrt{x+1}+1)}{(\sqrt{x+1}-1)(\sqrt{x+1}+1)}$

$=\lim_{x\to0}(\sqrt{x+1}+1)=2$

(5) $\lim_{x\to1}\frac{x^2-1}{\sqrt{x}-1}=\lim_{x\to1}\frac{(x-1)(x+1)(\sqrt{x}+1)}{(\sqrt{x}-1)(\sqrt{x}+1)}$

$=\lim_{x\to1}\frac{(x-1)(x+1)(\sqrt{x}+1)}{x-1}$

$=\lim_{x\to1}(x+1)(\sqrt{x}+1)=4$

(6) $\lim_{x\to2}\frac{\sqrt{x+2}-2}{x-\sqrt{3x-2}}$

$=\lim_{x\to2}\frac{(\sqrt{x+2}-2)(\sqrt{x+2}+2)(x+\sqrt{3x-2})}{(x-\sqrt{3x-2})(x+\sqrt{3x-2})(\sqrt{x+2}+2)}$

$=\lim_{x\to2}\frac{(x+2-4)(x+\sqrt{3x-2})}{(x^2-3x+2)(\sqrt{x+2}+2)}$

$=\lim_{x\to2}\frac{(x-2)(x+\sqrt{3x-2})}{(x-2)(x-1)(\sqrt{x+2}+2)}$

$=\lim_{x\to2}\frac{x+\sqrt{3x-2}}{(x-1)(\sqrt{x+2}+2)}=1$

답 (1) **3** (2) $\mathbf{\frac{1}{2}}$ (3) $\mathbf{-\frac{7}{8}}$ (4) **2** (5) **4** (6) **1**

16

(1) $\lim_{x\to\infty}\frac{x^2-2x+3}{3x^2+2}=\lim_{x\to\infty}\frac{1-\frac{2}{x}+\frac{3}{x^2}}{3+\frac{2}{x^2}}=\frac{1}{3}$

(2) $\lim_{x\to\infty}\frac{5x-7}{4x^2-3x+2}=\lim_{x\to\infty}\frac{\frac{5}{x}-\frac{7}{x^2}}{4-\frac{3}{x}+\frac{2}{x^2}}=0$

(3) $\lim_{x\to\infty}\frac{x^2}{2-x}=\lim_{x\to\infty}\frac{x}{\frac{2}{x}-1}=-\infty$

(4) $\lim_{x\to\infty}\frac{x-1}{\sqrt{x^2+5x+3}+x}=\lim_{x\to\infty}\frac{1-\frac{1}{x}}{\sqrt{1+\frac{5}{x}+\frac{3}{x^2}}+1}$

$=\frac{1}{2}$

(5) $x=-t$로 놓으면 $x\to-\infty$일 때 $t\to\infty$이므로

$\lim_{x\to-\infty}\frac{3x-1}{\sqrt{x^2-2x}}=\lim_{t\to\infty}\frac{-3t-1}{\sqrt{t^2+2t}}$

$=\lim_{t\to\infty}\frac{-3-\frac{1}{t}}{\sqrt{1+\frac{2}{t}}}=-3$

(6) $x=-t$로 놓으면 $x\to-\infty$일 때 $t\to\infty$이므로

$\lim_{x\to-\infty}\frac{1-2x}{\sqrt{4x^2+1}+\sqrt{x^2-1}}$

$=\lim_{t\to\infty}\frac{1+2t}{\sqrt{4t^2+1}+\sqrt{t^2-1}}$

$=\lim_{t\to\infty}\frac{\frac{1}{t}+2}{\sqrt{4+\frac{1}{t^2}}+\sqrt{1-\frac{1}{t^2}}}$

$=\frac{2}{2+1}=\frac{2}{3}$

답 (1) $\mathbf{\frac{1}{3}}$ (2) $\mathbf{0}$ (3) $\mathbf{-\infty}$ (4) $\mathbf{\frac{1}{2}}$ (5) $\mathbf{-3}$ (6) $\mathbf{\frac{2}{3}}$

(3) $\lim_{x\to\infty}\sqrt{x}(\sqrt{x-1}-\sqrt{x+1})$

$=\lim_{x\to\infty}\frac{\sqrt{x}(\sqrt{x-1}-\sqrt{x+1})(\sqrt{x-1}+\sqrt{x+1})}{\sqrt{x-1}+\sqrt{x+1}}$

$=\lim_{x\to\infty}\frac{-2\sqrt{x}}{\sqrt{x-1}+\sqrt{x+1}}$

$=\lim_{x\to\infty}\frac{-2}{\sqrt{1-\frac{1}{x}}+\sqrt{1+\frac{1}{x}}}$

$=-1$

(4) $x=-t$로 놓으면 $x\to-\infty$일 때 $t\to\infty$이므로

$\lim_{x\to-\infty}(\sqrt{x^2-7x+10}+x)$

$=\lim_{t\to\infty}(\sqrt{t^2+7t+10}-t)$

$=\lim_{t\to\infty}\frac{(\sqrt{t^2+7t+10}-t)(\sqrt{t^2+7t+10}+t)}{\sqrt{t^2+7t+10}+t}$

$=\lim_{t\to\infty}\frac{7t+10}{\sqrt{t^2+7t+10}+t}$

$=\lim_{t\to\infty}\frac{7+\frac{10}{t}}{\sqrt{1+\frac{7}{t}+\frac{10}{t^2}}+1}$

$=\frac{7}{2}$

답 (1) $\mathbf{-\infty}$ (2) $\mathbf{\frac{3}{4}}$ (3) $\mathbf{-1}$ (4) $\mathbf{\frac{7}{2}}$

17

(1) $\lim_{x\to-\infty}(-x^2-2x+4)$

$=\lim_{x\to-\infty}x^2\left(-1-\frac{2}{x}+\frac{4}{x^2}\right)$

$=-\infty$

(2) $\lim_{x\to\infty}(\sqrt{4x^2+3x-1}-2x)$

$=\lim_{x\to\infty}\frac{(\sqrt{4x^2+3x-1}-2x)(\sqrt{4x^2+3x-1}+2x)}{\sqrt{4x^2+3x-1}+2x}$

$=\lim_{x\to\infty}\frac{3x-1}{\sqrt{4x^2+3x-1}+2x}$

$=\lim_{x\to\infty}\frac{3-\frac{1}{x}}{\sqrt{4+\frac{3}{x}-\frac{1}{x^2}}+2}$

$=\frac{3}{4}$

18

(1) $\lim_{x\to0}\frac{1}{x}\left\{1-\frac{1}{(x+1)^2}\right\}$

$=\lim_{x\to0}\left\{\frac{1}{x}\cdot\frac{(x+1)^2-1}{(x+1)^2}\right\}$

$=\lim_{x\to0}\left\{\frac{1}{x}\cdot\frac{x^2+2x}{(x+1)^2}\right\}$

$=\lim_{x\to0}\frac{x+2}{(x+1)^2}=2$

(2) $\lim_{x\to0}\frac{1}{x}\left(\frac{1}{\sqrt{3-x}}-\frac{1}{\sqrt{3}}\right)$

$=\lim_{x\to0}\left\{\frac{1}{x}\cdot\frac{\sqrt{3}-(\sqrt{3-x})}{\sqrt{3}(\sqrt{3-x})}\right\}$

$=\lim_{x\to0}\left\{\frac{1}{x}\cdot\frac{x}{\sqrt{3}(\sqrt{3-x})}\right\}$

$=\lim_{x\to0}\frac{1}{3-\sqrt{3x}}=\frac{1}{3}$

(3) $\lim_{x\to\infty} x\left(\frac{1}{2}-\frac{\sqrt{x}}{\sqrt{4x+3}}\right)$

$=\lim_{x\to\infty}\frac{x(\sqrt{4x+3}-2\sqrt{x})}{2\sqrt{4x+3}}$

$=\lim_{x\to\infty}\frac{x(\sqrt{4x+3}-2\sqrt{x})(\sqrt{4x+3}+2\sqrt{x})}{2\sqrt{4x+3}(\sqrt{4x+3}+2\sqrt{x})}$

$=\lim_{x\to\infty}\frac{3x}{8x+6+4\sqrt{4x^2+3x}}$

$=\lim_{x\to\infty}\frac{3}{8+\frac{6}{x}+4\sqrt{4+\frac{3}{x}}}$

$=\frac{3}{8+8}=\frac{3}{16}$

(4) $x=-t$로 놓으면 $x\to-\infty$일 때 $t\to\infty$이므로

$\lim_{x\to-\infty} x^2\left(\frac{1}{3}+\frac{x}{\sqrt{9x^2+3}}\right)$

$=\lim_{t\to\infty} t^2\left(\frac{1}{3}-\frac{t}{\sqrt{9t^2+3}}\right)$

$=\lim_{t\to\infty}\frac{t^2(\sqrt{9t^2+3}-3t)}{3\sqrt{9t^2+3}}$

$=\lim_{t\to\infty}\frac{t^2(\sqrt{9t^2+3}-3t)(\sqrt{9t^2+3}+3t)}{3\sqrt{9t^2+3}(\sqrt{9t^2+3}+3t)}$

$=\lim_{t\to\infty}\frac{3t^2}{3(9t^2+3+3t\sqrt{9t^2+3})}$

$=\lim_{t\to\infty}\frac{t^2}{9t^2+3+\sqrt{81t^4+27t^2}}$

$=\lim_{t\to\infty}\frac{1}{9+\frac{3}{t^2}+\sqrt{81+\frac{27}{t^2}}}$

$=\frac{1}{9+9}=\frac{1}{18}$

답 (1) **2** (2) $\mathbf{\frac{1}{3}}$ (3) $\mathbf{\frac{3}{16}}$ (4) $\mathbf{\frac{1}{18}}$

19

(1) $x\to 2$일 때 (분모) $\to 0$이고 극한값이 존재하므로 (분자) $\to 0$이다.

즉, $\lim_{x\to 2}(x^2-a)=0$이므로

$4-a=0$

$\therefore a=4$

$\therefore b=\lim_{x\to 2}\frac{x^2-4}{x-2}=\lim_{x\to 2}\frac{(x-2)(x+2)}{x-2}$

$=\lim_{x\to 2}(x+2)=4$

(2) $x\to -1$일 때 (분모) $\to 0$이고 극한값이 존재하므로 (분자) $\to 0$이다.

즉, $\lim_{x\to -1}(x^2+ax+b)=0$이므로

$1-a+b=0 \qquad \therefore b=a-1$

$\therefore \lim_{x\to -1}\frac{x^2+ax+b}{x+1}=\lim_{x\to -1}\frac{x^2+ax+a-1}{x+1}$

$=\lim_{x\to -1}\frac{(x+1)(x+a-1)}{x+1}$

$=\lim_{x\to -1}(x+a-1)$

$=a-2$

$a-2=2$이므로 $a=4$, $b=3$

(3) $x\to 2$일 때 (분자) $\to 0$이고 0이 아닌 극한값이 존재하므로 (분모) $\to 0$이다.

즉, $\lim_{x\to 2}(a\sqrt{x-1}+b)=0$이므로

$a+b=0 \qquad \therefore b=-a$

$\therefore \lim_{x\to 2}\frac{x-2}{a\sqrt{x-1}+b}=\lim_{x\to 2}\frac{x-2}{a\sqrt{x-1}-a}$

$=\lim_{x\to 2}\frac{x-2}{a(\sqrt{x-1}-1)}$

$=\lim_{x\to 2}\frac{(x-2)(\sqrt{x-1}+1)}{a(x-2)}$

$=\lim_{x\to 2}\frac{\sqrt{x-1}+1}{a}=\frac{2}{a}$

$\frac{2}{a}=1$이므로 $a=2$, $b=-2$

답 (1) $\mathbf{a=4, b=4}$ (2) $\mathbf{a=4, b=3}$ (3) $\mathbf{a=2, b=-2}$

20

$\lim_{x\to\infty}\frac{f(x)}{x^2+1}=2$에서 $f(x)$는 이차항의 계수가 2인 이차함수임을 알 수 있다.

또, $\lim_{x\to 1}\frac{f(x)}{x^2-1}=\lim_{x\to 1}\frac{f(x)}{(x-1)(x+1)}=-1$에서 $x\to 1$일 때 (분모) $\to 0$이고 극한값이 존재하므로 (분자) $\to 0$이다.

즉, $\lim_{x\to1}f(x)=0$이므로 $f(1)=0$

$f(x)=2(x-1)(x+a)$ (a는 상수)로 놓으면

$$\lim_{x\to1}\frac{f(x)}{(x-1)(x+1)}=\lim_{x\to1}\frac{2(x-1)(x+a)}{(x-1)(x+1)}=\lim_{x\to1}\frac{2(x+a)}{x+1}=1+a=-1$$

$\therefore a=-2$

따라서 $f(x)=2(x-1)(x-2)$이므로

$\lim_{x\to2}\frac{2(x-1)(x-2)}{x-2}=\lim_{x\to2}2(x-1)=2$ **답 2**

21

$\lim_{x\to\infty}\frac{f(x)-2x^3}{x^2}=2$에서 $f(x)$는 삼차항의 계수가 2, 이차항의 계수가 2인 다항함수임을 알 수 있다.

또, $\lim_{x\to0}\frac{f(x)}{x}=-3$에서 $x \to 0$일 때 (분모) $\to 0$이고 극한값이 존재하므로 (분자) $\to 0$이다.

즉, $\lim_{x\to0}f(x)=0$이므로 $f(0)=0$

$f(x)=2x^3+2x^2+ax$ (a는 상수)로 놓으면

$$\lim_{x\to0}\frac{f(x)}{x}=\lim_{x\to0}\frac{2x^3+2x^2+ax}{x}=\lim_{x\to0}(2x^2+2x+a)=-3$$

$\therefore a=-3$

$\therefore f(x)=2x^3+2x^2-3x$

답 $f(x)=2x^3+2x^2-3x$

22

$\lim_{x\to1}(2x+1)=3$, $\lim_{x\to1}(x^2+2)=3$이므로

함수의 극한의 대소 관계에 의하여

$\lim_{x\to1}h(x)=3$ **답 3**

23

$\lim_{x\to\infty}\frac{5x+3}{x+2}=5$, $\lim_{x\to\infty}\frac{5x^2-2x+7}{x^2}=5$이므로

함수의 극한의 대소 관계에 의하여

$\lim_{x\to\infty}f(x)=5$ **답 5**

24

$2x+1<f(x)<2x+5$의 각 변을 세제곱하면

$(2x+1)^3<\{f(x)\}^3<(2x+5)^3$

$x^3+1>0$이므로 각 변을 x^3+1로 나누면

$$\frac{(2x+1)^3}{x^3+1}<\frac{\{f(x)\}^3}{x^3+1}<\frac{(2x+5)^3}{x^3+1}$$

이때 $\lim_{x\to\infty}\frac{(2x+1)^3}{x^3+1}=8$, $\lim_{x\to\infty}\frac{(2x+5)^3}{x^3+1}=8$이므로

함수의 극한의 대소 관계에 의하여

$\lim_{x\to\infty}\frac{\{f(x)\}^3}{x^3+1}=8$ **답 8**

25

직선 OP의 기울기가 $\frac{t^2}{t}=t$이므로 점 P를 지나고 직선 OP와 수직인 직선의 방정식은

$y-t^2=-\frac{1}{t}(x-t)$

위의 식에 $x=0$을 대입하면 $y=t^2+1$이므로

$f(t)=t^2+1$

$\therefore \lim_{t\to0}f(t)=\lim_{t\to0}(t^2+1)=1$ **답 1**

26

(1) **$f(1)$의 값이 존재하지 않으므로 불연속이다.**

(2) $\lim_{x\to1+}f(x)=3$, $\lim_{x\to1-}f(x)=2$이므로

$\lim_{x\to1+}f(x)\neq\lim_{x\to1-}f(x)$

따라서 **$\lim_{x\to1}f(x)$의 값이 존재하지 않으므로 불연속이다.**

(3) $f(1)=1$이고 $\lim_{x\to1}f(x)=2$이므로

$\lim_{x\to1}f(x)\neq f(1)$

따라서 함수 $f(x)$는 $x=1$에서 불연속이다.

답 풀이 참조

27

(1) $f(2)=0$, $\lim_{x\to2}f(x)=0$이므로

$\lim_{x\to2}f(x)=f(2)$

따라서 함수 $f(x)$는 $x=2$에서 연속이다.

(2) $x=2$일 때, 함숫값 $f(2)$가 존재하지 않으므로 함수 $f(x)$는 $x=2$에서 불연속이다.

답 (1) **연속** (2) **불연속**

28

답 (1) $[-2, 1]$ (2) $(-1, 2)$ (3) $[0, 2)$
(4) $(1, 3]$ (5) $(-\infty, -2)$ (6) $[3, \infty)$

29

(1) 주어진 함수의 정의역은 실수 전체의 집합이므로 $(-\infty, \infty)$

(2) 주어진 함수의 정의역은 $x-1\ge0$, 즉 $x\ge1$인 x의 값들의 집합이므로 $[1, \infty)$

답 (1) $(-\infty, \infty)$ (2) $[1, \infty)$

30

(1) (i) $x>2$일 때,

$f(x)=x-2$이므로

$\lim_{x\to2+} f(x)$

$=\lim_{x\to2+}(x-2)=0$

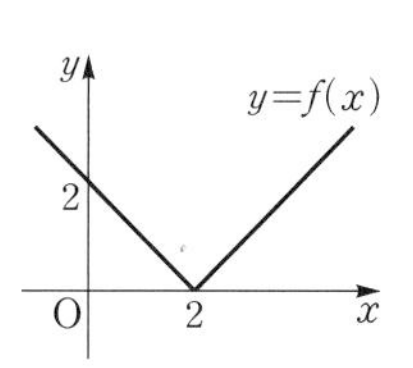

(ii) $x<2$일 때,

$f(x)=-(x-2)=-x+2$이므로

$\lim_{x\to2-} f(x)=\lim_{x\to2-}(-x+2)=0$

(iii) $x=2$일 때,

$f(2)=|2-2|=0$

(i)~(iii)에서 $\lim_{x\to2} f(x)=f(2)$

따라서 함수 $f(x)$는 $x=2$에서 연속이다.

(2) $x\ne2$일 때,

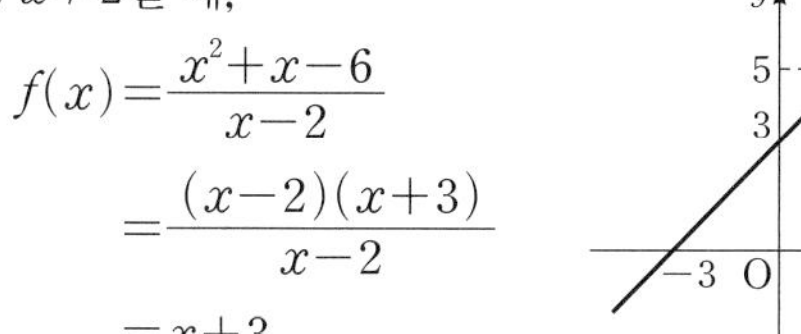

$$f(x)=\frac{x^2+x-6}{x-2}=\frac{(x-2)(x+3)}{x-2}=x+3$$

$x=2$일 때, 함숫값 $f(2)$가 존재하지 않으므로 함수 $f(x)$는 $x=2$에서 불연속이다.

(3) (i) $x>2$일 때,

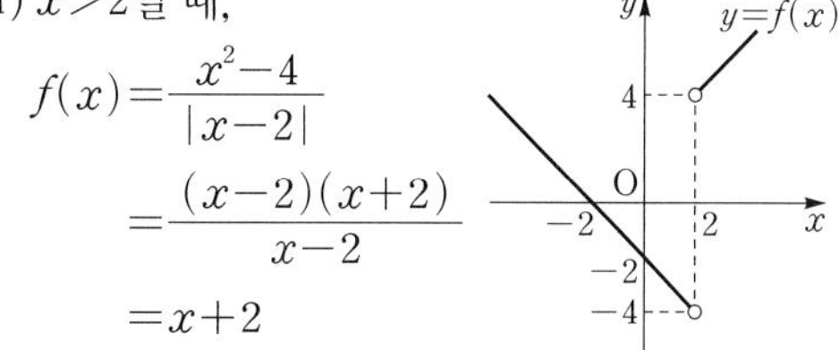

$$f(x)=\frac{x^2-4}{|x-2|}=\frac{(x-2)(x+2)}{x-2}=x+2$$

(ii) $x<2$일 때,

$$f(x)=\frac{x^2-4}{|x-2|}=\frac{(x-2)(x+2)}{-(x-2)}=-x-2$$

(iii) $x=2$일 때, 함숫값 $f(2)$는 존재하지 않는다.

따라서 함수 $f(x)$는 $x=2$에서 불연속이다.

(4) $x\ne2$일 때,

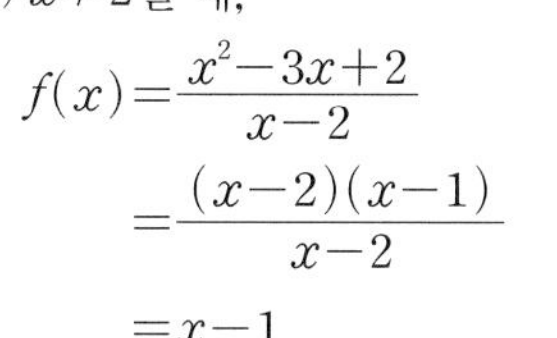

$$f(x)=\frac{x^2-3x+2}{x-2}=\frac{(x-2)(x-1)}{x-2}=x-1$$

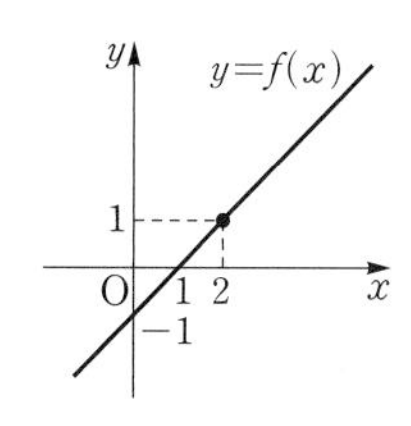

(i) $x=2$에서의 함숫값은 $f(2)=1$

(ii) $\lim_{x\to2} f(x)=\lim_{x\to2}(x-1)=1$

(i), (ii)에서 $\lim_{x\to2} f(x)=f(2)$

따라서 함수 $f(x)$는 $x=2$에서 연속이다.

(5) $\lim_{x\to2+} f(x)=0$,

$\lim_{x\to2-} f(x)=-1$이므로

$\lim_{x\to2+} f(x)\ne\lim_{x\to2-} f(x)$

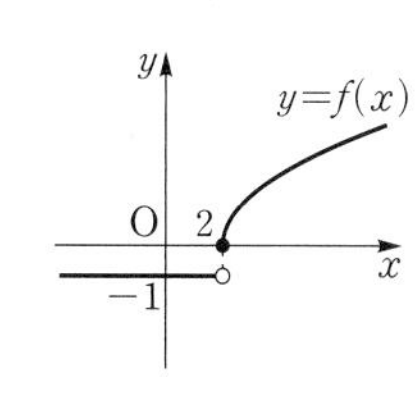

따라서 극한값 $\lim_{x\to2} f(x)$가 존재하지 않으므로 함수 $f(x)$는 $x=2$에서 불연속이다.

답 (1) **연속** (2) **불연속** (3) **불연속**
(4) **연속** (5) **불연속**

31

$x=1$, $x=2$, $x=3$에서 함수 $f(x)$의 연속성을 조사한다.

(i) $x\to1$일 때의 극한값은

$\lim_{x\to1+} f(x)=3$, $\lim_{x\to1-} f(x)=2$

이므로 $\lim_{x\to1+} f(x)\ne\lim_{x\to1-} f(x)$

따라서 $\lim_{x \to 1} f(x)$의 값이 존재하지 않으므로

$f(x)$는 $x=1$에서 불연속이다.

(ii) $x=2$에서의 함숫값은 $f(2)=4$

$x \to 2$일 때의 극한값은

$\lim_{x \to 2+} f(x) = \lim_{x \to 2-} f(x) = 3$

따라서 $\lim_{x \to 2} f(x) \neq f(2)$이므로 $f(x)$는 $x=2$에서 불연속이다.

(iii) $x=3$에서의 함숫값은 $f(3)=4$

$x \to 3$일 때의 극한값은

$\lim_{x \to 3+} f(x) = \lim_{x \to 3-} f(x) = 4$

따라서 $\lim_{x \to 3} f(x)=4$이므로 $\lim_{x \to 3} f(x) = f(3)$

즉, $f(x)$는 $x=3$에서 연속이다.

(i)~(iii)에서 $x=1$에서 극한값이 존재하지 않으므로

$a=1$

또, $x=1$, $x=2$에서 불연속이므로 $b=2$

$\therefore ab = 1 \cdot 2 = 2$

답 2

32

ㄱ. $x=0$에서의 함숫값은

$f(0)+g(0) = \frac{1}{2} + \left(-\frac{1}{2}\right) = 0$

$x \to 0$일 때의 극한값은

$\lim_{x \to 0+} \{f(x)+g(x)\} = \lim_{x \to 0+} f(x) + \lim_{x \to 0+} g(x)$

$= 1-1 = 0$

$\lim_{x \to 0-} \{f(x)+g(x)\} = \lim_{x \to 0-} f(x) + \lim_{x \to 0-} g(x)$

$= -1+1 = 0$

따라서 $\lim_{x \to 0} \{f(x)+g(x)\} = 0$이므로

$\lim_{x \to 0} \{f(x)+g(x)\} = f(0)+g(0)$

즉, $f(x)+g(x)$는 $x=0$에서 연속이다.

ㄴ. $x=0$에서의 함숫값은

$f(0)g(0) = \frac{1}{2} \cdot \left(-\frac{1}{2}\right) = -\frac{1}{4}$

$x \to 0$일 때의 극한값은

$\lim_{x \to 0+} f(x)g(x) = \lim_{x \to 0+} f(x) \cdot \lim_{x \to 0+} g(x)$

$= 1 \cdot (-1) = -1$

$\lim_{x \to 0-} f(x)g(x) = \lim_{x \to 0-} f(x) \cdot \lim_{x \to 0-} g(x)$

$= (-1) \cdot 1 = -1$

따라서 $\lim_{x \to 0} f(x)g(x) = -1$이므로

$\lim_{x \to 0} f(x)g(x) \neq f(0)g(0)$

즉, $f(x)g(x)$는 $x=0$에서 불연속이다.

ㄷ. $x \to 0+$일 때 $f(x)=1$이고, $x \to 0-$일 때 $f(x)=-1$이므로

$\lim_{x \to 0+} g(f(x)) = g(1) = -1$

$\lim_{x \to 0-} g(f(x)) = g(-1) = 1$

따라서 $\lim_{x \to 0+} g(f(x)) \neq \lim_{x \to 0-} g(f(x))$이므로

$g(f(x))$는 $x=0$에서 불연속이다.

ㄹ. $x \to 0+$일 때 $g(x)=-1$이고, $x \to 0-$일 때 $g(x)=1$이므로

$\lim_{x \to 0+} f(g(x)) = f(-1) = -1$

$\lim_{x \to 0-} f(g(x)) = f(1) = 1$

따라서 $\lim_{x \to 0+} f(g(x)) \neq \lim_{x \to 0-} f(g(x))$이므로

$f(g(x))$는 $x=0$에서 불연속이다.

그러므로 $x=0$에서 연속인 함수는 ㄱ뿐이다.

답 ㄱ

33

함수 $f(x)$가 $x=-1$에서 연속이려면

$\lim_{x \to -1} f(x) = f(-1)$이어야 하므로

$\lim_{x \to -1} \frac{x^2+2ax+3}{x+1} = b$ …… ㉠

$x \to -1$일 때 (분모) $\to 0$이고 극한값이 존재하므로 (분자) $\to 0$이다.

즉, $\lim_{x \to -1} (x^2+2ax+3) = 0$이므로

$1-2a+3=0 \qquad \therefore a=2$

$a=2$를 ㉠에 대입하면

$b = \lim_{x \to -1} \frac{x^2+4x+3}{x+1}$

$= \lim_{x \to -1} \frac{(x+1)(x+3)}{x+1}$

$= \lim_{x \to -1} (x+3) = 2$

$\therefore a+b = 2+2 = 4$

답 4

34

함수 $f(x)$가 모든 실수 x에서 연속이려면 $x=1$에서 연속이어야 한다.

함수 $f(x)$가 $x=1$에서 연속이려면

$\lim_{x\to1} f(x)=f(1)$이어야 하므로

$$\lim_{x\to1}\frac{a\sqrt{x^2+8}-b}{x-1}=\frac{a-1}{2} \quad \cdots\cdots ㉠$$

$x\to1$일 때 (분모)$\to0$이고 극한값이 존재하므로 (분자)$\to0$이다.

즉, $\lim_{x\to1}(a\sqrt{x^2+8}-b)=0$이므로

$3a-b=0 \qquad \therefore b=3a \quad \cdots\cdots ㉡$

㉡을 ㉠에 대입하면

$$\lim_{x\to1}\frac{a\sqrt{x^2+8}-3a}{x-1}$$
$$=\lim_{x\to1}\frac{a(\sqrt{x^2+8}-3)}{x-1}$$
$$=\lim_{x\to1}\frac{a(\sqrt{x^2+8}-3)(\sqrt{x^2+8}+3)}{(x-1)(\sqrt{x^2+8}+3)}$$
$$=\lim_{x\to1}\frac{a(x-1)(x+1)}{(x-1)(\sqrt{x^2+8}+3)}$$
$$=\lim_{x\to1}\frac{a(x+1)}{\sqrt{x^2+8}+3}=\frac{a}{3}$$

$\frac{a}{3}=\frac{a-1}{2}$이므로 $2a=3a-3 \qquad \therefore a=3$

$a=3$을 ㉡에 대입하면 $b=9$

$\therefore b-a=9-3=6$

답 6

35

$x\neq1$일 때, $f(x)=\frac{\sqrt{x+15}-4}{x-1}$

함수 $f(x)$가 $x\geq-15$인 모든 실수 x에 대하여 연속이므로 $x=1$에서도 연속이다.

$$\therefore f(1)=\lim_{x\to1}f(x)=\lim_{x\to1}\frac{\sqrt{x+15}-4}{x-1}$$
$$=\lim_{x\to1}\frac{(\sqrt{x+15}-4)(\sqrt{x+15}+4)}{(x-1)(\sqrt{x+15}+4)}$$
$$=\lim_{x\to1}\frac{x-1}{(x-1)(\sqrt{x+15}+4)}$$
$$=\lim_{x\to1}\frac{1}{\sqrt{x+15}+4}=\frac{1}{8}$$

답 $\frac{1}{8}$

36

$x\neq-1$, $x\neq2$일 때,

$$f(x)=\frac{x^4+ax+b}{x^2-x-2}=\frac{x^4+ax+b}{(x+1)(x-2)}$$

함수 $f(x)$가 모든 실수 x에 대하여 연속이므로 $x=-1$, $x=2$에서도 연속이다.

(i) 함수 $f(x)$가 $x=-1$에서 연속이므로

$$f(-1)=\lim_{x\to-1}f(x)=\lim_{x\to-1}\frac{x^4+ax+b}{(x+1)(x-2)}$$

$x\to-1$일 때 (분모)$\to0$이고 극한값이 존재하므로 (분자)$\to0$이다.

즉, $\lim_{x\to-1}(x^4+ax+b)=0$이므로

$1-a+b=0 \quad \cdots\cdots ㉠$

(ii) 함수 $f(x)$가 $x=2$에서 연속이므로

$$f(2)=\lim_{x\to2}f(x)=\lim_{x\to2}\frac{x^4+ax+b}{(x+1)(x-2)}$$

$x\to2$일 때 (분모)$\to0$이고 극한값이 존재하므로 (분자)$\to0$이다.

즉, $\lim_{x\to2}(x^4+ax+b)=0$이므로

$16+2a+b=0 \quad \cdots\cdots ㉡$

㉠, ㉡을 연립하여 풀면

$a=-5$, $b=-6$

$$\therefore f(2)=\lim_{x\to2}\frac{x^4-5x-6}{(x+1)(x-2)}$$
$$=\lim_{x\to2}\frac{(x+1)(x-2)(x^2+x+3)}{(x+1)(x-2)}$$
$$=\lim_{x\to2}(x^2+x+3)$$
$$=4+2+3=9$$

답 9

37

ㄱ. $2f(x)$, $3g(x)$가 $x=a$에서 연속이므로 함수 $2f(x)+3g(x)$도 $x=a$에서 연속이다.

ㄴ. $f(a)=0$이면 $\frac{g(x)}{f(x)}$는 $x=a$에서 정의되지 않으므로 함수 $f(x)+\frac{g(x)}{f(x)}$는 $x=a$에서 불연속이다.

ㄷ. $\{f(x)\}^2=f(x)\cdot f(x)$이므로 함수 $\{f(x)\}^2$도 $x=a$에서 연속이다.

ㄹ. 함수 $g(f(x))$가 $x=a$에서 연속이려면

$\lim_{x \to a} g(f(x))=g(f(a))$이어야 한다.

즉, 함수 $g(x)$는 $x=f(a)$에서 연속이어야 한다는 조건이 더 필요하다.

따라서 $x=a$에서 항상 연속인 함수는 ㄱ, ㄷ이다.

답 ㄱ, ㄷ

38

(1) 함수 $f(x)=|x|$는 닫힌구간 $[-1, 3]$에서 연속이고 닫힌구간 $[-1, 3]$에서 함수 $y=f(x)$의 그래프는 오른쪽 그림과 같다.

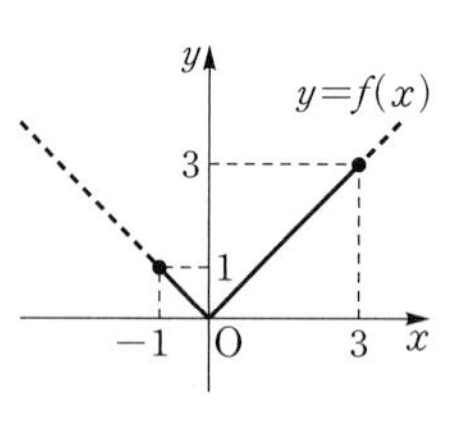

따라서 $f(x)$는 $x=3$에서 최댓값 3, $x=0$에서 최솟값 0을 갖는다.

(2) 함수 $f(x)=\sqrt{8-2x}$는 닫힌구간 $[-4, 2]$에서 연속이고 닫힌구간 $[-4, 2]$에서 함수 $y=f(x)$의 그래프는 오른쪽 그림과 같다.

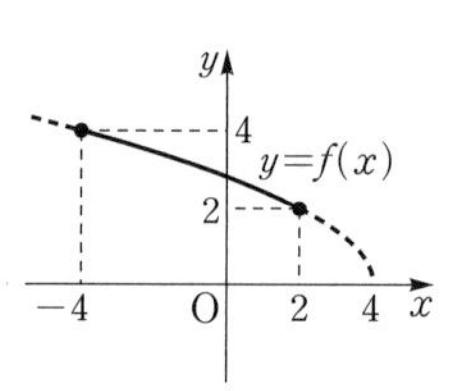

따라서 $f(x)$는 $x=-4$에서 최댓값 4, $x=2$에서 최솟값 2를 갖는다.

답 (1) **최댓값: 3, 최솟값: 0**

(2) **최댓값: 4, 최솟값: 2**

39

(1) 함수 $f(x)=x^2-4x+7$은 열린구간 $(1, 4)$에서 연속이고 열린구간 $(1, 4)$에서 함수 $y=f(x)$의 그래프는 오른쪽 그림과 같다.

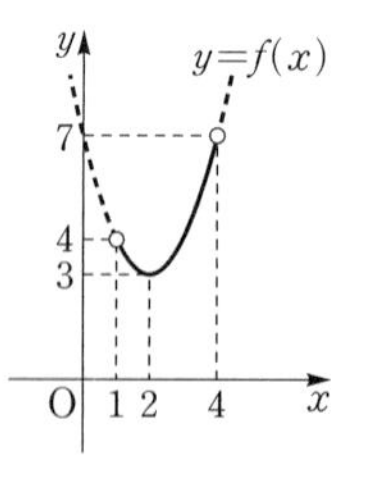

따라서 $f(x)$는 최댓값은 없고, $x=2$에서 최솟값 3을 갖는다.

(2) 반닫힌 구간 $(1, 4]$에서 함수

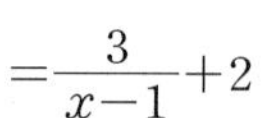

$f(x)=\frac{2x+1}{x-1}$

$=\frac{3}{x-1}+2$

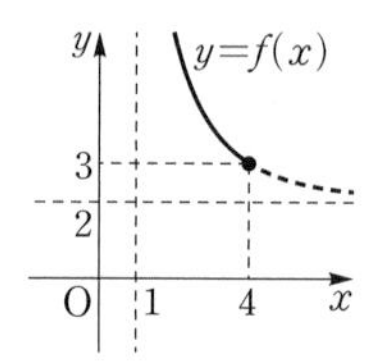

의 그래프는 오른쪽 그림과 같다.

따라서 $f(x)$는 최댓값은 없고, $x=4$에서 최솟값 3을 갖는다.

답 (1) **최댓값: 없다., 최솟값: 3**

(2) **최댓값: 없다., 최솟값: 3**

40

(1) $f(x)=3x^3-2x^2+1$로 놓으면

함수 $f(x)$는 닫힌구간 $[-3, 3]$에서 연속이고

$f(-3)=-98<0$, $f(3)=64>0$

이므로 사잇값의 정리에 의하여 방정식 $f(x)=0$은 열린구간 $(-3, 3)$에서 적어도 하나의 실근을 갖는다.

(2) $f(x)=x^4+x^3-9x+1$로 놓으면

함수 $f(x)$는 닫힌구간 $[1, 3]$에서 연속이고

$f(1)=-6<0$, $f(3)=82>0$

이므로 사잇값의 정리에 의하여 방정식 $f(x)=0$은 열린구간 $(1, 3)$에서 적어도 하나의 실근을 갖는다.

답 **풀이 참조**

41

함수 $f(x)$는 모든 실수 x에서 연속이므로 닫힌구간 $[-2, 3]$에서 연속이다.

$f(-2)f(-1)<0$, $f(-1)f(0)>0$, $f(0)f(1)<0$, $f(1)f(2)>0$, $f(2)f(3)>0$

사잇값의 정리에 의하여 방정식 $f(x)=0$은 열린구간 $(-2, -1)$, $(0, 1)$에서 각각 적어도 하나의 실근을 갖는다.

따라서 열린구간 $(-2, 3)$에서 적어도 2개의 실근을 갖는다.

답 **2개**

Ⅱ. 미분

42

$$(\text{평균변화율})=\frac{\Delta y}{\Delta x}=\frac{f(3)-f(1)}{3-1}=\frac{(3^2+3+1)-(1^2+1+1)}{2}=\frac{10}{2}=5$$

$$f'(a)=\lim_{\Delta x\to 0}\frac{f(a+\Delta x)-f(a)}{\Delta x}=\lim_{\Delta x\to 0}\frac{\{(a+\Delta x)^2+(a+\Delta x)+1\}-(a^2+a+1)}{\Delta x}=\lim_{\Delta x\to 0}\frac{(\Delta x)^2+2a\Delta x+\Delta x}{\Delta x}=\lim_{\Delta x\to 0}(\Delta x+2a+1)=2a+1$$

즉, $2a+1=5$이므로 $a=2$

답 2

43

$$(\text{평균변화율})=\frac{\Delta y}{\Delta x}=\frac{f(4)-f(1)}{4-1}=\frac{(4^2-4\sqrt{a}+4)-(1^2-\sqrt{a}+4)}{4-1}=\frac{15-3\sqrt{a}}{3}=5-\sqrt{a}$$

즉, $5-\sqrt{a}=1$이므로 $\sqrt{a}=4$

$\therefore a=16$

답 16

44

(1) $(\text{주어진 식})=\lim_{h\to 0}\left\{\frac{f(a+h^2)-f(a)}{h^2}\cdot h\right\}=f'(a)\cdot\lim_{h\to 0}h=0$

(2) $(\text{주어진 식})=\lim_{h\to 0}\frac{f(a-3h)-f(a)}{-3h}\cdot(-3)=-3f'(a)=-6$

(3) (주어진 식)

$$=\frac{1}{2}\lim_{h\to 0}\frac{f(a+h)-f(a-h)}{h}$$
$$=\frac{1}{2}\lim_{h\to 0}\frac{f(a+h)-f(a)-f(a-h)+f(a)}{h}$$
$$=\frac{1}{2}\lim_{h\to 0}\left\{\frac{f(a+h)-f(a)}{h}+\frac{f(a-h)-f(a)}{-h}\right\}$$
$$=\frac{1}{2}\{f'(a)+f'(a)\}$$
$$=f'(a)=2$$

(4) (주어진 식)

$$=\lim_{h\to 0}\frac{f(a+3h)-f(a)-f(a+h)+f(a)}{2h}$$
$$=\lim_{h\to 0}\frac{f(a+3h)-f(a)}{2h}-\lim_{h\to 0}\frac{f(a+h)-f(a)}{2h}$$
$$=\lim_{h\to 0}\frac{f(a+3h)-f(a)}{3h}\cdot\frac{3}{2}-\lim_{h\to 0}\frac{f(a+h)-f(a)}{h}\cdot\frac{1}{2}$$
$$=\frac{3}{2}f'(a)-\frac{1}{2}f'(a)$$
$$=f'(a)=2$$

답 (1) **0** (2) **−6** (3) **2** (4) **2**

45

$$\lim_{h\to 0}\frac{f(a-2h)-f(a+h)+g(h)}{h}$$
$$=\lim_{h\to 0}\frac{f(a-2h)-f(a+h)}{h}+\lim_{h\to 0}\frac{g(h)}{h}$$
$$=\lim_{h\to 0}\frac{f(a-2h)-f(a)-f(a+h)+f(a)}{h}+\lim_{h\to 0}\frac{g(h)}{h}$$
$$=\lim_{h\to 0}\frac{f(a-2h)-f(a)}{-2h}\cdot(-2)-\lim_{h\to 0}\frac{f(a+h)-f(a)}{h}+\lim_{h\to 0}\frac{g(h)}{h}$$
$$=-2f'(a)-f'(a)+\lim_{h\to 0}\frac{g(h)}{h}$$
$$=-3f'(a)+\lim_{h\to 0}\frac{g(h)}{h}=9+\lim_{h\to 0}\frac{g(h)}{h}$$

즉, $9+\lim_{h\to 0}\frac{g(h)}{h}=2$에서 $\lim_{h\to 0}\frac{g(h)}{h}=-7$

답 −7

46

$$(\text{주어진 식})=\lim_{x\to 2}\left\{\frac{x-2}{f(x)-f(2)}\cdot(x^2+2x+4)\right\}$$
$$=\lim_{x\to 2}\left\{\frac{1}{\frac{f(x)-f(2)}{x-2}}\cdot(x^2+2x+4)\right\}$$
$$=\frac{1}{f'(2)}\cdot\lim_{x\to 2}(x^2+2x+4)$$
$$=\frac{1}{3}(4+4+4)=4$$

답 4

47

(주어진 식)
$$=\lim_{x\to 2}\frac{2f(x)-2f(2)-xf(2)+2f(2)}{x-2}$$
$$=\lim_{x\to 2}\frac{2\{f(x)-f(2)\}-(x-2)f(2)}{x-2}$$
$$=2\lim_{x\to 2}\frac{f(x)-f(2)}{x-2}-\lim_{x\to 2}\frac{(x-2)f(2)}{x-2}$$
$$=2f'(2)-f(2)$$
$$=2\cdot 1-3=-1$$

답 −1

48

$x=0$, $y=0$을 주어진 식에 대입하면

$f(0)=f(0)+f(0)+1$ $\quad\therefore f(0)=-1$

$$f'(4)=\lim_{h\to 0}\frac{f(4+h)-f(4)}{h}$$
$$=\lim_{h\to 0}\frac{\{f(4)+f(h)+1\}-f(4)}{h}$$
$$=\lim_{h\to 0}\frac{f(h)+1}{h}=\lim_{h\to 0}\frac{f(h)-f(0)}{h}$$
$$=f'(0)$$

이고 $f'(4)=1$이므로 $f'(0)=1$

$$f'(2)=\lim_{h\to 0}\frac{f(2+h)-f(2)}{h}$$
$$=\lim_{h\to 0}\frac{\{f(2)+f(h)+1\}-f(2)}{h}$$
$$=\lim_{h\to 0}\frac{f(h)+1}{h}=\lim_{h\to 0}\frac{f(h)-f(0)}{h}$$
$$=f'(0)=1$$

$\therefore f(0)+f'(2)=-1+1=0$

답 0

49

$x=0$, $y=0$을 주어진 식에 대입하면

$f(0)=f(0)+f(0)+0$ $\quad\therefore f(0)=0$

$$f'(1)=\lim_{h\to 0}\frac{f(1+h)-f(1)}{h}$$
$$=\lim_{h\to 0}\frac{\{f(1)+f(h)+h\}-f(1)}{h}$$
$$=\lim_{h\to 0}\frac{f(h)+h}{h}$$
$$=\lim_{h\to 0}\frac{f(h)}{h}+1$$
$$=\lim_{h\to 0}\frac{f(h)-f(0)}{h}+1$$
$$=f'(0)+1$$

이고 $f'(1)=3$이므로 $f'(0)+1=3$

$\therefore f'(0)=2$

$$\therefore f'(3)=\lim_{h\to 0}\frac{f(3+h)-f(3)}{h}$$
$$=\lim_{h\to 0}\frac{\{f(3)+f(h)+3h\}-f(3)}{h}$$
$$=\lim_{h\to 0}\frac{f(h)+3h}{h}$$
$$=\lim_{h\to 0}\frac{f(h)}{h}+3$$
$$=\lim_{h\to 0}\frac{f(h)-f(0)}{h}+3$$
$$=f'(0)+3=2+3=5$$

답 5

50

$f(x)=x^3-x$로 놓으면 점 $(2, 6)$에서의 접선의 기울기는 함수 $f(x)$의 $x=2$에서의 미분계수 $f'(2)$와 같으므로

$$f'(2)=\lim_{x\to 2}\frac{f(x)-f(2)}{x-2}$$
$$=\lim_{x\to 2}\frac{(x^3-x)-6}{x-2}$$
$$=\lim_{x\to 2}\frac{(x-2)(x^2+2x+3)}{x-2}$$
$$=\lim_{x\to 2}(x^2+2x+3)=11$$

따라서 구하는 접선의 기울기는 11이다.

답 11

51

ㄱ. 곡선 $y=f(x)$와 직선 $y=g(x)$가 $x=a$인 점에서 접하므로 $f(a)=g(a)$ (참)

ㄴ. $x=a$에서의 곡선 $y=f(x)$의 접선의 기울기와 직선 $y=g(x)$의 기울기가 같으므로
$f'(a)=g'(a)$ (참)

ㄷ. ㄱ, ㄴ에서 $f(a)=g(a)$, $f'(a)=g'(a)$이므로

$$\lim_{x\to a}\frac{f(x)-g(x)}{x-a}$$
$$=\lim_{x\to a}\frac{f(x)-f(a)+g(a)-g(x)}{x-a}$$
$$=\lim_{x\to a}\frac{f(x)-f(a)}{x-a}-\lim_{x\to a}\frac{g(x)-g(a)}{x-a}$$
$$=f'(a)-g'(a)=0 \text{ (참)}$$

따라서 옳은 것은 ㄱ, ㄴ, ㄷ이다. **답 ㄱ, ㄴ, ㄷ**

52

(1) (i) $f(1)=0$이고

$$\lim_{x\to 1}f(x)$$
$$=\lim_{x\to 1}x|x-1|=0$$

이므로

$$\lim_{x\to 1}f(x)=f(1)$$

따라서 함수 $f(x)$는 $x=1$에서 연속이다.

(ii) $$\lim_{x\to 1+}\frac{f(x)-f(1)}{x-1}=\lim_{x\to 1+}\frac{x|x-1|}{x-1}=\lim_{x\to 1+}\frac{x(x-1)}{x-1}=\lim_{x\to 1+}x=1$$

$$\lim_{x\to 1-}\frac{f(x)-f(1)}{x-1}=\lim_{x\to 1-}\frac{x|x-1|}{x-1}=\lim_{x\to 1-}\frac{-x(x-1)}{x-1}=\lim_{x\to 1-}(-x)=-1$$

따라서 $f'(1)$의 값이 존재하지 않으므로 함수 $f(x)$는 $x=1$에서 미분가능하지 않다.

(i), (ii)에서 함수 $f(x)$는 $x=1$에서 연속이지만 미분가능하지 않다.

(2) (i) $f(1)=0$이고

$$\lim_{x\to 1}f(x)=\lim_{x\to 1}|x^2-1|=0$$

이므로 $\lim_{x\to 1}f(x)=f(1)$

따라서 함수 $f(x)$는 $x=1$에서 연속이다.

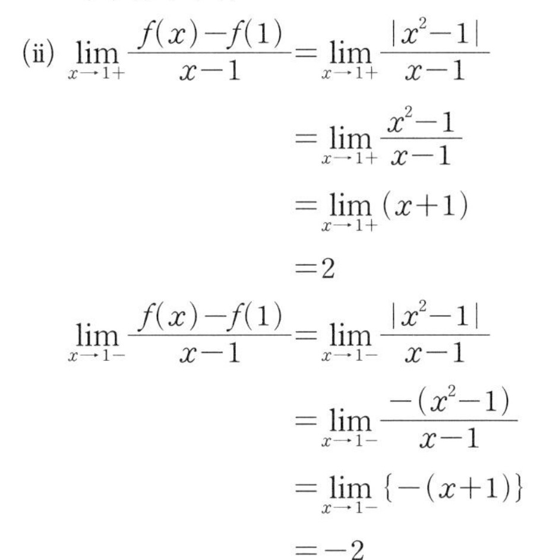

(ii) $$\lim_{x\to 1+}\frac{f(x)-f(1)}{x-1}=\lim_{x\to 1+}\frac{|x^2-1|}{x-1}=\lim_{x\to 1+}\frac{x^2-1}{x-1}=\lim_{x\to 1+}(x+1)=2$$

$$\lim_{x\to 1-}\frac{f(x)-f(1)}{x-1}=\lim_{x\to 1-}\frac{|x^2-1|}{x-1}=\lim_{x\to 1-}\frac{-(x^2-1)}{x-1}=\lim_{x\to 1-}\{-(x+1)\}=-2$$

따라서 $f'(1)$의 값이 존재하지 않으므로 함수 $f(x)$는 $x=1$에서 미분가능하지 않다.

(i), (ii)에서 함수 $f(x)$는 $x=1$에서 연속이지만 미분가능하지 않다.

(3) (i) $f(1)=1$이고

$$\lim_{x\to 1+}f(x)=\lim_{x\to 1+}x^2=1$$
$$\lim_{x\to 1-}f(x)=\lim_{x\to 1-}(2x-1)=1$$

이므로 $\lim_{x\to 1}f(x)=1$

$\therefore \lim_{x\to 1}f(x)=f(1)$

따라서 함수 $f(x)$는 $x=1$에서 연속이다.

(ii) $$\lim_{x\to 1+}\frac{f(x)-f(1)}{x-1}=\lim_{x\to 1+}\frac{x^2-1}{x-1}=\lim_{x\to 1+}(x+1)=2$$

$$\lim_{x\to 1-}\frac{f(x)-f(1)}{x-1}=\lim_{x\to 1-}\frac{2x-1-1}{x-1}=\lim_{x\to 1-}\frac{2(x-1)}{x-1}=2$$

따라서 $f'(1)$의 값이 존재하므로 함수 $f(x)$는 $x=1$에서 미분가능하다.

(i), (ii)에서 함수 $f(x)$는 $x=1$에서 연속이고 미분가능하다.

답 (1) **연속, 미분가능하지 않다.**
(2) **연속, 미분가능하지 않다.**
(3) **연속, 미분가능하다.**

53

① 점 $(3,\ f(3))$에서의 접선의 기울기가 0보다 크므로 $f'(3)>0$이다.

② $\lim_{x\to 2+} f(x)=\lim_{x\to 2-} f(x)$이므로 $\lim_{x\to 2} f(x)$의 값이 존재한다.

③ $x=4$, $x=5$에서 불연속이다.

④ 불연속인 점과 뾰족점에서는 미분가능하지 않으므로 $x=2$, $x=4$, $x=5$에서 미분가능하지 않다.

⑤ $x=2$에서 연속이지만 미분가능하지 않다.

답 ⑤

54

(1) $f'(x)=\lim_{h\to 0}\frac{f(x+h)-f(x)}{h}=\lim_{h\to 0}\frac{3-3}{h}=0$

(2) $f'(x)=\lim_{h\to 0}\frac{f(x+h)-f(x)}{h}$

$=\lim_{h\to 0}\frac{\{(x+h)-4\}-(x-4)}{h}$

$=\lim_{h\to 0}\frac{h}{h}=1$

(3) $f'(x)=\lim_{h\to 0}\frac{f(x+h)-f(x)}{h}$

$=\lim_{h\to 0}\frac{\{8(x+h)^2+7(x+h)\}-(8x^2+7x)}{h}$

$=\lim_{h\to 0}\frac{8h^2+16xh+7h}{h}$

$=\lim_{h\to 0}(8h+16x+7)$

$=16x+7$

답 (1) $\boldsymbol{f'(x)=0}$ (2) $\boldsymbol{f'(x)=1}$
(3) $\boldsymbol{f'(x)=16x+7}$

55

(1) $y'=(10^2)'=0$

(2) $y'=\left(4x^3-\frac{1}{2}x^2+3\right)'=12x^2-x$

(3) $y'=(5x^4+x^3-3x-8)'=20x^3+3x^2-3$

답 (1) $\boldsymbol{y'=0}$ (2) $\boldsymbol{y'=12x^2-x}$
(3) $\boldsymbol{y'=20x^3+3x^2-3}$

56

(1) $y'=(x^3+2)'(x^2-1)+(x^3+2)(x^2-1)'$

$=3x^2(x^2-1)+(x^3+2)\cdot 2x$

$=5x^4-3x^2+4x$

(2) $y'=(x^2-1)'(2x+1)(3x-2)$

$+(x^2-1)(2x+1)'(3x-2)$

$+(x^2-1)(2x+1)(3x-2)'$

$=2x(2x+1)(3x-2)$

$+2(x^2-1)(3x-2)+3(x^2-1)(2x+1)$

$=24x^3-3x^2-16x+1$

(3) $y'=12(2x-1)^3(2x-1)'$

$=12(2x-1)^3\cdot 2$

$=24(2x-1)^3$

답 (1) $\boldsymbol{y'=5x^4-3x^2+4x}$
(2) $\boldsymbol{y'=24x^3-3x^2-16x+1}$
(3) $\boldsymbol{y'=24(2x-1)^3}$

57

$f(x)=(x-1)(x-2)(x-3)\cdots(x-7)$에서

$f'(x)=(x-2)(x-3)\cdots(x-7)$

$+(x-1)(x-3)\cdots(x-7)$

$+\cdots+(x-1)(x-2)\cdots(x-6)$

따라서

$f'(1)=(1-2)(1-3)\cdots(1-7)$

$=(-1)\cdot(-2)\cdot\cdots\cdot(-6)=720$

$f'(5)=(5-1)(5-2)(5-3)(5-4)(5-6)(5-7)$

$=4\cdot 3\cdot 2\cdot 1\cdot(-1)\cdot(-2)=48$

이므로 $\frac{f'(1)}{f'(5)}=15$

답 **15**

58

$f(x)=ax^2+bx+c$에서 $f'(x)=2ax+b$

$f'(1)=-4$에서 $2a+b=-4$ ······ ㉠

$f'(-1)=8$에서 $-2a+b=8$ ······ ㉡

㉠, ㉡을 연립하여 풀면 $a=-3$, $b=2$

$f(0)=5$에서 $c=5$

$\therefore a=-3, b=2, c=5$ **답 $a=-3, b=2, c=5$**

59

$f(x)=x^3+ax^2-3$에서 $f'(x)=3x^2+2ax$

$\therefore f'(1)=3+2a$ ······ ㉠

$g(x)=(x^2+1)f(x)$에서

$g'(x)=2xf(x)+(x^2+1)f'(x)$

$\therefore g'(1)=2(a-2)+2(3+2a)$

$=6a+2$ ······ ㉡

$f'(1)=g'(1)$이므로 ㉠, ㉡에서

$3+2a=6a+2 \quad \therefore a=\frac{1}{4}$ **답 $\frac{1}{4}$**

60

$$(\text{주어진 식})=\lim_{h\to 0}\frac{f(1+h)-f(1)}{h}+\lim_{h\to 0}\frac{f(1-h)-f(1)}{-h}$$

$$=f'(1)+f'(1)=2f'(1)$$

한편, $f(x)=x^4-2x^3+x+4$에서

$f'(x)=4x^3-6x^2+1$이므로 $f'(1)=-1$

$\therefore 2f'(1)=2\cdot(-1)=-2$ **답 -2**

61

$$(\text{주어진 식})=\lim_{x\to 2}\left\{\frac{f(x)-f(2)}{x-2}\cdot\frac{1}{x^2+2x+4}\right\}$$

$$=\frac{1}{12}f'(2)$$

한편, $f(x)=x^3-3x^2+4x+3$에서

$f'(x)=3x^2-6x+4$이므로

$f'(2)=3\cdot 2^2-6\cdot 2+4=4$

$\therefore \frac{1}{12}f'(2)=\frac{1}{12}\cdot 4=\frac{1}{3}$ **답 $\frac{1}{3}$**

62

$f(x)=x^3+ax^2+bx$에서 $f'(x)=3x^2+2ax+b$

$\lim_{x\to 2}\frac{f(x)-f(2)}{x-2}=5$에서 $f'(2)=5$

즉, $f'(2)=12+4a+b=5$에서

$4a+b=-7$ ······ ㉠

$$\lim_{x\to 1}\frac{x^3-1}{f(x)-f(1)}=\lim_{x\to 1}\frac{(x-1)(x^2+x+1)}{f(x)-f(1)}$$

$$=\lim_{x\to 1}\frac{x^2+x+1}{\frac{f(x)-f(1)}{x-1}}=\frac{3}{f'(1)}$$

$\frac{3}{f'(1)}=-\frac{3}{2}$이므로 $f'(1)=-2$

즉, $f'(1)=3+2a+b=-2$에서

$2a+b=-5$ ······ ㉡

㉠, ㉡을 연립하여 풀면 $a=-1$, $b=-3$

$\therefore a+b=-4$ **답 -4**

63

$f(x)=x^3+ax^2+bx+1$에서 $f'(x)=3x^2+2ax+b$

$\lim_{h\to 0}\frac{f(1+h)-f(1)}{h}=4$에서 $f'(1)=4$

즉, $f'(1)=3+2a+b=4$에서

$2a+b=1$ ······ ㉠

$$\lim_{h\to 0}\frac{f(-2-h)-f(-2)}{h}$$

$$=-\lim_{h\to 0}\frac{f(-2-h)-f(-2)}{-h}$$

$$=-f'(-2)=-1$$

에서 $f'(-2)=1$

즉, $f'(-2)=12-4a+b=1$에서

$4a-b=11$ ······ ㉡

㉠, ㉡을 연립하여 풀면 $a=2$, $b=-3$

따라서 $f(x)=x^3+2x^2-3x+1$이므로

$f(1)=1+2-3+1=1$ **답 1**

64

$f(x)=x^{10}+x$로 놓으면 $f(1)=2$

$$\lim_{x\to 1}\frac{x^{10}+x-2}{x-1}=\lim_{x\to 1}\frac{f(x)-f(1)}{x-1}=f'(1)$$

이때 $f'(x)=10x^9+1$이므로

$f'(1)=10+1=11$ **답 11**

65

$\lim_{x\to 2}\frac{x^n-x^3-x-6}{x-2}=k$에서 $x\to 2$일 때

(분모)$\to 0$이고 극한값이 존재하므로 (분자)$\to 0$이다.

즉, $\lim_{x\to 2}(x^n-x^3-x-6)=0$이므로

$2^n-8-2-6=0$, $2^n=16=2^4$

$\therefore n=4$

이때 $f(x)=x^4-x^3-x-6$으로 놓으면

$f(2)=0$, $f'(x)=4x^3-3x^2-1$이므로

$$\lim_{x\to 2}\frac{x^4-x^3-x-6}{x-2}=\lim_{x\to 2}\frac{f(x)-f(2)}{x-2}=f'(2)$$

$$=4\cdot 2^3-3\cdot 2^2-1=19=k$$

$\therefore n+k=4+19=23$ **답 23**

66

함수 $f(x)$가 $x=2$에서 미분가능하므로 $x=2$에서 연속이다.

즉, $\lim_{x\to 2}f(x)=f(2)$에서 $4=4a+b$ …… ㉠

또, 미분계수 $f'(2)$가 존재하므로

$$\lim_{x\to 2+}\frac{f(x)-f(2)}{x-2}$$

$$=\lim_{x\to 2+}\frac{a(x-4)^2+b-(4a+b)}{x-2}$$

$$=\lim_{x\to 2+}\frac{a(x-2)(x-6)}{x-2}$$

$$=\lim_{x\to 2+}a(x-6)=-4a$$

$$\lim_{x\to 2-}\frac{f(x)-f(2)}{x-2}=\lim_{x\to 2-}\frac{x^2-(4a+b)}{x-2}$$

$$=\lim_{x\to 2-}\frac{x^2-4}{x-2}\ (\because ㉠)$$

$$=\lim_{x\to 2-}\frac{(x+2)(x-2)}{x-2}$$

$$=\lim_{x\to 2-}(x+2)=4$$

즉, $-4a=4$이므로 $a=-1$

$a=-1$을 ㉠에 대입하면 $b=8$ **답 $a=-1$, $b=8$**

다른풀이 $f(x)=\begin{cases} g(x)=a(x-4)^2+b & (x\ge 2) \\ h(x)=x^2 & (x<2)\end{cases}$

으로 놓으면 $f'(x)=\begin{cases} g'(x)=2a(x-4) & (x>2) \\ h'(x)=2x & (x<2)\end{cases}$

함수 $f(x)$가 $x=2$에서 미분가능할 조건은

(i) $g(2)=h(2)$ (ii) $g'(2)=h'(2)$

이므로

$g(2)=h(2)$에서 $a(2-4)^2+b=2^2$

$\therefore 4a+b=4$ …… ㉠

$g'(2)=h'(2)$에서 $2a(2-4)=2\cdot 2$

$\therefore a=-1$ …… ㉡

㉠, ㉡에서 $a=-1$, $b=8$

67

함수 $f(x)$가 모든 실수 x에서 미분가능하면 $x=1$에서도 미분가능하므로 $x=1$에서 연속이다.

즉, $\lim_{x\to 1}f(x)=f(1)$에서 $2+1=1+a+b$

$\therefore a+b=2$ …… ㉠

또, 미분계수 $f'(1)$이 존재하므로

$$\lim_{x\to 1+}\frac{f(x)-f(1)}{x-1}$$

$$=\lim_{x\to 1+}\frac{(x^3+ax^2+bx)-(1+a+b)}{x-1}$$

$$=\lim_{x\to 1+}\frac{(x-1)\{x^2+(a+1)x+a+b+1\}}{x-1}$$

$$=\lim_{x\to 1+}\{x^2+(a+1)x+a+b+1\}$$

$$=2a+b+3$$

$$\lim_{x\to 1-}\frac{f(x)-f(1)}{x-1}=\lim_{x\to 1-}\frac{(2x^2+1)-(1+a+b)}{x-1}$$

$$=\lim_{x\to 1-}\frac{2x^2+1-3}{x-1}\ (\because ㉠)$$

$$=\lim_{x\to 1-}\frac{2(x+1)(x-1)}{x-1}$$

$$=\lim_{x\to 1-}2(x+1)=4$$

즉, $2a+b+3=4$이므로

$2a+b=1$ …… ㉡

㉠, ㉡을 연립하여 풀면 $a=-1$, $b=3$

$\therefore ab=-3$ **답 -3**

다른풀이 $f(x)=\begin{cases} g(x)=x^3+ax^2+bx & (x\ge1) \\ h(x)=2x^2+1 & (x<1) \end{cases}$

로 놓으면

$f'(x)=\begin{cases} g'(x)=3x^2+2ax+b & (x>1) \\ h'(x)=4x & (x<1) \end{cases}$

함수 $f(x)$가 $x=1$에서 미분가능할 조건은

(i) $g(1)=h(1)$ (ii) $g'(1)=h'(1)$

이므로

$g(1)=h(1)$에서 $1+a+b=3$

$\therefore a+b=2$ …… ㉠

$g'(1)=h'(1)$에서 $3+2a+b=4$

$\therefore 2a+b=1$ …… ㉡

㉠, ㉡을 연립하여 풀면 $a=-1$, $b=3$

$\therefore ab=-3$

68

다항식 $x^{20}-ax+b$를 $(x-1)^2$으로 나누었을 때의 몫을 $Q(x)$라 하면

$x^{20}-ax+b=(x-1)^2Q(x)$ …… ㉠

양변에 $x=1$을 대입하면

$1-a+b=0$ $\therefore a-b=1$

㉠의 양변을 x에 대하여 미분하면

$20x^{19}-a=2(x-1)Q(x)+(x-1)^2Q'(x)$

양변에 $x=1$을 대입하면

$20-a=0$ $\therefore a=20$, $b=19$

$\therefore a+b=39$ **답 39**

다른풀이 $f(x)=x^{20}-ax+b$가 $(x-1)^2$으로 나누어떨어질 조건은

$f(1)=0$, $f'(1)=0$

$f(1)=1-a+b=0$에서 $a-b=1$ …… ㉠

$f'(x)=20x^{19}-a$에서 $f'(1)=20-a=0$ …… ㉡

㉠, ㉡에서 $a=20$, $b=19$

$\therefore a+b=20+19=39$

69

다항식 $x^{100}-2x^3+4$를 $(x-1)^2$으로 나누었을 때의 몫을 $Q(x)$, 나머지를 $ax+b$ (a, b는 상수)라 하면

$x^{100}-2x^3+4=(x-1)^2Q(x)+ax+b$ …… ㉠

양변에 $x=1$을 대입하면

$1-2+4=a+b$ $\therefore a+b=3$

㉠의 양변을 x에 대하여 미분하면

$100x^{99}-6x^2=2(x-1)Q(x)+(x-1)^2Q'(x)+a$

양변에 $x=1$을 대입하면

$100-6=a$ $\therefore a=94$, $b=-91$

따라서 구하는 나머지는 $94x-91$ **답 $94x-91$**

다른풀이 $f(x)=x^{100}-2x^3+4$를 $(x-1)^2$으로 나누었을 때의 나머지는 $f'(1)(x-1)+f(1)$

$f'(x)=100x^{99}-6x^2$에서 $f'(1)=100-6=94$

$f(1)=1-2+4=3$

따라서 구하는 나머지는

$94(x-1)+3=94x-91$

70

다항식 x^4+ax^2+b를 $(x+1)^2$으로 나누었을 때의 몫을 $Q(x)$라 하면

$x^4+ax^2+b=(x+1)^2Q(x)+2x+3$ …… ㉠

양변에 $x=-1$을 대입하면

$1+a+b=1$ $\therefore a+b=0$ …… ㉡

㉠의 양변을 x에 대하여 미분하면

$4x^3+2ax=2(x+1)Q(x)+(x+1)^2Q'(x)+2$

양변에 $x=-1$을 대입하면

$-4-2a=2$ $\therefore a=-3$

$a=-3$을 ㉡에 대입하면 $b=3$

$\therefore ab=-9$ **답 -9**

71

(1) $f(x)=2x^2+4x-3$으로 놓으면 $f'(x)=4x+4$
곡선 $y=f(x)$ 위의 점 $(1, 3)$에서의 접선의 기울기는 $f'(1)$이므로
$f'(1)=4+4=8$

(2) $f(x)=x^3-2x+1$로 놓으면 $f'(x)=3x^2-2$
곡선 $y=f(x)$ 위의 점 $(2, 5)$에서의 접선의 기울기는 $f'(2)$이므로
$f'(2)=12-2=10$

답 (1) **8** (2) **10**

72

$f(x)=x^2-4x-1$로 놓으면 $f'(x)=\boxed{2x-4}$

곡선 $y=f(x)$ 위의 점 $(4, -1)$에서의 접선의 기울기는 $f'(\boxed{4})=8-4=\boxed{4}$

따라서 구하는 접선의 방정식은 기울기가 $\boxed{4}$이고, 점 $(4, -1)$을 지나는 직선의 방정식이므로

$y-(\boxed{-1})=\boxed{4}(x-\boxed{4})$

$\therefore\ y=\boxed{4x-17}$ **답 풀이 참조**

73

$f(x)=3x^2+2x+1$로 놓으면 $f'(x)=\boxed{6x+2}$

접점의 좌표를 $(a, 3a^2+2a+1)$이라 하면 접선의 기울기가 8이므로

$f'(a)=\boxed{6a+2}=8$, $6a=6$ $\therefore\ a=1$

따라서 접점의 좌표는 $(1, \boxed{6})$이므로 구하는 접선의 방정식은

$y-\boxed{6}=\boxed{8}(x-\boxed{1})$

$\therefore\ y=\boxed{8x-2}$ **답 풀이 참조**

74

$f(x)=x^3+ax^2+bx$로 놓으면

$f'(x)=3x^2+2ax+b$

곡선 $y=f(x)$가 점 $(1, 5)$를 지나므로 $f(1)=5$

$1+a+b=5$ $\therefore\ a+b=4$ ...... ㉠

곡선 $y=f(x)$ 위의 점 중 x좌표가 -1인 점에서의 접선의 기울기가 1이므로 $f'(-1)=1$

$3-2a+b=1$ $\therefore\ -2a+b=-2$ ...... ㉡

㉠, ㉡을 연립하여 풀면

$a=2$, $b=2$ **답 $a=2$, $b=2$**

75

$f(x)=ax^2+bx+\frac{1}{2}$로 놓으면 $f'(x)=2ax+b$

곡선 $y=f(x)$가 점 $(1, 2)$를 지나므로 $f(1)=2$

$a+b+\frac{1}{2}=2$ $\therefore\ a+b=\frac{3}{2}$ ...... ㉠

곡선 $y=f(x)$ 위의 점 $(-1, c)$에서의 접선의 기울기가 $-\frac{3}{2}$이므로 $f'(-1)=-\frac{3}{2}$

$\therefore\ -2a+b=-\frac{3}{2}$ ...... ㉡

㉠, ㉡을 연립하여 풀면

$a=1$, $b=\frac{1}{2}$

$\therefore\ f(x)=x^2+\frac{1}{2}x+\frac{1}{2}$

점 $(-1, c)$는 곡선 $y=f(x)$ 위의 점이므로

$f(-1)=c$

$1-\frac{1}{2}+\frac{1}{2}=c$ $\therefore\ c=1$

$\therefore\ abc=1\cdot\frac{1}{2}\cdot1=\frac{1}{2}$ **답 $\frac{1}{2}$**

76

$f(x)=x^3-2x^2+1$로 놓으면 $f'(x)=3x^2-4x$

곡선 $y=f(x)$ 위의 점 $(-1, -2)$에서의 접선의 기울기는 $f'(-1)=3+4=7$

따라서 구하는 접선의 방정식은 기울기가 7이고, 점 $(-1, -2)$를 지나는 직선의 방정식이므로

$y-(-2)=7\{x-(-1)\}$

$\therefore\ y=7x+5$ **답 $y=7x+5$**

77

$f(x)=x^3+ax^2+bx$로 놓으면

$f'(x)=3x^2+2ax+b$

곡선 $y=f(x)$가 점 $(2, 4)$를 지나므로 $f(2)=4$

$8+4a+2b=4$

$\therefore\ 2a+b=-2$ ...... ㉠

곡선 $y=f(x)$ 위의 점 $(2, 4)$에서의 접선의 기울기는

$f'(2)=12+4a+b$

그런데 접선의 기울기가 6이므로

$f'(2)=12+4a+b=6$

$\therefore\ 4a+b=-6$ ...... ㉡

㉠, ㉡을 연립하여 풀면

$a=-2$, $b=2$ **답 $a=-2$, $b=2$**

78

$f(x)=x^3-x+1$로 놓으면 $f'(x)=3x^2-1$

곡선 $y=f(x)$ 위의 점 $(1, 1)$에서의 접선의 기울기는 $f'(1)=2$이므로 점 $(1, 1)$에서의 접선에 수직인 직선의 기울기는 $-\frac{1}{2}$이다.

따라서 구하는 직선의 방정식은

$y-1=-\frac{1}{2}(x-1)$

$\therefore y=-\frac{1}{2}x+\frac{3}{2}$ 답 $\boldsymbol{y=-\frac{1}{2}x+\frac{3}{2}}$

79

$f(x)=x^2$으로 놓으면 $f'(x)=2x$

곡선 $y=f(x)$의 접선이 x축의 양의 방향과 $45°$의 각을 이루므로 접선의 기울기는 $\tan 45°=1$이다.

접점의 좌표를 (a, a^2)이라 하면 접선의 기울기가 1이므로

$f'(a)=2a=1 \quad \therefore a=\frac{1}{2}$

따라서 접점의 좌표는 $\left(\frac{1}{2}, \frac{1}{4}\right)$이므로 구하는 접선의 방정식은

$y-\frac{1}{4}=1\cdot\left(x-\frac{1}{2}\right) \quad \therefore y=x-\frac{1}{4}$

답 $\boldsymbol{y=x-\frac{1}{4}}$

참고 직선 $y=mx+n$ $(m>0)$과 x축의 양의 방향이 이루는 각의 크기가 $\alpha°$ $(0°<\alpha°<90°)$일 때, 직선의 기울기 $m=\tan\alpha°$이다.

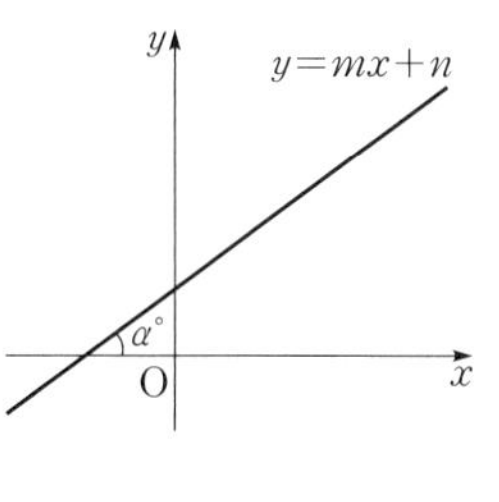

80

$f(x)=-x^2+1$로 놓으면 $f'(x)=-2x$

구하는 접선이 직선 $2x-y+3=0$, 즉 $y=2x+3$에 평행하므로 구하는 접선의 기울기는 2이다.

접점의 좌표를 $(a, -a^2+1)$이라 하면 접선의 기울기가 2이므로

$f'(a)=-2a=2 \quad \therefore a=-1$

따라서 접점의 좌표는 $(-1, 0)$이므로 구하는 접선의 방정식은 $y-0=2\{x-(-1)\}$

$\therefore y=2x+2$ 답 $\boldsymbol{y=2x+2}$

81

$f(x)=x^3-11x+2$로 놓으면 $f'(x)=3x^2-11$

구하는 접선이 직선 $x-8y+3=0$, 즉 $y=\frac{1}{8}x+\frac{3}{8}$에 수직이므로 구하는 접선의 기울기는 -8이다.

접점의 좌표를 $(a, a^3-11a+2)$라 하면 접선의 기울기가 -8이므로

$f'(a)=3a^2-11=-8$

$3a^2=3, \ a^2=1$

$\therefore a=-1$ 또는 $a=1$

따라서 접점의 좌표는 $(-1, 12)$, $(1, -8)$이므로 구하는 접선의 방정식은

$y-12=-8\{x-(-1)\}, \ y-(-8)=-8(x-1)$

$\therefore y=-8x+4, \ y=-8x$

답 $\boldsymbol{y=-8x+4, y=-8x}$

82

(1) $f(x)=-x^2+2x+3$으로 놓으면

$f'(x)=-2x+2$

접점의 좌표를 $(t, -t^2+2t+3)$이라 하면 이 점에서의 접선의 기울기는

$f'(t)=-2t+2$

따라서 기울기가 $-2t+2$이고 점 $(t, -t^2+2t+3)$을 지나는 직선의 방정식은

$y-(-t^2+2t+3)=(-2t+2)(x-t)$

$\therefore y=(-2t+2)x+t^2+3$ …… ㉠

이 직선이 점 $(2, 4)$를 지나므로

$4=(-2t+2)\cdot 2+t^2+3$

$t^2-4t+3=0$

$(t-1)(t-3)=0$

$\therefore t=1$ 또는 $t=3$

이것을 ㉠에 각각 대입하면
구하는 접선의 방정식은
$y=4$, $y=-4x+12$

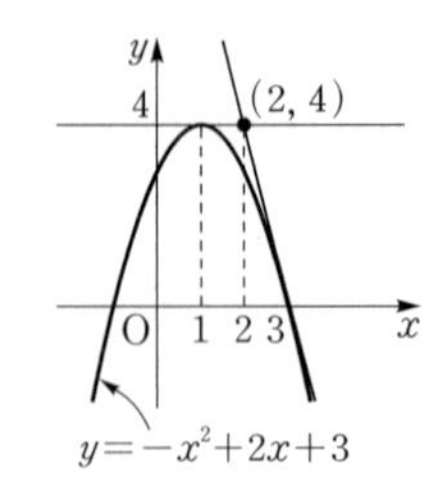

(2) $f(x)=x^3-2x$로 놓으면 $f'(x)=3x^2-2$
접점의 좌표를 $(t,\ t^3-2t)$라 하면 이 점에서의 접선의 기울기는
$f'(t)=3t^2-2$
따라서 기울기가 $3t^2-2$이고 점 $(t,\ t^3-2t)$를 지나는 직선의 방정식은
$y-(t^3-2t)=(3t^2-2)(x-t)$
$\therefore y=(3t^2-2)x-2t^3$ …… ㉠
이 직선이 점 $(0,\ 2)$를 지나므로
$2=-2t^3$, $t^3=-1$
$\therefore t=-1$
$t=-1$을 ㉠에 대입하면 구하는 접선의 방정식은
$y=x+2$

답 (1) $\boldsymbol{y=4,\ y=-4x+12}$
(2) $\boldsymbol{y=x+2}$

83

$f(x)=x^3-2$로 놓으면 $f'(x)=3x^2$
접점의 좌표를 $(t,\ t^3-2)$라 하면 이 점에서의 접선의 기울기는
$f'(t)=3t^2$
따라서 기울기가 $3t^2$이고 점 $(t,\ t^3-2)$를 지나는 직선의 방정식은
$y-(t^3-2)=3t^2(x-t)$
$\therefore y=3t^2x-2t^3-2$ …… ㉠
이 직선이 점 $(1,\ -6)$을 지나므로
$-6=3t^2-2t^3-2$, $2t^3-3t^2-4=0$
$(t-2)(2t^2+t+2)=0$
$\therefore t=2\ \left(\because 2t^2+t+2=2\left(t+\frac{1}{4}\right)^2+\frac{15}{8}>0\right)$
$t=2$를 ㉠에 대입하면 구하는 접선의 방정식은
$y=12x-18$
이 접선이 점 $(k,\ 30)$을 지나므로
$30=12k-18$, $12k=48$ $\quad\therefore k=4$

답 4

84

$f(x)=\frac{1}{4}x^4+3$으로 놓으면 $f'(x)=x^3$
접점 P를 $\mathrm{P}\left(t,\ \frac{1}{4}t^4+3\right)$이라 하면 점 P에서의 접선의 기울기는
$f'(t)=t^3$
따라서 점 P에서의 접선의 방정식은
$y-\left(\frac{1}{4}t^4+3\right)=t^3(x-t)$
이 직선이 원점을 지나므로
$-\left(\frac{1}{4}t^4+3\right)=t^3\cdot(-t)$
$\frac{3}{4}t^4-3=0$, $t^4-4=0$
$(t^2+2)(t+\sqrt{2})(t-\sqrt{2})=0$
$\therefore t=-\sqrt{2}$ 또는 $t=\sqrt{2}$
따라서 $\mathrm{P}(-\sqrt{2},\ 4)$ 또는 $\mathrm{P}(\sqrt{2},\ 4)$이므로 선분 OP의 길이는
$\sqrt{(\sqrt{2})^2+4^2}=\sqrt{18}=3\sqrt{2}$

답 $\boldsymbol{3\sqrt{2}}$

85

$f(x)=x^3$으로 놓으면 $f'(x)=3x^2$
곡선과 직선의 접점의 좌표를 $(t,\ t^3)$이라 하면
이 점에서의 접선의 기울기는 $f'(t)=3t^2$, 접선의 방정식은
$y-t^3=3t^2(x-t)$
$\therefore y=3t^2x-2t^3$ …… ㉠
㉠이 $y=ax+2$이므로
$3t^2=a$, $-2t^3=2$
$-2t^3=2$에서 $t^3=-1$ $\quad\therefore t=-1$
$\therefore a=3\cdot(-1)^2=3$

답 3

다른풀이 $f(x)=x^3$으로 놓으면 $f'(x)=3x^2$
곡선과 직선의 접점의 좌표를 $(t,\ t^3)$이라 하면 이 점에서의 접선의 기울기는
$f'(t)=3t^2$

곡선과 직선의 접점은 곡선과 직선의 교점이므로 y좌표가 같다. 즉,

$t^3=at+2$ …… ㉠

또한, 접점에서의 접선의 기울기가 a이므로

$f'(t)=3t^2=a$ $\quad\therefore a=3t^2$ …… ㉡

㉡을 ㉠에 대입하면 $t^3=3t^2\cdot t+2$

$-2t^3=2,\ t^3=-1$ $\quad\therefore t=-1$

$t=-1$을 ㉡에 대입하면 $a=3$

86

$f(x)=x^3-ax+2$로 놓으면 $f'(x)=3x^2-a$

곡선과 직선의 접점의 좌표를 $(t,\ t^3-at+2)$라 하면 이 점에서의 접선의 기울기는 $f'(t)=3t^2-a$, 접선의 방정식은

$y-(t^3-at+2)=(3t^2-a)(x-t)$

$\therefore y=(3t^2-a)x-2t^3+2$ …… ㉠

㉠이 $y=5x$이므로

$3t^2-a=5,\ -2t^3+2=0$

$-2t^3+2=0$에서 $t^3=1$ $\quad\therefore t=1$

$3-a=5$ $\quad\therefore a=-2$ **답 -2**

다른풀이 $f(x)=x^3-ax+2$로 놓으면

$f'(x)=3x^2-a$

곡선과 직선의 접점의 좌표를 $(t,\ t^3-at+2)$라 하면 이 점에서의 접선의 기울기는

$f'(t)=3t^2-a$

곡선과 직선의 접점은 곡선과 직선의 교점이므로 y좌표가 같다. 즉,

$t^3-at+2=5t$ …… ㉠

또한, 접점에서의 접선의 기울기가 5이므로

$f'(t)=3t^2-a=5$ $\quad\therefore a=3t^2-5$ …… ㉡

㉡을 ㉠에 대입하면

$t^3-(3t^2-5)t+2=5t,\ -2t^3+2=0$

$\therefore t=1$

$t=1$을 ㉡에 대입하면 $a=-2$

87

(1) $f(x)=x^3+ax,\ g(x)=bx^2+c$로 놓으면

$f'(x)=3x^2+a,\ g'(x)=2bx$

두 곡선 $y=f(x),\ y=g(x)$ 모두 점 $(-1,\ 0)$을 지나므로 $f(-1)=0,\ g(-1)=0$

$-1-a=0$ $\quad\therefore a=-1$ …… ㉠

$b+c=0$ …… ㉡

두 곡선의 접점 $(-1,\ 0)$에서의 접선의 기울기가 같으므로 $f'(-1)=g'(-1)$

$3+a=-2b,\ 2=-2b$ ($\because$ ㉠)

$\therefore b=-1$

따라서 ㉡에서 $c=1$

(2) 접점의 좌표는 $(-1,\ 0)$이고, 접선의 기울기는 $f'(-1)=g'(-1)=2$이므로 두 곡선에 공통으로 접하는 직선의 방정식은

$y-0=2\{x-(-1)\}$

$\therefore y=2x+2$

답 (1) $\boldsymbol{a=-1,\ b=-1,\ c=1}$ (2) $\boldsymbol{y=2x+2}$

88

$f(x)=x^2-1,\ g(x)=ax^2\ (a\neq0)$으로 놓으면

$f'(x)=2x,\ g'(x)=2ax$

두 곡선 $y=f(x),\ y=g(x)$의 교점의 x좌표를 t라 하면 $f(t)=g(t)$

$t^2-1=at^2$ …… ㉠

두 곡선의 교점에서의 각각의 접선이 서로 수직이므로 두 접선의 기울기의 곱이 -1이다. 즉,

$f'(t)g'(t)=-1$

$2t\cdot2at=-1,\ 4at^2=-1$

$\therefore at^2=-\frac{1}{4}$ …… ㉡

㉡을 ㉠에 대입하면

$t^2-1=-\frac{1}{4},\ t^2=\frac{3}{4}$

㉡에서 $\frac{3}{4}a=-\frac{1}{4}$

$\therefore a=-\frac{1}{3}$ **답 $-\frac{1}{3}$**

89

(1) 함수 $f(x)=x^2-6x$는 닫힌구간 $[1,\ 5]$에서 연속이고 열린구간 $(1,\ 5)$에서 미분가능하다. 또한,

$f(1)=f(5)=-5$

이므로 롤의 정리에 의하여 $f'(c)=0$인 c가 열린구간 $(1, 5)$에 적어도 하나 존재한다.

이때 $f'(x)=2x-6$이므로

$f'(c)=2c-6=0$

$\therefore c=3$

(2) 함수 $f(x)=-x^2+2x+4$는 닫힌구간 $[0, 2]$에서 연속이고 열린구간 $(0, 2)$에서 미분가능하다. 또한,

$f(0)=f(2)=4$

이므로 롤의 정리에 의하여 $f'(c)=0$인 c가 열린구간 $(0, 2)$에 적어도 하나 존재한다.

이때 $f'(x)=-2x+2$이므로

$f'(c)=-2c+2=0$

$\therefore c=1$

(3) 함수 $f(x)=x^3-x^2-5x-3$은 닫힌구간 $[-1, 3]$에서 연속이고 열린구간 $(-1, 3)$에서 미분가능하다. 또한,

$f(-1)=f(3)=0$

이므로 $f'(c)=0$인 c가 열린구간 $(-1, 3)$에 적어도 하나 존재한다.

이때 $f'(x)=3x^2-2x-5$이므로

$f'(c)=3c^2-2c-5=0$

$(c+1)(3c-5)=0$

$\therefore c=\frac{5}{3}$ ($\because -1<c<3$)

답 (1) **3** (2) **1** (3) $\frac{5}{3}$

90

함수 $f(x)=\frac{1}{3}x^3+x^2-3x+2$는 닫힌구간 $[-a, a]$에서 롤의 정리의 조건을 만족시키므로 $f(-a)=f(a)$이다. 즉,

$-\frac{1}{3}a^3+a^2+3a+2=\frac{1}{3}a^3+a^2-3a+2$

$\frac{2}{3}a^3-6a=0$, $a^3-9a=0$

$a(a+3)(a-3)=0$

$\therefore a=3$ ($\because a$는 자연수)

따라서 함수 $f(x)$는 닫힌구간 $[-3, 3]$에서 롤의 정리의 조건을 만족시킨다.

이때 $f'(x)=x^2+2x-3$이므로

$f'(c)=c^2+2c-3=(c+3)(c-1)=0$

$\therefore c=1$ ($\because -3<c<3$)

답 $\boldsymbol{c=1, a=3}$

91

(1) 함수 $f(x)=x^2-4x+3$은 닫힌구간 $[2, 4]$에서 연속이고 열린구간 $(2, 4)$에서 미분가능하므로 평균값 정리에 의하여

$$\frac{f(4)-f(2)}{4-2}=\frac{3-(-1)}{2}=2=f'(c)$$

인 c가 열린구간 $(2, 4)$에 적어도 하나 존재한다.

이때 $f'(x)=2x-4$이므로

$f'(c)=2c-4=2$ $\quad\therefore c=3$

(2) 함수 $f(x)=-x^3+x$는 닫힌구간 $[0, 2]$에서 연속이고 열린구간 $(0, 2)$에서 미분가능하므로 평균값 정리에 의하여

$$\frac{f(2)-f(0)}{2-0}=\frac{-6-0}{2}=-3=f'(c)$$

인 c가 열린구간 $(0, 2)$에 적어도 하나 존재한다.

이때 $f'(x)=-3x^2+1$이므로

$f'(c)=-3c^2+1=-3$, $-3c^2=-4$, $c^2=\frac{4}{3}$

$\therefore c=\frac{2\sqrt{3}}{3}$ ($\because 0<c<2$)

답 (1) **3** (2) $\frac{2\sqrt{3}}{3}$

92

함수 $f(x)=\frac{1}{3}x^3-x^2+1$은 닫힌구간 $[0, 3]$에서 연속이고 열린구간 $(0, 3)$에서 미분가능하므로 평균값 정리에 의하여

$$\frac{f(3)-f(0)}{3-0}=\frac{1-1}{3}=0=f'(c)$$

인 c가 열린구간 $(0, 3)$에 적어도 하나 존재한다.

이때 $f'(x)=x^2-2x$이므로

$f'(c)=c^2-2c=0$, $c(c-2)=0$

$\therefore c=2$ ($\because 0<c<3$)

따라서 실수 c는 2의 1개이다.

답 1

93

$f(-2)=19,\ f(a)=2a^2-4a+3$

$f'(x)=4x-4$에서

$f'\left(-\frac{1}{2}\right)=4\cdot\left(-\frac{1}{2}\right)-4=-6$

함수 $f(x)=2x^2-4x+3$에 대하여 닫힌구간 $[-2, a]$에서 평균값 정리가 성립하므로

$\frac{f(a)-f(-2)}{a-(-2)}=f'\left(-\frac{1}{2}\right)$

$\frac{(2a^2-4a+3)-19}{a+2}=-6$

$2a^2-4a-16=-6a-12$

$2a^2+2a-4=0,\ 2(a+2)(a-1)=0$

$\therefore a=1\ (\because a>-2)$ **답 1**

94

(1) $f(x)=-x^3+3x-4$에서

$f'(x)=-3x^2+3=-3(x+1)(x-1)$

$f'(x)=0$을 만족시키는 x의 값은

$x=-1$ 또는 $x=1$

함수 $f(x)$의 증가와 감소를 표로 나타내면 다음과 같다.

x	$\cdots$	-1	$\cdots$	1	$\cdots$
$f'(x)$	$-$	0	$+$	0	$-$
$f(x)$	↘	-6	↗	-2	↘

따라서 함수 $f(x)$는 **반닫힌 구간 $(-\infty, -1]$과 반닫힌 구간 $[1, \infty)$에서 감소**하고, **닫힌구간 $[-1, 1]$에서 증가**한다.

(2) $f(x)=x^3-3x^2-45x-6$에서

$f'(x)=3x^2-6x-45=3(x+3)(x-5)$

$f'(x)=0$을 만족시키는 x의 값은

$x=-3$ 또는 $x=5$

함수 $f(x)$의 증가와 감소를 표로 나타내면 다음과 같다.

x	$\cdots$	-3	$\cdots$	5	$\cdots$
$f'(x)$	$+$	0	$-$	0	$+$
$f(x)$	↗	75	↘	-181	↗

따라서 함수 $f(x)$는 **반닫힌 구간 $(-\infty, -3]$과 반닫힌 구간 $[5, \infty)$에서 증가**하고, **닫힌구간 $[-3, 5]$에서 감소**한다.

답 풀이 참조

참고 도함수 $y=f'(x)$의 그래프는 각각 다음과 같다.

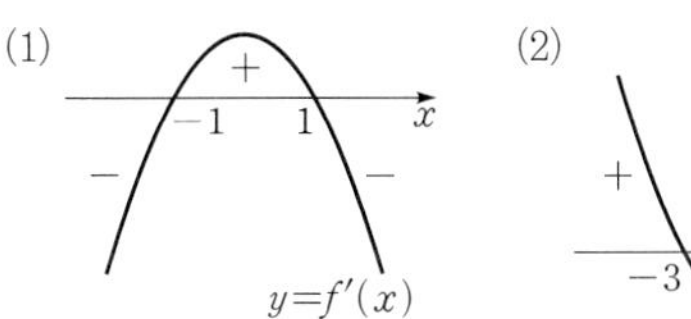

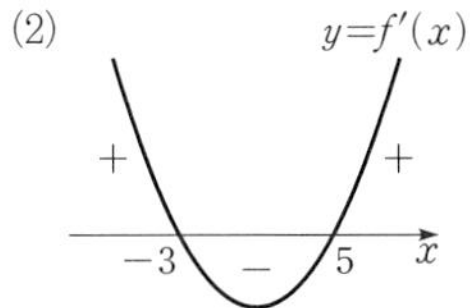

95

(1) $f(x)=\frac{1}{3}x^3+ax^2+(5a-4)x+2$에서

$f'(x)=x^2+2ax+(5a-4)$

삼차함수 $f(x)$가 열린구간 $(-\infty, \infty)$에서 증가하려면 모든 실수 x에 대하여 $f'(x)\geq 0$이어야 하므로 이차방정식 $f'(x)=0$의 판별식을 D라 하면

$\frac{D}{4}=a^2-(5a-4)=a^2-5a+4\leq 0$

$(a-1)(a-4)\leq 0 \quad \therefore 1\leq a\leq 4$

(2) $f(x)=-x^3+ax^2-12x-1$에서

$f'(x)=-3x^2+2ax-12$

삼차함수 $f(x)$가 실수 전체의 집합에서 감소하려면 모든 실수 x에 대하여 $f'(x)\leq 0$이어야 하므로 이차방정식 $f'(x)=0$의 판별식을 D라 하면

$\frac{D}{4}=a^2-(-3)\cdot(-12)=a^2-36\leq 0$

$(a+6)(a-6)\leq 0 \quad \therefore -6\leq a\leq 6$

답 (1) $\mathbf{1\leq a\leq 4}$ (2) $\mathbf{-6\leq a\leq 6}$

96

$f(x)=-4x^3+ax^2+36x-1$에서

$f'(x)=-12x^2+2ax+36$

삼차함수 $f(x)$가 닫힌구간 $[-2, 1]$에서 증가하려면 닫힌구간 $[-2, 1]$에서 $f'(x)\geq 0$이어야 하므로 오른쪽 그림에서

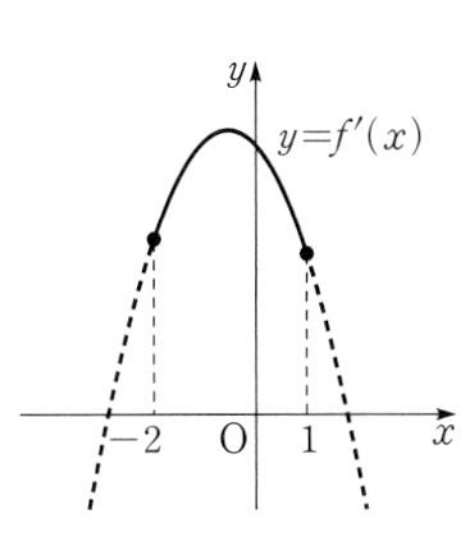

$f'(-2)=-48-4a+36$

≥ 0

$-4a \geq 12 \quad \therefore a \leq -3$ ...... ㉠

$f'(1) = -12 + 2a + 36 \geq 0$

$2a \geq -24 \quad \therefore a \geq -12$ ...... ㉡

㉠, ㉡을 동시에 만족시키는 실수 a의 값의 범위는

$-12 \leq a \leq -3$ **답 $-12 \leq a \leq -3$**

97

$f(x) = x^3 + ax + 1$에서

$f'(x) = 3x^2 + a$

삼차함수 $f(x)$가 닫힌구간 $[-1, 1]$에서 증가하려면 닫힌구간 $[-1, 1]$에서 $f'(x) \geq 0$이어야 하므로 오른쪽 그림에서

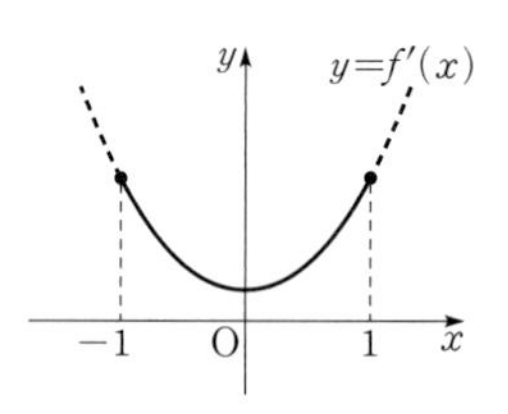

$f'(0) = a \geq 0$ ← ($[-1, 1]$에서 $f'(x)$의 최솟값) ≥ 0

따라서 실수 a의 최솟값은 0이다. **답 0**

98

$f(x) = 2x^3 - 3ax^2 + (6a-6)x - 1$에서

$f'(x) = 6x^2 - 6ax + (6a-6)$

함수 $f(x)$가 감소하는 구간이 닫힌구간 $[1, 5]$이므로 $f'(x) \leq 0$인 x의 값의 범위가 $1 \leq x \leq 5$이다. 즉, 이차부등식 $f'(x) \leq 0$의 해가 $1 \leq x \leq 5$이므로

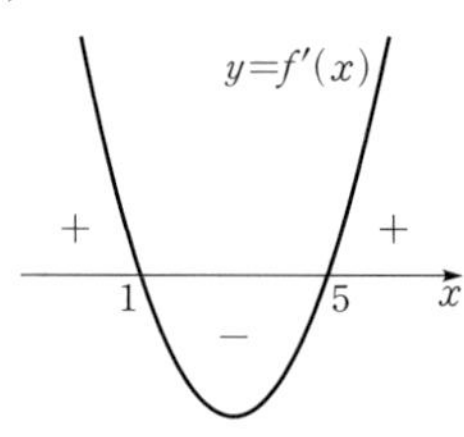

$f'(x) = 6(x-1)(x-5)$

$\quad = 6x^2 - 36x + 30$

따라서 $-6a = -36$, $6a - 6 = 30$이므로

$a = 6$ **답 6**

99

$f(x) = 2x^3 - 6x^2 + 3$에서

$f'(x) = \boxed{6}x^2 + (\boxed{-12})x = 6x(x-2)$

$f'(x) = 0$을 만족시키는 x의 값은 $x = 0$ 또는 $x = \boxed{2}$

$f'(x)$의 부호를 조사하여 함수 $f(x)$의 증가와 감소를 표로 나타내면 다음과 같다.

x	$\cdots$	0	$\cdots$	$\boxed{2}$	$\cdots$
$f'(x)$	+	0	−	0	+
$f(x)$	↗	3 극대	↘	$\boxed{-5}$ 극소	↗

따라서 함수 $f(x)$는 $x = 0$에서 극댓값 3, $x = \boxed{2}$에서 극솟값 $\boxed{-5}$를 갖는다.

답 6, −12, 2, 2, −5, 2, −5

100

$f(x) = -x^4 + 2x^2 - 3$에서

$f'(x) = \boxed{-4}x^3 + (\boxed{4})x = -4x(x+1)(x-1)$

$f'(x) = 0$을 만족시키는 x의 값은

$x = -1$ 또는 $x = \boxed{0}$ 또는 $x = 1$

$f'(x)$의 부호를 조사하여 함수 $f(x)$의 증가와 감소를 표로 나타내면 다음과 같다.

x	$\cdots$	−1	$\cdots$	$\boxed{0}$	$\cdots$	1	$\cdots$
$f'(x)$	+	0	$\boxed{-}$	0	+	0	−
$f(x)$	↗	−2 극대	↘	$\boxed{-3}$ 극소	↗	−2 극대	↘

따라서 함수 $f(x)$는 $x = -1$과 $x = 1$에서 극댓값 -2, $x = \boxed{0}$에서 극솟값 $\boxed{-3}$을(를) 갖는다.

답 −4, 4, 0, 0, −, −3, 0, −3

101

(1) $f(x) = x^2(3-x) = -x^3 + 3x^2$에서

$f'(x) = -3x^2 + 6x = -3x(x-2)$

$f'(x) = 0$을 만족시키는 x의 값은 $x = 0$ 또는 $x = 2$

함수 $f(x)$의 증가와 감소를 표로 나타내면 다음과 같다.

x	$\cdots$	0	$\cdots$	2	$\cdots$
$f'(x)$	−	0	+	0	−
$f(x)$	↘	0 극소	↗	4 극대	↘

따라서 함수 $f(x)$는 $x = 0$에서 극솟값 0, $x = 2$에서 극댓값 4를 갖는다.

그런데 $f(x)$의 최솟값이 -5이므로

$-4+a=-5 \qquad \therefore a=-1$

따라서 $f(x)$의 최댓값은

$1+a=1+(-1)=0$ **답 0**

119

$f(x)=ax^4-4ax^3+b$에서

$f'(x)=4ax^3-12ax^2=4ax^2(x-3)$

$f'(x)=0$을 만족시키는 x의 값은 $x=0$ 또는 $x=3$

$a<0$이므로 닫힌구간 $[1, 4]$에서 함수 $f(x)$의 증가와 감소를 표로 나타내면 다음과 같다.

x	1	$\cdots$	3	$\cdots$	4
$f'(x)$		$+$	0	$-$	
$f(x)$	$-3a+b$	$\nearrow$	$-27a+b$ 극대	$\searrow$	b

따라서 $f(x)$는 $x=3$에서 최댓값 $-27a+b$, $x=4$에서 최솟값 b를 갖는다.

그런데 $f(x)$의 최댓값이 3, 최솟값이 -6이므로

$-27a+b=3,\ b=-6 \qquad \therefore a=-\frac{1}{3}$

$\therefore ab=-\frac{1}{3}\cdot(-6)=2$ **답 2**

120

$f(t)=-\frac{1}{4}t^4-\frac{1}{3}t^3+2t^2+4t$에서

$f'(t)=-t^3-t^2+4t+4=-(t+1)(t-2)(t+2)$

$f'(t)=0$을 만족시키는 t의 값은 $t=2$ ($\because 0<t<3$)

$0<t<3$에서 함수 $f(t)$의 증가와 감소를 표로 나타내면 다음과 같다.

t	0	$\cdots$	2	$\cdots$	3
$f'(t)$		$+$	0	$-$	
$f(t)$		$\nearrow$	$f(2)$ 극대	$\searrow$	

따라서 $f(t)$는 $t=2$에서 최대가 되므로 순이익이 최대가 되려면 A회사의 주식을 구입하여 2년 후에 팔아야 한다. **답 2년 후**

121

점 A의 x좌표를 t라 하면 두 점 $A(t, t^2)$, $B(3, 0)$에 대하여

$\overline{AB}=\sqrt{(t-3)^2+(t^2-0)^2}$

$=\sqrt{(t-3)^2+t^4}$

$f(t)=\overline{AB}^2=(t-3)^2+t^4=t^4+t^2-6t+9$라 하면

$f'(t)=4t^3+2t-6$

$=2(t-1)(2t^2+2t+3)$

$f'(t)=0$을 만족시키는 t의 값은 $t=1$

함수 $f(t)$의 증가와 감소를 표로 나타내면 다음과 같다.

t	$\cdots$	1	$\cdots$
$f'(t)$	$-$	0	$+$
$f(t)$	$\searrow$	5 극소	$\nearrow$

따라서 $f(t)$는 $t=1$에서 최솟값 5를 가지므로 $\overline{AB}$의 최솟값은 $\sqrt{5}$이다. $\qquad \therefore m=\sqrt{5}$

$\therefore m^2=5$ **답 5**

122

$C(t, 9-t^2)$ $(0<t<3)$이라 하면

$\overline{CD}=2t$, $\overline{AB}=6$, 사다리꼴의 높이가 $9-t^2$이므로 사다리꼴 ABCD의 넓이를 $f(t)$라 하면

$f(t)=\frac{1}{2}(2t+6)(9-t^2)$

$=(t+3)(9-t^2)$

$f'(t)=(9-t^2)+(t+3)\cdot(-2t)$

$=-3(t+3)(t-1)$

$f'(t)=0$을 만족시키는 t의 값은 $t=1$ ($\because 0<t<3$)

$0<t<3$에서 함수 $f(t)$의 증가와 감소를 표로 나타내면 다음과 같다.

t	0	$\cdots$	1	$\cdots$	3
$f'(t)$		$+$	0	$-$	
$f(t)$		$\nearrow$	32 극대	$\searrow$	

따라서 $f(t)$는 $t=1$에서 최댓값 32를 가지므로 사다리꼴 ABCD의 넓이의 최댓값은 32이다. **답 32**

123

원기둥의 밑면의 반지름의 길이를 x $(0<x<1)$, 높이를 h라 하면

$(3-h) : x=3 : 1$

$3x=3-h$

$\therefore h=3-3x$

원기둥의 부피를 $V(x)$라 하면

$V(x)=\pi x^2h$

$=\pi x^2(3-3x)$

$=3\pi(-x^3+x^2)$

$V'(x)=3\pi(-3x^2+2x)=-3\pi x(3x-2)$

$V'(x)=0$을 만족시키는 x의 값은 $x=\frac{2}{3}$

$(\because 0<x<1)$

$0<x<1$에서 함수 $V(x)$의 증가와 감소를 표로 나타내면 다음과 같다.

x	0	$\cdots$	$\frac{2}{3}$	$\cdots$	1
$V'(x)$		$+$	0	$-$	
$V(x)$		↗	$V\left(\frac{2}{3}\right)$ 극대	↘	

따라서 $V(x)$는 $x=\frac{2}{3}$에서 최대가 되므로 원기둥의 부피가 최대가 되도록 하는 원기둥의 밑면의 반지름의 길이는 $\frac{2}{3}$이다.

답 $\mathbf{\frac{2}{3}}$

124

(1) $f(x)=x^3-6x^2+9x-5$로 놓으면

$f'(x)=3x^2-12x+9=3(x-1)(x-3)$

$f'(x)=0$을 만족시키는 x의 값은 $x=1$ 또는 $x=3$

함수 $f(x)$의 증가와 감소를 표로 나타내고 그래프를 그리면 다음과 같다.

x	$\cdots$	1	$\cdots$	3	$\cdots$
$f'(x)$	$+$	0	$-$	0	$+$
$f(x)$	↗	-1 극대	↘	-5 극소	↗

따라서 함수 $y=f(x)$의 그래프는 x축과 한 점에서 만나므로 방정식 $f(x)=0$의 실근의 개수는 1이다.

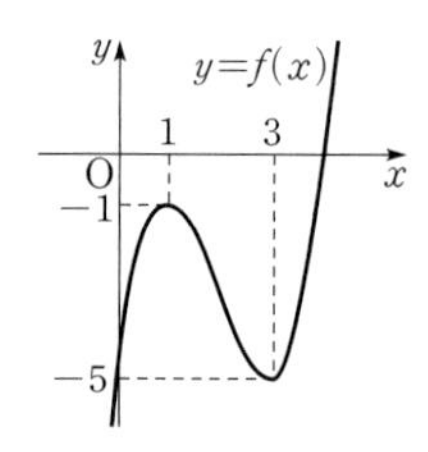

(2) $f(x)=2x^3-3x^2-12x+15$로 놓으면

$f'(x)=6x^2-6x-12=6(x+1)(x-2)$

$f'(x)=0$을 만족시키는 x의 값은

$x=-1$ 또는 $x=2$

함수 $f(x)$의 증가와 감소를 표로 나타내고 그래프를 그리면 다음과 같다.

x	$\cdots$	-1	$\cdots$	2	$\cdots$
$f'(x)$	$+$	0	$-$	0	$+$
$f(x)$	↗	22 극대	↘	-5 극소	↗

따라서 함수 $y=f(x)$의 그래프는 x축과 서로 다른 세 점에서 만나므로 방정식 $f(x)=0$의 실근의 개수는 3이다.

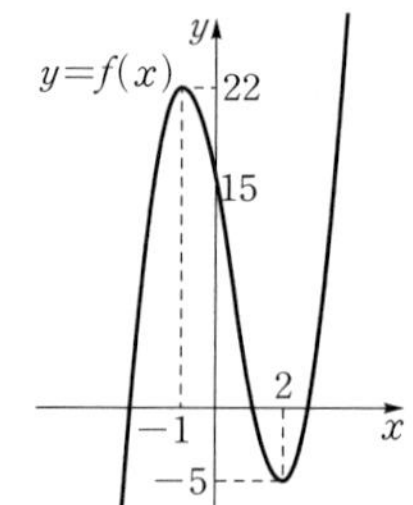

(3) $f(x)=2x^4-4x^2+1$로 놓으면

$f'(x)=8x^3-8x=8x(x+1)(x-1)$

$f'(x)=0$을 만족시키는 x의 값은

$x=-1$ 또는 $x=0$ 또는 $x=1$

함수 $f(x)$의 증가와 감소를 표로 나타내고 그래프를 그리면 다음과 같다.

x	$\cdots$	-1	$\cdots$	0	$\cdots$	1	$\cdots$
$f'(x)$	$-$	0	$+$	0	$-$	0	$+$
$f(x)$	↘	-1 극소	↗	1 극대	↘	-1 극소	↗

따라서 함수 $y=f(x)$의 그래프는 x축과 서로 다른 네 점에서 만나므로 방정식 $f(x)=0$의 실근의 개수는 4이다.

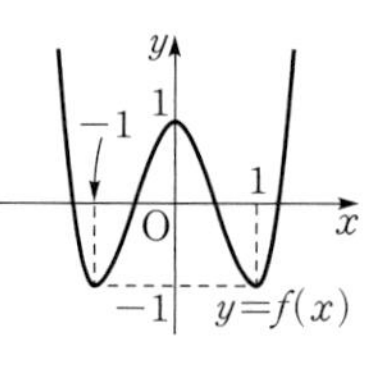

(4) $f(x)=x^4+4x^3+5$로 놓으면

$f'(x)=4x^3+12x^2=4x^2(x+3)$

$f'(x)=0$을 만족시키는 x의 값은

$x=-3$ 또는 $x=0$

함수 $f(x)$의 증가와 감소를 표로 나타내고 그래프를 그리면 다음과 같다.

x	$\cdots$	-3	$\cdots$	0	$\cdots$
$f'(x)$	$-$	0	$+$	0	$+$
$f(x)$	↘	-22 극소	↗	5	↗

따라서 함수 $y=f(x)$의 그래프는 x축과 서로 다른 두 점에서 만나므로 방정식 $f(x)=0$의 실근의 개수는 2이다.

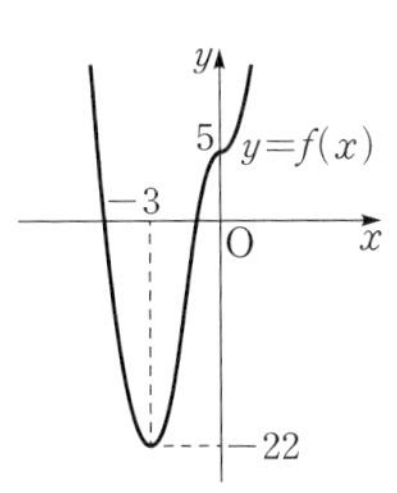

답 (1) **1** (2) **3** (3) **4** (4) **2**

참고 (4)에서 $f'(0)=0$이지만 $f(x)$는 $x=0$에서 극값을 갖지 않는다. 이때 곡선 $y=f(x)$ 위의 점 $(0, 5)$에서의 접선은 x축에 평행하다.

125

$x^3-3x-k=0$에서 $x^3-3x=k$ ...... ㉠

$f(x)=x^3-3x$로 놓으면

$f'(x)=3x^2-3=3(x+1)(x-1)$

$f'(x)=0$을 만족시키는 x의 값은 $x=-1$ 또는 $x=1$

함수 $f(x)$의 증가와 감소를 표로 나타내고 그래프를 그리면 다음과 같다.

x	$\cdots$	-1	$\cdots$	1	$\cdots$
$f'(x)$	$+$	0	$-$	0	$+$
$f(x)$	↗	2 극대	↘	-2 극소	↗

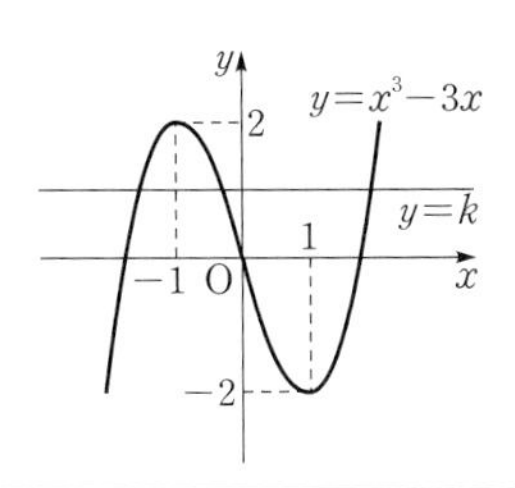

방정식 ㉠의 서로 다른 실근의 개수는 두 함수 $y=f(x)$, $y=k$의 그래프의 교점의 개수와 같다.

따라서 두 함수 $y=f(x)$, $y=k$의 그래프가

(1) 서로 다른 세 점에서 만나도록 하는 실수 k의 값의 범위를 구하면 $-2<k<2$

(2) 서로 다른 두 점에서 만나도록 하는 실수 k의 값을 구하면 $k=-2$ 또는 $k=2$

(3) 한 점에서만 만나도록 하는 실수 k의 값의 범위를 구하면 $k<-2$ 또는 $k>2$

답 (1) $\boldsymbol{-2<k<2}$

(2) $\boldsymbol{k=-2}$ **또는** $\boldsymbol{k=2}$

(3) $\boldsymbol{k<-2}$ **또는** $\boldsymbol{k>2}$

참고 (2)에서 곡선 $y=f(x)$와 직선 $y=k$는 접한다.

126

$3x^4-4x^3-12x^2+15-k=0$에서

$3x^4-4x^3-12x^2+15=k$ ...... ㉠

$f(x)=3x^4-4x^3-12x^2+15$로 놓으면

$f'(x)=12x^3-12x^2-24x=12x(x+1)(x-2)$

$f'(x)=0$을 만족시키는 x의 값은

$x=-1$ 또는 $x=0$ 또는 $x=2$

함수 $f(x)$의 증가와 감소를 표로 나타내고 그래프를 그리면 다음과 같다.

x	$\cdots$	-1	$\cdots$	0	$\cdots$	2	$\cdots$
$f'(x)$	$-$	0	$+$	0	$-$	0	$+$
$f(x)$	↘	10 극소	↗	15 극대	↘	-17 극소	↗

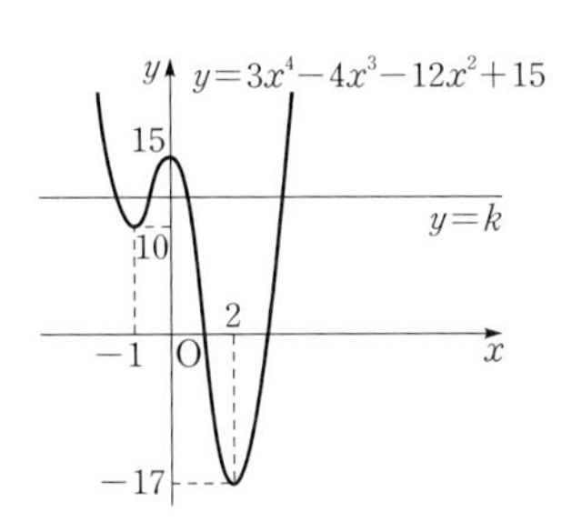

방정식 ㉠의 실근의 개수는 두 함수 $y=f(x)$, $y=k$의 실근의 개수와 같으므로 두 함수 $y=f(x)$, $y=k$

의 그래프가 서로 다른 네 점에서 만나도록 하는 실수 k의 값의 범위를 구하면

$10<k<15$ **답** $\mathbf{10<k<15}$

127

곡선 $y=x^3-10x-4$와 직선 $y=2x+a$의 교점의 개수는 방정식 $x^3-10x-4=2x+a$, 즉

$x^3-12x-4=a$ …… ㉠

의 서로 다른 실근의 개수와 같다.

$f(x)=x^3-12x-4$로 놓으면

$f'(x)=3x^2-12=3(x+2)(x-2)$

$f'(x)=0$을 만족시키는 x의 값은 $x=-2$ 또는 $x=2$

함수 $f(x)$의 증가와 감소를 표로 나타내고 그래프를 그리면 다음과 같다.

x	$\cdots$	-2	$\cdots$	2	$\cdots$
$f'(x)$	$+$	0	$-$	0	$+$
$f(x)$	↗	12 극대	↘	-20 극소	↗

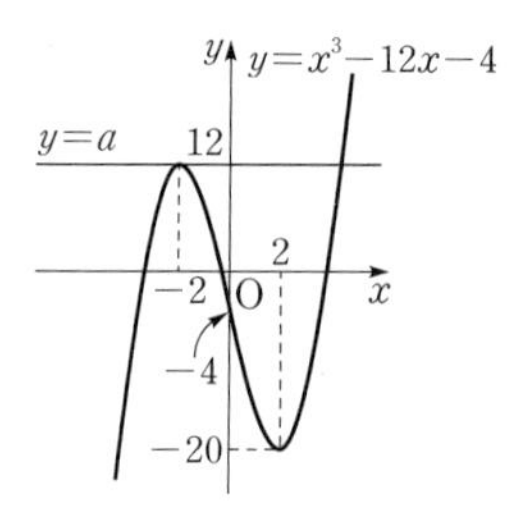

방정식 ㉠의 서로 다른 실근의 개수는 두 함수 $y=f(x)$, $y=a$의 그래프의 교점의 개수와 같다.

따라서 두 함수 $y=f(x)$, $y=a$의 그래프가

(1) 서로 다른 세 점에서 만나도록 하는 실수 a의 값의 범위를 구하면 $-20<a<12$

(2) 접하도록 하는 실수 a의 값의 범위를 구하면 $a=-20$ 또는 $a=12$

답 (1) $\mathbf{-20<a<12}$ (2) $\mathbf{a=-20}$ **또는** $\mathbf{a=12}$

참고 곡선 $y=x^3-10x-4$와 직선 $y=2x+a$가 접한다.

⟺ 곡선 $y=x^3-12x-4$와 직선 $y=a$가 접한다.

⟺ 방정식 $x^3-12x-4=a$가 서로 다른 두 실근을 갖는다.

128

$x^3-3x^2-9x+k=0$에서

$-x^3+3x^2+9x=k$ …… ㉠

$f(x)=-x^3+3x^2+9x$로 놓으면

$f'(x)=-3x^2+6x+9=-3(x+1)(x-3)$

$f'(x)=0$을 만족시키는 x의 값은 $x=-1$ 또는 $x=3$

함수 $f(x)$의 증가와 감소를 표로 나타내고 그래프를 그리면 다음과 같다.

x	$\cdots$	-1	$\cdots$	3	$\cdots$
$f'(x)$	$-$	0	$+$	0	$-$
$f(x)$	↘	-5 극소	↗	27 극대	↘

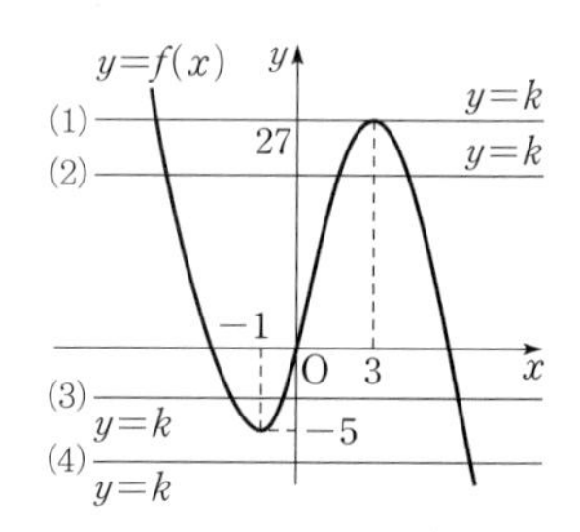

방정식 ㉠의 실근은 두 함수 $y=f(x)$, $y=k$의 그래프의 교점의 x좌표와 같다. 따라서

(1) $y=f(x)$, $y=k$의 그래프가 접하고, 접점이 아닌 다른 교점의 x좌표가 음수인 경우이므로 $k=27$

(2) $y=f(x)$, $y=k$의 그래프의 교점의 x좌표가 두 개는 서로 다른 양수, 한 개는 음수인 경우이므로 $0<k<27$

(3) $y=f(x)$, $y=k$의 그래프의 교점의 x좌표가 두 개는 서로 다른 음수, 한 개는 양수인 경우이므로 $-5<k<0$

(4) $y=f(x)$, $y=k$의 그래프의 교점의 x좌표가 한 개뿐이고, 그것이 양수인 경우이므로 $k<-5$

답 (1) $\mathbf{k=27}$ (2) $\mathbf{0<k<27}$ (3) $\mathbf{-5<k<0}$ (4) $\mathbf{k<-5}$

129

$f(x)=2x^3-3x^2+a$로 놓으면

$f'(x)=6x^2-6x=6x(x-1)$

$f'(x)=0$을 만족시키는 x의 값은 $x=0$ 또는 $x=1$
함수 $f(x)$의 증가와 감소를 표로 나타내면 다음과 같다.

x	$\cdots$	0	$\cdots$	1	$\cdots$
$f'(x)$	$+$	0	$-$	0	$+$
$f(x)$	↗	a 극대	↘	$-1+a$ 극소	↗

따라서 함수 $f(x)$는 $x=0$에서 극댓값 a, $x=1$에서 극솟값 $-1+a$를 갖는다.
$f(x)$가 극값을 가질 때, 삼차방정식 $f(x)=0$이
(1) 서로 다른 세 실근을 가질 필요충분조건은
(극댓값)×(극솟값)<0이므로
$a(-1+a)<0 \quad \therefore 0<a<1$
(2) 한 실근과 두 허근을 가질 필요충분조건은
(극댓값)×(극솟값)>0이므로
$a(-1+a)>0 \quad \therefore a<0$ 또는 $a>1$

답 (1) $\boldsymbol{0<a<1}$ (2) $\boldsymbol{a<0}$ **또는** $\boldsymbol{a>1}$

다른풀이 $2x^3-3x^2+a=0$에서
$-2x^3+3x^2=a$ …… ㉠
$f(x)=-2x^3+3x^2$으로 놓으면 방정식 ㉠의 서로 다른 실근의 개수는 두 함수 $y=f(x)$, $y=a$의 그래프의 교점의 개수와 같다.
두 함수 $y=f(x)$, $y=a$의 그래프가
(1) 서로 다른 세 점에서 만나도록 하는 실수 a의 값의 범위는
$0<a<1$
(2) 한 점에서만 만나도록 하는 실수 a의 값의 범위는
$a<0$ 또는 $a>1$

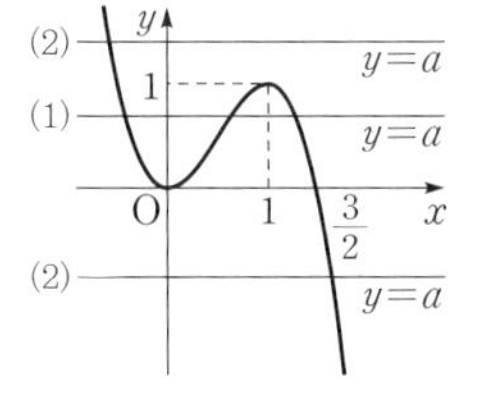

130

$f(x)=16x^3-12x^2-24x-k$로 놓으면
$f'(x)=48x^2-24x-24=24(2x+1)(x-1)$
$f'(x)=0$을 만족시키는 x의 값은
$x=-\frac{1}{2}$ 또는 $x=1$
함수 $f(x)$의 증가와 감소를 표로 나타내면 다음과 같다.

x	$\cdots$	$-\frac{1}{2}$	$\cdots$	1	$\cdots$
$f'(x)$	$+$	0	$-$	0	$+$
$f(x)$	↗	$7-k$ 극대	↘	$-20-k$ 극소	↗

따라서 함수 $f(x)$는 $x=-\frac{1}{2}$에서 극댓값 $7-k$, $x=1$에서 극솟값 $-20-k$를 갖는다.
$f(x)$가 극값을 가질 때, 삼차방정식 $f(x)=0$이 중근과 다른 한 실근을 가질 필요충분조건은
(극댓값)×(극솟값)=0이므로
$(7-k)(-20-k)=0$
$\therefore k=7$ 또는 $k=-20$
따라서 모든 실수 k의 값의 합은
$7+(-20)=-13$

답 $\boldsymbol{-13}$

다른풀이 $16x^3-12x^2-24x-k=0$에서
$16x^3-12x^2-24x=k$ …… ㉠
$f(x)=16x^3-12x^2-24x$로 놓으면 방정식 ㉠의 서로 다른 실근의 개수는 두 함수 $y=f(x)$, $y=k$의 그래프의 교점의 개수와 같다.
두 함수 $y=f(x)$, $y=k$의 그래프가 서로 다른 두 점에서 만나도록 하는 실수 k의 값은
$k=7$ 또는 $k=-20$
따라서 모든 실수 k의 값의 합은
$7+(-20)=-13$

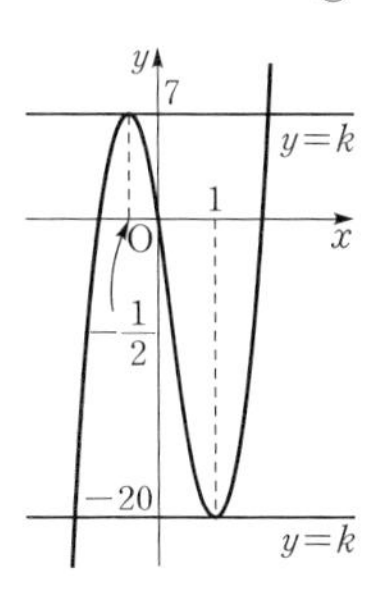

131

$f(x)=x^4-2x^2+a$로 놓으면
$f'(x)=4x^3-4x=4x(x+1)(x-1)$
$f'(x)=0$을 만족시키는 x의 값은
$x=-1$ 또는 $x=0$ 또는 $x=1$
함수 $f(x)$의 증가와 감소를 표로 나타내면 다음과 같다.

x	$\cdots$	-1	$\cdots$	0	$\cdots$	1	$\cdots$
$f'(x)$	$-$	0	$+$	0	$-$	0	$+$
$f(x)$	↘	$-1+a$ 극소	↗	a 극대	↘	$-1+a$ 극소	↗

따라서 $f(x)$는 $x=-1$과 $x=1$에서 최솟값 $-1+a$를 가지므로 모든 실수 x에 대하여 $f(x)\geq 0$이 성립하려면

$f(-1)=-1+a\geq 0$ $\quad\therefore a\geq 1$ **답 $a\geq 1$**

132

$y=f(x)$의 그래프가 $y=g(x)$의 그래프보다 항상 위쪽에 있으므로 모든 실수 x에 대하여 $f(x)>g(x)$이어야 한다. 즉, $h(x)=f(x)-g(x)$로 놓고,

$h(x)=x^4-\frac{16}{3}x^3+6x^2+k>0$임을 보이면 된다.

$h'(x)=4x^3-16x^2+12x=4x(x-1)(x-3)$

$h'(x)=0$을 만족시키는 x의 값은

$x=0$ 또는 $x=1$ 또는 $x=3$

함수 $h(x)$의 증가와 감소를 표로 나타내면 다음과 같다.

x	$\cdots$	0	$\cdots$	1	$\cdots$	3	$\cdots$
$h'(x)$	$-$	0	$+$	0	$-$	0	$+$
$h(x)$	↘	k 극소	↗	$\frac{5}{3}+k$ 극대	↘	$-9+k$ 극소	↗

따라서 $h(x)$는 $x=3$에서 최솟값 $-9+k$를 가지므로 모든 실수 x에 대하여 $h(x)>0$이 성립하려면

$h(3)=-9+k>0$ $\quad\therefore k>9$ **답 $k>9$**

133

$x^3+9x+a>6x^2+6$에서

$x^3-6x^2+9x+a-6>0$

즉, $f(x)=x^3-6x^2+9x+a-6$으로 놓고, $x>1$일 때 $f(x)>0$임을 보이면 된다.

$f'(x)=3x^2-12x+9=3(x-1)(x-3)$

$f'(x)=0$을 만족시키는 x의 값은 $x=1$ 또는 $x=3$

$x>1$일 때 함수 $f(x)$의 증가와 감소를 표로 나타내면 다음과 같다.

x	1	$\cdots$	3	$\cdots$
$f'(x)$		$-$	0	$+$
$f(x)$		↘	$a-6$ 극소	↗

따라서 $x>1$일 때, $f(x)$는 $x=3$에서 최솟값 $a-6$을 가지므로 $x>1$일 때 $f(x)>0$이 항상 성립하려면

$f(3)=a-6>0$ $\quad\therefore a>6$ **답 $a>6$**

134

$0<x<3$일 때 부등식 $f(x)\geq g(x)$, 즉

$f(x)-g(x)\geq 0$이 항상 성립해야 하므로

$h(x)=f(x)-g(x)$로 놓고 $0<x<3$일 때

$h(x)=(5x^3-10x^2+k)-(5x^2+2)$

$\quad=5x^3-15x^2+k-2\geq 0$

임을 보이면 된다.

$h'(x)=15x^2-30x=15x(x-2)$

$h'(x)=0$을 만족시키는 x의 값은 $x=0$ 또는 $x=2$

$0<x<3$일 때 함수 $h(x)$의 증가와 감소를 표로 나타내면 다음과 같다.

x	0	$\cdots$	2	$\cdots$	3
$h'(x)$		$-$	0	$+$	
$h(x)$		↘	$k-22$ 극소	↗	

따라서 $0<x<3$일 때, $h(x)$는 $x=2$에서 최솟값 $k-22$를 가지므로 $0<x<3$일 때 $h(x)\geq 0$이 항상 성립하려면

$h(2)=k-22\geq 0$ $\quad\therefore k\geq 22$

따라서 실수 k의 최솟값은 22이다. **답 22**

135

(1) $f(x)=x^3-12x+a$로 놓고, $-2<x<2$일 때 $f(x)>0$임을 보이면 된다.

$f'(x)=3x^2-12=3(x+2)(x-2)$

$f'(x)=0$을 만족시키는 x의 값은

$x=-2$ 또는 $x=2$

$-2\leq x\leq 2$일 때 $f(x)$의 증가와 감소를 표로 나타내면 다음과 같다.

x	-2	$\cdots$	2
$f'(x)$		$-$	
$f(x)$	$16+a$	↘	$-16+a$

$-2<x<2$일 때 $f'(x)<0$이므로 $f(x)$는 닫힌구간 $[-2, 2]$에서 감소한다.
따라서 $-2\le x\le 2$일 때, $f(x)$는 $x=2$에서 최솟값 $-16+a$를 가지므로 $-2<x<2$일 때 $f(x)>0$이 항상 성립하려면
$f(2)=-16+a\ge 0$ $\therefore a\ge 16$
따라서 실수 a의 최솟값은 16이다.

(2) $x\ge 2$일 때 $f(x)\ge g(x)$, 즉 $f(x)-g(x)\ge 0$이 항상 성립해야 하므로 $h(x)=f(x)-g(x)$로 놓고 $x\ge 2$일 때
$h(x)=(x^3+a)-(x^2+x)=x^3-x^2-x+a\ge 0$
임을 보이면 된다.
$h'(x)=3x^2-2x-1=(3x+1)(x-1)$
$h'(x)=0$을 만족시키는 x의 값은
$x=-\frac{1}{3}$ 또는 $x=1$
$x\ge 2$일 때 함수 $h(x)$의 증가와 감소를 표로 나타내면 다음과 같다.

x	2	$\cdots$
$h'(x)$		$+$
$h(x)$	$a+2$	$\nearrow$

$x>2$일 때 $h'(x)>0$이므로 $h(x)$는 반닫힌 구간 $[2, \infty)$에서 증가한다.
따라서 $x\ge 2$일 때, $h(x)$는 $x=2$에서 최솟값 $a+2$를 가지므로 $x\ge 2$일 때 $h(x)\ge 0$이 항상 성립하려면
$h(2)=a+2\ge 0$ $\therefore a\ge -2$
따라서 실수 a의 최솟값은 -2이다.

답 (1) **16** (2) **-2**

136

시각 t에서의 점 P의 속도를 v, 가속도를 a라 하면
$v=\frac{dx}{dt}=6t^2-18t+12$, $a=\frac{dv}{dt}=12t-18$
점 P의 속도가 72이므로 $v=72$에서
$6t^2-18t+12=72$, $6t^2-18t-60=0$
$6(t+2)(t-5)=0$ $\therefore t=5$ ($\because t\ge 0$)
따라서 $t=5$에서의 점 P의 가속도는
$12\cdot 5-18=42$

답 42

137

시각 t에서의 점 P의 속도를 v, 가속도를 a라 하면
$v=\frac{dx}{dt}=t^2-7t+6$, $a=\frac{dv}{dt}=2t-7$
점 P가 운동 방향을 바꿀 때의 속도는 0이므로
$v=0$에서
$t^2-7t+6=0$, $(t-1)(t-6)=0$
$\therefore t=1$ 또는 $t=6$
$0<t<1$일 때 $v>0$, $1<t<6$일 때 $v<0$, $t>6$일 때 $v>0$이므로 점 P는 $t=1$에서 첫 번째로 운동 방향을 바꾸고, $t=6$에서 두 번째로 운동 방향을 바꾼다.
따라서 $t=6$에서의 점 P의 위치는
$\frac{1}{3}\cdot 6^3-\frac{7}{2}\cdot 6^2+6\cdot 6=-18$
가속도는
$2\cdot 6-7=5$

답 위치: -18, 가속도: 5

138

로켓이 지면에 떨어지는 순간의 높이는 0이므로 $x=0$에서
$20t-5t^2=0$, $5t(4-t)=0$
$\therefore t=0$ 또는 $t=4$
따라서 로켓이 다시 지면에 떨어지는 것은 4초 후이다.
t초 후의 로켓의 속도를 v라 하면
$v=\frac{dx}{dt}=20-10t$
이므로 4초 후의 로켓의 속도는
$20-10\cdot 4=-20$(m/s)

답 -20 m/s

139

t초 후의 공의 속도를 v라 하면
$v=\frac{dx}{dt}=50-2at$
최고 높이에 도달하는 순간의 속도는 0이고, 걸린 시간은 5초이므로 $v=0$, $t=5$에서
$50-2a\cdot 5=0$ $\therefore a=5$
$\therefore x=40+50t-5t^2$
따라서 공이 도달하는 최고 높이는 ← $t=5$에서의 높이
$40+50\cdot 5-5\cdot 5^2=165$(m)

답 165 m

140

ㄱ. $t=3$에서 점 P의 속도 $v(3)>0$이므로 점 P는 양의 방향으로 움직인다. 즉, 운동 방향을 바꾸지 않는다. (거짓)

ㄴ. $t=2$에서 점 P의 속도가 0이고, 속도가 음(−)에서 양(+)으로 바뀌므로 점 P는 운동 방향을 바꾼다. (거짓)

ㄷ. 시각 t에서의 점 P의 가속도 a는 시각 t에서의 속도 v의 순간변화율(미분계수), 즉

$a=\dfrac{dv}{dt}=v'(t)$이다. 속도 $v(t)$의 그래프 위의 점 $(4,\ v(4))$에서의 접선의 기울기가 0이므로 $t=4$에서의 점 P의 가속도는 0이다. (참)

따라서 옳은 것은 ㄷ이다. **답 ㄷ**

141

ㄱ. $t=0$일 때 점 P의 위치가 3이므로 점 P는 수직선 위의 점 3에서 출발한다. (참)

ㄴ. 시각 t에서의 점 P의 속도 v는 시각 t에서의 위치 x의 순간변화율(미분계수), 즉 $v=\dfrac{dx}{dt}=x'(t)$이다. 위치 $x(t)$의 그래프 위의 점 $(5,\ x(5))$에서의 접선의 기울기가 양수이므로 $t=5$에서의 점 P의 속도는 양수이다. (거짓)

ㄷ. $0<t<1$에서 위치 $x(t)$의 그래프의 접선의 기울기가 음수이므로 $0<t<1$에서 점 P의 속도는 음수이다. 즉, 점 P는 음의 방향으로 움직인다. (거짓)

따라서 옳은 것은 ㄱ이다. **답 ㄱ**

142

오른쪽 그림에서 가로등이 지면과 닿는 지점을 원점 O, 사람이 움직이는 방향을 수직선의 양의 방향이라 할 때, t분 후의 사람의 위치를 x m, $\overline{\mathrm{OC}}=y$ m라 하면

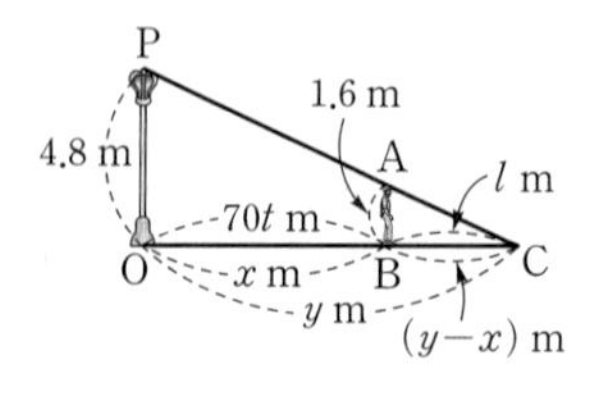

(1) $x=70t$ ...... ㉠

이고, $\triangle\mathrm{POC}\backsim\triangle\mathrm{ABC}$이므로

$4.8 : 1.6=y : (y-x)$, $1.6y=4.8y-4.8x$

$-3.2y=-4.8x$ $\quad\therefore y=\dfrac{3}{2}x$

$\therefore y=\dfrac{3}{2}\cdot 70t=105t$ ($\because$ ㉠)

따라서 그림자의 머리끝이 움직이는 속도는

$\dfrac{dy}{dt}=105(\mathrm{m/min})$

(2) t분 후의 그림자의 길이를 l m라 하면

$l=y-x=105t-70t=35t$

$\therefore \dfrac{dl}{dt}=35(\mathrm{m/min})$

답 (1) 105 m/min (2) 35 m/min

143

t초 후의 직사각형의 가로의 길이, 세로의 길이는 각각 $(9+0.2t)$ cm, $(4+0.3t)$ cm

이므로 직사각형의 넓이를 $S\ \mathrm{cm}^2$라 하면

$S=(9+0.2t)(4+0.3t)=0.06t^2+3.5t+36$

$\therefore \dfrac{dS}{dt}=0.12t+3.5$

직사각형이 정사각형이 되는 것은

(가로의 길이)=(세로의 길이)일 때이므로

$9+0.2t=4+0.3t \quad\therefore t=50$

따라서 $t=50$일 때, 직사각형의 넓이의 변화율은

$0.12\cdot 50+3.5=9.5(\mathrm{cm^2/s})$ **답 9.5 cm²/s**

144

t초 후의 원기둥의 밑면의 반지름의 길이를 r cm, 높이를 h cm라 하면 $r=20-0.2t$, $h=5+0.5t$

원기둥의 부피를 $V\ \mathrm{cm}^3$라 하면

$V=\pi r^2h=\pi(20-0.2t)^2(5+0.5t)$

$=\dfrac{\pi}{50}(100-t)^2(10+t)$

$=\dfrac{\pi}{50}(t^3-190t^2+8000t+100000)$

$\therefore \dfrac{dV}{dt}=\dfrac{\pi}{50}(3t^2-380t+8000)$

따라서 $t=10$일 때, 원기둥의 부피의 변화율은

$\dfrac{\pi}{50}\cdot(300-3800+8000)=90\pi(\mathrm{cm^3/s})$

답 90π cm³/s

Ⅲ. 적분

145

ㄱ. $(x^5)'=5x^4$

ㄴ. $(-x^5)'=-5x^4$

ㄷ. $(x^5+100)'=5x^4$

ㄹ. $(x^5+x)'=5x^4+1$

따라서 함수 $5x^4$의 부정적분인 것은 ㄱ, ㄷ이다.

답 ㄱ, ㄷ

146

(1) $(7x)'=7$이므로 $\int 7\,dx=7x+C$

(2) $(-2x)'=-2$이므로 $\int (-2)dx=-2x+C$

(3) $(3x^2)'=6x$이므로 $\int 6x\,dx=3x^2+C$

(4) $(-x^4)'=-4x^3$이므로 $\int (-4x^3)dx=-x^4+C$

(5) $(-x^3+x)'=-3x^2+1$이므로

$\int (-3x^2+1)dx=-x^3+x+C$

(6) $(x^7+x^2)'=7x^6+2x$이므로

$\int (7x^6+2x)dx=x^7+x^2+C$

답 (1) $\boldsymbol{7x+C}$ (2) $\boldsymbol{-2x+C}$ (3) $\boldsymbol{3x^2+C}$ (4) $\boldsymbol{-x^4+C}$ (5) $\boldsymbol{-x^3+x+C}$ (6) $\boldsymbol{x^7+x^2+C}$

147

(1) $f(x)=(2x+C)'=2$

(2) $f(x)=(3x^2+x+C)'=6x+1$

(3) $f(x)=\left(-\frac{3}{4}x^2+\frac{2}{3}x+C\right)'$

$=-\frac{3}{2}x+\frac{2}{3}$

(4) $f(x)=(4x^3-5x^2+11x+C)'$

$=12x^2-10x+11$

답 (1) $\boldsymbol{f(x)=2}$ (2) $\boldsymbol{f(x)=6x+1}$ (3) $\boldsymbol{f(x)=-\frac{3}{2}x+\frac{2}{3}}$ (4) $\boldsymbol{f(x)=12x^2-10x+11}$

148

$8x^3+ax^2-2x+1=(bx^4+2x^3+cx^2+x+C)'$

$=4bx^3+6x^2+2cx+1$

즉, $8=4b$, $a=6$, $-2=2c$이므로

$a=6$, $b=2$, $c=-1$

$\therefore abc=-12$

답 $\boldsymbol{-12}$

149

$\left(\frac{1}{2}x-1\right)f(x)=\left(\frac{1}{3}x^3-\frac{1}{4}x^2-3x+C\right)'$

$=x^2-\frac{1}{2}x-3$

$=\frac{1}{2}(2x^2-x-6)$

$=\frac{1}{2}(x-2)(2x+3)$

$=\left(\frac{1}{2}x-1\right)(2x+3)$

따라서 $f(x)=2x+3$이므로

$f(1)=2\cdot1+3=5$

답 5

150

$F(x)=\frac{d}{dx}\left\{\int xf(x)dx\right\}=xf(x)$

$=x(2x^3+2x)$

$=2x^4+2x^2$

따라서 $F(x)$의 모든 항의 계수의 합은

$2+2=4$

답 4

151

$f(x)=\int\left\{\frac{d}{dx}\left(\frac{2}{3}x^3-2x^2+\frac{1}{2}\right)\right\}dx$

$=\frac{2}{3}x^3-2x^2+\frac{1}{2}+C$

이때 $f(1)=-1$이므로

$\frac{2}{3}-2+\frac{1}{2}+C=-1 \qquad \therefore C=-\frac{1}{6}$

따라서 $f(x)=\frac{2}{3}x^3-2x^2+\frac{1}{2}-\frac{1}{6}$이므로

$f(-1)=-\frac{2}{3}-2+\frac{1}{2}-\frac{1}{6}=-\frac{7}{3}$ **답 $-\frac{7}{3}$**

152

$f(x)=\int\left\{\frac{d}{dx}(x^2+6x)\right\}dx$

$=x^2+6x+C$

$=(x+3)^2+C-9$

이때 $f(x)$의 최솟값이 -4이므로

$C-9=-4 \qquad \therefore C=5$

따라서 $f(x)=x^2+6x+5$이므로

$f(-2)=(-2)^2+6\cdot(-2)+5=-3$ **답 -3**

153

$f(x)+g(x)=x^2-x-1$ …… ㉠

$f(1)=0$이므로 ㉠의 양변에 $x=1$을 대입하면

$f(1)+g(1)=1-1-1=-1$

$\therefore g(1)=-1$

$\frac{d}{dx}\{f(x)-g(x)\}=6x-5$에서

$\int\left[\frac{d}{dx}\{f(x)-g(x)\}\right]dx=\int(6x-5)dx$

$\therefore f(x)-g(x)=3x^2-5x+C$

양변에 $x=1$을 대입하면

$f(1)-g(1)=-2+C$이고

$f(1)=0$, $g(1)=-1$이므로 $C=3$

$\therefore f(x)-g(x)=3x^2-5x+3$ …… ㉡

㉠+㉡을 하면 $2f(x)=4x^2-6x+2$

$\therefore f(x)=2x^2-3x+1$

㉠−㉡을 하면 $2g(x)=-2x^2+4x-4$

$\therefore g(x)=-x^2+2x-2$

$\therefore f(3)+g(-1)$

$=(2\cdot3^2-3\cdot3+1)+\{-(-1)^2+2\cdot(-1)-2\}$

$=10+(-5)=5$ **답 5**

154

$\frac{d}{dx}\{f(x)+g(x)\}=2$에서

$\int\left[\frac{d}{dx}\{f(x)+g(x)\}\right]dx=\int 2\,dx$

$\therefore f(x)+g(x)=2x+C_1$

양변에 $x=0$을 대입하면

$f(0)+g(0)=C_1$이고

$f(0)=1$, $g(0)=-5$이므로 $C_1=-4$

$\therefore f(x)+g(x)=2x-4$ …… ㉠

$\frac{d}{dx}\{f(x)g(x)\}=2x-4$에서

$\int\left[\frac{d}{dx}\{f(x)g(x)\}\right]dx=\int(2x-4)dx$

$\therefore f(x)g(x)=x^2-4x+C_2$

양변에 $x=0$을 대입하면

$f(0)g(0)=C_2$이고

$f(0)=1$, $g(0)=-5$이므로 $C_2=-5$

$\therefore f(x)g(x)=x^2-4x-5$

$=(x+1)(x-5)$ …… ㉡

㉠, ㉡에서 $f(x)$, $g(x)$는 일차함수이므로

$f(x)=x+1$, $g(x)=x-5$ 또는

$f(x)=x-5$, $g(x)=x+1$

이때 $f(0)=1$, $g(0)=-5$가 성립해야 하므로

$f(x)=x+1$, $g(x)=x-5$

$\therefore f(4)-g(3)=(4+1)-(3-5)$

$=5-(-2)=7$ **답 7**

155

(1) $\int(3x^2+7)dx$

$=\int 3x^2\,dx+\int 7\,dx$

$=3\int x^2\,dx+7\int dx$

$=3\left(\frac{1}{3}x^3+C_1\right)+7(x+C_2)$

$=x^3+7x+3C_1+7C_2$

여기서 $3C_1+7C_2=C$라 하면

$\int(3x^2+7)dx=x^3+7x+C$

(2) $\int(-4x^3+x+2)dx$

$=\int(-4x^3)dx+\int x\,dx+\int 2\,dx$

$=-4\int x^3\,dx+\int x\,dx+2\int dx$

$=-4\left(\frac{1}{4}x^4+C_1\right)+\left(\frac{1}{2}x^2+C_2\right)+2(x+C_3)$

$=-x^4+\frac{1}{2}x^2+2x-4C_1+C_2+2C_3$

여기서 $-4C_1+C_2+2C_3=C$라 하면

$\int(-4x^3+x+2)dx=-x^4+\frac{1}{2}x^2+2x+C$

(3) $\int(2x^5-5x^4)dx$

$=\int 2x^5\,dx-\int 5x^4\,dx$

$=2\int x^5\,dx-5\int x^4\,dx$

$=2\left(\frac{1}{6}x^6+C_1\right)-5\left(\frac{1}{5}x^5+C_2\right)$

$=\frac{1}{3}x^6-x^5+2C_1-5C_2$

여기서 $2C_1-5C_2=C$라 하면

$\int(2x^5-5x^4)dx=\frac{1}{3}x^6-x^5+C$

(4) $\int(-8x^7+4x^2-1)dx$

$=\int(-8x^7)dx+\int 4x^2\,dx-\int 1\,dx$

$=-8\int x^7\,dx+4\int x^2\,dx-\int dx$

$=-8\left(\frac{1}{8}x^8+C_1\right)+4\left(\frac{1}{3}x^3+C_2\right)-(x+C_3)$

$=-x^8+\frac{4}{3}x^3-x-8C_1+4C_2-C_3$

여기서 $-8C_1+4C_2-C_3=C$라 하면

$\int(-8x^7+4x^2-1)dx$

$=-x^8+\frac{4}{3}x^3-x+C$

답 (1) $\boldsymbol{x^3+7x+C}$

(2) $\boldsymbol{-x^4+\frac{1}{2}x^2+2x+C}$

(3) $\boldsymbol{\frac{1}{3}x^6-x^5+C}$

(4) $\boldsymbol{-x^8+\frac{4}{3}x^3-x+C}$

156

(1) $\int(x+2)(2-x)dx=\int(-x^2+4)dx$

$=\int(-x^2)dx+\int 4\,dx$

$=-\int x^2\,dx+4\int dx$

$=-\frac{1}{3}x^3+4x+C$

(2) $\int(2x-1)(x-4)dx$

$=\int(2x^2-9x+4)dx$

$=\int 2x^2\,dx-\int 9x\,dx+\int 4\,dx$

$=2\int x^2\,dx-9\int x\,dx+4\int dx$

$=2\cdot\frac{1}{3}x^3-9\cdot\frac{1}{2}x^2+4x+C$

$=\frac{2}{3}x^3-\frac{9}{2}x^2+4x+C$

(3) $\int(3t-1)(2t+3)dt$

$=\int(6t^2+7t-3)dt$

$=\int 6t^2\,dt+\int 7t\,dt-\int 3\,dt$

$=6\int t^2\,dt+7\int t\,dt-3\int dt$

$=6\cdot\frac{1}{3}t^3+7\cdot\frac{1}{2}t^2-3t+C$

$=2t^3+\frac{7}{2}t^2-3t+C$

(4) $\int(y+1)(y^2-y+1)dy=\int(y^3+1)dy$

$=\int y^3\,dy+\int dy$

$=\frac{1}{4}y^4+y+C$

답 (1) $\boldsymbol{-\frac{1}{3}x^3+4x+C}$

(2) $\boldsymbol{\frac{2}{3}x^3-\frac{9}{2}x^2+4x+C}$

(3) $\boldsymbol{2t^3+\frac{7}{2}t^2-3t+C}$

(4) $\boldsymbol{\frac{1}{4}y^4+y+C}$

157

(1) $\int(x+1)^2\,dx$

$=\int(x^2+2x+1)dx$

$=\int x^2\,dx+2\int x\,dx+\int dx$

$=\frac{1}{3}x^3+x^2+x+C$

(2) $\int(-3x+2)^2\,dx$

$=\int(9x^2-12x+4)dx$

$=9\int x^2\,dx-12\int x\,dx+4\int dx$

$=3x^3-6x^2+4x+C$

(3) $\int(3-2x)^3\,dx$

$=\int(-8x^3+36x^2-54x+27)dx$

$=-8\int x^3\,dx+36\int x^2\,dx-54\int x\,dx+27\int dx$

$=-2x^4+12x^3-27x^2+27x+C$

(4) $\int(3y-1)^3\,dy$

$=\int(27y^3-27y^2+9y-1)dy$

$=27\int y^3\,dy-27\int y^2\,dy+9\int y\,dy-\int dy$

$=\frac{27}{4}y^4-9y^3+\frac{9}{2}y^2-y+C$

답 (1) $\boldsymbol{\frac{1}{3}x^3+x^2+x+C}$
(2) $\boldsymbol{3x^3-6x^2+4x+C}$
(3) $\boldsymbol{-2x^4+12x^3-27x^2+27x+C}$
(4) $\boldsymbol{\frac{27}{4}y^4-9y^3+\frac{9}{2}y^2-y+C}$

다른풀이 $\int(ax+b)^n\,dx$

$=\frac{1}{a}\cdot\frac{1}{n+1}(ax+b)^{n+1}+C$이므로

(1) $\int(x+1)^2\,dx=\frac{1}{3}(x+1)^3+C$

(2) $\int(-3x+2)^2\,dx=\frac{1}{-3}\cdot\frac{1}{3}(-3x+2)^3+C$

$=-\frac{1}{9}(-3x+2)^3+C$

(3) $\int(3-2x)^3\,dx=\frac{1}{-2}\cdot\frac{1}{4}(3-2x)^4+C$

$=-\frac{1}{8}(3-2x)^4+C$

(4) $\int(3y-1)^3\,dy=\frac{1}{3}\cdot\frac{1}{4}(3y-1)^4+C$

$=\frac{1}{12}(3y-1)^4+C$

참고 n이 0 또는 양의 정수이고 a $(a\neq0)$, b는 상수, C는 적분상수일 때

$\int(ax+b)^n\,dx=\frac{1}{a}\cdot\frac{1}{n+1}(ax+b)^{n+1}+C$

158

(1) $\int(x-y)^2\,dx=\int(x^2-2xy+y^2)dx$

$=\frac{1}{3}x^3-x^2y+xy^2+C$

(2) $\int(x+5)^2\,dx-\int(x-5)^2\,dx$

$=\int\{(x+5)^2-(x-5)^2\}dx$

$=\int 20x\,dx=10x^2+C$

답 (1) $\boldsymbol{\frac{1}{3}x^3-x^2y+xy^2+C}$ (2) $\boldsymbol{10x^2+C}$

159

(1) (주어진 식)$=\int\frac{(y^2+y+1)(y^2-y+1)}{y^2+y+1}\,dy$

$=\int(y^2-y+1)dy$

$=\frac{1}{3}y^3-\frac{1}{2}y^2+y+C$

(2) (주어진 식)$=\int\left(\frac{x^2}{x-1}+\frac{1}{1-x}\right)dx$

$=\int\frac{x^2-1}{x-1}\,dx$

$=\int\frac{(x+1)(x-1)}{x-1}\,dx$

$=\int(x+1)dx=\frac{1}{2}x^2+x+C$

(3) (주어진 식) $=\int\left\{\left(\frac{x}{2}+2\right)^2-\left(\frac{x}{2}-2\right)^2\right\}dx$

$=\int 4x\,dx=2x^2+C$

(4) (주어진 식) $=\int\left(\frac{x^3+2x}{x-1}-\frac{2x+1}{x-1}\right)dx$

$=\int\frac{x^3-1}{x-1}dx$

$=\int\frac{(x-1)(x^2+x+1)}{x-1}dx$

$=\int(x^2+x+1)dx$

$=\frac{1}{3}x^3+\frac{1}{2}x^2+x+C$

답 (1) $\mathbf{\frac{1}{3}y^3-\frac{1}{2}y^2+y+C}$ (2) $\mathbf{\frac{1}{2}x^2+x+C}$

(3) $\mathbf{2x^2+C}$ (4) $\mathbf{\frac{1}{3}x^3+\frac{1}{2}x^2+x+C}$

160

$f(x)=\int(10x^9+9x^8+8x^7+\cdots+2x+1)dx$

$=x^{10}+x^9+x^8+\cdots+x^2+x+C$

이때 $f(0)=0$이므로 $C=0$

따라서 $f(x)=x^{10}+x^9+x^8+\cdots+x^2+x$이므로

$f(1)=\underbrace{1+1+1+\cdots+1+1}_{10\text{개}}=10$ 답 **10**

161

$f(x)=\int\frac{x^3}{x+2}dx+\int\frac{8}{x+2}dx$

$=\int\frac{x^3+8}{x+2}dx$

$=\int\frac{(x+2)(x^2-2x+4)}{x+2}dx$

$=\int(x^2-2x+4)dx$

$=\frac{1}{3}x^3-x^2+4x+C$

이때 $f(1)=2$이므로

$\frac{1}{3}-1+4+C=2$ $\therefore C=-\frac{4}{3}$

따라서 $f(x)=\frac{1}{3}x^3-x^2+4x-\frac{4}{3}$이므로

$f(k)=\frac{16}{3}$에서 $\frac{1}{3}k^3-k^2+4k-\frac{4}{3}=\frac{16}{3}$

$k^3-3k^2+12k-20=0$, $(k-2)(k^2-k+10)=0$

$\therefore k=2$ ($\because k$는 실수) 답 **2**

162

$f'(x)=4x^3+6x^2-2$이므로

$f(x)=\int f'(x)dx=\int(4x^3+6x^2-2)dx$

$=x^4+2x^3-2x+C$

이때 $f(-1)=1$이므로

$1-2+2+C=1$ $\therefore C=0$

따라서 $f(x)=x^4+2x^3-2x$이므로

$f(2)=2^4+2\cdot2^3-2\cdot2=28$ 답 **28**

163

$f'(x)=9x^2-2x+1$이므로

$f(x)=\int f'(x)dx=\int(9x^2-2x+1)dx$

$=3x^3-x^2+x+C$

이때 $f(0)=2$이므로 $C=2$

$\therefore \int f(x)dx=\int(3x^3-x^2+x+2)dx$

$=\frac{3}{4}x^4-\frac{1}{3}x^3+\frac{1}{2}x^2+2x+C$

답 $\mathbf{\frac{3}{4}x^4-\frac{1}{3}x^3+\frac{1}{2}x^2+2x+C}$

164

$F(x)=f(x)+xf(x)-2x^4+4x^2$의 양변을 x에 대하여 미분하면

$F'(x)=f'(x)+f(x)+xf'(x)-8x^3+8x$

$f(x)$의 한 부정적분이 $F(x)$이므로

$F'(x)=f(x)$

$f(x)=f'(x)+f(x)+xf'(x)-8x^3+8x$

$(x+1)f'(x)=8x^3-8x=8x(x+1)(x-1)$

$\therefore f'(x)=8x^2-8x$

$\therefore f(x)=\int f'(x)dx=\int(8x^2-8x)dx$

$=\frac{8}{3}x^3-4x^2+C$

이때 $f(1)=-\frac{1}{3}$이므로

$\frac{8}{3}-4+C=-\frac{1}{3}$ $\therefore C=1$

$\therefore f(x)=\frac{8}{3}x^3-4x^2+1$

답 $\boldsymbol{f(x)=\frac{8}{3}x^3-4x^2+1}$

165

$f'(x)=\begin{cases} 3x^2-1 & (x>-1) \\ 2x+1 & (x<-1) \end{cases}$ 이므로

$f(x)=\begin{cases} x^3-x+C_1 & (x\geq-1) \\ x^2+x+C_2 & (x<-1) \end{cases}$

이때 $f(0)=2$이므로 $C_1=2$

한편, 함수 $f(x)$가 모든 실수 x에서 연속이므로

$x=-1$에서도 연속이다.

즉, $\lim_{x\to-1+} f(x)=\lim_{x\to-1-} f(x)=f(-1)$에서

$C_1=C_2=2$

$\therefore f(x)=\begin{cases} x^3-x+2 & (x\geq-1) \\ x^2+x+2 & (x<-1) \end{cases}$

$\therefore f(-2)+f(1)=(4-2+2)+(1-1+2)$

$=4+2=6$

답 **6**

166

점 (x, y)에서의 접선의 기울기가 $3x^2-6x+4$이므로

$f'(x)=3x^2-6x+4$

$\therefore f(x)=\int f'(x)dx=\int(3x^2-6x+4)dx$

$=x^3-3x^2+4x+C$

곡선 $y=f(x)$가 점 $(0, -2)$를 지나므로

$C=-2$

$\therefore f(x)=x^3-3x^2+4x-2$

$\therefore f(-1)=-1-3-4-2=-10$

답 **−10**

167

$f(x)=\int(5x^2+2x-1)dx$의 양변을 x에 대하여 미분하면

$f'(x)=5x^2+2x-1$

$\therefore \lim_{x\to1}\frac{f(x)-f(1)}{x^2-1}=\lim_{x\to1}\left\{\frac{f(x)-f(1)}{x-1}\cdot\frac{1}{x+1}\right\}$

$=\frac{1}{2}f'(1)$

$=\frac{1}{2}(5+2-1)=3$

답 **3**

168

$f(x)=\int(6x^2-4x+k)dx$의 양변을 x에 대하여 미분하면

$f'(x)=6x^2-4x+k$

$\lim_{h\to0}\frac{f(1+h)-f(1)}{h}=f'(1)=4$이므로

$f'(1)=6-4+k=4$

$\therefore k=2,\ f'(x)=6x^2-4x+2$

$\therefore f(x)=\int f'(x)dx$

$=\int(6x^2-4x+2)dx$

$=2x^3-2x^2+2x+C$

이때 $f(0)=1$이므로 $C=1$

따라서 $f(x)=2x^3-2x^2+2x+1$이므로

$f(1)=2-2+2+1=3$

답 **3**

169

$f(x)=\int(3x^2+ax-24)dx$의 양변을 x에 대하여 미분하면

$f'(x)=3x^2+ax-24$

$f(x)$가 $x=4$에서 극솟값 -72를 가지므로

$f'(4)=0,\ f(4)=-72$

$f'(4)=48+4a-24=0$ $\therefore a=-6$

$\therefore f'(x)=3x^2-6x-24=3(x+2)(x-4)$

$f'(x)=0$에서 $x=-2$ 또는 $x=4$이므로 $f(x)$의 증가와 감소를 표로 나타내면

x	$\cdots$	-2	$\cdots$	4	$\cdots$
$f'(x)$	$+$	0	$-$	0	$+$
$f(x)$	↗	극대	↘	극소	↗

따라서 $f(x)$는 $x=-2$에서 극댓값을 갖고, $x=4$에서 극솟값을 갖는다.

한편,

$$f(x)=\int f'(x)dx$$
$$=\int(3x^2-6x-24)dx$$
$$=x^3-3x^2-24x+C$$

에서 $f(4)=-72$이므로

$f(4)=64-48-96+C=-72$ $\quad\therefore C=8$

즉, $f(x)=x^3-3x^2-24x+8$이므로 $f(x)$의 극댓값은

$f(-2)=(-2)^3-3\cdot(-2)^2-24\cdot(-2)+8=36$

답 $a=-6$, 극댓값: 36

170

$f'(x)=k(x+2)(x-2)=0$에서

$x=-2$ 또는 $x=2$

이때 $k<0$이므로 $f(x)$의 증가와 감소를 표로 나타내면

x	$\cdots$	-2	$\cdots$	2	$\cdots$
$f'(x)$	$-$	0	$+$	0	$-$
$f(x)$	↘	극소	↗	극대	↘

따라서 $f(x)$는 $x=-2$에서 극솟값을 갖고, $x=2$에서 극댓값을 갖는다.

$\therefore f(-2)=-12,\ f(2)=20$

한편,

$$f(x)=\int f'(x)dx$$
$$=\int k(x^2-4)dx$$
$$=k\left(\frac{1}{3}x^3-4x\right)+C$$

이므로

$f(-2)=-12$에서 $\frac{16}{3}k+C=-12$ $\quad\cdots\cdots$ ㉠

$f(2)=20$에서 $-\frac{16}{3}k+C=20$ $\quad\cdots\cdots$ ㉡

㉠, ㉡을 연립하여 풀면 $C=4,\ k=-3$

$\therefore f(x)=-x^3+12x+4$

답 $f(x)=-x^3+12x+4$

171

$f(x+y)=f(x)+f(y)+xy(x+y)$의 양변에 $x=0,\ y=0$을 대입하면

$f(0+0)=f(0)+f(0)+0$에서 $f(0)=0$

$f'(0)=6$이므로

$$f'(0)=\lim_{h\to0}\frac{f(0+h)-f(0)}{h}=\lim_{h\to0}\frac{f(h)}{h}=6$$

도함수의 정의를 이용하여 $f'(x)$를 구하면

$$f'(x)=\lim_{h\to0}\frac{f(x+h)-f(x)}{h}$$
$$=\lim_{h\to0}\frac{f(x)+f(h)+xh(x+h)-f(x)}{h}$$
$$=\lim_{h\to0}\left\{x(x+h)+\frac{f(h)}{h}\right\}=x^2+6$$

$$\therefore f(x)=\int f'(x)dx=\int(x^2+6)dx$$
$$=\frac{1}{3}x^3+6x+C$$

이때 $f(0)=0$이므로 $C=0$

$\therefore f(x)=\frac{1}{3}x^3+6x$

답 $f(x)=\frac{1}{3}x^3+6x$

172

$f(x+y)=f(x)+f(y)+2xy$의 양변에 $x=0,\ y=0$을 대입하면

$f(0+0)=f(0)+f(0)+0$에서 $f(0)=0$

$f'(1)=3$이므로

$$f'(1)=\lim_{h\to0}\frac{f(1+h)-f(1)}{h}$$
$$=\lim_{h\to0}\frac{f(1)+f(h)+2h-f(1)}{h}$$
$$=\lim_{h\to0}\frac{f(h)}{h}+2=3$$

$$\therefore \lim_{h\to0}\frac{f(h)}{h}=1$$

도함수의 정의를 이용하여 $f'(x)$를 구하면

$$f'(x)=\lim_{h\to0}\frac{f(x+h)-f(x)}{h}$$
$$=\lim_{h\to0}\frac{f(x)+f(h)+2xh-f(x)}{h}$$
$$=2x+\lim_{h\to0}\frac{f(h)}{h}=2x+1$$

$\therefore f(x)=\int f'(x)dx=\int(2x+1)dx$

$=x^2+x+C$

이때 $f(0)=0$이므로 $C=0$

따라서 $f(x)=x^2+x$이므로

$f(-2)=(-2)^2+(-2)=2$ **답 2**

173

(1) $\int_0^1 4x\,dx=\left[2x^2\right]_0^1=2\cdot1^2-2\cdot0^2=2$

(2) $\int_2^4 3x^2\,dx=\left[x^3\right]_2^4=4^3-2^3=56$

(3) $\int_{-1}^2 (2x+3)dx$

$=\left[x^2+3x\right]_{-1}^2$

$=(2^2+3\cdot2)-\{(-1)^2+3\cdot(-1)\}$

$=12$

(4) $\int_{-2}^0 (-t^2+2t-1)dt$

$=\left[-\frac{1}{3}t^3+t^2-t\right]_{-2}^0$

$=0-\left\{-\frac{1}{3}\cdot(-2)^3+(-2)^2-(-2)\right\}$

$=-\frac{26}{3}$

답 (1) **2** (2) **56** (3) **12** (4) $\boldsymbol{-\frac{26}{3}}$

174

(1) $\int_2^2 (x^3-6x+1)dx=0$

(2) $\int_{-1}^{-1} (5t^2+3t-2)dt=0$

(3) $\int_0^{-1} (-2x^2+4x)dx$

$=-\int_{-1}^0 (-2x^2+4x)dx$

$=-\left[-\frac{2}{3}x^3+2x^2\right]_{-1}^0$

$=-\left[0-\left\{-\frac{2}{3}\cdot(-1)^3+2\cdot(-1)^2\right\}\right]$

$=\frac{8}{3}$

(4) $\int_3^1 (3y^2-y+1)dy$

$=-\int_1^3 (3y^2-y+1)dy=-\left[y^3-\frac{1}{2}y^2+y\right]_1^3$

$=-\left\{\left(3^3-\frac{1}{2}\cdot3^2+3\right)-\left(1^3-\frac{1}{2}\cdot1^2+1\right)\right\}$

$=-24$

답 (1) **0** (2) **0** (3) $\boldsymbol{\frac{8}{3}}$ (4) **−24**

175

(1) $\int_1^2 6(x-1)^2dx=6\int_1^2 (x-1)^2dx$

$=6\int_1^2 (x^2-2x+1)dx$

$=6\left[\frac{1}{3}x^3-x^2+x\right]_1^2$

$=6\left\{\left(\frac{8}{3}-4+2\right)-\left(\frac{1}{3}-1+1\right)\right\}$

$=2$

(2) $\int_0^1 (x^2+2)dx+\int_0^1 (-x^2+2)dx$

$=\int_0^1 \{(x^2+2)+(-x^2+2)\}dx$

$=\int_0^1 4\,dx=\left[4x\right]_0^1=4$

(3) $\int_1^2 (2x-1)dx+\int_2^3 (2x-1)dx$

$=\int_1^3 (2x-1)dx=\left[x^2-x\right]_1^3$

$=(9-3)-(1-1)=6$

(4) $\int_0^1 (3x^2-2x+1)dx-\int_2^1 (3x^2-2x+1)dx$

$=\int_0^1 (3x^2-2x+1)dx+\int_1^2 (3x^2-2x+1)dx$

$=\int_0^2 (3x^2-2x+1)dx$

$=\left[x^3-x^2+x\right]_0^2=(8-4+2)-0=6$

답 (1) **2** (2) **4** (3) **6** (4) **6**

176

(1) $\int_{-1}^1 (4x^3-3x^2+2x)dx$

$=\left[x^4-x^3+x^2\right]_{-1}^1$

$=(1-1+1)-\{1-(-1)+1\}=-2$

(2) $\int_{-1}^{-3}(3y+1)(3y-1)dy$

$=\int_{-1}^{-3}(9y^2-1)dy$

$=-\int_{-3}^{-1}(9y^2-1)dy$

$=-\Big[3y^3-y\Big]_{-3}^{-1}$

$=-[\{-3-(-1)\}-\{-81-(-3)\}]$

$=-76$

(3) $\int_{1}^{0}\frac{x^3+1}{x+1}dx$

$=\int_{1}^{0}\frac{(x+1)(x^2-x+1)}{x+1}dx$

$=\int_{1}^{0}(x^2-x+1)dx$

$=-\int_{0}^{1}(x^2-x+1)dx$

$=-\Big[\frac{1}{3}x^3-\frac{1}{2}x^2+x\Big]_0^1$

$=-\Big\{\Big(\frac{1}{3}-\frac{1}{2}+1\Big)-0\Big\}$

$=-\frac{5}{6}$

답 (1) $\mathbf{-2}$ (2) $\mathbf{-76}$ (3) $\mathbf{-\frac{5}{6}}$

177

$\int_0^1 x^2f(x)dx=\int_0^1 x^2(x^2+4x)dx$

$=\int_0^1(x^4+4x^3)dx$

$=\Big[\frac{1}{5}x^5+x^4\Big]_0^1$

$=\Big(\frac{1}{5}+1\Big)-0=\frac{6}{5}$

답 $\mathbf{\frac{6}{5}}$

178

$\int_{-1}^{k}(2x+k)dx=\Big[x^2+kx\Big]_{-1}^{k}$

$=(k^2+k^2)-(1-k)$

$=2k^2+k-1$

이므로

$2k^2+k-1=9$, $2k^2+k-10=0$

$(2k+5)(k-2)=0$

$\therefore k=2$ ($\because k>0$)

답 **2**

179

$\int_1^k(-4x+2)dx=\Big[-2x^2+2x\Big]_1^k$

$=(-2k^2+2k)-(-2+2)$

$=-2k^2+2k$

$=-2\Big(k-\frac{1}{2}\Big)^2+\frac{1}{2}$

이므로 주어진 정적분은 $k=\frac{1}{2}$일 때, 최댓값 $\frac{1}{2}$을 갖는다.

답 $\mathbf{\frac{1}{2}}$

180

(1) (주어진 식)

$=\int_{-2}^{1}(2x^2+3x-1)dx-\int_{-2}^{1}(2x^2-x+3)dx$

$=\int_{-2}^{1}\{(2x^2+3x-1)-(2x^2-x+3)\}dx$

$=\int_{-2}^{1}(4x-4)dx=\Big[2x^2-4x\Big]_{-2}^{1}$

$=(2-4)-(8+8)=-18$

(2) (주어진 식) $=\int_0^2(3x^2+1)dx$

$=\Big[x^3+x\Big]_0^2=(8+2)-0=10$

(3) (주어진 식) $=\int_0^1\frac{8}{t-2}dt-\int_0^1\frac{y^3}{y-2}dy$

$=\int_0^1\frac{8}{t-2}dt-\int_0^1\frac{t^3}{t-2}dt$

$=\int_0^1\Big(\frac{8}{t-2}-\frac{t^3}{t-2}\Big)dt$

$=-\int_0^1\frac{t^3-8}{t-2}dt$

$=-\int_0^1(t^2+2t+4)dt$

$=-\Big[\frac{1}{3}t^3+t^2+4t\Big]_0^1$

$=-\Big\{\Big(\frac{1}{3}+1+4\Big)-0\Big\}=-\frac{16}{3}$

(4) (주어진 식)

$=\int_{2}^{4}(x^2-4x)dx+\int_{4}^{3}(x^2-4x)dx+\int_{1}^{2}(x^2-4x)dx$

$=\int_{1}^{2}(x^2-4x)dx+\int_{2}^{4}(x^2-4x)dx+\int_{4}^{3}(x^2-4x)dx$

$=\int_{1}^{3}(x^2-4x)dx$

$=\left[\frac{1}{3}x^3-2x^2\right]_1^3=(9-18)-\left(\frac{1}{3}-2\right)$

$=-\frac{22}{3}$

답 (1) $\mathbf{-18}$ (2) $\mathbf{10}$ (3) $\mathbf{-\frac{16}{3}}$ (4) $\mathbf{-\frac{22}{3}}$

181

$0\le x\le 1$일 때, $f(x)=x^2$

$1\le x\le 2$일 때, $f(x)=-2x+3$

이므로

$\int_{0}^{2}xf(x)dx$

$=\int_{0}^{1}x\cdot x^2\,dx+\int_{1}^{2}x(-2x+3)dx$

$=\int_{0}^{1}x^3\,dx+\int_{1}^{2}(-2x^2+3x)dx$

$=\left[\frac{1}{4}x^4\right]_0^1+\left[-\frac{2}{3}x^3+\frac{3}{2}x^2\right]_1^2$

$=\frac{1}{12}$

답 $\mathbf{\frac{1}{12}}$

182

$f(x)=\begin{cases} x+1 & (x\le 0) \\ x^2-2x+1 & (x\ge 0)\end{cases}$에서

$f(x-1)=\begin{cases} (x-1)+1 & (x-1\le 0) \\ (x-1)^2-2(x-1)+1 & (x-1\ge 0)\end{cases}$

$\therefore f(x-1)=\begin{cases} x & (x\le 1) \\ x^2-4x+4 & (x\ge 1)\end{cases}$

$\therefore \int_{-1}^{2}f(x-1)dx$

$=\int_{-1}^{1}x\,dx+\int_{1}^{2}(x^2-4x+4)dx$

$=\left[\frac{1}{2}x^2\right]_{-1}^1+\left[\frac{1}{3}x^3-2x^2+4x\right]_1^2$

$=\frac{1}{3}$

답 $\mathbf{\frac{1}{3}}$

183

(1) $f(x)=|2x+3|$이라 하면 닫힌구간 $[-2, 0]$에서

$f(x)=\begin{cases} -2x-3 & \left(-2\le x\le -\frac{3}{2}\right) \\ 2x+3 & \left(-\frac{3}{2}\le x\le 0\right)\end{cases}$

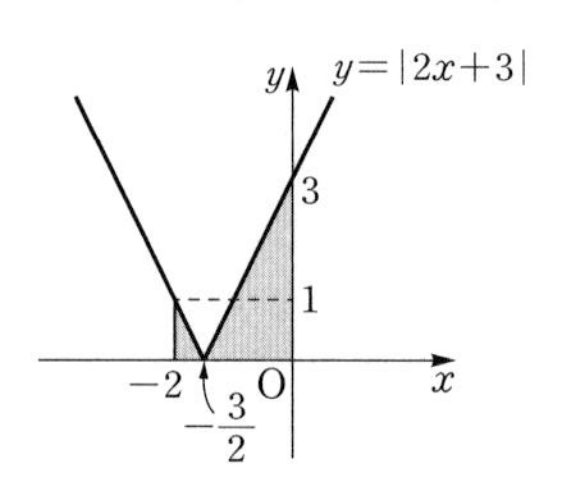

따라서 구하는 정적분의 값은

$\int_{-2}^{0}|2x+3|dx$

$=\int_{-2}^{-\frac{3}{2}}(-2x-3)dx+\int_{-\frac{3}{2}}^{0}(2x+3)dx$

$=\left[-x^2-3x\right]_{-2}^{-\frac{3}{2}}+\left[x^2+3x\right]_{-\frac{3}{2}}^{0}=\frac{5}{2}$

(2) $f(x)=|x-x^2|$이라 하면 닫힌구간 $[-1, 1]$에서

$f(x)=\begin{cases} -x+x^2 & (-1\le x\le 0) \\ x-x^2 & (0\le x\le 1)\end{cases}$

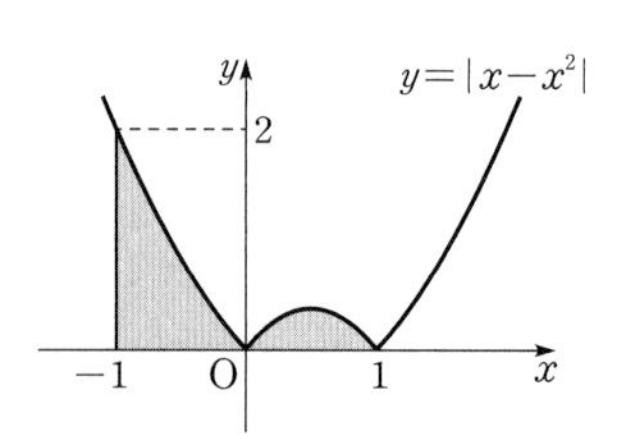

따라서 구하는 정적분의 값은

$\int_{-1}^{1}|x-x^2|dx$

$=\int_{-1}^{0}(-x+x^2)dx+\int_{0}^{1}(x-x^2)dx$

$=\left[-\frac{1}{2}x^2+\frac{1}{3}x^3\right]_{-1}^0+\left[\frac{1}{2}x^2-\frac{1}{3}x^3\right]_0^1=1$

(3) $f(x)=|x^2+x-2|$라 하면 닫힌구간 $[0, 2]$에서

$$f(x)=\begin{cases} -x^2-x+2 & (0\le x\le 1) \\ x^2+x-2 & (1\le x\le 2) \end{cases}$$

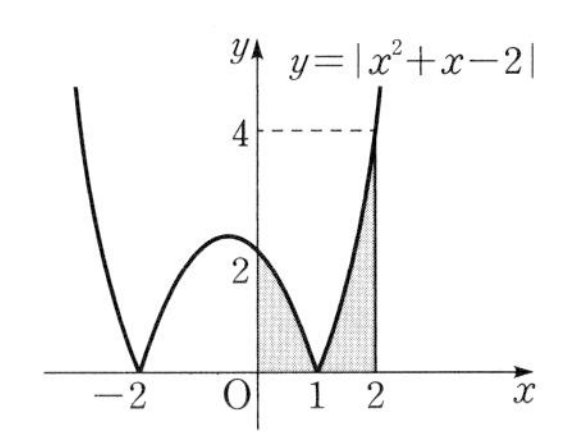

따라서 구하는 정적분의 값은

$$\int_0^2 |x^2+x-2|dx$$
$$=\int_0^1 (-x^2-x+2)dx+\int_1^2 (x^2+x-2)dx$$
$$=\left[-\frac{1}{3}x^3-\frac{1}{2}x^2+2x\right]_0^1+\left[\frac{1}{3}x^3+\frac{1}{2}x^2-2x\right]_1^2$$
$$=3$$

(4) $f(x)=(|x|+x+1)^2$이라 하면 닫힌구간 $[-2, 1]$에서

$$f(x)=\begin{cases} (-x+x+1)^2 & (-2\le x\le 0) \\ (x+x+1)^2 & (0\le x\le 1) \end{cases},$$

즉 $f(x)=\begin{cases} 1 & (-2\le x\le 0) \\ (2x+1)^2 & (0\le x\le 1) \end{cases}$

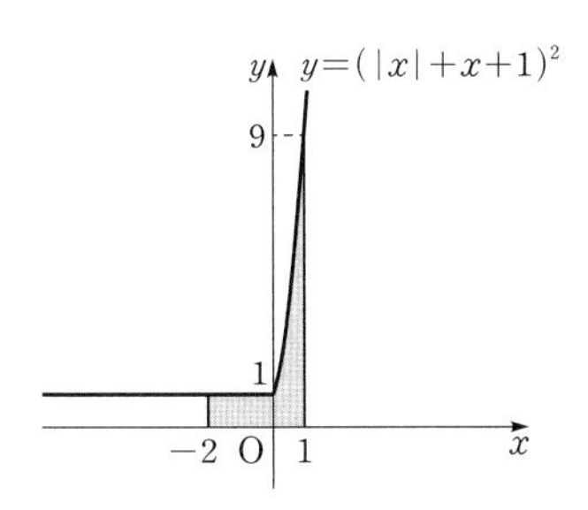

따라서 구하는 정적분의 값은

$$\int_{-2}^1 (|x|+x+1)^2dx$$
$$=\int_{-2}^0 1\,dx+\int_0^1 (2x+1)^2dx$$
$$=\int_{-2}^0 dx+\int_0^1(4x^2+4x+1)dx$$
$$=\left[x\right]_{-2}^0+\left[\frac{4}{3}x^3+2x^2+x\right]_0^1=\frac{19}{3}$$

답 (1) $\mathbf{\frac{5}{2}}$ (2) **1** (3) **3** (4) $\mathbf{\frac{19}{3}}$

184

$|x^2-1|=|(x+1)(x-1)|$

(i) $(x+1)(x-1)\ge 0$, 즉 $x\le -1$ 또는 $x\ge 1$일 때,

$|x^2-1|=x^2-1$

(ii) $(x+1)(x-1)\le 0$, 즉 $-1\le x\le 1$일 때,

$|x^2-1|=-x^2+1$

적분 구간이 $[0, a]$이고 $a>1$이므로

$$\int_0^a |x^2-1|dx$$
$$=\int_0^1 (-x^2+1)dx+\int_1^a (x^2-1)dx$$
$$=\left[-\frac{1}{3}x^3+x\right]_0^1+\left[\frac{1}{3}x^3-x\right]_1^a$$
$$=\left(-\frac{1}{3}+1\right)+\left\{\left(\frac{1}{3}a^3-a\right)-\left(\frac{1}{3}-1\right)\right\}$$
$$=\frac{1}{3}a^3-a+\frac{4}{3}$$

따라서 $\frac{1}{3}a^3-a+\frac{4}{3}=\frac{56}{3}$이므로

$a^3-3a-52=0$

$(a-4)(a^2+4a+13)=0 \quad \therefore a=4$

답 **4**

185

(1) (주어진 식)

$$=\int_{-2}^2 (x^5-2x^3-3x)dx+\int_{-2}^2 (6x^2-1)dx$$
$$=2\int_0^2 (6x^2-1)dx$$
$$=2\left[2x^3-x\right]_0^2=28$$

(2) (주어진 식)

$$=\int_{-1}^0 (4x^3+3x^2+2x+1)dx+\int_0^1 (4x^3+3x^2+2x+1)dx$$
$$=\int_{-1}^1 (4x^3+3x^2+2x+1)dx$$
$$=\int_{-1}^1 (4x^3+2x)dx+\int_{-1}^1 (3x^2+1)dx$$
$$=2\int_0^1 (3x^2+1)dx$$
$$=2\left[x^3+x\right]_0^1=4$$

답 (1) **28** (2) **4**

186

모든 실수 x에 대하여 $f(-x)=-f(x)$이므로
$y=f(x)$는 그래프가 원점에 대하여 대칭인 기함수이다.

$\therefore \int_{-3}^{3} f(x)dx=0$

모든 실수 x에 대하여 $g(x)=g(-x)$이므로
$y=g(x)$는 그래프가 y축에 대하여 대칭인 우함수이다.

$\therefore \int_{-3}^{3} g(x)dx=2\int_{0}^{3} g(x)dx=2\cdot 2=4$

$\therefore \int_{-3}^{3} \{f(x)+g(x)\}dx$

$=\int_{-3}^{3} f(x)dx+\int_{-3}^{3} g(x)dx=0+4=4$ **답 4**

187

$f(x+3)=f(x)$이므로

$\int_{1}^{4} f(x)dx=\int_{4}^{7} f(x)dx=\int_{7}^{10} f(x)dx=5$

$\therefore \int_{1}^{10} f(x)dx$

$=\int_{1}^{4} f(x)dx+\int_{4}^{7} f(x)dx+\int_{7}^{10} f(x)dx$

$=5+5+5=15$ **답 15**

188

$f(x+4)=f(x)$이므로

$\int_{0}^{4} f(x)dx=\int_{4}^{8} f(x)dx$

$\therefore \int_{0}^{10} f(x)dx$

$=\int_{0}^{4} f(x)dx+\int_{4}^{8} f(x)dx+\int_{8}^{10} f(x)dx$

$=\int_{0}^{4} f(x)dx+\int_{0}^{4} f(x)dx+\int_{0}^{2} f(x)dx$

$=2\int_{0}^{4} f(x)dx+\int_{0}^{2} f(x)dx$

$=2\int_{0}^{4} (-x^2+4x)dx+\int_{0}^{2} (-x^2+4x)dx$

$=2\left[-\frac{1}{3}x^3+2x^2\right]_{0}^{4}+\left[-\frac{1}{3}x^3+2x^2\right]_{0}^{2}$

$=\frac{80}{3}$ **답 $\frac{80}{3}$**

189

(1) $\frac{d}{dx}\int_{0}^{x} (t^2+2)dt=x^2+2$

(2) $\frac{d}{dx}\int_{-1}^{x} (3t^2-2t+3)dt=3x^2-2x+3$

(3) $\frac{d}{dx}\int_{2}^{x} (5t^3-3t^2)dt=5x^3-3x^2$

(4) $\frac{d}{dx}\int_{-2}^{x} (3t^2+t)(t-1)dt=(3x^2+x)(x-1)$

$=3x^3-2x^2-x$

(5) $\frac{d}{dx}\int_{x}^{x+2} (t^2-2t+1)dt$

$=\{(x+2)^2-2(x+2)+1\}-(x^2-2x+1)$

$=4x$

(6) $\frac{d}{dx}\int_{x}^{x+1} (2t+1)(t-2)dt$

$=\frac{d}{dx}\int_{x}^{x+1} (2t^2-3t-2)dt$

$=\{2(x+1)^2-3(x+1)-2\}-(2x^2-3x-2)$

$=4x-1$

답 (1) $\boldsymbol{x^2+2}$ (2) $\boldsymbol{3x^2-2x+3}$
(3) $\boldsymbol{5x^3-3x^2}$ (4) $\boldsymbol{3x^3-2x^2-x}$
(5) $\boldsymbol{4x}$ (6) $\boldsymbol{4x-1}$

190

(1) 주어진 등식의 양변을 x에 대하여 미분하면
$f(x)=4x-5$

(2) 주어진 등식의 양변을 x에 대하여 미분하면
$f(x)=-2x+3$

(3) 주어진 등식의 양변을 x에 대하여 미분하면
$f(x)=9x^2-6$

(4) 주어진 등식의 양변을 x에 대하여 미분하면
$f(x)=12x^2+6x+2$

(5) 주어진 등식의 양변을 x에 대하여 미분하면
$f(x)=1\cdot(x-3)+(x+1)\cdot 1=2x-2$

(6) 주어진 등식의 양변을 x에 대하여 미분하면
$f(x)=4x(x+2)+(2x^2+3)\cdot 1=6x^2+8x+3$

답 (1) $\boldsymbol{f(x)=4x-5}$ (2) $\boldsymbol{f(x)=-2x+3}$
(3) $\boldsymbol{f(x)=9x^2-6}$ (4) $\boldsymbol{f(x)=12x^2+6x+2}$
(5) $\boldsymbol{f(x)=2x-2}$ (6) $\boldsymbol{f(x)=6x^2+8x+3}$

191

(1) $f(x)=x^2+\int_0^1 xf(t)dt$에서

$f(x)=x^2+x\int_0^1 f(t)dt$

$\int_0^1 f(t)dt=k$ (k는 상수) ...... ㉠

로 놓으면 $f(x)=x^2+kx$

이것을 ㉠에 대입하면

$k=\int_0^1 (t^2+kt)dt=\left[\frac{1}{3}t^3+\frac{1}{2}kt^2\right]_0^1=\frac{1}{3}+\frac{1}{2}k$

즉, $k=\frac{1}{3}+\frac{1}{2}k$이므로 $k=\frac{2}{3}$

따라서 $f(x)=x^2+\frac{2}{3}x$이므로

$f(1)=1^2+\frac{2}{3}\cdot 1=\frac{5}{3}$

(2) $\int_0^1 tf(t)dt=k$ (k는 상수) ...... ㉠

로 놓으면 $f(x)=-2x^2+3x+k$

이것을 ㉠에 대입하면

$k=\int_0^1 t(-2t^2+3t+k)dt$

$=\int_0^1 (-2t^3+3t^2+kt)dt$

$=\left[-\frac{1}{2}t^4+t^3+\frac{k}{2}t^2\right]_0^1=\frac{1}{2}+\frac{k}{2}$

즉, $k=\frac{1}{2}+\frac{k}{2}$이므로 $k=1$

따라서 $f(x)=-2x^2+3x+1$이므로

$f(1)=-2+3+1=2$

(3) $f(x)=x^2+\int_0^2 (3x+1)f(t)dt$

$=x^2+3x\int_0^2 f(t)dt+\int_0^2 f(t)dt$

이때 $\int_0^2 f(t)dt=k$ (k는 상수) ...... ㉠

로 놓으면 $f(x)=x^2+3kx+k$

이것을 ㉠에 대입하면

$k=\int_0^2 (t^2+3kt+k)dt$

$=\left[\frac{1}{3}t^3+\frac{3k}{2}t^2+kt\right]_0^2$

$=\frac{8}{3}+6k+2k=\frac{8}{3}+8k$

즉, $k=\frac{8}{3}+8k$이므로 $k=-\frac{8}{21}$

따라서 $f(x)=x^2-\frac{8}{7}x-\frac{8}{21}$이므로

$f(1)=1-\frac{8}{7}-\frac{8}{21}=-\frac{11}{21}$

(4) $f(x)=3x^2+\int_0^1 (2x-t)f(t)dt$

$=3x^2+2x\int_0^1 f(t)dt-\int_0^1 tf(t)dt$

$\int_0^1 f(t)dt=a$, $\int_0^1 tf(t)dt=b$ (a, b는 상수)로 놓으면

$f(x)=3x^2+2ax-b$

$a=\int_0^1 f(t)dt=\int_0^1 (3t^2+2at-b)dt$

$=\left[t^3+at^2-bt\right]_0^1$

$=1+a-b$

즉, $a=1+a-b$이므로 $b=1$

$b=\int_0^1 tf(t)dt=\int_0^1 t(3t^2+2at-1)dt$

$=\int_0^1 (3t^3+2at^2-t)dt$

$=\left[\frac{3}{4}t^4+\frac{2}{3}at^3-\frac{1}{2}t^2\right]_0^1$

$=\frac{2}{3}a+\frac{1}{4}$

즉, $b=\frac{2}{3}a+\frac{1}{4}$이므로 $a=\frac{9}{8}$

따라서 $f(x)=3x^2+\frac{9}{4}x-1$이므로

$f(1)=3+\frac{9}{4}-1=\frac{17}{4}$

답 (1) $\mathbf{\frac{5}{3}}$ (2) **2** (3) $\mathbf{-\frac{11}{21}}$ (4) $\mathbf{\frac{17}{4}}$

192

주어진 식의 양변을 x에 대하여 미분하면

$f(x)=2x-3$

주어진 식의 양변에 $x=a$를 대입하면

$0=a^2-3a-10$, $(a+2)(a-5)=0$

그런데 $a<0$이므로 $a=-2$

$\therefore f(a)=f(-2)=-4-3=-7$ **답 −7**

193

(1) $\int_x^2 f(t)dt = -\int_2^x f(t)dt$이므로

$xf(x) = x^3 - 3x^2 + \int_2^x f(t)dt$ ...... ㉠

㉠의 양변을 x에 대하여 미분하면

$f(x) + xf'(x) = 3x^2 - 6x + f(x)$

$xf'(x) = 3x^2 - 6x$

$\therefore f'(x) = 3x - 6$

$\therefore f(x) = \int f'(x)dx = \int (3x-6)dx$

$= \frac{3}{2}x^2 - 6x + C$ (C는 적분상수) ...... ㉡

㉠의 양변에 $x=2$를 대입하면

$2f(2) = 8 - 12 \qquad \therefore f(2) = -2$

㉡의 양변에 $x=2$를 대입하면

$f(2) = 6 - 12 + C = -2 \qquad \therefore C = 4$

따라서 $f(x) = \frac{3}{2}x^2 - 6x + 4$이므로

$f(-1) = \frac{3}{2} + 6 + 4 = \frac{23}{2}$

(2) $x^2 f(x) = \frac{2}{3}x^6 - \frac{1}{2}x^4 - \frac{1}{6} + 2\int_1^x tf(t)dt$ ...... ㉠

㉠의 양변을 x에 대하여 미분하면

$2xf(x) + x^2 f'(x) = 4x^5 - 2x^3 + 2xf(x)$

$x^2 f'(x) = x^2(4x^3 - 2x)$

$\therefore f'(x) = 4x^3 - 2x$

$\therefore f(x) = \int f'(x)dx$

$= \int (4x^3 - 2x)dx$

$= x^4 - x^2 + C$ (C는 적분상수) ...... ㉡

㉠의 양변에 $x=1$을 대입하면

$f(1) = \frac{2}{3} - \frac{1}{2} - \frac{1}{6} \qquad \therefore f(1) = 0$

㉡의 양변에 $x=1$을 대입하면

$f(1) = 1 - 1 + C = 0 \qquad \therefore C = 0$

따라서 $f(x) = x^4 - x^2$이므로

$f(-1) = 1 - 1 = 0$

답 (1) $\mathbf{\frac{23}{2}}$ (2) **0**

194

주어진 등식을 정리하면

$x\int_1^x f(t)dt - \int_1^x tf(t)dt = x^4 - 3x^2 + 2x$

양변을 x에 대하여 미분하면

$\int_1^x f(t)dt + xf(x) - xf(x) = 4x^3 - 6x + 2$

$\therefore \int_1^x f(t)dt = 4x^3 - 6x + 2$

양변을 다시 x에 대하여 미분하면

$f(x) = 12x^2 - 6$

$\therefore f(-1) = 12 - 6 = 6$

답 6

195

(1) 주어진 등식을 정리하면

$x\int_1^x f(t)dt - \int_1^x tf(t)dt = x^4 + ax^2 + 1$ ...... ㉠

양변을 x에 대하여 미분하면

$\int_1^x f(t)dt + xf(x) - xf(x) = 4x^3 + 2ax$

$\therefore \int_1^x f(t)dt = 4x^3 + 2ax$

양변을 다시 x에 대하여 미분하면

$f(x) = 12x^2 + 2a$

㉠의 양변에 $x=1$을 대입하면

$0 = 1 + a + 1 \qquad \therefore a = -2$

$\therefore f(x) = 12x^2 - 4$

(2) 주어진 등식을 정리하면

$x\int_1^x f(t)dt - \int_1^x tf(t)dt = x^3 + ax^2 + bx$ ...... ㉠

양변을 x에 대하여 미분하면

$\int_1^x f(t)dt + xf(x) - xf(x) = 3x^2 + 2ax + b$

$\therefore \int_1^x f(t)dt = 3x^2 + 2ax + b$ ...... ㉡

양변을 다시 x에 대하여 미분하면

$f(x) = 6x + 2a$ ...... ㉢

㉠의 양변에 $x=1$을 대입하면

$0 = 1 + a + b \qquad \therefore a + b = -1$ ...... ㉣

㉡의 양변에 $x=1$을 대입하면

$0=3+2a+b \qquad \therefore 2a+b=-3 \qquad \cdots\cdots$ ㉤

㉣, ㉤을 연립하여 풀면

$a=-2, b=1$

$a=-2$를 ㉢에 대입하면 $f(x)=6x-4$

답 (1) $\mathbf{f(x)=12x^2-4}$ (2) $\mathbf{f(x)=6x-4}$

196

$f(x)=\int_{-3}^{x}(t^2+t+k)dt$

의 양변을 x에 대하여 미분하면

$f'(x)=x^2+x+k$

함수 $f(x)$가 $x=-3$에서 극댓값을 가지므로

$f'(-3)=0$, 즉 $9-3+k=0 \qquad \therefore k=-6$

$\therefore f'(x)=x^2+x-6=(x+3)(x-2)$

$f'(x)=0$에서 $x=-3$ 또는 $x=2$

x	$\cdots$	-3	$\cdots$	2	$\cdots$
$f'(x)$	$+$	0	$-$	0	$+$
$f(x)$	↗	극대	↘	극소	↗

따라서 함수 $f(x)$는 $x=2$에서 극소이므로 극솟값은

$$f(2)=\int_{-3}^{2}(t^2+t-6)dt$$
$$=\left[\frac{1}{3}t^3+\frac{1}{2}t^2-6t\right]_{-3}^{2}$$
$$=-\frac{125}{6}$$

답 $\mathbf{-\frac{125}{6}}$

197

주어진 이차함수 $y=f(x)$의 그래프에서

$y=ax(x-2) \ (a<0)$

또한, 주어진 그래프가 점 $(1, 1)$을 지나므로

$1=a\cdot(-1) \qquad \therefore a=-1$

$\therefore f(x)=-x(x-2)=-x^2+2x$

$F(x)=\int_{1}^{x}f(t)dt$의 양변을 x에 대하여 미분하면

$F'(x)=f(x)$

$F'(x)=0$에서 $x=0$ 또는 $x=2$

x	$\cdots$	0	$\cdots$	2	$\cdots$
$F'(x)$	$-$	0	$+$	0	$-$
$F(x)$	↘	극소	↗	극대	↘

따라서 함수 $F(x)$는 $x=2$에서 극대이므로 극댓값은

$$F(2)=\int_{1}^{2}(-t^2+2t)dt$$
$$=\left[-\frac{1}{3}t^3+t^2\right]_{1}^{2}$$
$$=\left(-\frac{8}{3}+4\right)-\left(-\frac{1}{3}+1\right)$$
$$=\frac{2}{3}$$

답 $\mathbf{\frac{2}{3}}$

198

$f(x)=\int_{0}^{x}(t-1)(t-5)dt$

의 양변을 x에 대하여 미분하면

$f'(x)=(x-1)(x-5)$

$f'(x)=0$에서 $x=1 \ (\because 0\le x\le 3)$

x	0	$\cdots$	1	$\cdots$	3
$f'(x)$		$+$	0	$-$	
$f(x)$		↗	극대	↘	

따라서 $0\le x\le 3$일 때, 함수 $f(x)$는 $x=1$에서 극대이면서 최대이므로 최댓값은

$$f(1)=\int_{0}^{1}(t-1)(t-5)dt$$
$$=\int_{0}^{1}(t^2-6t+5)dt$$
$$=\left[\frac{1}{3}t^3-3t^2+5t\right]_{0}^{1}$$
$$=\frac{1}{3}-3+5=\frac{7}{3}$$

답 $\mathbf{\frac{7}{3}}$

199

$f(x)=\int_{x}^{x+1}(2t^2+2t)dt$

의 양변을 x에 대하여 미분하면

$$f'(x)=\{2(x+1)^2+2(x+1)\}-(2x^2+2x)$$
$$=4x+4$$

$f'(x)=0$에서 $x=-1$

x	-2	$\cdots$	-1	$\cdots$	1
$f'(x)$		$-$	0	$+$	
$f(x)$		↘	극소	↗	

이때

$$f(-2)=\int_{-2}^{-1}(2t^2+2t)dt=\left[\frac{2}{3}t^3+t^2\right]_{-2}^{-1}$$
$$=\left(-\frac{2}{3}+1\right)-\left(-\frac{16}{3}+4\right)=\frac{5}{3}$$
$$f(-1)=\int_{-1}^{0}(2t^2+2t)dt=\left[\frac{2}{3}t^3+t^2\right]_{-1}^{0}$$
$$=0-\left(-\frac{2}{3}+1\right)=-\frac{1}{3}$$
$$f(1)=\int_{1}^{2}(2t^2+2t)dt=\left[\frac{2}{3}t^3+t^2\right]_{1}^{2}$$
$$=\left(\frac{16}{3}+4\right)-\left(\frac{2}{3}+1\right)=\frac{23}{3}$$

이므로 $-2\le x\le 1$에서 함수 $f(x)$의 최댓값은 $\frac{23}{3}$, 최솟값은 $-\frac{1}{3}$이다.

$\therefore M=\frac{23}{3},\ m=-\frac{1}{3}$

$\therefore M-m=8$ **답** 8

200

(1) $f(t)=(t-2)^3$으로 놓고 $f(t)$의 한 부정적분을 $F(t)$라 하면

$$\lim_{x\to1}\frac{1}{x-1}\int_1^x (t-2)^3dt$$
$$=\lim_{x\to1}\frac{\int_1^x (t-2)^3dt}{x-1}$$
$$=\lim_{x\to1}\frac{\left[F(t)\right]_1^x}{x-1}$$
$$=\lim_{x\to1}\frac{F(x)-F(1)}{x-1}$$
$$=F'(1)$$

이때 $F'(t)=f(t)$이므로

$F'(1)=f(1)=(1-2)^3=-1$

(2) $f(t)=2t^2+3t-1$로 놓고 $f(t)$의 한 부정적분을 $F(t)$라 하면

$$\lim_{x\to1}\frac{1}{x-1}\int_1^{x^2}(2t^2+3t-1)dt$$
$$=\lim_{x\to1}\frac{\int_1^{x^2}(2t^2+3t-1)dt}{x-1}$$
$$=\lim_{x\to1}\frac{\left[F(t)\right]_1^{x^2}}{x-1}$$
$$=\lim_{x\to1}\frac{F(x^2)-F(1)}{x-1}$$
$$=\lim_{x\to1}\left\{\frac{F(x^2)-F(1)}{x^2-1}\cdot(x+1)\right\}$$
$$=2F'(1)$$

이때 $F'(t)=f(t)$이므로

$2F'(1)=2f(1)$

$=2(2+3-1)=8$

(3) $f(t)=|t-4|$로 놓고 $f(t)$의 한 부정적분을 $F(t)$라 하면

$$\lim_{x\to1}\frac{1}{x^2-1}\int_1^x |t-4|dt$$
$$=\lim_{x\to1}\frac{\int_1^x |t-4|dt}{x^2-1}$$
$$=\lim_{x\to1}\frac{\left[F(t)\right]_1^x}{x^2-1}$$
$$=\lim_{x\to1}\frac{F(x)-F(1)}{x^2-1}$$
$$=\lim_{x\to1}\left\{\frac{F(x)-F(1)}{x-1}\cdot\frac{1}{x+1}\right\}$$
$$=\frac{1}{2}F'(1)$$

이때 $F'(t)=f(t)$이므로

$\frac{1}{2}F'(1)=\frac{1}{2}f(1)$

$=\frac{1}{2}|1-4|=\frac{3}{2}$

(4) $f(x)=3x^2-x+1$로 놓고 $f(x)$의 한 부정적분을 $F(x)$라 하면

$$\lim_{h\to0}\frac{1}{h}\int_{2-h}^{2+h}(3x^2-x+1)dx$$
$$=\lim_{h\to0}\frac{\int_{2-h}^{2+h}(3x^2-x+1)dx}{h}$$

$$=\lim_{h\to0}\frac{\Big[F(x)\Big]_{2-h}^{2+h}}{h}$$
$$=\lim_{h\to0}\frac{F(2+h)-F(2-h)}{h}$$
$$=\lim_{h\to0}\frac{F(2+h)-F(2)+F(2)-F(2-h)}{h}$$
$$=\lim_{h\to0}\frac{F(2+h)-F(2)}{h}+\lim_{h\to0}\frac{F(2-h)-F(2)}{-h}$$
$$=F'(2)+F'(2)=2F'(2)$$
이때 $F'(x)=f(x)$이므로
$$2F'(2)=2f(2)$$
$$=2(12-2+1)=22$$

답 (1) $-\mathbf{1}$ (2) **8** (3) $\mathbf{\frac{3}{2}}$ (4) **22**

201

$f(x)=ax-x^2$으로 놓고 $f(x)$의 한 부정적분을 $F(x)$라 하면
$$\lim_{h\to0}\frac{1}{h}\int_{-1}^{-1+h}(ax-x^2)dx$$
$$=\lim_{h\to0}\frac{1}{h}\Big[F(x)\Big]_{-1}^{-1+h}$$
$$=\lim_{h\to0}\frac{F(-1+h)-F(-1)}{h}$$
$$=F'(-1)=-3$$
이때 $F'(x)=f(x)$이므로
$$F'(-1)=f(-1)=-a-1$$
따라서 $-a-1=-3$이므로 $a=2$

답 **2**

202

곡선 $x=y(y-k)^2$과 y축과의 교점의 y좌표는
$y(y-k)^2=0$에서 $y=0$ 또는 $y=k$
$0\le y\le k$일 때, $x\ge0$이므로 곡선 $x=y(y-k)^2$과 y축으로 둘러싸인 도형의 넓이는
$$\int_0^k y(y-k)^2\,dy=\int_0^k(y^3-2ky^2+k^2y)dy$$
$$=\Big[\frac{1}{4}y^4-\frac{2}{3}ky^3+\frac{1}{2}k^2y^2\Big]_0^k=\frac{1}{12}k^4$$
즉, $\frac{1}{12}k^4=12$이므로 $k^4=144$
$$(k^2+12)(k+2\sqrt{3})(k-2\sqrt{3})=0$$
$$\therefore k=2\sqrt{3}\ (\because k>0)$$

답 $\mathbf{2\sqrt{3}}$

203

곡선 $y=-x^2+2x$와 x축과의 교점의 x좌표는
$x=\boxed{0}$ 또는 $x=\boxed{2}$이므로 구하는 넓이는
$$\int_{\boxed{0}}^{\boxed{2}}(-x^2+2x)dx$$
$$=\Big[-\frac{1}{3}x^3+x^2\Big]_0^2=\boxed{\frac{4}{3}}$$

답 **풀이 참조**

204

곡선 $y=x^2-4x$와 직선 $y=-x$의 교점의 x좌표는
$x=\boxed{0}$ 또는 $x=\boxed{3}$이므로 구하는 넓이는
$$\int_0^{\boxed{3}}\{-x-(\boxed{x^2-4x})\}dx$$
$$=\int_0^{\boxed{3}}(\boxed{-x^2+3x})dx$$
$$=\Big[-\frac{1}{3}x^3+\frac{3}{2}x^2\Big]_0^3$$
$$=\boxed{\frac{9}{2}}$$

답 **풀이 참조**

205

두 곡선 $y=x^2+x$, $y=-2x^2+x+3$의 교점의 x좌표는 $x=\boxed{-1}$ 또는 $x=\boxed{1}$이므로 구하는 넓이는
$$\int_{\boxed{-1}}^{1}\{(\boxed{-2x^2+x+3})-(x^2+x)\}dx$$
$$=\int_{\boxed{-1}}^{1}(\boxed{-3x^2+3})dx$$
$$=\Big[-x^3+3x\Big]_{-1}^1$$
$$=\boxed{4}$$

답 **풀이 참조**

206

(1) 곡선 $y=-x^2+6x-8$과 x축과의 교점의 x좌표는
$-x^2+6x-8=0$에서 $(x-2)(x-4)=0$
$\therefore x=2$ 또는 $x=4$

따라서 곡선 $y=-x^2+6x-8$과 x축으로 둘러싸인 부분은 오른쪽 그림의 색칠한 부분과 같다.

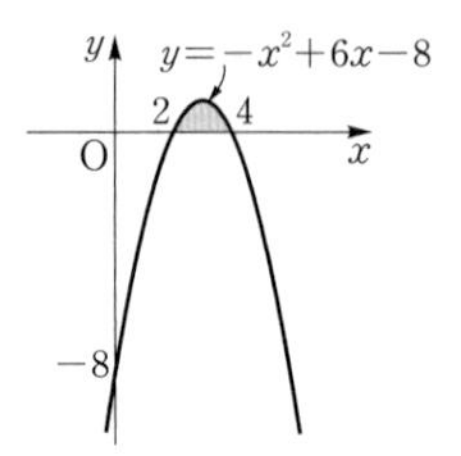

$2 \le x \le 4$에서 $y \ge 0$이므로 구하는 넓이를 S라 하면

$$S=\int_{2}^{4}(-x^2+6x-8)dx$$

$$=\left[-\frac{1}{3}x^3+3x^2-8x\right]_2^4=\frac{4}{3}$$

(2) 곡선 $y=x^2-2x-8$과 x축과의 교점의 x좌표는

$x^2-2x-8=0$에서 $(x+2)(x-4)=0$

$\therefore x=-2$ 또는 $x=4$

따라서 곡선 $y=x^2-2x-8$과 x축으로 둘러싸인 부분은 오른쪽 그림의 색칠한 부분과 같다.

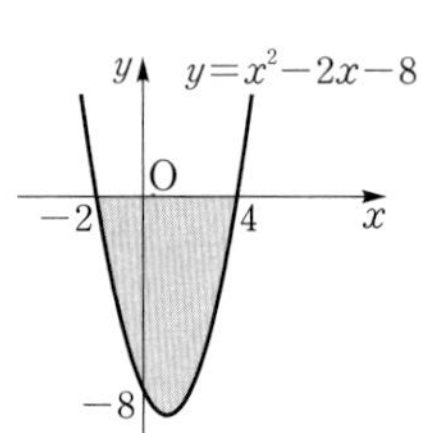

$-2 \le x \le 4$에서 $y \le 0$이므로 구하는 넓이를 S라 하면

$$S=-\int_{-2}^{4}(x^2-2x-8)dx$$

$$=-\left[\frac{1}{3}x^3-x^2-8x\right]_{-2}^{4}$$

$$=36$$

(3) 곡선 $y=x^3-x^2-2x$와 x축과의 교점의 x좌표는

$x^3-x^2-2x=0$에서 $x(x+1)(x-2)=0$

$\therefore x=-1$ 또는 $x=0$ 또는 $x=2$

따라서 곡선 $y=x^3-x^2-2x$와 x축으로 둘러싸인 부분은 오른쪽 그림의 색칠한 부분과 같다.

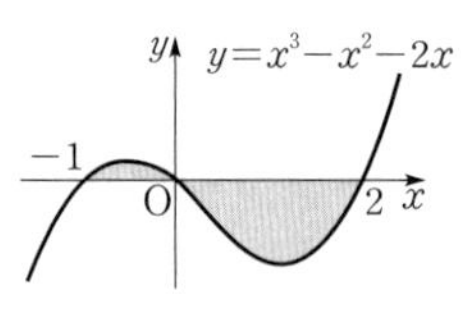

$-1 \le x \le 0$에서 $y \ge 0$, $0 \le x \le 2$에서 $y \le 0$이므로 구하는 넓이를 S라 하면

$$S=\int_{-1}^{0}(x^3-x^2-2x)dx-\int_{0}^{2}(x^3-x^2-2x)dx$$

$$=\left[\frac{1}{4}x^4-\frac{1}{3}x^3-x^2\right]_{-1}^{0}-\left[\frac{1}{4}x^4-\frac{1}{3}x^3-x^2\right]_0^2$$

$$=\frac{37}{12}$$

(4) 곡선 $y=-x^3-3x^2+x+3$과 x축과의 교점의 x좌표는

$-x^3-3x^2+x+3=0$에서

$x^3+3x^2-x-3=0$, $(x+3)(x+1)(x-1)=0$

$\therefore x=-3$ 또는 $x=-1$ 또는 $x=1$

따라서 곡선 $y=-x^3-3x^2+x+3$과 x축으로 둘러싸인 부분은 오른쪽 그림의 색칠한 부분과 같다.

$-3 \le x \le -1$에서 $y \le 0$, $-1 \le x \le 1$에서 $y \ge 0$이므로 구하는 넓이를 S라 하면

$$S=-\int_{-3}^{-1}(-x^3-3x^2+x+3)dx+\int_{-1}^{1}(-x^3-3x^2+x+3)dx$$

$$=-\left[-\frac{1}{4}x^4-x^3+\frac{1}{2}x^2+3x\right]_{-3}^{-1}+\left[-\frac{1}{4}x^4-x^3+\frac{1}{2}x^2+3x\right]_{-1}^{1}$$

$$=8$$

답 (1) $\mathbf{\frac{4}{3}}$ (2) **36** (3) $\mathbf{\frac{37}{12}}$ (4) **8**

207

곡선 $y=-x^2+kx$와 x축과의 교점의 x좌표는

$-x^2+kx=0$에서 $x(x-k)=0$

$\therefore x=0$ 또는 $x=k$

이때 $k<0$이므로 곡선 $y=-x^2+kx$와 x축으로 둘러싸인 부분은 오른쪽 그림의 색칠한 부분과 같다.

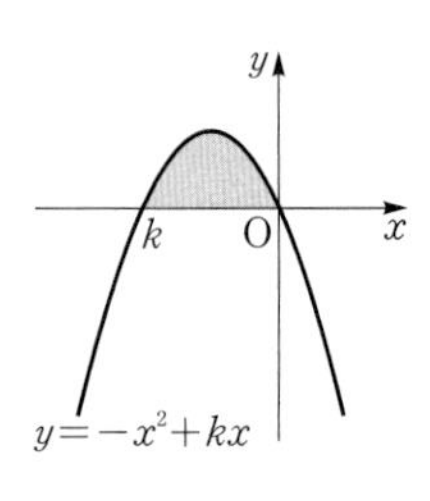

$k \le x \le 0$에서 $y \ge 0$이므로 넓이는

$$\int_k^0(-x^2+kx)dx=\left[-\frac{1}{3}x^3+\frac{1}{2}kx^2\right]_k^0$$

$$=-\left(-\frac{1}{3}k^3+\frac{1}{2}k^3\right)$$

$$=-\frac{1}{6}k^3$$

즉, $-\frac{1}{6}k^3=36$이므로

$k^3=-216 \qquad \therefore k=-6$ **답 -6**

208

곡선 $y=x^2-3x+2$와 x축과의 교점의 x좌표는

$x^2-3x+2=0$에서 $(x-1)(x-2)=0$

$\therefore x=1$ 또는 $x=2$

따라서 곡선 $y=x^2-3x+2$와 x축 및 직선 $x=3$으로 둘러싸인 부분은 오른쪽 그림의 색칠한 부분과 같다.

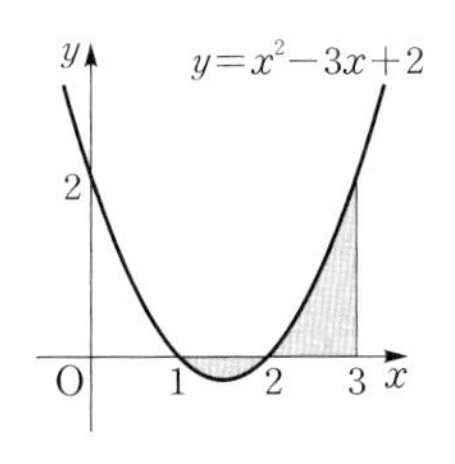

$1\le x\le 2$에서 $y\le 0$,

$2\le x\le 3$에서 $y\ge 0$이므로 구하는 넓이를 S라 하면

$$S=-\int_1^2 (x^2-3x+2)dx+\int_2^3 (x^2-3x+2)dx$$

$$=-\left[\frac{1}{3}x^3-\frac{3}{2}x^2+2x\right]_1^2+\left[\frac{1}{3}x^3-\frac{3}{2}x^2+2x\right]_2^3$$

$$=1$$ **답 1**

209

곡선 $y=-x^2+3x$와 x축과의 교점의 x좌표는

$-x^2+3x=0$에서 $x(x-3)=0$

$\therefore x=0$ 또는 $x=3$

a가 0보다 작은 정수이므로 곡선 $y=-x^2+3x$와 x축 및 직선 $x=a$로 둘러싸인 부분은 오른쪽 그림의 색칠한 부분과 같다.

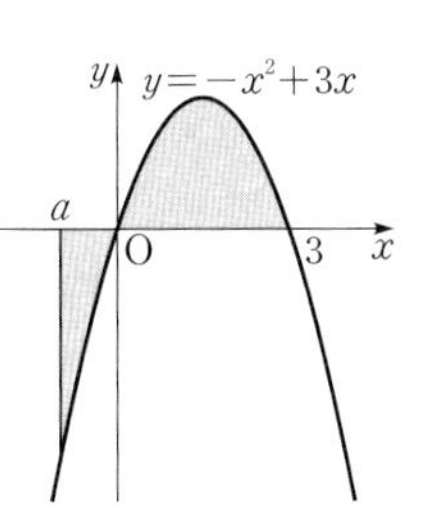

$a\le x\le 0$에서 $y\le 0$,

$0\le x\le 3$에서 $y\ge 0$이므로 넓이는

$$-\int_a^0 (-x^2+3x)dx+\int_0^3 (-x^2+3x)dx$$

$$=-\left[-\frac{1}{3}x^3+\frac{3}{2}x^2\right]_a^0+\left[-\frac{1}{3}x^3+\frac{3}{2}x^2\right]_0^3$$

$$=-\frac{1}{3}a^3+\frac{3}{2}a^2+\frac{9}{2}$$

즉, $-\frac{1}{3}a^3+\frac{3}{2}a^2+\frac{9}{2}=\frac{19}{3}$이므로

$2a^3-9a^2+11=0$에서

$(a+1)(2a^2-11a+11)=0$

$\therefore a=-1$ ($\because$ a는 0보다 작은 정수) **답 -1**

210

(1) 곡선 $y=-2x^2+x+4$와 직선 $y=x+2$의 교점의 x좌표는

$-2x^2+x+4=x+2$에서 $x^2=1$

$\therefore x=-1$ 또는 $x=1$

오른쪽 그래프에서

$-1\le x\le 1$일 때,

$-2x^2+x+4\ge x+2$

따라서 구하는 넓이를 S라 하면

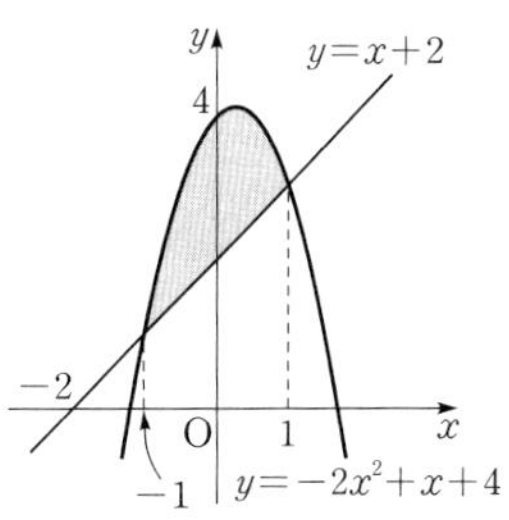

$$S=\int_{-1}^1 \{(-2x^2+x+4)-(x+2)\}dx$$

$$=\int_{-1}^1 (-2x^2+2)dx$$

$$=2\int_0^1 (-2x^2+2)dx$$

$$=2\left[-\frac{2}{3}x^3+2x\right]_0^1$$

$$=2\cdot\frac{4}{3}=\frac{8}{3}$$

(2) 곡선 $y=x^3-6x^2+9x$와 직선 $y=x$의 교점의 x좌표는

$x^3-6x^2+9x=x$에서

$x^3-6x^2+8x=0$

$x(x-2)(x-4)=0$

$\therefore x=0$ 또는 $x=2$ 또는 $x=4$

오른쪽 그래프에서

$0\le x\le 2$일 때,

$x^3-6x^2+9x\ge x$

$2\le x\le 4$일 때,

$x^3-6x^2+9x\le x$

따라서 구하는 넓이를 S라 하면

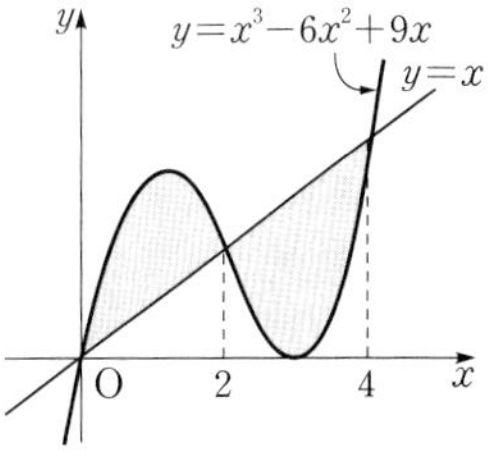

$$S=\int_0^2 \{(x^3-6x^2+9x)-x\}dx$$

$$+\int_2^4 \{x-(x^3-6x^2+9x)\}dx$$

$$=\int_0^2 (x^3-6x^2+8x)dx$$
$$+\int_2^4 (-x^3+6x^2-8x)dx$$
$$=\left[\frac{1}{4}x^4-2x^3+4x^2\right]_0^2+\left[-\frac{1}{4}x^4+2x^3-4x^2\right]_2^4$$
$$=8$$

답 (1) $\mathbf{\frac{8}{3}}$ (2) **8**

211

곡선 $y=x^2-2x$와 직선 $y=ax$의 교점의 x좌표는

$x^2-2x=ax$에서 $x^2-(a+2)x=0$

$x\{x-(a+2)\}=0$

$\therefore x=0$ 또는 $x=a+2$

오른쪽 그래프에서

$0\le x\le a+2$일 때,

$x^2-2x\le ax$

따라서 주어진 곡선과 직선으로 둘러싸인 도형의 넓이는

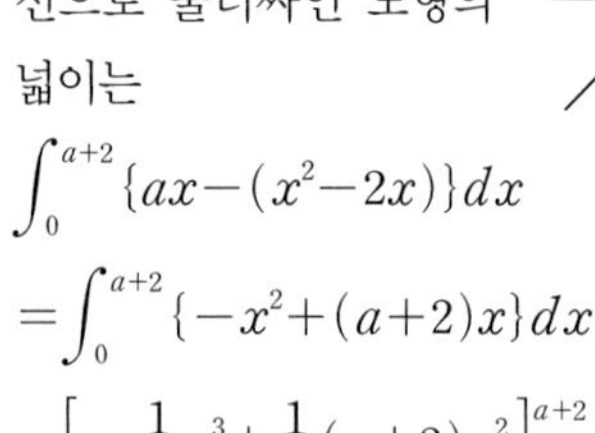

$$\int_0^{a+2} \{ax-(x^2-2x)\}dx$$
$$=\int_0^{a+2} \{-x^2+(a+2)x\}dx$$
$$=\left[-\frac{1}{3}x^3+\frac{1}{2}(a+2)x^2\right]_0^{a+2}$$
$$=\frac{1}{6}(a+2)^3$$

즉, $\frac{1}{6}(a+2)^3=\frac{9}{2}$이므로

$(a+2)^3=27$, $a+2=3$

$\therefore a=1$

답 1

212

(1) 두 곡선 $y=x^3$, $y=3x^2-4$의 교점의 x좌표는

$x^3=3x^2-4$에서 $x^3-3x^2+4=0$

$(x+1)(x-2)^2=0$

$\therefore x=-1$ 또는 $x=2$

오른쪽 그래프에서

$-1\le x\le 2$일 때,

$x^3\ge 3x^2-4$

따라서 구하는 넓이를 S라 하면

$$S=\int_{-1}^2 \{x^3-(3x^2-4)\}dx$$
$$=\int_{-1}^2 (x^3-3x^2+4)dx$$
$$=\left[\frac{1}{4}x^4-x^3+4x\right]_{-1}^2=\frac{27}{4}$$

(2) 두 곡선 $y=x^3-3x^2-x+3$, $y=x^2-2x-3$의 교점의 x좌표는

$x^3-3x^2-x+3=x^2-2x-3$에서

$x^3-4x^2+x+6=0$

$(x+1)(x-2)(x-3)=0$

$\therefore x=-1$ 또는 $x=2$ 또는 $x=3$

다음 그래프에서

$-1\le x\le 2$일 때, $x^3-3x^2-x+3\ge x^2-2x-3$

$2\le x\le 3$일 때, $x^3-3x^2-x+3\le x^2-2x-3$

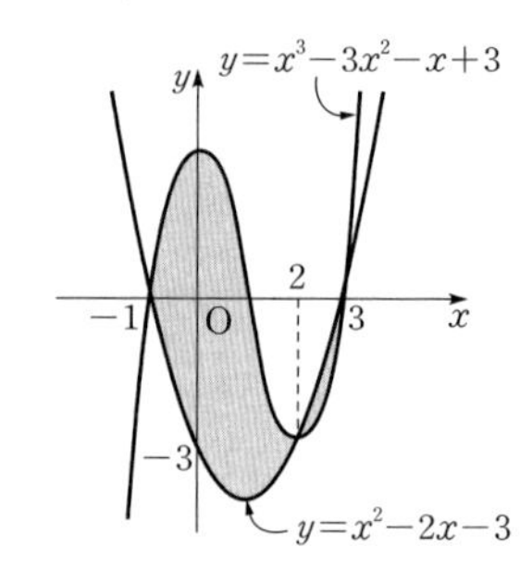

따라서 구하는 넓이를 S라 하면

$$S=\int_{-1}^2 \{(x^3-3x^2-x+3)-(x^2-2x-3)\}dx$$
$$+\int_2^3 \{(x^2-2x-3)-(x^3-3x^2-x+3)\}dx$$
$$=\int_{-1}^2 (x^3-4x^2+x+6)dx$$
$$+\int_2^3 (-x^3+4x^2-x-6)dx$$
$$=\left[\frac{1}{4}x^4-\frac{4}{3}x^3+\frac{1}{2}x^2+6x\right]_{-1}^2$$
$$+\left[-\frac{1}{4}x^4+\frac{4}{3}x^3-\frac{1}{2}x^2-6x\right]_2^3$$
$$=\frac{71}{6}$$

답 (1) $\mathbf{\frac{27}{4}}$ (2) $\mathbf{\frac{71}{6}}$

213

두 곡선 $y=\frac{1}{2}x^2$, $y=-\frac{1}{2}x^2+x$의 교점의 x좌표는

$\frac{1}{2}x^2=-\frac{1}{2}x^2+x$에서 $x^2-x=0$

$x(x-1)=0$

$\therefore x=0$ 또는 $x=1$

오른쪽 그래프에서

$0\le x\le 1$일 때,

$\frac{1}{2}x^2\le -\frac{1}{2}x^2+x$

$1\le x\le 2$일 때,

$\frac{1}{2}x^2\ge -\frac{1}{2}x^2+x$

따라서 구하는 넓이를 S라 하면

$$S=\int_0^1\left\{\left(-\frac{1}{2}x^2+x\right)-\frac{1}{2}x^2\right\}dx+\int_1^2\left\{\frac{1}{2}x^2-\left(-\frac{1}{2}x^2+x\right)\right\}dx$$

$$=\int_0^1(-x^2+x)dx+\int_1^2(x^2-x)dx$$

$$=\left[-\frac{1}{3}x^3+\frac{1}{2}x^2\right]_0^1+\left[\frac{1}{3}x^3-\frac{1}{2}x^2\right]_1^2$$

$$=1$$

답 1

214

$f(x)=x^2-1$이라 하면

$f'(x)=2x$

$\therefore f'(2)=4$

따라서 점 $(2, 3)$에서의 접선의 방정식은

$y-3=4(x-2)$

$\therefore y=4x-5$

따라서 구하는 넓이를 S라 하면

$$S=\int_0^2\{(x^2-1)-(4x-5)\}dx$$

$$=\int_0^2(x^2-4x+4)dx$$

$$=\left[\frac{1}{3}x^3-2x^2+4x\right]_0^2$$

$$=\frac{8}{3}$$

답 $\frac{8}{3}$

215

$f(x)=x^3-3x^2+x+4$

라 하면

$f'(x)=3x^2-6x+1$

$\therefore f'(0)=1$

따라서 점 $(0, 4)$에서의 접선의 방정식은

$y-4=1(x-0)\qquad \therefore y=x+4$

곡선 $y=x^3-3x^2+x+4$와 직선 $y=x+4$의 교점의 x좌표는

$x^3-3x^2+x+4=x+4$에서 $x^3-3x^2=0$

$x^2(x-3)=0$

$\therefore x=0$ 또는 $x=3$

따라서 구하는 넓이를 S라 하면

$$S=\int_0^3\{(x+4)-(x^3-3x^2+x+4)\}dx$$

$$=\int_0^3(-x^3+3x^2)dx$$

$$=\left[-\frac{1}{4}x^4+x^3\right]_0^3=\frac{27}{4}$$

답 $\frac{27}{4}$

다른풀이 공식을 이용하면

$$S=\frac{|1|(3-0)^4}{12}=\frac{27}{4}$$

216

$$y=|2x^2+2x|=\begin{cases}2x^2+2x & (x\le -1 \text{ 또는 } x\ge 0)\\ -2x^2-2x & (-1\le x\le 0)\end{cases}$$

곡선 $y=|2x^2+2x|$와 x축과의 교점의 x좌표는

$2x^2+2x=0$에서

$2x(x+1)=0$

$\therefore x=-1$ 또는 $x=0$

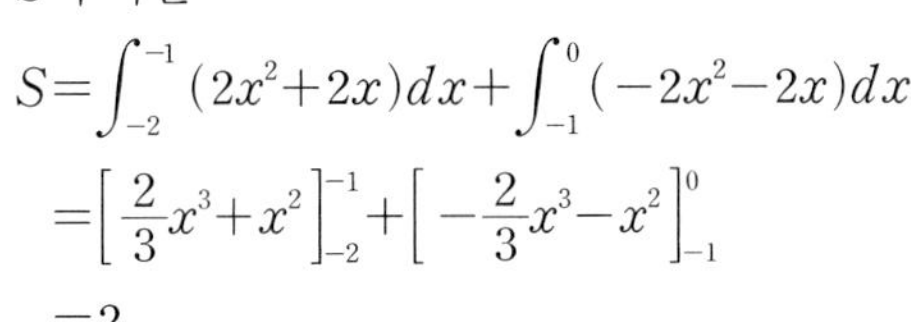

따라서 구하는 넓이를 S라 하면

$$S=\int_{-2}^{-1}(2x^2+2x)dx+\int_{-1}^{0}(-2x^2-2x)dx$$

$$=\left[\frac{2}{3}x^3+x^2\right]_{-2}^{-1}+\left[-\frac{2}{3}x^3-x^2\right]_{-1}^{0}$$

$$=2$$

답 2

217

$$y=|x(x-1)|=\begin{cases} x(x-1) & (x\le 0 \text{ 또는 } x\ge 1) \\ -x(x-1) & (0\le x\le 1)\end{cases}$$

(i) $x\le 0$ 또는 $x\ge 1$일 때

곡선 $y=x(x-1)$과 직선 $y=x+3$의 교점의 x좌표는

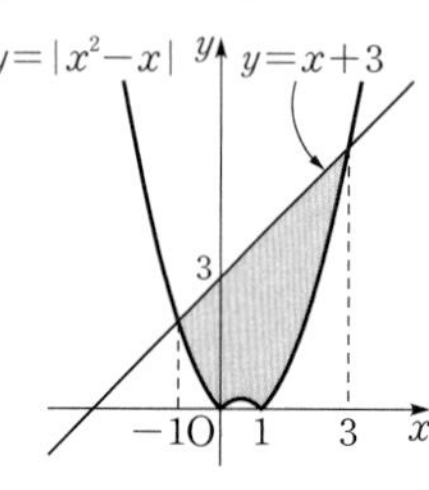

$x(x-1)=x+3$에서

$x^2-2x-3=0$

$(x+1)(x-3)=0$

$\therefore x=-1$ 또는 $x=3$

(ii) $0\le x\le 1$일 때

곡선 $y=-x(x-1)$과 x축과의 교점의 x좌표는

$-x(x-1)=0$에서 $x(x-1)=0$

$\therefore x=0$ 또는 $x=1$

따라서 구하는 넓이를 S라 하면

$$S=\int_{-1}^{3}\{x+3-(x^2-x)\}dx-2\int_0^1(-x^2+x)dx$$

$$=\left[-\frac{1}{3}x^3+x^2+3x\right]_{-1}^{3}-2\left[-\frac{1}{3}x^3+\frac{1}{2}x^2\right]_0^1$$

$$=\frac{31}{3}$$

답 $\frac{31}{3}$

참고 구하는 넓이는 곡선 $y=x^2-x$와 직선 $y=x+3$으로 둘러싸인 도형의 넓이에서 곡선 $y=-x^2+x$와 x축으로 둘러싸인 도형의 넓이의 2배를 뺀 것과 같다.

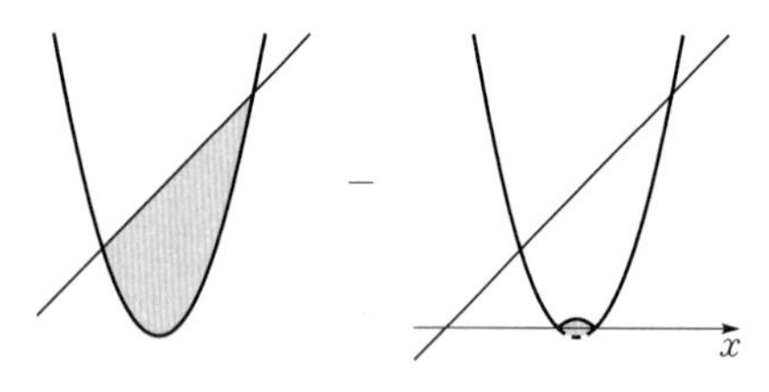

218

곡선 $y=x(x-4)(x-2a)$와 x축과의 교점의 x좌표는

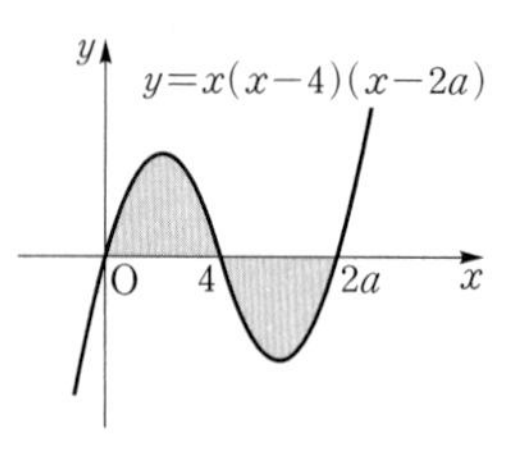

$x(x-4)(x-2a)=0$에서

$x=0$ 또는 $x=4$ 또는 $x=2a$

곡선과 x축으로 둘러싸인 두 도형의 넓이가 같으므로

$$\int_0^{2a}x(x-4)(x-2a)dx=0$$

$$\int_0^{2a}\{x^3-(2a+4)x^2+8ax\}dx=0$$

$$\left[\frac{1}{4}x^4-\frac{1}{3}(2a+4)x^3+4ax^2\right]_0^{2a}=0$$

$$4a^4-\frac{8}{3}a^3(2a+4)+16a^3=0$$

$4a^4-16a^3=0$, $4a^3(a-4)=0$

$\therefore a=4$ ($\because a>2$)

답 4

219

두 곡선의 교점의 x좌표는

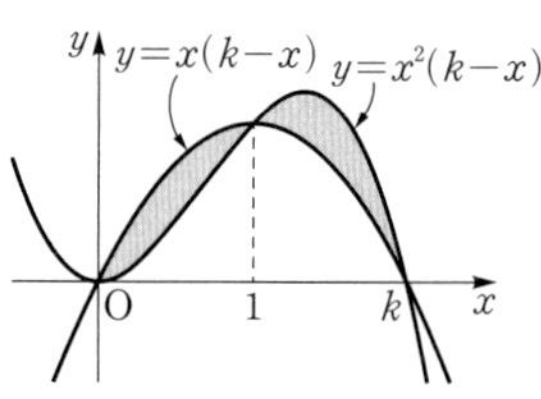

$x(k-x)=x^2(k-x)$에서

$x(x-1)(k-x)=0$

$\therefore x=0$ 또는 $x=1$ 또는 $x=k$

두 곡선으로 둘러싸인 두 도형의 넓이가 같아야 하므로

$$\int_0^k\{x(k-x)-x^2(k-x)\}dx=0$$

$$\int_0^k\{x^3-(k+1)x^2+kx\}dx=0$$

$$\left[\frac{1}{4}x^4-\frac{k+1}{3}x^3+\frac{1}{2}kx^2\right]_0^k=0$$

$$\frac{1}{4}k^4-\frac{(k+1)k^3}{3}+\frac{1}{2}k^3=0$$

$k^3(k-2)=0$

$\therefore k=2$ ($\because k>1$)

답 2

220

$y=x^2-6x+a$의 그래프의 대칭축은 $x=3$이므로 넓이 B는 직선 $x=3$에 의하여 이등분된다.

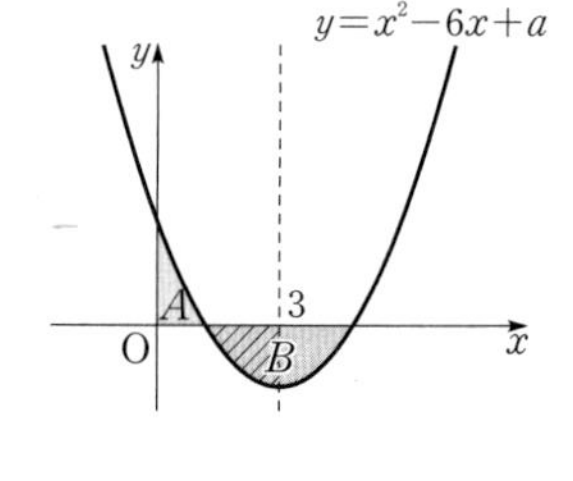

즉, 오른쪽 그림에서 빗금 친 도형의 넓이는 A와 같으므로

$$\int_0^3(x^2-6x+a)dx=0$$

$\left[\frac{1}{3}x^3-3x^2+ax\right]_0^3=0$

$9-27+3a=0$

$\therefore a=6$ **답 6**

221

곡선 $y=-x^2+2x$와 직선 $y=ax$의 교점의 x좌표는 $-x^2+2x=ax$에서

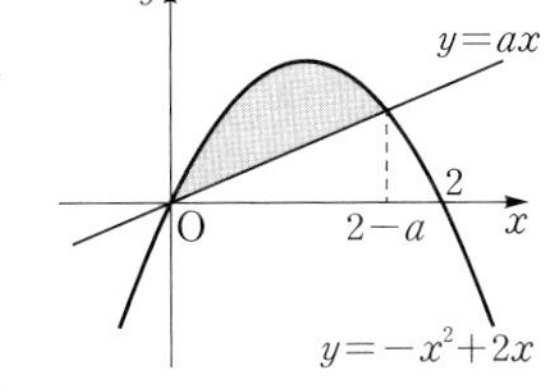

$x(x+a-2)=0$

$\therefore x=0$ 또는 $x=2-a$

곡선 $y=-x^2+2x$와 x축으로 둘러싸인 도형의 넓이를 S라 하면

$$S=\int_0^2(-x^2+2x)dx=\left[-\frac{1}{3}x^3+x^2\right]_0^2=\frac{4}{3}$$

곡선 $y=-x^2+2x$와 직선 $y=ax$로 둘러싸인 도형의 넓이를 S_1이라 하면

$$S_1=\int_0^{2-a}(-x^2+2x-ax)dx$$

$$=\int_0^{2-a}\{-x^2+(2-a)x\}dx$$

$$=\left[-\frac{1}{3}x^3+\frac{2-a}{2}x^2\right]_0^{2-a}$$

$$=\frac{1}{6}(2-a)^3$$

$S=2S_1$이므로 $\frac{4}{3}=2\cdot\frac{1}{6}(2-a)^3$

$\therefore (2-a)^3=4$ **답 4**

222

직선 $y=ax$와 곡선 $y=x^2-3x$의 교점의 x좌표는 $ax=x^2-3x$에서

$x^2-(a+3)x=0$

$x(x-a-3)=0$

$\therefore x=0$ 또는 $x=a+3$

곡선 $y=x^2-3x$와 x축과의 교점의 x좌표는

$x^2-3x=0$에서 $x(x-3)=0$

$\therefore x=0$ 또는 $x=3$

따라서 직선과 곡선으로 둘러싸인 도형의 넓이는 색칠한 부분의 넓이의 2배이므로

$$\int_0^{a+3}\{ax-(x^2-3x)\}dx=-2\int_0^3(x^2-3x)dx$$

$$\left[-\frac{1}{3}x^3+\frac{1}{2}(a+3)x^2\right]_0^{a+3}=-2\left[\frac{1}{3}x^3-\frac{3}{2}x^2\right]_0^3$$

$\frac{1}{6}(a+3)^3=9,\ (a+3)^3=54$

$\therefore a=3(\sqrt[3]{2}-1)$ **답 $3(\sqrt[3]{2}-1)$**

223

기울기가 m이고 점 $(1,\ 2)$를 지나는 직선의 방정식은

$y-2=m(x-1)$ $\quad\therefore y=m(x-1)+2$

곡선과 직선의 교점의 x좌표를 $\alpha,\ \beta(\alpha<\beta)$라 하면 $\alpha,\ \beta$는 방정식

$x^2=m(x-1)+2$, 즉 $x^2-mx+m-2=0$

의 두 근이다.

$\therefore \alpha+\beta=m,\ \alpha\beta=m-2$

$(\beta-\alpha)^2=(\beta+\alpha)^2-4\alpha\beta=m^2-4m+8$에서

$\beta-\alpha=\sqrt{m^2-4m+8}=\sqrt{(m-2)^2+4}$ $(\because \alpha<\beta)$

곡선과 직선으로 둘러싸인 도형의 넓이를 S라 하면

$$S=\int_\alpha^\beta(mx-m+2-x^2)dx$$

$$=\frac{(\beta-\alpha)^3}{6}=\frac{1}{6}\{\sqrt{(m-2)^2+4}\}^3$$

$$=\frac{1}{6}\{(m-2)^2+4\}^{\frac{3}{2}}$$

따라서 도형의 넓이는 $m=2$일 때, 즉 직선의 기울기가 2일 때, 최소가 된다. **답 2**

224

$f(x)=x^2+2$라 하면 $f'(x)=2x$ $\quad\therefore f'(a)=2a$

따라서 점 $(a,\ a^2+2)$에서의 접선의 방정식은

$y-(a^2+2)=2a(x-a)$ $\quad\therefore y=2ax-a^2+2$

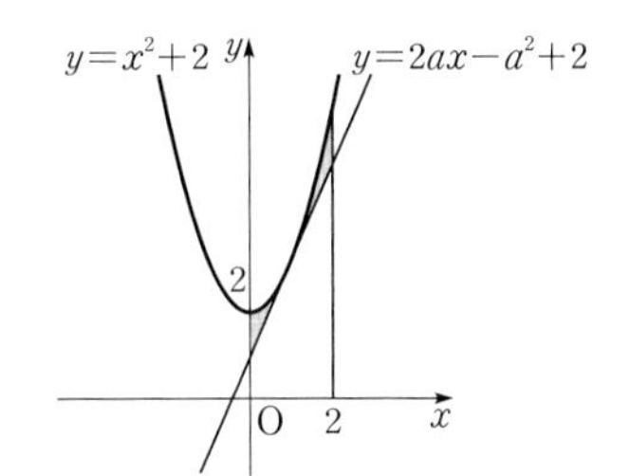

위의 그림에서 색칠한 부분의 넓이를 S라 하면

$$S=\int_0^2\{(x^2+2)-(2ax-a^2+2)\}dx$$
$$=\int_0^2(x^2-2ax+a^2)dx$$
$$=\left[\frac{1}{3}x^3-ax^2+a^2x\right]_0^2$$
$$=\frac{8}{3}-4a+2a^2$$
$$=2(a-1)^2+\frac{2}{3}$$

따라서 도형의 넓이는 $a=1$일 때 최소가 된다. **답 1**

225

두 곡선 $y=f(x)$와 $y=g(x)$는 직선 $y=x$에 대하여 대칭이므로 두 곡선으로 둘러싸인 도형의 넓이는 곡선 $y=f(x)$와 직선 $y=x$로 둘러싸인 도형의 넓이의 2배와 같다.

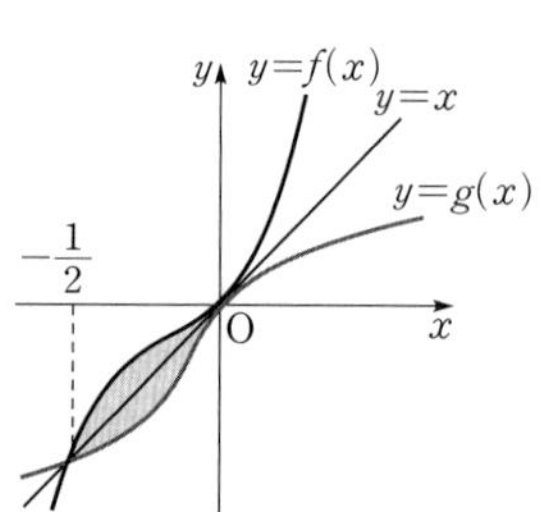

곡선 $y=2x^3+x^2+x$와 직선 $y=x$의 교점의 x좌표는 $2x^3+x^2+x=x$에서 $x^2(2x+1)=0$

$\therefore x=0$ 또는 $x=-\frac{1}{2}$

따라서 구하는 넓이를 S라 하면

$$S=2\int_{-\frac{1}{2}}^0\{(2x^3+x^2+x)-x\}dx$$
$$=2\int_{-\frac{1}{2}}^0(2x^3+x^2)dx$$
$$=2\left[\frac{1}{2}x^4+\frac{1}{3}x^3\right]_{-\frac{1}{2}}^0=\frac{1}{48}$$

답 $\frac{1}{48}$

226

$f(x)=x^3+3$에서 $f'(x)=3x^2\geq0$, $f(0)=3$, $f(2)=11$ 이므로 $y=f(x)$의 그래프는 두 점 $(0, 3)$, $(2, 11)$을 지나는 증가하는 곡선이다.

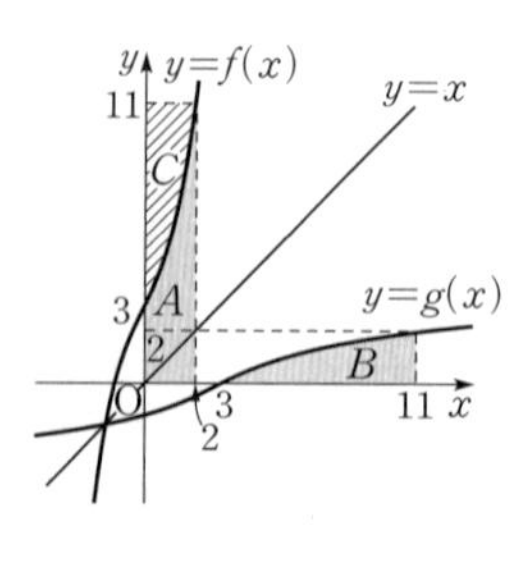

위의 그림에서 $\int_0^2 f(x)dx=A$, $\int_3^{11} g(x)dx=B$, 빗금 친 부분의 넓이를 C라 하면 $B=C$이므로

$$\int_0^2 f(x)dx+\int_{f(0)}^{f(2)} g(x)dx$$
$$=\int_0^2 f(x)dx+\int_3^{11} g(x)dx$$
$$=A+B=A+C=2\cdot11=22$$

답 22

227

(1) 점 P의 운동 방향이 바뀌는 순간의 속도는 $v(t)=0$이므로

$v(t)=-t^2-t+6=0$에서 $t^2+t-6=0$

$(t+3)(t-2)=0$ $\quad\therefore t=2$ $(\because t>0)$

$$\therefore (\text{점 P의 위치})=\int_0^2(-t^2-t+6)dt$$
$$=\left[-\frac{1}{3}t^3-\frac{1}{2}t^2+6t\right]_0^2$$
$$=\frac{22}{3}$$

(2) 시각 $t=0$에서 $t=3$까지 점 P의 위치의 변화량은

$$\int_0^3(-t^2-t+6)dt=\left[-\frac{1}{3}t^3-\frac{1}{2}t^2+6t\right]_0^3=\frac{9}{2}$$

(3) 시각 $t=0$에서 $t=3$까지 점 P가 움직인 거리는

$$\int_0^3|-t^2-t+6|dt$$
$$=\int_0^2(-t^2-t+6)dt+\int_2^3(t^2+t-6)dt$$
$$=\left[-\frac{1}{3}t^3-\frac{1}{2}t^2+6t\right]_0^2+\left[\frac{1}{3}t^3+\frac{1}{2}t^2-6t\right]_2^3$$
$$=\frac{61}{6}$$

답 (1) $\frac{22}{3}$ (2) $\frac{9}{2}$ (3) $\frac{61}{6}$

228

정지할 때의 속도는 $v(t)=0$이므로

$v(t)=24-2t=0$ $\quad\therefore t=12$(초)

따라서 열차는 제동을 건 뒤 12초 후에 정지한다.

그러므로 열차가 정지할 때까지 달린 거리는

$$\int_0^{12}|24-2t|dt=\int_0^{12}(24-2t)dt$$
$$=\left[24t-t^2\right]_0^{12}=144(\text{m})$$

답 144 m

229

(1) 이 물체가 최고 높이에 도달했을 때는 $v(t)=0$이므로

$-10t+60=0$에서 $t=6$(초)

따라서 $t=6$일 때 최고 높이에 도달하게 되며, 그때의 최고 높이 x m는

$$x=\int_0^6(-10t+60)dt$$
$$=\Big[-5t^2+60t\Big]_0^6=180(\text{m})$$

(2) 발사 후 8초 동안 물체가 움직인 거리 s m는

$$s=\int_0^8|-10t+60|dt$$
$$=\int_0^6(-10t+60)dt+\int_6^8(10t-60)dt$$
$$=\Big[-5t^2+60t\Big]_0^6+\Big[5t^2-60t\Big]_6^8=200(\text{m})$$

(3) t초 후의 물체의 높이는

$$\int_0^t(-10t+60)dt=\Big[-5t^2+60t\Big]_0^t$$
$$=-5t^2+60t(\text{m})$$

땅에 떨어질 때의 높이는 0 m이므로

$-5t^2+60t=0$, $t(t-12)=0$

$\therefore t=12$(초)

따라서 $t=12$일 때 속도는

$v(12)=-10\cdot12+60=-60(\text{m/s})$

답 (1) **180 m** (2) **200 m** (3) **−60 m/s**

230

점 P의 속도 $v(t)$를 구하면

$$v(t)=\begin{cases}2t & (0\le t\le1)\\ 2 & (1\le t\le2)\\ -t+4 & (2\le t\le5)\end{cases}$$

(1) 시각 $t=5$에서 점 P의 위치를 x라 하면

$$x=\int_0^5v(t)dt$$
$$=\int_0^1 2t\,dt+\int_1^2 2dt+\int_2^5(-t+4)dt$$
$$=\Big[t^2\Big]_0^1+\Big[2t\Big]_1^2+\Big[-\frac{1}{2}t^2+4t\Big]_2^5$$
$$=\frac{9}{2}$$

(2) $t=4$일 때, 운동 방향이 바뀌므로 움직인 거리는

$$\int_0^4|v(t)|dt$$
$$=\int_0^1|2t|dt+\int_1^2|2|dt+\int_2^4|-t+4|dt$$
$$=\int_0^1 2t\,dt+\int_1^2 2dt+\int_2^4(-t+4)dt$$
$$=\Big[t^2\Big]_0^1+\Big[2t\Big]_1^2+\Big[-\frac{1}{2}t^2+4t\Big]_2^4$$
$$=5$$

(3) $$\int_0^5|v(t)|dt=\int_0^4|v(t)|dt-\int_4^5(-t+4)dt$$
$$=5-\Big[-\frac{1}{2}t^2+4t\Big]_4^5\ (\because (2))$$
$$=5+\frac{1}{2}$$
$$=\frac{11}{2}$$

답 (1) $\mathbf{\frac{9}{2}}$ (2) **5** (3) $\mathbf{\frac{11}{2}}$

다른풀이 넓이를 이용하여 구할 수도 있다.

(1) $$\int_0^5v(t)dt=\int_0^4v(t)dt+\int_4^5v(t)dt$$
$$=\frac{1}{2}\cdot(1+4)\cdot2-\frac{1}{2}\cdot1\cdot1$$
$$=\frac{9}{2}$$

(2) (움직인 거리)$=\frac{1}{2}\cdot(1+4)\cdot2$
$$=5$$

(3) (움직인 거리)$=5+\frac{1}{2}\cdot1\cdot1$
$$=\frac{11}{2}$$

연습문제 · 실력 UP

Ⅰ. 함수의 극한과 연속

1

$x \to 2+$일 때, $x>2$이므로

$|x-2|=x-2$

$$\therefore \lim_{x\to2+}\frac{x^2-5x+6}{|x-2|}=\lim_{x\to2+}\frac{(x-2)(x-3)}{x-2}$$
$$=\lim_{x\to2+}(x-3)=-1$$

$x \to 2-$일 때, $x<2$이므로

$|x-2|=-(x-2)$

$$\therefore \lim_{x\to2-}\frac{x^2-5x+6}{|x-2|}=\lim_{x\to2-}\frac{(x-2)(x-3)}{-(x-2)}$$
$$=\lim_{x\to2-}(-x+3)=1$$

따라서 $\lim_{x\to2+}\frac{x^2-5x+6}{|x-2|}\neq\lim_{x\to2-}\frac{x^2-5x+6}{|x-2|}$이므로

$\lim_{x\to2}\frac{x^2-5x+6}{|x-2|}$은 존재하지 않는다.

답 존재하지 않는다.

2

$\lim_{x\to1+}(x+1)=2,\ \lim_{x\to1-}x^2=1$

따라서 $\lim_{x\to1+}f(x)\neq\lim_{x\to1-}f(x)$이므로

$\lim_{x\to1}f(x)$는 존재하지 않는다.

답 존재하지 않는다.

3

$$\lim_{x\to0}\frac{10x^2-9x+f(x)}{2x^2+3x-f(x)}=\lim_{x\to0}\frac{10x-9+\frac{f(x)}{x}}{2x+3-\frac{f(x)}{x}}$$
$$=\frac{-9+a}{3-a}$$

즉, $\frac{-9+a}{3-a}=5$에서 $-9+a=15-5a$

$6a=24 \qquad \therefore a=4$

답 4

4

x^3-2x-4를 인수정리에 의한 조립제법으로 인수분해하면

$x^3-2x-4=(x-2)(x^2+2x+2)$

$$\therefore \lim_{x\to2}\frac{x^3-2x-4}{x-2}=\lim_{x\to2}\frac{(x-2)(x^2+2x+2)}{x-2}$$
$$=\lim_{x\to2}(x^2+2x+2)$$
$$=2^2+2\cdot2+2=10$$

답 10

5

$x=-t$로 놓으면 $x\to-\infty$일 때 $t\to\infty$이므로

$$\lim_{x\to-\infty}\frac{x-\sqrt{x^2-1}}{x+1}=\lim_{t\to\infty}\frac{-t-\sqrt{t^2-1}}{-t+1}$$
$$=\lim_{t\to\infty}\frac{t+\sqrt{t^2-1}}{t-1}$$
$$=\lim_{t\to\infty}\frac{1+\sqrt{1-\frac{1}{t^2}}}{1-\frac{1}{t}}=2$$

답 ②

6

① $\lim_{x\to\infty}\frac{3x+2}{x-5}=\lim_{x\to\infty}\frac{3+\frac{2}{x}}{1-\frac{5}{x}}=3$

② $x=-t$로 놓으면 $x\to-\infty$일 때 $t\to\infty$이므로

$$\lim_{x\to-\infty}\frac{x+1}{\sqrt{x^2+x}-x}=\lim_{t\to\infty}\frac{-t+1}{\sqrt{t^2-t}+t}$$
$$=\lim_{t\to\infty}\frac{-1+\frac{1}{t}}{\sqrt{1-\frac{1}{t}}+1}=-\frac{1}{2}$$

③ $\lim_{x\to2}\frac{\sqrt{x+2}-2}{x-2}$

$$=\lim_{x\to2}\frac{(\sqrt{x+2}-2)(\sqrt{x+2}+2)}{(x-2)(\sqrt{x+2}+2)}$$
$$=\lim_{x\to2}\frac{x-2}{(x-2)(\sqrt{x+2}+2)}$$
$$=\lim_{x\to2}\frac{1}{\sqrt{x+2}+2}=\frac{1}{4}$$

④ $\lim_{x\to\infty}(\sqrt{x}-\sqrt{x-1})$

$=\lim_{x\to\infty}\frac{(\sqrt{x}-\sqrt{x-1})(\sqrt{x}+\sqrt{x-1})}{\sqrt{x}+\sqrt{x-1}}$

$=\lim_{x\to\infty}\frac{1}{\sqrt{x}+\sqrt{x-1}}=0$

⑤ $x\to-\infty$일 때, $x<0$이므로 $|x|=-x$

$\therefore \lim_{x\to-\infty}\frac{x+3|x|+1}{2x-4|x|+1}=\lim_{x\to-\infty}\frac{x-3x+1}{2x+4x+1}$

$=\lim_{x\to-\infty}\frac{-2x+1}{6x+1}$

이때 $x=-t$로 놓으면 $x\to-\infty$일 때 $t\to\infty$이므로

$\lim_{x\to-\infty}\frac{-2x+1}{6x+1}=\lim_{t\to\infty}\frac{2t+1}{-6t+1}=-\frac{1}{3}$ 답 ⑤

7

함수 $y=f(x)$의 그래프에서 $x\to-1-$일 때 $f(x)\to-2$이므로

$a=\lim_{x\to-1-}f(x)=-2$

$x+3=t$로 놓으면 $x\to-2+$일 때 $t\to1+$이므로

$\lim_{x\to-2+}f(x+3)=\lim_{t\to1+}f(t)=1$ 답 ④

8

$-1<x<0$일 때, $[x]=-1$

$0<x<1$일 때, $[x]=0$

$\therefore \lim_{x\to0+}[x]=0,\ \lim_{x\to0-}[x]=-1,$

$\lim_{x\to0+}[x+1]=1,\ \lim_{x\to0-}[x-1]=-2,$

$\lim_{x\to3+}[x-3]=0$

① $\lim_{x\to0-}\frac{x}{[x]}=0$

② $\lim_{x\to0+}\frac{[x]}{x}=0$

③ $\lim_{x\to0-}\frac{[x-1]}{x-1}=2$

④ $\lim_{x\to0+}\frac{x+1}{[x+1]}=1$

⑤ $\lim_{x\to3+}\frac{[x-3]}{x-3}=0$ 답 ③

9

$\lim_{x\to1+}f(x)=\lim_{x\to1+}\{-(x-2)^2+k\}=-1+k$

$\lim_{x\to1-}f(x)=\lim_{x\to1-}(3x+5)=8$

이때 $\lim_{x\to1}f(x)$의 값이 존재하므로

$\lim_{x\to1+}f(x)=\lim_{x\to1-}f(x)$

$-1+k=8$

$\therefore k=9$

따라서 $f(x)=\begin{cases}-(x-2)^2+9 & (x>1)\\ 3x+5 & (x\le1)\end{cases}$이므로

$f(4)=-(4-2)^2+9=5$ 답 5

10

$\lim_{x\to2+}f(x)=3,\ \lim_{x\to2+}g(x)=-3$이므로

$\lim_{x\to2+}f(x)g(x)=\lim_{x\to2+}f(x)\cdot\lim_{x\to2+}g(x)$

$=3\cdot(-3)=-9$

$\lim_{x\to2-}f(x)=-3,\ \lim_{x\to2-}g(x)=3$이므로

$\lim_{x\to2-}f(x)g(x)=\lim_{x\to2-}f(x)\cdot\lim_{x\to2-}g(x)$

$=(-3)\cdot3=-9$

따라서 $\lim_{x\to2+}f(x)g(x)=\lim_{x\to2-}f(x)g(x)=-9$이므로

$\lim_{x\to2}f(x)g(x)=-9$ 답 -9

11

$x-2=t$로 놓으면 $x\to2$일 때 $t\to0$이므로

$\lim_{x\to2}\frac{f(x-2)}{x^2-4}=\lim_{t\to0}\frac{f(t)}{(t+2)^2-4}$

$=\lim_{t\to0}\frac{f(t)}{t(t+4)}$

$=\lim_{t\to0}\left\{\frac{f(t)}{t}\cdot\frac{1}{t+4}\right\}$

$=\lim_{t\to0}\frac{f(t)}{t}\cdot\lim_{t\to0}\frac{1}{t+4}$

$=3\cdot\frac{1}{4}=\frac{3}{4}$ 답 $\frac{3}{4}$

12

$$\lim_{x\to a}\frac{x^3-a^3}{x^2-a^2}=\lim_{x\to a}\frac{(x-a)(x^2+ax+a^2)}{(x-a)(x+a)}$$
$$=\lim_{x\to a}\frac{x^2+ax+a^2}{x+a}=\frac{3a^2}{2a}$$

즉, $\frac{3a^2}{2a}=6$에서 $a=4$ ($\because a\neq0$)

$\lim_{x\to\infty}(\sqrt{x^2+ax}-\sqrt{x^2+bx})$

$$=\lim_{x\to\infty}\frac{(\sqrt{x^2+ax}-\sqrt{x^2+bx})(\sqrt{x^2+ax}+\sqrt{x^2+bx})}{\sqrt{x^2+ax}+\sqrt{x^2+bx}}$$

$$=\lim_{x\to\infty}\frac{ax-bx}{\sqrt{x^2+ax}+\sqrt{x^2+bx}}$$

$$=\lim_{x\to\infty}\frac{a-b}{\sqrt{1+\frac{a}{x}}+\sqrt{1+\frac{b}{x}}}$$

$$=\frac{a-b}{2}$$

즉, $\frac{a-b}{2}=3$에서 $\frac{4-b}{2}=3$

$\therefore b=-2$

$\therefore a+b=4+(-2)=2$

답 2

13

$\lim_{x\to0+}f(x-1)$에서 $x-1=t$로 놓으면

$x\to0+$일 때 $t\to-1+$이므로

$\lim_{x\to0+}f(x-1)=\lim_{t\to-1+}f(t)=-1$

$\lim_{x\to-1-}f(-x)$에서 $-x=s$로 놓으면

$x\to-1-$일 때 $s\to1+$이므로

$\lim_{x\to-1-}f(-x)=\lim_{s\to1+}f(s)=-3$

$\therefore \lim_{x\to0+}f(x-1)+\lim_{x\to-1-}f(-x)=-1+(-3)$

$=-4$

답 ②

14

$3f(x)-2g(x)=h(x)$로 놓으면

$2g(x)=3f(x)-h(x)$, $\lim_{x\to\infty}h(x)=1$

$$\therefore \lim_{x\to\infty}\frac{f(x)+4g(x)}{-2f(x)+6g(x)}$$

$$=\lim_{x\to\infty}\frac{f(x)+2\{3f(x)-h(x)\}}{-2f(x)+3\{3f(x)-h(x)\}}$$

$$=\lim_{x\to\infty}\frac{7f(x)-2h(x)}{7f(x)-3h(x)}$$

$$=\lim_{x\to\infty}\frac{7-2\cdot\frac{h(x)}{f(x)}}{7-3\cdot\frac{h(x)}{f(x)}} \quad \leftarrow \lim_{x\to\infty}\frac{h(x)}{f(x)}=0$$

$$=\frac{7-2\cdot0}{7-3\cdot0}=1$$

답 1

15

$0<a<2$이므로 $x\to2$일 때, $x^2-a>0$

$$\therefore \lim_{x\to2}\frac{|x^2-a|+a-4}{x-2}=\lim_{x\to2}\frac{(x^2-a)+a-4}{x-2}$$
$$=\lim_{x\to2}\frac{x^2-4}{x-2}$$
$$=\lim_{x\to2}\frac{(x-2)(x+2)}{x-2}$$
$$=\lim_{x\to2}(x+2)=4$$

답 4

16

$(f\circ g)(x)=f(g(x))=(2x-1)^2$,

$(g\circ f)(x)=g(f(x))=2x^2-1$이므로

(주어진 식)

$$=\lim_{x\to1}\frac{(2x-1)^2-(2x^2-1)}{(x^2-1)(x^3-1)}$$

$$=\lim_{x\to1}\frac{2(x-1)^2}{(x+1)(x-1)(x-1)(x^2+x+1)}$$

$$=\lim_{x\to1}\frac{2}{(x+1)(x^2+x+1)}=\frac{1}{3}$$

답 $\frac{1}{3}$

17

$d(x)=\overline{OP}$

$=\sqrt{(3x-1)^2+(4x+1)^2}$

$=\sqrt{25x^2+2x+2}$

이므로

$\lim_{x\to\infty}\{d(x)-5x\}$

$=\lim_{x\to\infty}(\sqrt{25x^2+2x+2}-5x)$

$=\lim_{x\to\infty}\frac{(\sqrt{25x^2+2x+2}-5x)(\sqrt{25x^2+2x+2}+5x)}{\sqrt{25x^2+2x+2}+5x}$

$=\lim_{x\to\infty}\frac{2x+2}{\sqrt{25x^2+2x+2}+5x}$

$=\lim_{x\to\infty}\frac{2+\frac{2}{x}}{\sqrt{25+\frac{2}{x}+\frac{2}{x^2}}+5}=\frac{2}{5+5}=\frac{1}{5}$ 답 $\frac{1}{5}$

18

$\lim_{x\to2}\frac{x^2-ax+2}{x-2}=k$에서 $x\to2$일 때 (분모) $\to 0$이고 극한값이 존재하므로 (분자) $\to 0$이다.

즉, $\lim_{x\to2}(x^2-ax+2)=0$이므로

$4-2a+2=0 \quad \therefore a=3$

$\therefore k=\lim_{x\to2}\frac{x^2-3x+2}{x-2}=\lim_{x\to2}\frac{(x-1)(x-2)}{x-2}$

$=\lim_{x\to2}(x-1)=1$

$\therefore ak=3\cdot1=3$ 답 3

19

$x\to-2$일 때 (분자) $\to 0$이고 0이 아닌 극한값이 존재하므로 (분모) $\to 0$이다.

즉, $\lim_{x\to-2}(\sqrt{x+a}-b)=0$이므로 $b=\sqrt{a-2}$

$\therefore \lim_{x\to-2}\frac{x+2}{\sqrt{x+a}-b}$

$=\lim_{x\to-2}\frac{x+2}{\sqrt{x+a}-\sqrt{a-2}}$

$=\lim_{x\to-2}\frac{(x+2)(\sqrt{x+a}+\sqrt{a-2})}{(\sqrt{x+a}-\sqrt{a-2})(\sqrt{x+a}+\sqrt{a-2})}$

$=\lim_{x\to-2}\frac{(x+2)(\sqrt{x+a}+\sqrt{a-2})}{x+2}$

$=\lim_{x\to-2}(\sqrt{x+a}+\sqrt{a-2})$

$=2\sqrt{a-2}=6$

따라서 $a=11$, $b=3$이므로

$a+b=14$ 답 14

20

$x\to-3$일 때 (분모) $\to 0$이고 극한값이 존재하므로 (분자) $\to$ 0이다.

즉, $\lim_{x\to-3}(\sqrt{x^2-x-3}+ax)=0$이므로

$\sqrt{9+3-3}-3a=0$

$3-3a=0 \quad \therefore a=1$

$\therefore b=\lim_{x\to-3}\frac{\sqrt{x^2-x-3}+ax}{x+3}$

$=\lim_{x\to-3}\frac{\sqrt{x^2-x-3}+x}{x+3}$

$=\lim_{x\to-3}\frac{(\sqrt{x^2-x-3}+x)(\sqrt{x^2-x-3}-x)}{(x+3)(\sqrt{x^2-x-3}-x)}$

$=\lim_{x\to-3}\frac{-(x+3)}{(x+3)(\sqrt{x^2-x-3}-x)}$

$=\lim_{x\to-3}\frac{-1}{\sqrt{x^2-x-3}-x}=-\frac{1}{6}$

$\therefore a+b=\frac{5}{6}$ 답 $\frac{5}{6}$

21

$\lim_{x\to1}\frac{f(x)+1}{x-1}=9$에서 $x\to1$일 때 (분모) $\to 0$이고 극한값이 존재하므로 (분자) $\to 0$이다.

즉, $\lim_{x\to1}\{f(x)+1\}=f(1)+1=0$이므로

$f(1)=-1$

$\therefore \lim_{x\to1}\frac{\{f(x)\}^2+f(x)}{x^3-1}$

$=\lim_{x\to1}\frac{f(x)\{f(x)+1\}}{(x-1)(x^2+x+1)}$

$=\lim_{x\to1}\frac{f(x)+1}{x-1}\cdot\lim_{x\to1}\frac{f(x)}{x^2+x+1}$

$=9\cdot\frac{-1}{3}=-3$ 답 -3

22

$\lim_{x\to\infty}\frac{f(x)-3x^2}{x}=a$에서 $f(x)$는 이차항의 계수가 3, 일차항의 계수가 a인 이차함수임을 알 수 있다.

연습문제 실력UP

또, $\lim_{x \to 0}\frac{f(x)}{x}=2$에서 $x \to 0$일 때 (분모) $\to 0$이고 극한값이 존재하므로 (분자) $\to 0$이다.

즉, $\lim_{x \to 0}f(x)=0$이므로 $f(0)=0$

$f(x)=3x^2+ax$로 놓으면

$$\lim_{x \to 0}\frac{f(x)}{x}=\lim_{x \to 0}\frac{3x^2+ax}{x}$$
$$=\lim_{x \to 0}(3x+a)=2$$

$\therefore a=2$

답 2

23

$\lim_{x \to \infty}\frac{1+5x-3x^2}{3x^2}=-1$, $\lim_{x \to \infty}\frac{2-x}{x}=-1$이므로

함수의 극한의 대소 관계에 의하여

$\lim_{x \to \infty}f(x)=-1$

답 −1

24

$\lim_{x \to 0}\frac{f(x)}{x}=\lim_{x \to 0}\frac{x^2+ax+b}{x}=4$에서

$x \to 0$일 때 (분모) $\to 0$이고 극한값이 존재하므로 (분자) $\to 0$이다.

즉, $\lim_{x \to 0}(x^2+ax+b)=0$이므로 $b=0$

$$\therefore \lim_{x \to 0}\frac{x^2+ax}{x}=\lim_{x \to 0}(x+a)$$
$$=a=4$$

따라서 $f(x)=x^2+4x=(x+2)^2-4$이므로

함수 $f(x)$의 최솟값은 $x=-2$일 때 -4이다.

답 −4

25

$\lim_{x \to 1}\frac{1}{x-1}\left(\frac{x^2}{x+1}+a\right)=\lim_{x \to 1}\frac{x^2+ax+a}{(x-1)(x+1)}=b$

$x \to 1$일 때 (분모) $\to 0$이고 극한값이 존재하므로 (분자) $\to 0$이다.

즉, $\lim_{x \to 1}(x^2+ax+a)=0$에서

$2a+1=0 \qquad \therefore a=-\frac{1}{2}$

$$\therefore b=\lim_{x \to 1}\frac{x^2+ax+a}{(x-1)(x+1)}$$
$$=\lim_{x \to 1}\frac{x^2-\frac{1}{2}x-\frac{1}{2}}{(x-1)(x+1)}$$
$$=\lim_{x \to 1}\frac{2x^2-x-1}{2(x-1)(x+1)}$$
$$=\lim_{x \to 1}\frac{(2x+1)(x-1)}{2(x-1)(x+1)}$$
$$=\lim_{x \to 1}\frac{2x+1}{2(x+1)}$$
$$=\frac{3}{4}$$

$\therefore b-a=\frac{3}{4}-\left(-\frac{1}{2}\right)=\frac{5}{4}$

답 $\frac{5}{4}$

26

$\lim_{x \to \infty}\frac{f(x)}{2x^2-x+3}=1$에서 $f(x)$는 이차항의 계수가 2인 이차함수임을 알 수 있다.

또, $\lim_{x \to -2}\frac{f(x)}{x^2+3x+2}=-1$에서 $x \to -2$일 때 (분모) $\to 0$이고 극한값이 존재하므로 (분자) $\to 0$이다.

즉, $\lim_{x \to -2}f(x)=0$이므로 $f(-2)=0$

$f(x)=2(x+2)(x+a)$ (a는 상수)로 놓으면

$$\lim_{x \to -2}\frac{f(x)}{x^2+3x+2}=\lim_{x \to -2}\frac{2(x+2)(x+a)}{(x+1)(x+2)}$$
$$=\lim_{x \to -2}\frac{2(x+a)}{x+1}$$
$$=\frac{2(-2+a)}{-2+1}=-1$$

$\therefore a=\frac{5}{2}$

따라서 $f(x)=2(x+2)\left(x+\frac{5}{2}\right)=(x+2)(2x+5)$이므로

$f(1)=3\cdot 7=21$

답 21

27

$\lim_{x\to1}\frac{f(x)}{x-1}=-6$에서 $x\to1$일 때 (분모) $\to0$이고 극한값이 존재하므로 (분자) $\to0$이다.

즉, $\lim_{x\to1}f(x)=0$이므로 $f(1)=0$

$\lim_{x\to-1}\frac{f(x)}{x+1}=2$에서 $x\to-1$일 때 (분모) $\to0$이고 극한값이 존재하므로 (분자) $\to0$이다.

즉, $\lim_{x\to-1}f(x)=0$이므로 $f(-1)=0$

$f(x)=(x-1)(x+1)g(x)$로 놓으면

$$\lim_{x\to1}\frac{f(x)}{x-1}=\lim_{x\to1}\frac{(x-1)(x+1)g(x)}{x-1}=\lim_{x\to1}(x+1)g(x)=2g(1)$$

$2g(1)=-6$에서 $g(1)=-3$ …… ㉠

$$\lim_{x\to-1}\frac{f(x)}{x+1}=\lim_{x\to-1}\frac{(x-1)(x+1)g(x)}{x+1}=\lim_{x\to-1}(x-1)g(x)=-2g(-1)$$

$-2g(-1)=2$에서 $g(-1)=-1$ …… ㉡

㉠, ㉡을 만족시키는 차수가 가장 낮은 다항함수는 일차함수이므로 $g(x)=ax+b$ (a, b는 상수)로 놓으면

$g(1)=a+b=-3$ …… ㉢

$g(-1)=-a+b=-1$ …… ㉣

㉢, ㉣을 연립하여 풀면

$a=-1$, $b=-2$

$\therefore g(x)=-x-2$

$\therefore f(x)=-(x-1)(x+1)(x+2)$

답 $f(x)=-(x-1)(x+1)(x+2)$

28

$\lim_{x\to\infty}\frac{f(x)}{2x-\sqrt{x^2+3}}=2$에서 $f(x)$는 일차함수임을 알 수 있다.

또, $\lim_{x\to2}\frac{f(x)}{x^2+x-6}=p$에서 $x\to2$일 때 (분모) $\to0$이고 극한값이 존재하므로 (분자) $\to0$이다.

즉, $\lim_{x\to2}f(x)=0$이므로 $f(2)=0$

$f(x)=a(x-2)$ (a는 상수)로 놓으면

$$\lim_{x\to2}\frac{f(x)}{x^2+x-6}=\lim_{x\to2}\frac{a(x-2)}{(x-2)(x+3)}=\lim_{x\to2}\frac{a}{x+3}=\frac{a}{5}=p$$

$\therefore a=5p$

$$\lim_{x\to\infty}\frac{f(x)}{2x-\sqrt{x^2+3}}=\lim_{x\to\infty}\frac{5p(x-2)}{2x-\sqrt{x^2+3}}=5p\lim_{x\to\infty}\frac{x-2}{2x-\sqrt{x^2+3}}=5p\lim_{x\to\infty}\frac{1-\frac{2}{x}}{2-\sqrt{1+\frac{3}{x^2}}}=5p=2$$

따라서 $p=\frac{2}{5}$, $a=2$이므로

$f(x)=2(x-2)=2x-4$

답 $f(x)=2x-4$, $p=\frac{2}{5}$

29

주어진 부등식의 각 변에 $\frac{1}{x-1}$을 곱하면

(i) $x>1$일 때

$$\frac{2x^3-6x^2+4x}{x-1}\le\frac{f(x)}{x-1}\le\frac{x^4-2x^3+1}{x-1}$$

(ii) $x<1$일 때

$$\frac{x^4-2x^3+1}{x-1}\le\frac{f(x)}{x-1}\le\frac{2x^3-6x^2+4x}{x-1}$$

그런데

$$\lim_{x\to1}\frac{2x^3-6x^2+4x}{x-1}=\lim_{x\to1}\frac{2x(x-1)(x-2)}{x-1}=\lim_{x\to1}2x(x-2)=-2$$

$$\lim_{x\to1}\frac{x^4-2x^3+1}{x-1}=\lim_{x\to1}\frac{(x-1)(x^3-x^2-x-1)}{x-1}=\lim_{x\to1}(x^3-x^2-x-1)=-2$$

이므로 함수의 극한의 대소 관계에 의하여

$\lim_{x\to1}\frac{f(x)}{x-1}=-2$

답 -2

30

$x=-t$로 놓으면 $x \to -\infty$일 때 $t \to \infty$이므로

$\lim_{x\to-\infty}(\sqrt{x^2+3ax+2}-\sqrt{ax^2+ax+1})$

$=\lim_{t\to\infty}(\sqrt{t^2-3at+2}-\sqrt{at^2-at+1})$

$=\lim_{t\to\infty}\frac{t^2-3at+2-at^2+at-1}{\sqrt{t^2-3at+2}+\sqrt{at^2-at+1}}$

$=\lim_{t\to\infty}\frac{(1-a)t^2-2at+1}{\sqrt{t^2-3at+2}+\sqrt{at^2-at+1}}$

$=\lim_{t\to\infty}\frac{(1-a)t-2a+\frac{1}{t}}{\sqrt{1-\frac{3a}{t}+\frac{2}{t^2}}+\sqrt{a-\frac{a}{t}+\frac{1}{t^2}}}=b$

$1-a=0$일 때, 극한값을 가질 수 있으므로 $a=1$

$\therefore b=\frac{-2}{1+1}=-1$

$\therefore a+b=1+(-1)=0$ **답 0**

31

㈎에서 $f(x)$는 이차 이하의 함수임을 알 수 있다.

㈏에서 $x\to1$일 때 (분모) $\to 0$이고 극한값이 존재하므로 (분자) $\to 0$이다.

즉, $\lim_{x\to1}f(x)=0$이므로 $f(1)=0$

$f(x)=(ax+b)(x-1)$ (a, b는 상수)로 놓으면

$\lim_{x\to1}\frac{f(x)}{x-1}=\lim_{x\to1}\frac{(ax+b)(x-1)}{x-1}$

$=\lim_{x\to1}(ax+b)$

$=a+b=1$ …… ㉠

㈐에서 $f(2)=4$이므로 $2a+b=4$ …… ㉡

㉠, ㉡을 연립하여 풀면 $a=3$, $b=-2$

따라서 $f(x)=(3x-2)(x-1)$이므로

$f(3)=7\cdot2=14$ **답 14**

32

$2x^2+1>0$, $x^4+2>0$이므로 ㈎에서

$\frac{(2x^2+1)(ax^2-2)}{x^4+2}\le\frac{(2x^2+1)f(x)}{x^4+2}$

$\le\frac{(2x^2+1)(ax^2+2)}{x^4+2}$

이때

$\lim_{x\to\infty}\frac{(2x^2+1)(ax^2-2)}{x^4+2}=\lim_{x\to\infty}\frac{\left(2+\frac{1}{x^2}\right)\left(a-\frac{2}{x^2}\right)}{1+\frac{2}{x^4}}$

$=2a$

$\lim_{x\to\infty}\frac{(2x^2+1)(ax^2+2)}{x^4+2}=\lim_{x\to\infty}\frac{\left(2+\frac{1}{x^2}\right)\left(a+\frac{2}{x^2}\right)}{1+\frac{2}{x^4}}$

$=2a$

이므로 함수의 극한의 대소 관계에 의하여

$\lim_{x\to\infty}\frac{(2x^2+1)f(x)}{x^4+2}=2a=4$

$\therefore a=2$

즉, $2x^2-2\le f(x)\le 2x^2+2$에서 $x\ne0$일 때

$2-\frac{2}{x^2}\le\frac{f(x)}{x^2}\le2+\frac{2}{x^2}$

그런데 $\lim_{x\to\infty}\left(2-\frac{2}{x^2}\right)=2$, $\lim_{x\to\infty}\left(2+\frac{2}{x^2}\right)=2$이므로

함수의 극한의 대소 관계에 의하여

$\lim_{x\to\infty}\frac{f(x)}{x^2}=2$ **답 2**

33

점 P의 좌표는 $\left(t, \frac{2}{t}+1\right)$이므로

$Q(t, 0)$, $R\left(0, \frac{2}{t}+1\right)$

따라서 두 점 Q, R를 지나는 직선의 기울기 $m(t)$는

$m(t)=\frac{\frac{2}{t}+1-0}{0-t}=-\frac{t+2}{t^2}$

$\therefore \lim_{t\to-2}\frac{t+2}{m(t)}=\lim_{t\to-2}\frac{t+2}{-\frac{t+2}{t^2}}$

$=\lim_{t\to-2}(-t^2)$

$=-(-2)^2=-4$ **답 −4**

34

원의 반지름의 길이를 r라 하면 $x^2+y^2=r^2$

점 $P(x, y)$는 원과 곡선 $y=\sqrt{x}$ 위에 있으므로

$x^2+y^2=r^2$, $y=\sqrt{x}$를 연립하여 r를 구하면

$x^2+x=r^2$　　$\therefore r=\sqrt{x^2+x}$ ($\because r>0$)

$\therefore \overline{QH}=r-x=\sqrt{x^2+x}-x$

또한, $\overline{PH}^2=y^2=(\sqrt{x})^2=x$이므로

$$\lim_{x\to 0+}\frac{\overline{PH}^2}{\overline{QH}}=\lim_{x\to 0+}\frac{x}{\sqrt{x^2+x}-x}$$

$$=\lim_{x\to 0+}\frac{x(\sqrt{x^2+x}+x)}{(\sqrt{x^2+x}-x)(\sqrt{x^2+x}+x)}$$

$$=\lim_{x\to 0+}(\sqrt{x^2+x}+x)=0$$

답 0

35

오른쪽 그림에서

$f(a)=c$, $\lim_{x\to a+}f(x)=c$,

$\lim_{x\to a-}f(x)=b$

이므로 $\lim_{x\to a}f(x)$의 값이 존재하지 않는다.

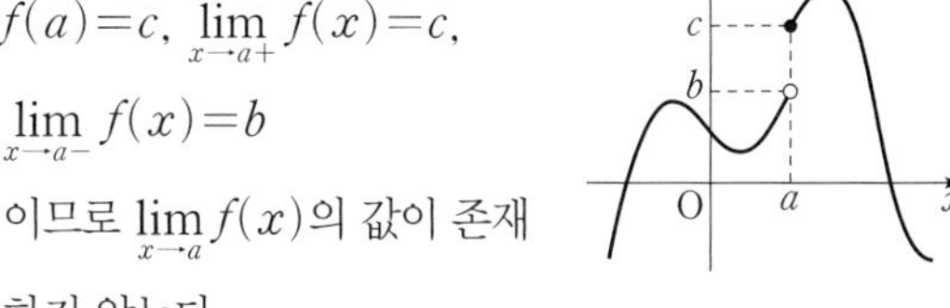

따라서 함수 $f(x)$는 $x=a$에서 불연속이다.

답 ④

36

$x=0$에서 연속이면 $\lim_{x\to 0}f(x)=f(0)$

① $f(0)=0$이고 $\lim_{x\to 0}f(x)=\lim_{x\to 0}x|x|=0$

따라서 $\lim_{x\to 0}f(x)=f(0)$이므로 $x=0$에서 연속이다.

② $f(0)=0$이고

$\lim_{x\to 0+}[x]=0$, $\lim_{x\to 0-}[x]=-1$이므로

$\lim_{x\to 0+}f(x)=\lim_{x\to 0+}x[x]=0$,

$\lim_{x\to 0-}f(x)=\lim_{x\to 0-}x[x]=0$

따라서 $\lim_{x\to 0}f(x)=f(0)$이므로 $x=0$에서 연속이다.

③ $\lim_{x\to 0+}f(x)=\lim_{x\to 0+}\frac{|x|}{x}=\lim_{x\to 0+}\frac{x}{x}=1$

$\lim_{x\to 0-}f(x)=\lim_{x\to 0-}\frac{|x|}{x}=\lim_{x\to 0-}\frac{-x}{x}=-1$

$\therefore \lim_{x\to 0+}f(x)\neq\lim_{x\to 0-}f(x)$

따라서 $\lim_{x\to 0}f(x)$의 값이 존재하지 않으므로

$x=0$에서 불연속이다.

④ $f(0)=1$이고 $\lim_{x\to 0}f(x)=\lim_{x\to 0}(x^2+1)=1$

따라서 $\lim_{x\to 0}f(x)=f(0)$이므로 $x=0$에서 연속이다.

⑤ $f(0)=3$

$$\lim_{x\to 0}f(x)=\lim_{x\to 0}\frac{x^2-3x}{x^2+x}$$

$$=\lim_{x\to 0}\frac{x(x-3)}{x(x+1)}$$

$$=\lim_{x\to 0}\frac{x-3}{x+1}=-3$$

따라서 $\lim_{x\to 0}f(x)\neq f(0)$이므로 $x=0$에서 불연속이다.

답 ③, ⑤

37

함수 $f(x)$가 모든 실수 x에서 연속이려면

$x=-1$에서 연속이어야 하므로

$\lim_{x\to -1+}f(x)=\lim_{x\to -1-}f(x)=f(-1)$

이때 $\lim_{x\to -1+}f(x)=\lim_{x\to -1+}(x^3+bx+2)=1-b$,

$\lim_{x\to -1-}f(x)=\lim_{x\to -1-}(-x^2+x+a)=a-2$이므로

$1-b=a-2=2$

$\therefore a=4$, $b=-1$

$\therefore ab=-4$

답 -4

38

함수 $f(x)$가 $x=0$에서 연속이려면 $\lim_{x\to 0}f(x)=f(0)$

이어야 하므로

$$\lim_{x\to 0}f(x)=\lim_{x\to 0}\frac{\sqrt{1+x}-\sqrt{1-x}}{x}$$

$$=\lim_{x\to 0}\frac{2x}{x(\sqrt{1+x}+\sqrt{1-x})}$$

$$=\lim_{x\to 0}\frac{2}{\sqrt{1+x}+\sqrt{1-x}}=1$$

$\therefore a=1$

답 1

39

함수 $f(x)$가 실수 전체의 집합에서 연속이므로

$\lim_{x\to 1}f(x)=f(1)$

$$\lim_{x\to1}\frac{(x^3-1)f(x)}{x-1}=\lim_{x\to1}\frac{(x-1)(x^2+x+1)f(x)}{x-1}$$
$$=\lim_{x\to1}(x^2+x+1)f(x)$$
$$=\lim_{x\to1}(x^2+x+1)\cdot\lim_{x\to1}f(x)$$
$$=3f(1)=12$$

$\therefore f(1)=4$ **답 4**

40

ㄱ. $\lim_{x\to-1-}f(x)=1>0$ (참)

ㄴ. $-x=t$로 놓으면 $x\to1-$일 때 $t\to-1+$이므로
$\lim_{x\to1-}f(-x)=\lim_{t\to-1+}f(t)=-2<0$ (참)

ㄷ. 열린구간 $(-2, 2)$에서 함수 $y=|f(x)|$의 그래프는 오른쪽 그림과 같고 $x=-1$에서 그래프가 끊어져 있으므로 불연속인 x의 값의 개수는 1이다. (참)

따라서 ㄱ, ㄴ, ㄷ 모두 옳다. **답 ㄱ, ㄴ, ㄷ**

41

ㄱ. $g(x)=t$로 놓으면 $x\to1-$일 때 $t\to1-$이므로
$\lim_{x\to1-}f(g(x))=\lim_{t\to1-}f(t)=1$ (참)

ㄴ. $\lim_{x\to1+}f(x)g(x)=\lim_{x\to1+}f(x)\cdot\lim_{x\to1+}g(x)$
$=(-1)\cdot0=0$
$\lim_{x\to1-}f(x)g(x)=\lim_{x\to1-}f(x)\cdot\lim_{x\to1-}g(x)$
$=1\cdot1=1$
따라서 $\lim_{x\to1+}f(x)g(x)\neq\lim_{x\to1-}f(x)g(x)$이므로
함수 $f(x)g(x)$는 $x=1$에서 불연속이다. (참)

ㄷ. $f(x)=t$로 놓으면 $x\to0+$일 때 $t\to0+$이므로
$\lim_{x\to0+}g(f(x))=\lim_{t\to0+}g(t)=0$
$x\to0-$일 때 $f(x)=1$이므로
$\lim_{x\to0-}g(f(x))=g(1)=1$
따라서 $\lim_{x\to0+}g(f(x))\neq\lim_{x\to0-}g(f(x))$이므로
함수 $g(f(x))$는 $x=0$에서 불연속이다. (거짓)

따라서 옳은 것은 ㄱ, ㄴ이다. **답 ㄱ, ㄴ**

42

함수 $f(x)$가 $x=1$에서 연속이려면
$\lim_{x\to1}f(x)=f(1)$이어야 하므로

$\lim_{x\to1}\frac{x^3+ax+b}{(x-1)^2}=c$ …… ㉠

$x\to1$일 때 (분모) $\to0$이고 극한값이 존재하므로 (분자) $\to0$이다.

즉, $\lim_{x\to1}(x^3+ax+b)=0$이므로

$1+a+b=0$ $\quad\therefore b=-a-1$ …… ㉡

㉡을 ㉠에 대입하면

$$\lim_{x\to1}\frac{x^3+ax-a-1}{(x-1)^2}$$
$$=\lim_{x\to1}\frac{(x-1)(x^2+x+1+a)}{(x-1)^2}$$
$$=\lim_{x\to1}\frac{x^2+x+1+a}{x-1}=c$$

여기서 다시 $x\to1$일 때 (분모) $\to0$이고 극한값이 존재하므로 (분자) $\to0$이다.

즉, $\lim_{x\to1}(x^2+x+1+a)=0$이므로

$1+1+1+a=0$ $\quad\therefore a=-3$

$a=-3$을 ㉡에 대입하면 $b=2$

$$\therefore\lim_{x\to1}f(x)=\lim_{x\to1}\frac{x^3-3x+2}{(x-1)^2}$$
$$=\lim_{x\to1}\frac{x^2+x-2}{x-1}$$
$$=\lim_{x\to1}\frac{(x-1)(x+2)}{x-1}$$
$$=\lim_{x\to1}(x+2)$$
$$=3=c$$

$\therefore a+b+c=-3+2+3=2$ **답 2**

43

함수 $f(x)$가 $x=1$에서 연속이려면
$\lim_{x\to1}f(x)=f(1)$이어야 하므로

$$\lim_{x\to1}\frac{|x|-1}{x^2-1}=\lim_{x\to1}\frac{|x|-1}{(|x|-1)(|x|+1)}$$
$$=\lim_{x\to1}\frac{1}{|x|+1}=\frac{1}{2}$$

$\therefore a=\frac{1}{2}$ **답 $\frac{1}{2}$**

44

함수 $f(x)$가 열린구간 $(-\infty, \infty)$에서 연속이려면 $x=-1$, $x=2$에서 연속이어야 한다.

(i) $x=-1$에서 연속이려면

$\lim_{x\to-1+} f(x)=\lim_{x\to-1-} f(x)$

$\lim_{x\to-1+} (x^2-2x+b)=\lim_{x\to-1-} (ax+1)$

$1+2+b=-a+1$

$\therefore a+b=-2$ …… ㉠

(ii) $x=2$에서 연속이려면

$\lim_{x\to2+} f(x)=\lim_{x\to2-} f(x)$

$\lim_{x\to2+} (ax+1)=\lim_{x\to2-} (x^2-2x+b)$

$2a+1=4-4+b$

$\therefore 2a-b=-1$ …… ㉡

㉠, ㉡을 연립하여 풀면

$a=-1$, $b=-1$

$\therefore 2a+b=2\cdot(-1)-1=-3$ **답 -3**

다른풀이 함수 $f(x)$가 열린구간 $(-\infty, \infty)$에서 연속이기 위해서는 그래프가 끊어져 있지 않고 연결되어 있어야 한다.

$p(x)=ax+1$, $q(x)=x^2-2x+b$라 하면 $x=-1$, $x=2$일 때, $p(x)$와 $q(x)$의 함숫값이 각각 같아야 그래프는 연결된다.

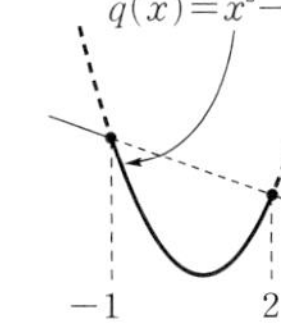

$p(-1)=q(-1)$에서

$-a+1=1+2+b$

$\therefore a+b=-2$ …… ㉠

$p(2)=q(2)$에서 $2a+1=4-4+b$

$\therefore 2a-b=-1$ …… ㉡

㉠, ㉡을 연립하여 풀면

$a=-1$, $b=-1$

$\therefore 2a+b=-3$

45

함수 $f(x)$가 $x=1$에서 연속이려면

$\lim_{x\to1} f(x)=f(1)$이어야 하므로

$\lim_{x\to1}\frac{\sqrt{ax}-b}{x-1}=2$ …… ㉠

$x\to1$일 때 (분모) $\to 0$이고 극한값이 존재하므로 (분자) $\to 0$이다.

즉, $\lim_{x\to1}(\sqrt{ax}-b)=0$이므로

$\sqrt{a}-b=0$

$\therefore b=\sqrt{a}$ …… ㉡

㉡을 ㉠에 대입하면

$$\lim_{x\to1}\frac{\sqrt{ax}-\sqrt{a}}{x-1}=\lim_{x\to1}\frac{\sqrt{a}(\sqrt{x}-1)}{x-1}$$
$$=\lim_{x\to1}\frac{\sqrt{a}(\sqrt{x}-1)(\sqrt{x}+1)}{(x-1)(\sqrt{x}+1)}$$
$$=\lim_{x\to1}\frac{\sqrt{a}(x-1)}{(x-1)(\sqrt{x}+1)}$$
$$=\lim_{x\to1}\frac{\sqrt{a}}{\sqrt{x}+1}=\frac{\sqrt{a}}{2}$$

$\frac{\sqrt{a}}{2}=2$에서 $\sqrt{a}=4$ $\quad\therefore a=16$

$a=16$을 ㉡에 대입하면 $b=4$

$\therefore a+b=16+4=20$ **답 20**

46

$x\neq-2$일 때, $f(x)=\frac{ax^2-bx}{x+2}$

함수 $f(x)$가 모든 실수 x에 대하여 연속이므로 $x=-2$에서도 연속이다.

$\therefore f(-2)=\lim_{x\to-2} f(x)=\lim_{x\to-2}\frac{ax^2-bx}{x+2}$

$x\to-2$일 때 (분모) $\to 0$이고 극한값이 존재하므로 (분자) $\to 0$이다.

즉, $\lim_{x\to-2}(ax^2-bx)=0$이므로

$4a+2b=0$ $\quad\therefore b=-2a$

$$\therefore f(-2)=\lim_{x\to-2}\frac{ax^2+2ax}{x+2}$$
$$=\lim_{x\to-2}\frac{ax(x+2)}{x+2}$$
$$=\lim_{x\to-2} ax$$
$$=-2a=2$$

따라서 $a=-1$, $b=2$이므로 $a+b=1$ **답 1**

47

$0<x<2$에서 $0<x^2<4$

(i) $0<x^2<1$일 때, $[x^2]=0$

(ii) $1\le x^2<2$일 때, $[x^2]=1$

(iii) $2\le x^2<3$일 때, $[x^2]=2$

(iv) $3\le x^2<4$일 때, $[x^2]=3$

따라서 함수 $f(x)=[x^2]$이 불연속인 x의 값은 $1, \sqrt{2}, \sqrt{3}$의 3개이다.

답 3

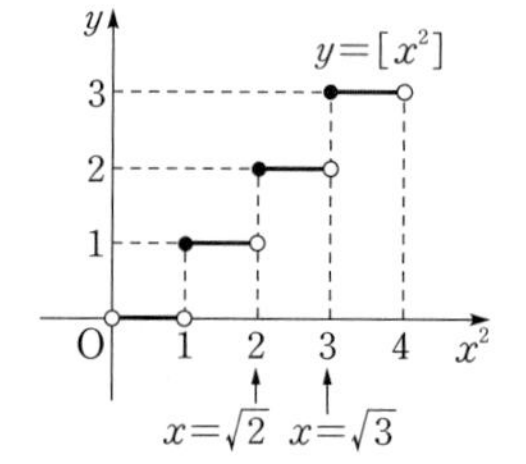

48

함수 $f(x)$가 실수 전체의 집합에서 연속이려면 $x=2$에서 연속이어야 하므로 $\lim_{x\to2}f(x)$의 값이 존재한다.

즉, $\lim_{x\to2+}f(x)=\lim_{x\to2-}f(x)$이므로

$\lim_{x\to2+}(x^2+ax+b)=\lim_{x\to2-}(2x-4)$

$\therefore 4+2a+b=0$ ...... ㉠

또, $f(x)=f(x+4)$이므로 $f(0)=f(4)$

$\therefore -4=16+4a+b$ ...... ㉡

㉠, ㉡을 연립하여 풀면 $a=-8$, $b=12$

따라서 $f(x)=\begin{cases} 2x-4 & (0\le x<2) \\ x^2-8x+12 & (2\le x\le4)\end{cases}$이므로

$f(11)=f(7)=f(3)$

$=3^2-8\cdot3+12=-3$

답 -3

49

$h(x)=\dfrac{f(x)}{f(x)-g(x)}=\dfrac{x^2}{x^2-2x-3}$

$=\dfrac{x^2}{(x+1)(x-3)}$

따라서 $(x+1)(x-3)\neq0$, 즉 $x\neq-1$, $x\neq3$인 모든 실수에서 연속이므로 열린구간 $(-\infty, -1)$, $(-1, 3)$, $(3, \infty)$에서 연속이다.

답 $(-\infty, -1)$, $(-1, 3)$, $(3, \infty)$

50

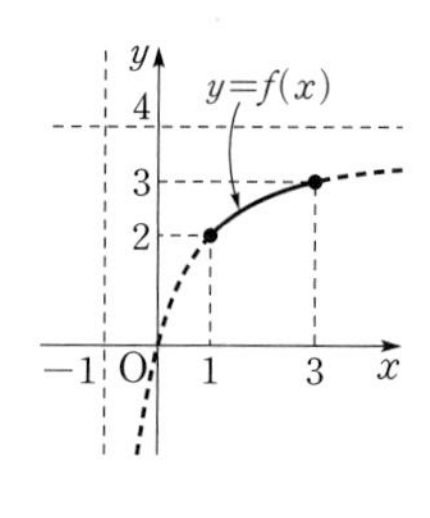

닫힌구간 $[1, 3]$에서 함수

$f(x)=\dfrac{4x}{x+1}=-\dfrac{4}{x+1}+4$

의 그래프는 오른쪽 그림과 같다.

따라서 $f(x)$는 $x=3$에서 최댓값 $M=3$, $x=1$에서 최솟값 $m=2$를 가지므로

$M+m=5$

답 5

51

$f(x)=x^3+x-9$로 놓으면

① $f(0)f(1)=(-9)\cdot(-7)>0$

② $f(1)f(2)=(-7)\cdot1<0$

③ $f(2)f(3)=1\cdot21>0$

④ $f(3)f(4)=21\cdot59>0$

⑤ $f(4)f(5)=59\cdot121>0$

이므로 사잇값의 정리에 의하여 방정식 $f(x)=0$은 열린구간 $(1, 2)$에서 실근 α를 갖는다.

답 ②

52

$g(x)=f(x)-x$로 놓으면 함수 $g(x)$는 모든 실수 x에서 연속이므로 닫힌구간 $[-2, 2]$에서 연속이다.

$g(-2)=-1-(-2)=1$

$g(-1)=-2-(-1)=-1$

$g(0)=1-0=1$

$g(1)=-2-1=-3$

$g(2)=-\dfrac{1}{2}-2=-\dfrac{5}{2}$

이므로 $g(-2)g(-1)<0$, $g(-1)g(0)<0$, $g(0)g(1)<0$, $g(1)g(2)>0$

사잇값의 정리에 의하여 방정식 $g(x)=0$은 열린구간 $(-2, -1)$, $(-1, 0)$, $(0, 1)$에서 각각 적어도 하나의 실근을 갖는다.

따라서 방정식 $f(x)=x$는 열린구간 $(-2, 2)$에서 적어도 3개의 실근을 갖는다.

답 3개

53

함수 $f(x)g(x)$가 모든 실수 x에서 연속이려면 $x=1$에서 연속이어야 한다.

함수 $f(x)g(x)$가 $x=1$에서 연속이려면

$\lim_{x\to1+} f(x)g(x)=\lim_{x\to1-} f(x)g(x)=f(1)g(1)$

이어야 한다.

$\lim_{x\to1+} f(x)g(x)=3\cdot(1+k)=3+3k$

$\lim_{x\to1-} f(x)g(x)=1\cdot(1+k)=1+k$

$f(1)g(1)=3\cdot(1+k)=3+3k$

즉, $3+3k=1+k$이므로

$k=-1$ **답 −1**

54

$\lim_{x\to1}\frac{f(x)}{x-1}=\frac{1}{2}$에서 $x\to1$일 때 (분모) $\to0$이고 극한값이 존재하므로 (분자) $\to0$이다.

즉, $\lim_{x\to1}f(x)=0$이므로 $f(1)=0$ …… ㉠

또, $\lim_{x\to2}\frac{f(x)}{x-2}=\frac{1}{2}$에서 $x\to2$일 때 (분모) $\to0$이고 극한값이 존재하므로 (분자) $\to0$이다.

즉, $\lim_{x\to2}f(x)=0$이므로 $f(2)=0$ …… ㉡

㉠, ㉡에서 $f(x)=(x-1)(x-2)g(x)$ ($g(x)$는 다항식)로 놓을 수 있다.

$$\lim_{x\to1}\frac{f(x)}{x-1}=\lim_{x\to1}\frac{(x-1)(x-2)g(x)}{x-1}=\lim_{x\to1}(x-2)g(x)=-g(1)=\frac{1}{2}$$

$\therefore g(1)=-\frac{1}{2}$ …… ㉢

$$\lim_{x\to2}\frac{f(x)}{x-2}=\lim_{x\to2}\frac{(x-1)(x-2)g(x)}{x-2}=\lim_{x\to2}(x-1)g(x)=g(2)=\frac{1}{2}$$ …… ㉣

㉢, ㉣에서 $g(1)g(2)=-\frac{1}{4}<0$

따라서 사잇값의 정리에 의하여 방정식 $g(x)=0$은 열린구간 $(1, 2)$에서 적어도 하나의 실근을 갖는다.

즉, 방정식 $f(x)=0$은 닫힌구간 $[1, 2]$에서 적어도 3개의 실근을 갖는다. **답 3개**

Ⅱ. 미분

55

(평균변화율)$=\dfrac{f(a)-f(1)}{a-1}$

$=\dfrac{(a^3-2a+5)-(1-2+5)}{a-1}$

$=\dfrac{a^3-2a+1}{a-1}$

$=\dfrac{(a-1)(a^2+a-1)}{a-1}$

$=a^2+a-1$

즉, $a^2+a-1=3$에서 $a^2+a-4=0$

이것은 a에 대한 이차방정식이므로 모든 a의 값의 곱은 근과 계수의 관계에 의하여 -4이다.

답 −4

56

① (주어진 식)$=\lim\limits_{h\to 0}\dfrac{f(1-2h)-f(1)}{-2h}\cdot(-2)$

$=-2f'(1)$

② (주어진 식)$=\lim\limits_{h\to 0}\dfrac{f(1+5h)-f(1)}{5h}\cdot 5$

$-\lim\limits_{h\to 0}\dfrac{f(1+3h)-f(1)}{3h}\cdot 3$

$=5f'(1)-3f'(1)$

$=2f'(1)$

③ (주어진 식)$=\lim\limits_{h\to 0}\dfrac{f(1+4h)-f(1)}{4h}\cdot 2$

$=2f'(1)$

④ (주어진 식)$=\lim\limits_{x\to 1}\left\{\dfrac{f(x)-f(1)}{\sqrt{x}-1}\cdot\dfrac{\sqrt{x}+1}{\sqrt{x}+1}\right\}$

$=\lim\limits_{x\to 1}\left\{\dfrac{f(x)-f(1)}{x-1}\cdot(\sqrt{x}+1)\right\}$

$=2f'(1)$

⑤ (주어진 식)$=\lim\limits_{x\to 1}\left\{\dfrac{f(x^2)-f(1)}{x^2-1}\cdot(x+1)\right\}$

$=2f'(1)$

답 ①

57

(주어진 식)

$=\lim\limits_{h\to 0}\dfrac{\{f(h)-f(0)\}-\{f(-2h)-f(0)\}}{2h}$

$=\lim\limits_{h\to 0}\dfrac{f(h)-f(0)}{h}\cdot\dfrac{1}{2}$

$-\lim\limits_{h\to 0}\dfrac{f(-2h)-f(0)}{-2h}\cdot(-1)$

$=\dfrac{1}{2}f'(0)+f'(0)=\dfrac{3}{2}f'(0)$

즉, $\dfrac{3}{2}f'(0)=3$에서 $f'(0)=2$

답 2

58

$\lim\limits_{x\to 1}\dfrac{\{f(x)\}^2-1}{x^2-1}$

$=\lim\limits_{x\to 1}\left\{\dfrac{f(x)-1}{x-1}\cdot\dfrac{f(x)+1}{x+1}\right\}$

$=\lim\limits_{x\to 1}\dfrac{f(x)-1}{x-1}\cdot\lim\limits_{x\to 1}\dfrac{f(x)+1}{x+1}$

$=f'(1)\cdot\dfrac{f(1)+1}{2}$

$=2\cdot\dfrac{1+1}{2}=2$

답 2

59

$\lim\limits_{x\to 1}\dfrac{f(\sqrt{x})-f(1)}{x^2-1}$

$=\lim\limits_{x\to 1}\dfrac{f(\sqrt{x})-f(1)}{(x-1)(x+1)}$

$=\lim\limits_{x\to 1}\left\{\dfrac{f(\sqrt{x})-f(1)}{\sqrt{x}-1}\cdot\dfrac{1}{\sqrt{x}+1}\cdot\dfrac{1}{x+1}\right\}$

$=f'(1)\cdot\dfrac{1}{2}\cdot\dfrac{1}{2}=\dfrac{1}{4}$

답 $\dfrac{1}{4}$

60

$f'(0)=\lim\limits_{h\to 0}\dfrac{f(0+h)-f(0)}{h}$

$=\lim\limits_{h\to 0}\dfrac{\{f(0)+f(h)\}-f(0)}{h}$

$=\lim\limits_{h\to 0}\dfrac{f(h)}{h}=-2$

$$\therefore f'(1)=\lim_{h\to 0}\frac{f(1+h)-f(1)}{h}$$
$$=\lim_{h\to 0}\frac{\{f(1)+f(h)+2h\}-f(1)}{h}$$
$$=\lim_{h\to 0}\frac{f(h)}{h}+2$$
$$=f'(0)+2$$
$$=-2+2=0$$

답 **0**

61

① (i) $f(0)=0$이고 $\lim_{x\to 0}f(x)=\lim_{x\to 0}|x|^2=0$이므로

$\lim_{x\to 0}f(x)=f(0)$

따라서 함수 $f(x)$는 $x=0$에서 연속이다.

(ii) $f(x)=|x|^2=x^2$이므로

$$f'(0)=\lim_{x\to 0}\frac{f(x)-f(0)}{x-0}$$
$$=\lim_{x\to 0}\frac{x^2}{x}$$
$$=\lim_{x\to 0}x=0$$

(i), (ii)에서 함수 $f(x)$는 $x=0$에서 연속이고 미분가능하다.

② $f(x)=x^2-1$은 모든 점에서 연속이고 미분가능하다.

③ (i) $f(0)=0$이고

$\lim_{x\to 0}f(x)=\lim_{x\to 0}(|x|-x)=0$이므로

$\lim_{x\to 0}f(x)=f(0)$

따라서 함수 $f(x)$는 $x=0$에서 연속이다.

(ii) $$\lim_{x\to 0+}\frac{f(x)-f(0)}{x-0}=\lim_{x\to 0+}\frac{|x|-x}{x}$$
$$=\lim_{x\to 0+}\frac{x-x}{x}=0$$
$$\lim_{x\to 0-}\frac{f(x)-f(0)}{x-0}=\lim_{x\to 0-}\frac{|x|-x}{x}$$
$$=\lim_{x\to 0-}\frac{-x-x}{x}=-2$$

따라서 $f'(0)$의 값이 존재하지 않으므로 함수 $f(x)$는 $x=0$에서 미분가능하지 않다.

(i), (ii)에서 함수 $f(x)$는 $x=0$에서 연속이지만 미분가능하지 않다.

④ $f(x)=x|x|$

$$=\begin{cases} x^2 & (x\ge 0) \\ -x^2 & (x<0)\end{cases}$$

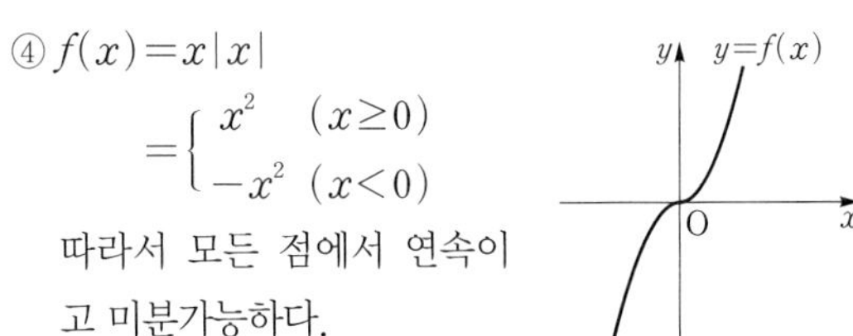

따라서 모든 점에서 연속이고 미분가능하다.

⑤ $x=0$에서 우극한과 좌극한을 구하면

$\lim_{x\to 0+}f(x)=\lim_{x\to 0+}[x+1]=1$

$\lim_{x\to 0-}f(x)=\lim_{x\to 0-}[x+1]=0$

$\therefore \lim_{x\to 0+}f(x)\ne\lim_{x\to 0-}f(x)$

따라서 함수 $f(x)$는 $x=0$에서 불연속이므로 $x=0$에서 미분가능하지 않다.

답 ③

62

① 점 $(2,\ f(2))$에서의 접선의 기울기가 0보다 크므로 $f'(2)>0$이다.

② $\lim_{x\to 3+}f(x)=\lim_{x\to 3-}f(x)$이므로 $\lim_{x\to 3}f(x)$의 값이 존재한다.

③ $x=3$, $x=5$에서 불연속이다.

④ 불연속인 점과 뾰족점에서는 미분가능하지 않으므로 $x=1$, $x=3$, $x=5$에서 미분가능하지 않다.

⑤ $f'(x)=0$인 x의 값은 열린구간 $(-1,\ 1)$에서 1개 존재한다.

답 ⑤

63

$f'(a)=2$이므로

$$(\text{주어진 식})=\lim_{h\to 0}\left\{\frac{f(a+2h)-f(a)}{2h}\cdot 2-\frac{g(h)}{h}\right\}$$
$$=2f'(a)-\lim_{h\to 0}\frac{g(h)}{h}$$
$$=2\cdot 2-\lim_{h\to 0}\frac{g(h)}{h}$$
$$=4-\lim_{h\to 0}\frac{g(h)}{h}=0$$
$$\therefore \lim_{h\to 0}\frac{g(h)}{h}=4$$

답 **4**

연습문제 실력 UP

64

ㄱ. $\lim_{h\to 0}\frac{f(1+h)-f(1)}{h}=0$이면 함수 $f(x)$의

$x=1$에서의 미분계수 $f'(1)$이 존재하므로 함수

$f(x)$는 $x=1$에서 연속이다. (참)

ㄴ. $\lim_{h\to 0}\frac{f(1+h)-f(1-h)}{2h}$

$=\frac{1}{2}\lim_{h\to 0}\frac{f(1+h)-f(1)+f(1)-f(1-h)}{h}$

$=\frac{1}{2}\lim_{h\to 0}\left\{\frac{f(1+h)-f(1)}{h}+\frac{f(1-h)-f(1)}{-h}\right\}$

$=\frac{1}{2}\lim_{h\to 0}\frac{f(1+h)-f(1)}{h}$

$+\frac{1}{2}\lim_{h\to 0}\frac{f(1+(-h))-f(1)}{-h}$

$=0$ (참)

ㄷ. $f(x)=|x-1|$일 때,

$\lim_{h\to 0}\frac{f(1+h)-f(1-h)}{2h}$

$=\lim_{h\to 0}\frac{|1+h-1|-|1-h-1|}{2h}$

$=\lim_{h\to 0}\frac{|h|-|-h|}{2h}=0$ (참)

따라서 옳은 것은 ㄱ, ㄴ, ㄷ이다. **답 ⑤**

65

$f(x+2)-f(2)=x^3+6x^2+14x$이므로

$f'(2)=\lim_{x\to 0}\frac{f(2+x)-f(2)}{x}$

$=\lim_{x\to 0}\frac{x^3+6x^2+14x}{x}$

$=\lim_{x\to 0}(x^2+6x+14)=14$ **답 14**

66

$\lim_{x\to 3}\frac{f(x)}{x-3}=a$에서 $x\to 3$일 때 (분모) $\to 0$이고 극한값이 존재하므로 (분자) $\to 0$이다.

즉, $\lim_{x\to 3}f(x)=0$이므로 $f(3)=0$

따라서 $\lim_{x\to 3}\frac{f(x)-f(3)}{x-3}=a$이므로

$f'(3)=a$ **답 a**

67

(1) (주어진 식)

$=\lim_{x\to 1}\frac{x^2f(x)-f(x)+f(x)-1}{x^2-1}$

$=\lim_{x\to 1}\left\{\frac{(x^2-1)f(x)}{x^2-1}+\frac{f(x)-f(1)}{x-1}\cdot\frac{1}{x+1}\right\}$

$=f(1)+\frac{1}{2}f'(1)$

$=1+\frac{3}{2}=\frac{5}{2}$

(2) (주어진 식)

$=\lim_{x\to 1}\frac{x^3f(1)-f(1)+f(1)-f(x^2)}{x-1}$

$=\lim_{x\to 1}\left\{\frac{(x^3-1)f(1)}{x-1}-\frac{f(x^2)-f(1)}{x^2-1}\cdot(x+1)\right\}$

$=\lim_{x\to 1}\left\{(x^2+x+1)f(1)\right.$

$\left.-\frac{f(x^2)-f(1)}{x^2-1}\cdot(x+1)\right\}$

$=3f(1)-2f'(1)$

$=3\cdot1-2\cdot3=-3$

답 (1) $\frac{5}{2}$ (2) -3

68

$f(1)=0$이므로

$\lim_{x\to 1}\frac{\{f(x)\}^2-2f(x)}{1-x}$

$=\lim_{x\to 1}\frac{f(x)\{2-f(x)\}}{x-1}$

$=\lim_{x\to 1}\frac{f(x)-f(1)}{x-1}\cdot\lim_{x\to 1}\{2-f(x)\}$

$=f'(1)\cdot\{2-f(1)\}=2f'(1)$

즉, $2f'(1)=10$이므로 $f'(1)=5$ **답 5**

69

$\lim_{x\to 2}\frac{f(x+1)-8}{x^2-4}=5$에서 $x\to 2$일 때 (분모) $\to 0$이고 극한값이 존재하므로 (분자) $\to 0$이다.

즉, $\lim_{x\to 2}\{f(x+1)-8\}=0$이므로 $f(3)=8$

$x+1=t$라 하면 $x\to 2$일 때 $t\to 3$이므로

$$\lim_{x\to 2}\frac{f(x+1)-8}{x^2-4}=\lim_{t\to 3}\frac{f(t)-f(3)}{t^2-2t-3} \quad \leftarrow f(3)=8$$

$$=\lim_{t\to 3}\frac{f(t)-f(3)}{t-3}\cdot\lim_{t\to 3}\frac{1}{t+1}$$

$$=\frac{1}{4}f'(3)=5$$

$\therefore f'(3)=20$

$\therefore f(3)+f'(3)=8+20=28$ **답 28**

70

$x=0$, $y=0$을 주어진 식에 대입하면

$f(0)=f(0)+f(0)-1 \quad \therefore f(0)=1$

$f'(0)=\lim_{h\to 0}\frac{f(h)-f(0)}{h}=\lim_{h\to 0}\frac{f(h)-1}{h}$이므로

$$f'(x)=\lim_{h\to 0}\frac{f(x+h)-f(x)}{h}$$

$$=\lim_{h\to 0}\frac{\{f(x)+f(h)+2xh-1\}-f(x)}{h}$$

$$=2x+\lim_{h\to 0}\frac{f(h)-1}{h}=2x+f'(0) \quad \cdots\cdots ㉠$$

$\lim_{x\to 1}\frac{f(x)-f'(x)}{x^2-1}=14$에서 $x\to 1$일 때

(분모)$\to 0$이고 극한값이 존재하므로 (분자)$\to 0$이다.

즉, $\lim_{x\to 1}\{f(x)-f'(x)\}=0$이므로 $f(1)-f'(1)=0$

$\therefore f(1)=f'(1)$

㉠에서 $f'(1)=2+f'(0)$이므로

$f'(0)=f'(1)-2=f(1)-2$

$$\therefore \lim_{x\to 1}\frac{f(x)-f'(x)}{x^2-1}$$

$$=\lim_{x\to 1}\frac{f(x)-2x-f'(0)}{x^2-1}$$

$$=\lim_{x\to 1}\frac{f(x)-2x-f(1)+2}{x^2-1}$$

$$=\lim_{x\to 1}\frac{f(x)-f(1)}{x^2-1}-\lim_{x\to 1}\frac{2(x-1)}{x^2-1}$$

$$=\lim_{x\to 1}\left\{\frac{f(x)-f(1)}{x-1}\cdot\frac{1}{x+1}\right\}-\lim_{x\to 1}\frac{2(x-1)}{(x-1)(x+1)}$$

$$=\frac{1}{2}f'(1)-1=14$$

따라서 $f'(1)=30$이므로

$f'(0)=f'(1)-2=28$ **답 28**

71

ㄱ. $\lim_{x\to 0+}\frac{f(x)-f(0)}{x-0}=\lim_{x\to 0+}\frac{x}{x}=1$

$\lim_{x\to 0-}\frac{f(x)-f(0)}{x-0}=\lim_{x\to 0-}\frac{-x}{x}=-1$

즉, $f'(0)$의 값이 존재하지 않으므로 미분가능하지 않다.

ㄴ. $\lim_{x\to 0+}\frac{g(x)-g(0)}{x-0}=\lim_{x\to 0+}\frac{(x+1)^2-1}{x}$

$$=\lim_{x\to 0+}\frac{x^2+2x}{x}$$

$$=\lim_{x\to 0+}(x+2)=2$$

$\lim_{x\to 0-}\frac{g(x)-g(0)}{x-0}=\lim_{x\to 0-}\frac{(2x+1)-1}{x}$

$$=\lim_{x\to 0-}\frac{2x}{x}=2$$

즉, $g'(0)$의 값이 존재하므로 미분가능하다.

ㄷ. $\lim_{x\to 0+}h(x)=\lim_{x\to 0+}(x^2+x+1)=1$

$\lim_{x\to 0-}h(x)=\lim_{x\to 0-}(-x^2+x-1)=-1$

즉, $\lim_{x\to 0}h(x)$의 값이 존재하지 않으므로 미분가능하지 않다.

따라서 $x=0$에서 미분가능한 함수는 ㄴ이다. **답 ㄴ**

72

$f(x)=x^3-3x+1$에서 $f'(x)=3x^2-3$

이때 $f'(x)=9$이므로 $3x^2-3=9$

$x^2=4 \quad \therefore x=2$ 또는 $x=-2$

따라서 두 점은 $(2, 3)$, $(-2, -1)$이므로 두 점 사이의 거리는

$\sqrt{(-2-2)^2+(-1-3)^2}=4\sqrt{2}$ **답 ④**

73

$f'(x)=(x^2+1)'g(x)+(x^2+1)g'(x)$

$\quad =2xg(x)+(x^2+1)g'(x)$

$\therefore f'(1)=2g(1)+2g'(1)$

$=2\cdot(-1)+2\cdot 2=2$ 답 ④

74

점 (1, -1)이 곡선 $y=x^3+ax^2+bx$ 위의 점이므로

$-1=1+a+b$

$\therefore a+b=-2$ …… ㉠

곡선 위의 점 (1, -1)에서의 접선의 기울기는 2이므로

$y'=3x^2+2ax+b$에서 $3+2a+b=2$

$\therefore 2a+b=-1$ …… ㉡

㉠, ㉡을 연립하여 풀면 $a=1$, $b=-3$

답 $\boldsymbol{a=1, b=-3}$

75

$f(1)=g(1)=5$

$f'(x)=1+2x+3x^2+4x^3+5x^4$,

$g'(x)=4x^3+5x^4+6x^5+7x^6+8x^7$이므로

$f'(1)=1+2+3+4+5=15$

$g'(1)=4+5+6+7+8=30$

$\therefore$ (주어진 식)

$$=\lim_{h\to 0}\frac{f(1+2h)-f(1)-\{g(1-h)-f(1)\}}{3h}$$

$$=\lim_{h\to 0}\frac{f(1+2h)-f(1)-\{g(1-h)-g(1)\}}{3h}$$

$$=\lim_{h\to 0}\frac{f(1+2h)-f(1)}{2h}\cdot\frac{2}{3}+\lim_{h\to 0}\frac{g(1-h)-g(1)}{-h}\cdot\frac{1}{3}$$

$$=\frac{2}{3}f'(1)+\frac{1}{3}g'(1)$$

$$=\frac{2}{3}\cdot 15+\frac{1}{3}\cdot 30=20$$ 답 **20**

76

$\lim_{x\to 1}\frac{f(x)}{x-1}=1$에서 $x\to 1$일 때 (분모) $\to 0$이고 극한값이 존재하므로 (분자) $\to 0$이다.

즉, $\lim_{x\to 1}f(x)=0$이므로 $f(1)=0$

$$\therefore \lim_{x\to 1}\frac{f(x)}{x-1}=\lim_{x\to 1}\frac{f(x)-f(1)}{x-1}=f'(1)=1$$

한편, $f(x)=x^3+ax^2+bx-b$에서

$f'(x)=3x^2+2ax+b$이므로

$f(1)=1+a+b-b=0 \quad \therefore a=-1$

$f'(1)=3+2a+b=1 \quad \therefore b=0$

$\therefore ab=0$ 답 **0**

77

$f(x)=x^{10}+x^9+x^8+x^7+x^6$으로 놓으면

$f(-1)=1-1+1-1+1=1$이므로

$$\lim_{x\to -1}\frac{x^{10}+x^9+x^8+x^7+x^6-1}{x+1}$$

$$=\lim_{x\to -1}\frac{f(x)-f(-1)}{x-(-1)}=f'(-1)$$

이때 $f'(x)=10x^9+9x^8+8x^7+7x^6+6x^5$이므로

$f'(-1)=-10+9-8+7-6=-8$ 답 **-8**

78

$p'(x)=f'(x)g(x)+f(x)g'(x)$이고

주어진 그래프에서 $f(2)=-2$이고 $f'(2)=0$이므로

$p'(2)=f'(2)g(2)+f(2)g'(2)$

$=-2g'(2)=6$

$\therefore g'(2)=-3$ 답 **-3**

79

$f'(x)=g(x)$이므로

$\{f(x)+g(x)\}'=f'(x)+g'(x)=g(x)+g'(x)$

$\therefore g(x)+g'(x)=x^3+3x^2+4x+5$ …… ㉠

$g(x)$는 삼차함수이고 삼차항의 계수는 1이므로

$g(x)=x^3+ax^2+bx+c$ (a, b, c는 상수)라 하면

$g'(x)=3x^2+2ax+b$ …… ㉡

㉡을 ㉠에 대입하면

$x^3+ax^2+bx+c+3x^2+2ax+b=x^3+3x^2+4x+5$

$\therefore x^3+(a+3)x^2+(2a+b)x+b+c$

$=x^3+3x^2+4x+5$

등식이 모든 실수 x에 대하여 성립하므로

$a+3=3$, $2a+b=4$, $b+c=5$

$\therefore a=0$, $b=4$, $c=1$

따라서 $g(x)=x^3+4x+1$이므로

$g'(x)=3x^2+4$

$\therefore g'(-1)=3+4=7$ **답 7**

80

$\lim_{x\to3}\frac{f(x)-2}{x-3}=1$에서 $x\to3$일 때 (분모) $\to 0$이고 극한값이 존재하므로 (분자) $\to 0$이다.

즉, $\lim_{x\to3}\{f(x)-2\}=0$이므로 $f(3)-2=0$

$\therefore f(3)=2$

$$\therefore \lim_{x\to3}\frac{f(x)-2}{x-3}=\lim_{x\to3}\frac{f(x)-f(3)}{x-3}=f'(3)=1$$

또, $\lim_{x\to3}\frac{g(x)-1}{x-3}=2$에서 $x\to3$일 때 (분모) $\to 0$이고 극한값이 존재하므로 (분자) $\to 0$이다.

즉, $\lim_{x\to3}\{g(x)-1\}=0$이므로 $g(3)-1=0$

$\therefore g(3)=1$

$$\therefore \lim_{x\to3}\frac{g(x)-1}{x-3}=\lim_{x\to3}\frac{g(x)-g(3)}{x-3}=g'(3)=2$$

$y=f(x)g(x)$에서

$y'=f'(x)g(x)+f(x)g'(x)$이므로

$f'(3)g(3)+f(3)g'(3)=1\cdot1+2\cdot2=5$ **답 5**

81

$\lim_{x\to1}\frac{f(x)-5}{x-1}=9$에서 $x\to1$일 때 (분모) $\to 0$이고 극한값이 존재하므로 (분자) $\to 0$이다.

즉, $\lim_{x\to1}\{f(x)-5\}=0$이므로 $f(1)-5=0$

$\therefore f(1)=5$

$$\therefore \lim_{x\to1}\frac{f(x)-5}{x-1}=\lim_{x\to1}\frac{f(x)-f(1)}{x-1}=f'(1)=9$$

한편, $g(x)=xf(x)$에서

$g'(x)=f(x)+xf'(x)$이므로

$g'(1)=f(1)+f'(1)$

$=5+9=14$ **답 14**

82

함수 $f(x)$가 $x=1$에서 미분가능하므로 $x=1$에서 연속이다.

즉, $\lim_{x\to1}f(x)=f(1)$에서

$b+a+b=a+b^2$

$b^2-2b=0$, $b(b-2)=0$

$\therefore b=0$ 또는 $b=2$ …… ㉠

또, 미분계수 $f'(1)$이 존재하므로

$$\lim_{x\to1+}\frac{f(x)-f(1)}{x-1}=\lim_{x\to1+}\frac{(ax^3+b^2)-(a+b^2)}{x-1}=\lim_{x\to1+}\frac{a(x-1)(x^2+x+1)}{x-1}=\lim_{x\to1+}a(x^2+x+1)=3a$$

$$\lim_{x\to1-}\frac{f(x)-f(1)}{x-1}=\lim_{x\to1-}\frac{(bx^2+ax+b)-(a+b^2)}{x-1}=\lim_{x\to1-}\frac{(x-1)(bx+a+b)}{x-1}\ (\because a+b^2=2b+a)=\lim_{x\to1-}(bx+a+b)=2b+a$$

즉, $3a=2b+a$에서 $a=b$ …… ㉡

㉠, ㉡에서 $a\neq0$이므로 $a=2$, $b=2$

$\therefore f'(1)=6$

$$\therefore \lim_{h\to0}\frac{f(1+2h)-f(1-h)}{h}=\lim_{h\to0}\frac{f(1+2h)-f(1)-f(1-h)+f(1)}{h}=\lim_{h\to0}\left\{\frac{f(1+2h)-f(1)}{2h}\cdot2+\frac{f(1-h)-f(1)}{-h}\right\}=2f'(1)+f'(1)=3f'(1)=18$$

답 18

연습
문제
실력
UP

83

다항식 $x^{10}-ax+3b$를 $(x+1)^2$으로 나누었을 때의 몫을 $Q(x)$라 하면

$x^{10}-ax+3b=(x+1)^2Q(x)+3x-2$ ...... ㉠

양변에 $x=-1$을 대입하면

$1+a+3b=-3-2$

$\therefore a+3b=-6$ ...... ㉡

㉠의 양변을 x에 대하여 미분하면

$10x^9-a=2(x+1)Q(x)+(x+1)^2Q'(x)+3$

양변에 $x=-1$을 대입하면

$-10-a=3 \qquad \therefore a=-13$

$a=-13$을 ㉡에 대입하면 $b=\frac{7}{3}$

$\therefore 3b-a=3\cdot\frac{7}{3}-(-13)=20$

답 20

84

주어진 식을 변형하면

$f'(x)\{f'(x)+2\}-8f(x)=12x^2-5$

$f(x)$가 n차식일 때, $f'(x)$는 $(n-1)$차식이므로 좌변은 $(n-1)+(n-1)$, 즉 $(2n-2)$차식이다.

또, 우변은 2차식이므로

$2n-2=2 \qquad \therefore n=2$

따라서 $f(x)$는 이차함수이므로

$f(x)=ax^2+bx+c$ (a, b, c는 상수)라 하면

$f'(x)=2ax+b$

이것을 주어진 식에 대입하면

$(2ax+b)(2ax+b+2)$

$=8(ax^2+bx+c)+12x^2-5$

$\therefore 4a^2x^2+4a(b+1)x+b(b+2)$

$=(8a+12)x^2+8bx+8c-5$

등식이 모든 실수 x에 대하여 성립하므로

$4a^2=8a+12$ ...... ㉠

$4a(b+1)=8b$ ...... ㉡

$b(b+2)=8c-5$ ...... ㉢

㉠에서 $a^2-2a-3=0$

$(a+1)(a-3)=0$

$\therefore a=-1$ 또는 $a=3$

㉡, ㉢에 대입하면

$a=-1$일 때, $b=-\frac{1}{3}$, $c=\frac{5}{9}$

$a=3$일 때, $b=-3$, $c=1$

$\therefore f(x)=-x^2-\frac{1}{3}x+\frac{5}{9}$

또는 $f(x)=3x^2-3x+1$

답 $f(x)=-x^2-\frac{1}{3}x+\frac{5}{9}$ 또는 $f(x)=3x^2-3x+1$

85

㈎ $\lim_{x\to\infty}\frac{f(x)-x^3}{x^2+2}=2$에서 $f(x)$는 삼차항의 계수가 1, 이차항의 계수가 2인 삼차함수임을 알 수 있다.

$f(x)=x^3+2x^2+ax+b$ (a, b는 상수)라 하면

㈐ $f(0)=0$이므로 $b=0$

$\therefore f(x)=x^3+2x^2+ax$ ...... ㉠

㈏ $\lim_{x\to1}\frac{f(x)-f(1)}{x^2-1}$

$=\lim_{x\to1}\frac{f(x)-f(1)}{(x-1)(x+1)}$

$=\lim_{x\to1}\left\{\frac{f(x)-f(1)}{x-1}\cdot\frac{1}{x+1}\right\}$

$=\lim_{x\to1}\frac{f(x)-f(1)}{x-1}\cdot\lim_{x\to1}\frac{1}{x+1}$

$=f'(1)\cdot\frac{1}{2}=4$

이므로 $f'(1)=8$ ...... ㉡

㉠에서 $f'(x)=3x^2+4x+a$,

㉡에서 $f'(1)=8$이므로

$3+4+a=8 \qquad \therefore a=1$

따라서 $f(x)=x^3+2x^2+x$이므로

$f(1)=1+2+1=4$

답 4

86

$\frac{1}{n}=h$로 놓으면 $n\to\infty$일 때 $h\to0$이므로

$\lim_{n\to\infty}n\left\{f\left(1+\frac{3}{n}\right)-f\left(1-\frac{4}{n}\right)\right\}$

$=\lim_{h\to0}\frac{f(1+3h)-f(1-4h)}{h}$

$=\lim_{h\to 0}\frac{\{f(1+3h)-f(1)\}-\{f(1-4h)-f(1)\}}{h}$

$=\lim_{h\to 0}\frac{f(1+3h)-f(1)}{3h}\cdot 3$

$-\lim_{h\to 0}\frac{f(1-4h)-f(1)}{-4h}\cdot(-4)$

$=3f'(1)+4f'(1)=7f'(1)$

$f'(x)=5x^4-4x^3+3x^2$이므로 $f'(1)=4$

$\therefore$ (주어진 식)$=7f'(1)=7\cdot 4=28$ **답 ③**

87

다항식 $f(x)$를 $(x-1)^2(x-2)$로 나누었을 때의 몫을 $Q(x)$라 하면 나머지가 $g(x)$이므로

$f(x)=(x-1)^2(x-2)Q(x)+g(x)$

이때 $g(x)$의 차수는 2 이하이므로

$g(x)=ax^2+bx+c$ (a, b, c는 상수)라 하면

$f(x)=(x-1)^2(x-2)Q(x)+ax^2+bx+c$

그런데 $(x-1)^2(x-2)Q(x)$는 $(x-1)^2$으로 나누어떨어지므로 $f(x)$를 $(x-1)^2$으로 나누었을 때의 나머지는 ax^2+bx+c를 $(x-1)^2$으로 나누었을 때의 나머지와 같다.

즉, ax^2+bx+c는 $(x-1)^2$으로 나누어떨어지므로

$ax^2+bx+c=a(x-1)^2$

$\therefore f(x)=(x-1)^2(x-2)Q(x)+a(x-1)^2$ …… ㉠

한편, $f(x)$를 $x-2$로 나누면 나머지가 2이므로

㉠에서 $f(2)=a(2-1)^2=2$

$\therefore a=2$

따라서 $g(x)=2(x-1)^2=2x^2-4x+2$이므로

$\lim_{h\to 0}\frac{g(2+2h)-g(2-h)}{h}$

$=\lim_{h\to 0}\frac{g(2+2h)-g(2)+g(2)-g(2-h)}{h}$

$=\lim_{h\to 0}\frac{g(2+2h)-g(2)}{2h}\cdot 2+\lim_{h\to 0}\frac{g(2-h)-g(2)}{-h}$

$=2g'(2)+g'(2)=3g'(2)$

이때 $g'(x)=4x-4$이므로

$g'(2)=4\cdot 2-4=4$

$\therefore 3g'(2)=12$ **답 12**

88

$y'=n\{f(x)\}^{n-1}f'(x)$ …… ㉠

(i) $n=1$일 때, $y'=f'(x)$

따라서 $n=1$일 때, ㉠은 성립한다.

(ii) $n=k$일 때, ㉠이 성립한다고 가정하면

$y'=k\{f(x)\}^{k-1}f'(x)$이므로

$y=\{f(x)\}^{k+1}=\{f(x)\}^k f(x)$에서

$y'=[\{f(x)\}^k]'f(x)+\{f(x)\}^k f'(x)$

$=k\{f(x)\}^{k-1}f'(x)f(x)+\{f(x)\}^k f'(x)$

$=k\{f(x)\}^k f'(x)+\{f(x)\}^k f'(x)$

$=(k+1)\{f(x)\}^k f'(x)$

따라서 ㉠은 $n=k+1$일 때도 성립한다.

(i), (ii)에 의하여 ㉠은 모든 자연수 n에 대하여 성립한다. **답 풀이 참조**

89

$f(x)=x^3+ax$로 놓으면

$f'(x)=3x^2+a$

곡선 $y=f(x)$ 위의 점 $(1, 1+a)$에서의 접선의 기울기는 $f'(1)=3+a$

그런데 접선의 기울기가 6이므로

$f'(1)=3+a=6$

$\therefore a=3$

따라서 곡선 $y=f(x)$ 위의 점 $(1, 4)$에서의 접선의 방정식은

$y-4=6(x-1)$

$\therefore y=6x-2$

따라서 $b=-2$이므로

$a+b=3+(-2)=1$ **답 1**

90

$f(x)=x^3-1$로 놓으면 $f'(x)=3x^2$

곡선 $y=f(x)$ 위의 점 $(-1, -2)$에서의 접선의 기울기는 $f'(-1)=3$이므로 이 접선에 수직인 직선의 기울기는 $-\frac{1}{3}$이다.

따라서 기울기가 $-\frac{1}{3}$이고 점 $(-1,\ -2)$를 지나는 직선의 방정식은

$y-(-2)=-\frac{1}{3}\{x-(-1)\}$

$\therefore\ x+3y+7=0$ **답** ⑤

91

$f(x)=x^2-3x+4$로 놓으면 $f'(x)=2x-3$

접점의 좌표를 $(a,\ a^2-3a+4)$라 하면 접선의 기울기가 5이므로

$f'(a)=2a-3=5 \qquad \therefore\ a=4$

따라서 접점의 좌표는 $(4,\ 8)$이므로 구하는 접선의 방정식은

$y-8=5(x-4)$

$\therefore\ y=5x-12$ **답** ⑤

92

$f(x)=x^3-3x^2$으로 놓으면 $f'(x)=3x^2-6x$

곡선 $y=f(x)$ 위의 점 $(a,\ b)$에서의 접선이 x축과 평행하므로 접선의 기울기는 0이다. 즉,

$f'(a)=3a^2-6a=0,\ 3a(a-2)=0$

$\therefore\ a=2\ (\because\ a\neq0)$ ← $a=0$이면 $b=0$ (점 $(a,\ b)$가 원점)

점 $(2,\ b)$는 곡선 $y=f(x)$ 위의 점이므로

$f(2)=b \qquad \therefore\ b=8-12=-4$

$\therefore\ a+b=2+(-4)=-2$ **답** -2

93

$f(x)=x^3-2$로 놓으면 $f'(x)=3x^2$

접점의 좌표를 $(t,\ t^3-2)$라 하면 이 점에서의 접선의 기울기는

$f'(t)=3t^2$

따라서 기울기가 $3t^2$이고 점 $(t,\ t^3-2)$를 지나는 접선의 방정식은

$y-(t^3-2)=3t^2(x-t)$

$\therefore\ y=3t^2x-2t^3-2$ …… ㉠

이 직선이 점 $(0,\ -4)$를 지나므로

$-4=-2t^3-2,\ t^3=1 \qquad \therefore\ t=1$

$t=1$을 ㉠에 대입하면 구하는 접선의 방정식은

$y=3x-4$

이고, 이 직선은 x축과 점 $\left(\frac{4}{3},\ 0\right)$에서 만난다.

$\therefore\ a=\frac{4}{3}$ **답** ②

94

$f(x)=x^3+ax+3,\ g(x)=x^2+2$로 놓으면

$f'(x)=3x^2+a,\ g'(x)=2x$

두 곡선 $y=f(x),\ y=g(x)$가 한 점에서 접하므로 접점의 x좌표를 t라 하면 $f(t)=g(t)$

$t^3+at+3=t^2+2$ …… ㉠

두 곡선의 접점에서의 접선의 기울기가 같으므로

$f'(t)=g'(t)$

$3t^2+a=2t \qquad \therefore\ a=-3t^2+2t$ …… ㉡

㉡을 ㉠에 대입하면

$t^3+(-3t^2+2t)t+3=t^2+2$

$2t^3-t^2-1=0,\ (t-1)(2t^2+t+1)=0$

$\therefore\ t=1\ (\because\ 2t^2+t+1>0)$

따라서 ㉡에서 $a=-3+2=-1$ **답** -1

95

$f(x)=x^3+ax^2,\ g(x)=-x^2+4$로 놓으면

$f'(x)=3x^2+2ax,\ g'(x)=-2x$

두 곡선 $y=f(x),\ y=g(x)$가 모두 점 $(t,\ -t^2+4)$를 지나므로 $f(t)=g(t)=-t^2+4$

$t^3+at^2=-t^2+4$ …… ㉠

두 곡선의 접점 $(t,\ -t^2+4)$에서의 접선의 기울기가 같으므로 $f'(t)=g'(t)$

$3t^2+2at=-2t$

$3t+2a=-2\ (\because$ ㉠에서 $t\neq0)$

$2a=-3t-2 \qquad \therefore\ a=-\frac{3}{2}t-1$ …… ㉡

㉡을 ㉠에 대입하면

$t^3+\left(-\frac{3}{2}t-1\right)t^2=-t^2+4$

$-\frac{1}{2}t^3=4,\ t^3=-8,\ t^3+8=0$

$(t+2)(t^2-2t+4)=0 \qquad \therefore\ t=-2$

㉡에서 $a=-\frac{3}{2}\cdot(-2)-1=2$

$\therefore a+t=2+(-2)=0$ 답 ②

96

함수 $f(x)=x^4-4x^2+1$은 닫힌구간 $[0, 2]$에서 연속이고 열린구간 $(0, 2)$에서 미분가능하다. 또한,

$f(0)=f(2)=1$

이므로 롤의 정리에 의하여 $f'(c)=0$인 c가 열린구간 $(0, 2)$에 적어도 하나 존재한다.

이때 $f'(x)=4x^3-8x$이므로

$f'(c)=4c^3-8c=0$, $4c(c^2-2)=0$

$\therefore c=\sqrt{2}$ ($\because 0<c<2$) 답 $\sqrt{2}$

97

함수 $f(x)=-x^2+kx$에 대하여 닫힌구간 $[1, 3]$에서 롤의 정리를 만족시키는 실수가 2이므로

$f'(x)=-2x+k$에서

$f'(2)=-4+k=0$ $\therefore k=4$

$f(x)=-x^2+4x$에 대하여 닫힌구간 $[1, 5]$에서 평균값 정리를 만족시키는 실수가 c이므로

$\frac{f(5)-f(1)}{5-1}=\frac{-5-3}{4}=-2=f'(c)$

$f'(c)=-2c+4=-2$, $-2c=-6$

$\therefore c=3$

$\therefore k+c=4+3=7$ 답 7

98

닫힌구간 $[-1, 1]$에서 연속이고 열린구간 $(-1, 1)$에서 미분가능하면 평균값 정리가 성립한다.

①
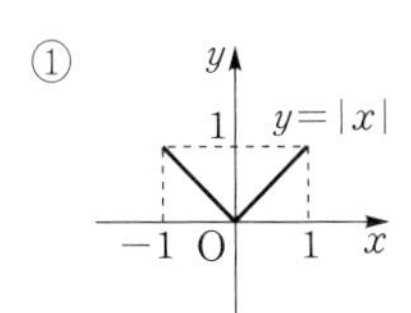

②
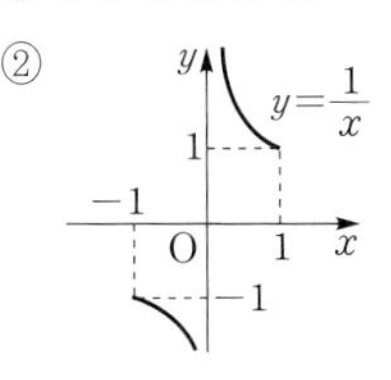

③
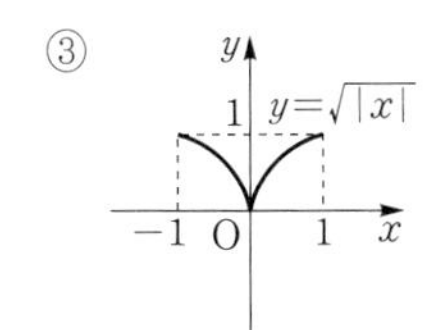

④
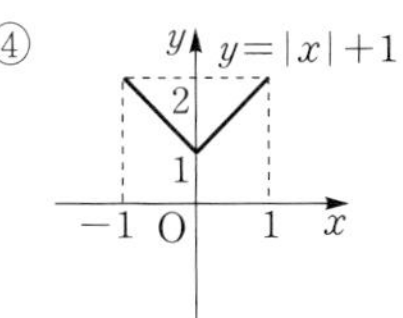

⑤
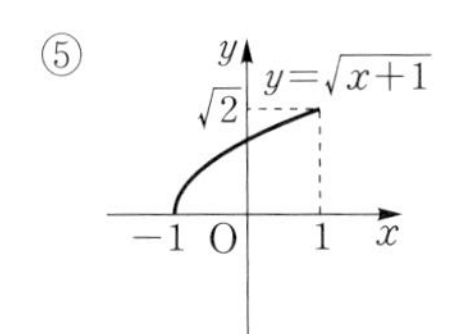

①, ③, ④는 $x=0$에서 미분가능하지 않고, ②는 $x=0$에서 연속이 아니므로 닫힌구간 $[-1, 1]$에서 평균값 정리가 성립하는 것은 ⑤이다. 답 ⑤

참고 ④ $f(x)=\begin{cases} x+1 & (x\geq 0) \\ -x+1 & (x<0) \end{cases}$

99

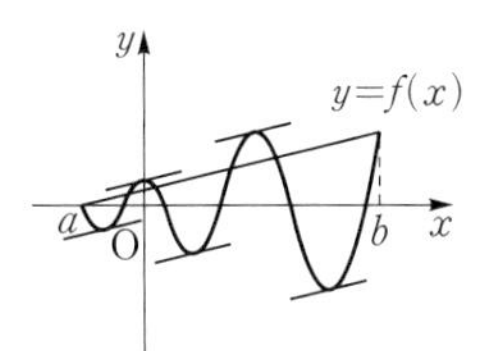

함수 $y=f(x)$의 그래프에서 $\frac{f(b)-f(a)}{b-a}=f'(c)$를 만족시키는 c ($a<c<b$)의 개수는 두 점 $(a, f(a))$, $(b, f(b))$를 잇는 직선과 기울기가 같은 접선의 접점의 개수와 같으므로 위의 그림에서와 같이 5이다.

답 5

100

$y=x^3+kx^2-(2k-1)x+k+3$을 k에 대한 내림차순으로 정리하면

$(x-1)^2k+x^3+x+3-y=0$

이것이 k에 대한 항등식이므로

$(x-1)^2=0$, $x^3+x+3-y=0$

$\therefore x=1$, $y=5$

즉, 주어진 곡선은 실수 k의 값에 관계없이 항상 점 $(1, 5)$를 지난다.

$f(x)=x^3+kx^2-(2k-1)x+k+3$으로 놓으면

$f'(x)=3x^2+2kx-(2k-1)$

점 $(1, 5)$에서의 접선의 기울기는

$f'(1)=3+2k-2k+1=4$

따라서 구하는 접선의 방정식은 기울기가 4이고 점 $(1, 5)$를 지나는 직선의 방정식이므로

$y-5=4(x-1)$

$\therefore y=4x+1$ 답 $\boldsymbol{y=4x+1}$

101

$\lim_{x\to 2}\frac{f(x^3)}{x-2}=24$에서 극한값이 존재하고 $x\to 2$일 때 (분모) $\to$ 0이므로 (분자) $\to$ 0이다. 즉,

$\lim_{x\to 2}f(x^3)=0$

그런데 함수 $f(x^3)$은 연속함수이므로

$f(2^3)=0 \quad \therefore f(8)=0$

$$\lim_{x\to 2}\frac{f(x^3)}{x-2}=\lim_{x\to 2}\frac{f(x^3)-f(8)}{x-2}$$
$$=\lim_{x\to 2}\frac{\{f(x^3)-f(8)\}(x^2+2x+4)}{(x-2)(x^2+2x+4)}$$
$$=\lim_{x\to 2}\left\{\frac{f(x^3)-f(8)}{x^3-8}\cdot(x^2+2x+4)\right\}$$
$$=f'(8)\cdot 12$$
$$=24$$

$12f'(8)=24$이므로 $f'(8)=2$

따라서 곡선 $y=f(x)$ 위의 점 $(8, f(8))$, 즉 $(8, 0)$에서의 접선의 방정식은

$y-0=2(x-8) \quad \therefore y=2x-16$

답 $\boldsymbol{y=2x-16}$

102

$f(x)=x^4$으로 놓으면 $f'(x)=4x^3$

곡선 $y=f(x)$ 위의 점 (a, a^4)에서의 접선의 기울기는

$f'(a)=4a^3$

따라서 접선의 방정식은

$y-a^4=4a^3(x-a)$

$\therefore y=4a^3x-3a^4$

이 직선과 y축의 교점의 좌표는 $(0, -3a^4)$이므로

$h(a)=-3a^4$

$$\therefore \lim_{a\to\infty}\frac{h(\sqrt{a^2+a})-h(a)}{a^3}$$
$$=\lim_{a\to\infty}\frac{-3(\sqrt{a^2+a})^4-(-3a^4)}{a^3}$$
$$=\lim_{a\to\infty}\frac{-3(a^2+a)^2+3a^4}{a^3}$$
$$=\lim_{a\to\infty}\frac{-6a^3-3a^2}{a^3}$$
$$=-6$$

답 ①

103

$f(x)=x^3+ax^2-a-1$로 놓으면

$f'(x)=3x^2+2ax$

곡선 $y=f(x)$ 위의 점 $(1, 0)$에서의 접선의 기울기는

$f'(1)=3+2a$

따라서 접선의 방정식은

$y=(3+2a)(x-1)$

이 직선이 곡선 $y=f(x)$와 점 $(2, k)$에서 다시 만나므로

$k=3+2a$, $f(2)=k$

$\therefore f(2)=3+2a$

그런데 $f(2)=8+4a-a-1=3a+7$이므로

$3a+7=3+2a \quad \therefore a=-4$

$\therefore k=3+2\cdot(-4)=-5$ 답 ①

104

$f(x)=x^3+3x^2+ax-1$로 놓으면

곡선 $y=f(x)$ 위의 점 $(x, f(x))$에서의 접선의 기울기는 $f'(x)$이므로

$f'(x)=3x^2+6x+a=3(x+1)^2-3+a$

$f'(x)$는 $x=-1$에서 최솟값 $-3+a$를 갖는다.

그런데 $f'(x)$의 최솟값이 5이므로

$-3+a=5 \quad \therefore a=8$ 답 8

105

$f(x)=x^4-2x^2+8$로 놓으면 $f'(x)=4x^3-4x$

접점의 좌표를 (t, t^4-2t^2+8)이라 하면 접선의 기울기는

$f'(t)=4t^3-4t$

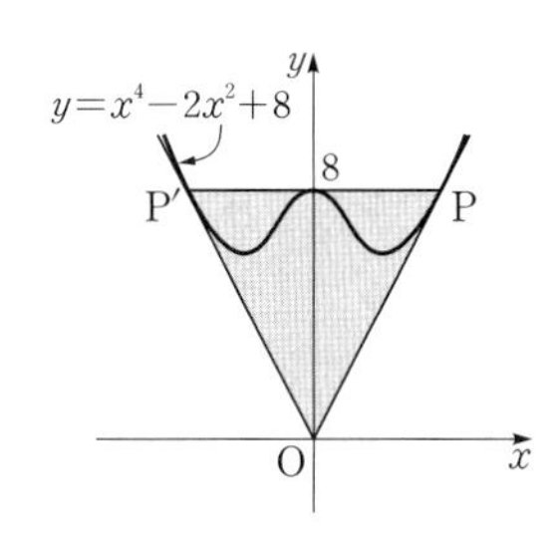

따라서 접선의 방정식은

$y-(t^4-2t^2+8)=(4t^3-4t)(x-t)$

$\therefore y=(4t^3-4t)x-3t^4+2t^2+8$

이 직선이 원점 $(0, 0)$을 지나므로

$0=-3t^4+2t^2+8$, $3t^4-2t^2-8=0$

$(t^2-2)(3t^2+4)=0$, $t^2=2$

$\therefore t=-\sqrt{2}$ 또는 $t=\sqrt{2}$

따라서 두 접점은 $P'(-\sqrt{2}, 8)$, $P(\sqrt{2}, 8)$이므로 삼각형 OPP′의 넓이는

$\frac{1}{2}\cdot 2\sqrt{2}\cdot 8=8\sqrt{2}$ **답 $8\sqrt{2}$**

106

$f(x)=x^3-3x^2-8x-4$, $g(x)=3x^2+7x+4$로 놓으면

$f'(x)=3x^2-6x-8$, $g'(x)=6x+7$

두 곡선 $y=f(x)$, $y=g(x)$의 접점의 x좌표를 t라 하면 $f(t)=g(t)$이므로 …… ㉠

$t^3-3t^2-8t-4=3t^2+7t+4$

$t^3-6t^2-15t-8=0$, $(t+1)^2(t-8)=0$

$\therefore t=-1$ 또는 $t=8$

또한, $f'(t)=g'(t)$이므로 …… ㉡

$3t^2-6t-8=6t+7$, $3t^2-12t-15=0$

$3(t+1)(t-5)=0$

$\therefore t=-1$ 또는 $t=5$

㉠, ㉡을 동시에 만족시키는 t의 값은

$t=-1$

따라서 점 $P(-1, g(-1))$, 즉 $P(-1, 0)$에서의 접선의 기울기는 (↱ 또는 $(-1, f(-1))$)

$f'(-1)=g'(-1)=1$

이므로 이 접선에 수직인 직선의 기울기는 -1이다.

따라서 구하는 직선의 방정식은 기울기가 -1이고 점 $(-1, 0)$을 지나는 직선의 방정식이므로

$y-0=-\{x-(-1)\}$

$\therefore y=-x-1$ **답 $y=-x-1$**

107

$f(x)=x^3-5x$로 놓으면 $f'(x)=3x^2-5$

곡선 $y=f(x)$ 위의 점 $A(1, -4)$에서의 접선의 기울기는

$f'(1)=3-5=-2$

따라서 접선의 방정식은

$y-(-4)=-2(x-1)$

$\therefore y=-2x-2$

이 접선과 곡선 $y=f(x)$가 만나는 점의 x좌표를 구하면

$x^3-5x=-2x-2$

$x^3-3x+2=0$

$(x-1)^2(x+2)=0$

$\therefore x=1$ 또는 $x=-2$

따라서 점 B의 x좌표는 -2이므로 $B(-2, 2)$

$\therefore \overline{AB}=\sqrt{(-2-1)^2+\{2-(-4)\}^2}$

$=\sqrt{9+36}$

$=3\sqrt{5}$ **답 ④**

108

$f(x)=x^3+ax$에서 $f'(x)=3x^2+a$

곡선 $y=f(x)$ 위의 점 $A(-1, -1-a)$에서의 접선의 기울기는 $f'(-1)=3+a$이므로 접선의 방정식은

$y-(-1-a)=(3+a)\{x-(-1)\}$

$\therefore y=(3+a)x+2$ …… ㉠

직선 ㉠이 곡선 $y=f(x)$와 만나는 점의 x좌표를 구하면

$x^3+ax=(3+a)x+2$

$x^3-3x-2=0$, $(x+1)^2(x-2)=0$

$\therefore x=-1$ 또는 $x=2$

따라서 점 B의 x좌표는 2이다. $\therefore b=2$

곡선 $y=f(x)$ 위의 점 $B(2, 8+2a)$에서의 접선의

기울기는 $f'(2)=12+a$이므로 접선의 방정식은

$y-(8+2a)=(12+a)(x-2)$

$\therefore y=(12+a)x-16$ …… ㉡

직선 ㉡이 곡선 $y=f(x)$와 만나는 점의 x좌표를 구하면

$x^3+ax=(12+a)x-16$

$x^3-12x+16=0$, $(x-2)^2(x+4)=0$

$\therefore x=2$ 또는 $x=-4$

따라서 점 C의 x좌표는 -4이다. $\therefore c=-4$

$f(2)+f(-4)=-80$이므로

$8+2a+(-64-4a)=-80$, $-2a=-24$

$\therefore a=12$ **답 ③**

109

$f(x)=x^3-3x^2+2x$로 놓으면

$f'(x)=3x^2-6x+2$

곡선 $y=f(x)$의 접선 중 직선 $y=-x+2$에 평행한 접선은 기울기가 -1인 직선이므로 이 접선의 접점의 좌표를 $(t,\ t^3-3t^2+2t)$라 하면

$f'(t)=-1$

$3t^2-6t+2=-1$

$3(t-1)^2=0$ $\therefore t=1$

따라서 접점의 좌표는 $(1,\ 0)$이므로 접선의 방정식은

$y-0=-(x-1)$ $\therefore y=-x+1$ …… ㉠

직선 ㉠을 x축의 방향으로 a만큼, y축의 방향으로 b만큼 평행이동한 직선의 방정식은

$y-b=-(x-a)+1$

$\therefore y=-x+a+1+b$

이고, 이것이 직선 $y=-x+2$와 일치하므로

$a+1+b=2$

$\therefore a+b=1$ **답 1**

110

$f(x)=-x^3+3x^2-x+1$로 놓으면

$f'(x)=-3x^2+6x-1$

접점의 좌표를

$(t,\ -t^3+3t^2-t+1)$

이라 하면 접선의 기울기가 -1이므로

$f'(t)=-3t^2+6t-1=-1$

$-3t^2+6t=0$, $-3t(t-2)=0$

$\therefore t=0$ 또는 $t=2$

따라서 접점의 좌표는 $(0,\ 1)$, $(2,\ 3)$이므로 접선의 방정식은

$y-1=-(x-0)$, $y-3=-(x-2)$

$\therefore y=-x+1$, $y=-x+5$

위의 두 직선 사이의 거리는 점 $(0,\ 1)$과 직선 $y=-x+5$, 즉 $x+y-5=0$ 사이의 거리와 같으므로

$\dfrac{|0+1-5|}{\sqrt{1^2+1^2}}=\dfrac{4}{\sqrt{2}}=2\sqrt{2}$ **답 $2\sqrt{2}$**

111

$f(x)=x^2-2x-3$으로 놓으면 $f'(x)=2x-2$

곡선 $y=f(x)$의 접선 중에서 직선 $y=2x-10$과 평행한 접선의 접점의 좌표를 $(t,\ t^2-2t-3)$이라 하면 이 점에서의 접선의 기울기가 2이므로

$f'(t)=2t-2=2$ $\therefore t=2$

따라서 접점의 좌표는 $(2,\ -3)$이다.

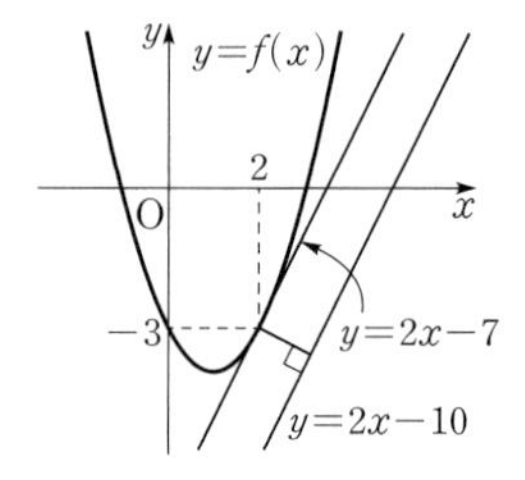

곡선 $y=f(x)$ 위의 점과 직선 $y=2x-10$, 즉 $2x-y-10=0$ 사이의 거리의 최솟값은 점 $(2,\ -3)$과 직선 $2x-y-10=0$ 사이의 거리와 같으므로

$\dfrac{|2\cdot 2-(-3)-10|}{\sqrt{2^2+(-1)^2}}=\dfrac{3}{\sqrt{5}}=\dfrac{3\sqrt{5}}{5}$ **답 $\dfrac{3\sqrt{5}}{5}$**

112

함수 $f(x)$가 실수 전체의 집합에서 미분가능하므로 $f(x)$는 닫힌구간 $[x-1,\ x+3]$에서 연속이고 열린구간 $(x-1,\ x+3)$에서 미분가능하다.

따라서 평균값 정리에 의하여

$$\frac{f(x+3)-f(x-1)}{(x+3)-(x-1)}=f'(c)$$

를 만족시키는 실수 c가 열린구간 $(x-1,\ x+3)$에 적어도 하나 존재한다.

이때 $x \longrightarrow \infty$이면 $c \longrightarrow \infty$이므로

$$\lim_{x\to\infty}\{f(x+3)-f(x-1)\}$$

$$=4\lim_{x\to\infty}\frac{f(x+3)-f(x-1)}{(x+3)-(x-1)}=4\lim_{x\to\infty}f'(c)$$

$$=4\lim_{c\to\infty}f'(c)=4\cdot2=8$$

답 8

113

$f(x)=x^3+ax^2+2ax$에서

$f'(x)=3x^2+2ax+2a$

삼차함수 $f(x)$가 열린구간 $(-\infty,\ \infty)$에서 증가하려면 모든 실수 x에 대하여 $f'(x)\geq0$이어야 하므로 이차방정식 $f'(x)=0$의 판별식을 D라 하면

$$\frac{D}{4}=a^2-3\cdot2a=a^2-6a\leq0$$

$a(a-6)\leq0 \qquad \therefore 0\leq a\leq6$

따라서 실수 a의 최댓값은 6, 최솟값은 0이므로

$M=6,\ m=0$

$\therefore M-m=6-0=6$

답 ④

114

$f(x)=-x^3+ax^2+bx-1$에서

$f'(x)=-3x^2+2ax+b$

함수 $f(x)$가 증가하는 구간이 닫힌구간 $[1,\ 3]$이므로 이차부등식 $f'(x)\geq0$의 해가 $1\leq x\leq3$이다. 즉,

$f'(x)=-3(x-1)(x-3)$

$\qquad=-3x^2+12x-9$

따라서 $2a=12,\ b=-9$이므로 $a=6$

$\therefore a+b=6+(-9)=-3$

답 −3

115

$f(x)=x^3+6x^2+ax-2$에서

$f'(x)=3x^2+12x+a$

삼차함수 $f(x)$가 닫힌구간 $[-3,\ 1]$에서 감소하려면 닫힌구간 $[-3,\ 1]$에서 $f'(x)\leq0$이어야 하므로 오른쪽 그림에서

$f'(1)=3+12+a\leq0$

$\therefore a\leq-15 \qquad \cdots\cdots ㉠$

$f'(-3)=27-36+a\leq0$

$\therefore a\leq9 \qquad \cdots\cdots ㉡$

㉠, ㉡의 공통 범위를 구하면

$a\leq-15$

답 $a\leq-15$

116

삼차함수 $f(x)$의 역함수가 존재하려면 $f(x)$는 일대일대응이어야 하므로 $f(x)$는 실수 전체의 집합에서 증가하거나 감소해야 한다. 이때 $f(x)$의 최고차항의 계수가 양수이므로 $f(x)$는 실수 전체의 집합에서 증가한다.

$f(x)=x^3+kx^2+3kx-2$에서

$f'(x)=3x^2+2kx+3k$

삼차함수 $f(x)$가 실수 전체의 집합에서 증가하려면 모든 실수 x에 대하여 $f'(x)\geq0$이어야 하므로 이차방정식 $f'(x)=0$의 판별식을 D라 하면

$$\frac{D}{4}=k^2-3\cdot3k=k^2-9k\leq0$$

$k(k-9)\leq0 \qquad \therefore 0\leq k\leq9$

따라서 정수 k는 0, 1, 2, $\cdots$, 9의 10개이다.

답 10

117

임의의 실수 $x_1,\ x_2$에 대하여 $x_1<x_2$이면 $f(x_1)>f(x_2)$이므로 함수 $f(x)$는 실수 전체의 집합에서 감소한다.

$\therefore k<0$

$f(x)=kx^3-x^2+3kx+k$에서

$f'(x)=3kx^2-2x+3k$

삼차함수 $f(x)$가 실수 전체의 집합에서 감소하려면 모든 실수 x에 대하여 $f'(x)\leq0$이어야 하므로 이차

방정식 $f'(x)=0$의 판별식을 D라 하면

$\frac{D}{4}=(-1)^2-3k\cdot3k=1-9k^2\leq0$

$9k^2-1\geq0$, $(3k+1)(3k-1)\geq0$

$k\leq-\frac{1}{3}$ 또는 $k\geq\frac{1}{3}$

$\therefore k\leq-\frac{1}{3}$ ($\because k<0$)

따라서 실수 k의 최댓값은 $-\frac{1}{3}$이다. **답** $-\frac{1}{3}$

118

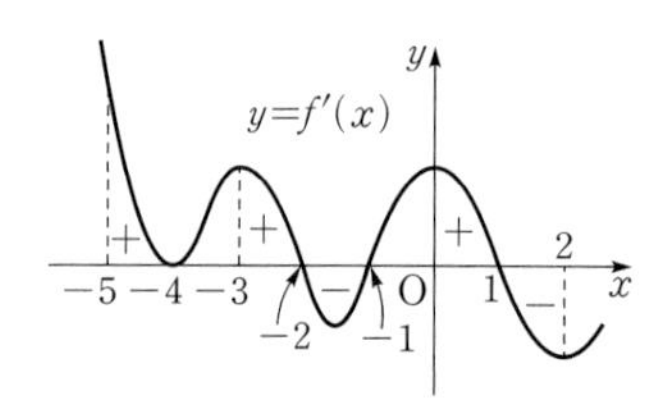

$f'(x)=0$을 만족시키는 x의 값은

$x=-4$ 또는 $x=-2$ 또는 $x=-1$ 또는 $x=1$이므로 닫힌구간 $[-5, 2]$에서 함수 $f(x)$의 증가와 감소를 표로 나타내면 다음과 같다.

x	-5	$\cdots$	-4	$\cdots$	-2	$\cdots$	-1	$\cdots$	1	$\cdots$	2
$f'(x)$		$+$	0	$+$	0	$-$	0	$+$	0	$-$	
$f(x)$		↗		↗		↘		↗		↘	

ㄱ. $f(x)$는 닫힌구간 $[-5, -4]$에서 증가한다. (거짓)

ㄴ. $f(x)$는 닫힌구간 $[-2, -1]$에서 감소한다. (참)

ㄷ. $f(x)$는 닫힌구간 $[-1, 1]$에서 증가하므로 닫힌구간 $[0, 1]$에서 증가한다. (참)

따라서 옳은 것은 ㄴ, ㄷ이다. **답 ㄴ, ㄷ**

119

$f(x)=x^3+9x^2+15x+6$에서

$f'(x)=3x^2+18x+15$

$=3(x+5)(x+1)$

$f'(x)=0$을 만족시키는 x의 값은

$x=-5$ 또는 $x=-1$

함수 $f(x)$의 증가와 감소를 표로 나타내면 다음과 같다.

x	$\cdots$	-5	$\cdots$	-1	$\cdots$
$f'(x)$	$+$	0	$-$	0	$+$
$f(x)$	↗	31 극대	↘	-1 극소	↗

따라서 함수 $f(x)$는 $x=-5$에서 극댓값 31,

$x=-1$에서 극솟값 -1을 갖는다.

$\therefore M=31$, $m=-1$

$\therefore M-m=31-(-1)=32$ **답** ③

120

$f(x)=-2x^3-6x^2+a$에서

$f'(x)=-6x^2-12x=-6x(x+2)$

$f'(x)=0$을 만족시키는 x의 값은 $x=-2$ 또는 $x=0$

함수 $f(x)$의 증가와 감소를 표로 나타내면 다음과 같다.

x	$\cdots$	-2	$\cdots$	0	$\cdots$
$f'(x)$	$-$	0	$+$	0	$-$
$f(x)$	↘	$-8+a$ 극소	↗	a 극대	↘

따라서 함수 $f(x)$는 $x=-2$에서 극솟값 $-8+a$를 갖는다. 그런데 $f(x)$가 $x=b$에서 극솟값 1을 가지므로

$b=-2$, $-8+a=1$ $\therefore a=9$

$\therefore a+b=9+(-2)=7$ **답** ②

121

$f(x)=x^3+ax^2+bx-9$에서

$f'(x)=3x^2+2ax+b$

미분가능한 함수 $f(x)$가 $x=-1$에서 극댓값, $x=3$에서 극솟값을 가지므로 $f'(-1)=0$, $f'(3)=0$

즉, 이차방정식 $f'(x)=0$의 두 근이 $x=-1$, $x=3$이므로

$f'(x)=3(x+1)(x-3)$

$=3x^2-6x-9$

따라서 $2a=-6$, $b=-9$이므로 $a=-3$

$\therefore f(x)=x^3-3x^2-9x-9$

$f(-1)=-1-3+9-9=-4$,

$f(3)=27-27-27-9=-36$

이므로 극댓값과 극솟값의 차는

$|f(-1)-f(3)|=|-4-(-36)|$

$=32$

답 32

122

$f(x)=x^3+3x^2-9x+a$에서

$f'(x)=3x^2+6x-9=3(x+3)(x-1)$

$f'(x)=0$을 만족시키는 x의 값은 $x=-3$ 또는 $x=1$

함수 $f(x)$의 증가와 감소를 표로 나타내면 다음과 같다.

x	$\cdots$	-3	$\cdots$	1	$\cdots$
$f'(x)$	$+$	0	$-$	0	$+$
$f(x)$	↗	$27+a$ 극대	↘	$-5+a$ 극소	↗

따라서 함수 $f(x)$는 $x=-3$에서 극댓값 $27+a$,

$x=1$에서 극솟값 $-5+a$를 갖는다.

극댓값과 극솟값의 절댓값이 같으므로

$(27+a)+(-5+a)=0$

$22+2a=0$ $\quad\therefore a=-11$

답 −11

123

$f(x)=x^3-\frac{3}{2}ax^2-6a^2x$에서

$f'(x)=3x^2-3ax-6a^2=3(x^2-ax-2a^2)$

$=3(x+a)(x-2a)$

$f'(x)=0$을 만족시키는 x의 값은 $x=-a$ 또는 $x=2a$이고, $f(x)$가 극댓값과 극솟값을 각각 1개씩 가지므로 $f(x)$는 $x=-a$와 $x=2a$에서 극값을 갖는다.

$f(-a)=-a^3-\frac{3}{2}a^3+6a^3=\frac{7}{2}a^3$,

$f(2a)=8a^3-6a^3-12a^3=-10a^3$

이고, 극댓값과 극솟값의 차가 $\frac{1}{2}$이므로

$|f(-a)-f(2a)|=\frac{1}{2}$

$\left|\frac{7}{2}a^3-(-10a^3)\right|=\frac{1}{2}$, $\left|\frac{27}{2}a^3\right|=\frac{1}{2}$, $|a^3|=\frac{1}{27}$

$a^3=\frac{1}{27}$ ($\because a>0$) $\quad\therefore a=\frac{1}{3}$

답 ②

124

$y=f'(x)$의 그래프에서 $f'(x)=0$을 만족시키는 x의 값은 -2, 0, 2이므로 함수 $f(x)$의 증가와 감소를 표로 나타내면 다음과 같다.

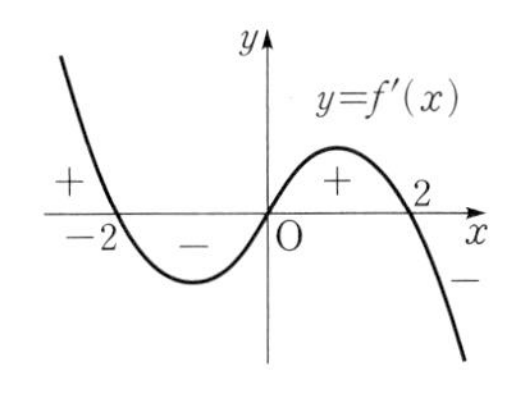

x	$\cdots$	-2	$\cdots$	0	$\cdots$	2	$\cdots$
$f'(x)$	$+$	0	$-$	0	$+$	0	$-$
$f(x)$	↗	극대	↘	극소	↗	극대	↘

따라서 $f(x)$가 극댓값을 갖는 x는 -2, 2의 2개, 극솟값을 갖는 x는 0의 1개이다.

$\therefore m=2$, $n=1$

$\therefore m-n=2-1=1$

답 1

125

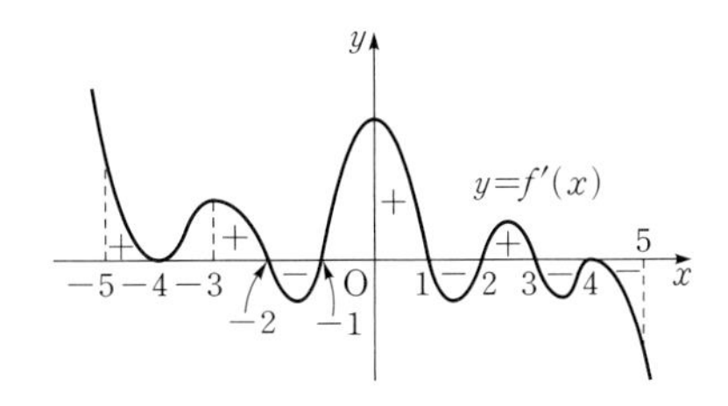

열린구간 $(-5, 5)$에서 $f'(x)=0$을 만족시키는 x의 값 -4, -2, -1, 1, 2, 3, 4 중에서

(i) $f'(x)$의 부호가 양$(+)$에서 음$(-)$으로 바뀌는 x의 값은 -2, 1, 3

즉, $f(x)$는 $x=-2$, $x=1$, $x=3$에서 극댓값을 가지므로

$M=-2+1+3=2$

(ii) $f'(x)$의 부호가 음$(-)$에서 양$(+)$으로 바뀌는 x의 값은 -1, 2

즉, $f(x)$는 $x=-1$, $x=2$에서 극솟값을 가지므로

$m=-1+2=1$

$\therefore M-m=2-1=1$

답 1

126

$f(x)=x^3+ax^2+bx+c$에서

$f'(x)=3x^2+2ax+b$

$y=f'(x)$의 그래프에서 $f'(0)=0$, $f'(2)=0$이므로 이차방정식 $f'(x)=0$의 두 근이 $x=0$, $x=2$이다. 즉,
$f'(x)=3x(x-2)=3x^2-6x$
따라서 $2a=-6$, $b=0$이므로 $a=-3$
$\therefore f(x)=x^3-3x^2+c$
$f'(x)=0$을 만족시키는 x의 값이 $x=0$ 또는 $x=2$이므로 함수 $f(x)$의 증가와 감소를 표로 나타내면 다음과 같다.

x	$\cdots$	0	$\cdots$	2	$\cdots$
$f'(x)$	$+$	0	$-$	0	$+$
$f(x)$	↗	c 극대	↘	$-4+c$ 극소	↗

따라서 함수 $f(x)$는 $x=0$에서 극댓값 c를 갖는다. 그런데 극댓값이 5이므로 $c=5$
따라서 함수 $f(x)$의 극솟값은
$-4+c=-4+5=1$

답 1

127

$f(x)=\frac{1}{3}x^3-x^2-3x$에서
$f'(x)=x^2-2x-3$
$=(x+1)(x-3)$
$f'(x)=0$을 만족시키는 x의 값은 $x=-1$ 또는 $x=3$
함수 $f(x)$의 증가와 감소를 표로 나타내면 다음과 같다.

x	$\cdots$	-1	$\cdots$	3	$\cdots$
$f'(x)$	$+$	0	$-$	0	$+$
$f(x)$	↗	$\frac{5}{3}$ 극대	↘	-9 극소	↗

함수 $f(x)$는 $x=3$에서 극솟값 -9를 갖는다.
$\therefore a=3$, $b=-9$
$f'(2)=-3$, $f(2)=-\frac{22}{3}$이므로 곡선 $y=f(x)$ 위의 점 $(2, f(2))$에서의 접선의 방정식은
$y-\left(-\frac{22}{3}\right)=-3(x-2)$
$\therefore y=-3x-\frac{4}{3}$

점 $(3, -9)$와 직선 $y=-3x-\frac{4}{3}$, 즉
$9x+3y+4=0$ 사이의 거리는
$\frac{|9\cdot3+3\cdot(-9)+4|}{\sqrt{9^2+3^2}}=\frac{4}{\sqrt{90}}$ $\therefore d=\frac{4}{\sqrt{90}}$
$\therefore 90d^2=90\cdot\left(\frac{4}{\sqrt{90}}\right)^2=16$

답 16

128

$g(x)=(x^3+2)f(x)$ …… ㉠
에서
$g'(x)=3x^2f(x)+(x^3+2)f'(x)$ …… ㉡
미분가능한 함수 $g(x)$가 $x=1$에서 극솟값 24를 가지므로 $g'(1)=0$, $g(1)=24$
$x=1$을 ㉠에 대입하면
$g(1)=3f(1)$, $24=3f(1)$ $\therefore f(1)=8$
$x=1$을 ㉡에 대입하면
$g'(1)=3f(1)+3f'(1)$
$0=3\cdot8+3f'(1)$ $\therefore f'(1)=-8$
$\therefore f(1)-f'(1)=8-(-8)=16$

답 16

129

$f(x)=x^3+ax^2+bx+100$에서
$f'(x)=3x^2+2ax+b$
미분가능한 함수 $f(x)$가 $x=-6$에서 극값을 가지므로 $f'(-6)=0$
$108-12a+b=0$ $\therefore 12a-b=108$ …… ㉠
곡선 $y=f(x)$ 위의 점 $(-3, f(-3))$에서의 접선의 기울기가 9이므로 $f'(-3)=9$
$27-6a+b=9$ $\therefore 6a-b=18$ …… ㉡
㉠, ㉡을 연립하여 풀면 $a=15$, $b=72$
$\therefore a+b=15+72=87$

답 87

130

$f(x)=x^3+ax^2+bx+c$에서
$f'(x)=3x^2+2ax+b$
곡선 $y=f(x)$ 위의 점 $(1, f(1))$에서의 접선의 기울기가 6이므로 $f'(1)=6$
$3+2a+b=6$ $\therefore 2a+b=3$ …… ㉠

미분가능한 함수 $f(x)$가 $x=-1$에서 극댓값을 가지므로 $f'(-1)=0$

$3-2a+b=0 \quad \therefore -2a+b=-3$ ······ ㉡

㉠, ㉡을 연립하여 풀면 $a=\frac{3}{2}$, $b=0$

$\therefore f(x)=x^3+\frac{3}{2}x^2+c$

곡선 $y=f(x)$ 위의 점 $(1, f(1))$에서의 접선의 방정식은

$y-f(1)=f'(1)(x-1)$

$\therefore y=f'(1)x-f'(1)+f(1)$ ······ ㉢

㉢이 $y=6x-1$이므로

$f'(1)=6$, $-f'(1)+f(1)=-1$

$\therefore f(1)=5$

$f(1)=1+\frac{3}{2}+c=5 \quad \therefore c=\frac{5}{2}$

따라서 $f(x)=x^3+\frac{3}{2}x^2+\frac{5}{2}$이므로

$f(3)=27+\frac{27}{2}+\frac{5}{2}=43$ **답 43**

131

$\lim_{x\to 0}\frac{f(x)}{x}=-2$에서 극한값이 존재하고, $x \to 0$일 때 (분모) $\to$ 0이므로 (분자) $\to$ 0이다.

즉, $\lim_{x\to 0}f(x)=0$

그런데 $f(x)$는 연속함수이므로 $f(0)=\lim_{x\to 0}f(x)=0$

$f(0)=0$이므로 삼차함수 $f(x)$는

$f(x)=ax^3+bx^2+cx$ (a, b, c는 상수, $a\neq 0$)

$f'(x)=3ax^2+2bx+c$

또한, $\lim_{x\to 0}\frac{f(x)}{x}=\lim_{x\to 0}\frac{f(x)-f(0)}{x-0}=f'(0)=-2$

에서 $f'(0)=-2$이므로 $c=-2$

$\therefore f(x)=ax^3+bx^2-2x$, $f'(x)=3ax^2+2bx-2$

함수 $f(x)$가 $x=1$에서 극솟값 -3을 가지므로

$f'(1)=0$, $f(1)=-3$

$3a+2b-2=0$, $a+b-2=-3$

위의 식을 연립하여 풀면 $a=4$, $b=-5$

따라서 $f(x)=4x^3-5x^2-2x$이므로

$f(-1)=-4-5+2=-7$ **답 -7**

132

$g(x)=f(x)-kx$에서

$g'(x)=f'(x)-k=x^2-1-k$

미분가능한 함수 $g(x)$가 $x=-3$에서 극값을 가지므로 $g'(-3)=0$

$9-1-k=0 \quad \therefore k=8$ **답 ⑤**

133

$f'(x)=0$을 만족시키는 x의 값은 -1, 2, 4이므로 함수 $f(x)$의 증가와 감소를 표로 나타내면 다음과 같다.

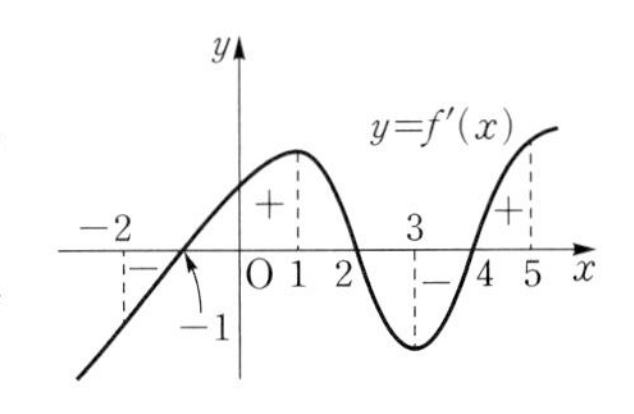

x	$\cdots$	-1	$\cdots$	2	$\cdots$	4	$\cdots$
$f'(x)$	$-$	0	$+$	0	$-$	0	$+$
$f(x)$	↘	극소	↗	극대	↘	극소	↗

① $f(x)$는 닫힌구간 $[-1, 2]$에서 증가한다. (거짓)

② $f(x)$는 닫힌구간 $[2, 4]$에서 감소한다. (거짓)

③ $f(x)$는 $x=2$에서 극대이다. (거짓)

④ $f(x)$는 $x=-1$에서 극소이다. (참)

⑤ $f(x)$는 3개의 극값을 갖는다. (거짓) **답 ④**

134

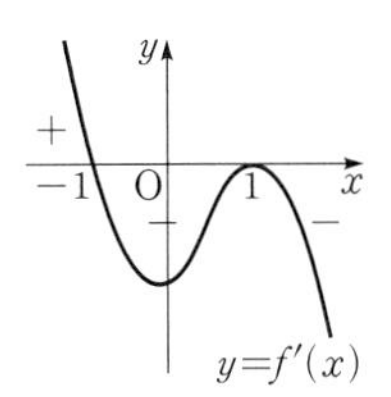

함수 $f(x)$의 증가와 감소를 표로 나타내면 다음과 같다.

x	$\cdots$	-1	$\cdots$	1	$\cdots$
$f'(x)$	$+$	0	$-$	0	$-$
$f(x)$	↗	극대	↘		↘

함수 $f(x)$는 반닫힌 구간 $(-\infty, -1]$에서 증가, 닫힌구간 $[-1, 1]$에서 감소, 반닫힌 구간 $[1, \infty)$에서 감소한다.

또한 $f(x)$는 $x=-1$에서 극댓값을 갖고, $x=1$에서의 미분계수가 0이므로 곡선 $y=f(x)$ 위의 점 $(1,\ f(1))$에서의 접선의 기울기가 0이다.
따라서 함수 $y=f(x)$의 그래프의 개형이 될 수 있는 것은 ④이다. **답 ④**

135

$f(x)=x^3+(2-a)x^2-(2a-1)x$에서

$f'(x)=3x^2+2(2-a)x-(2a-1)$
$=(x+1)\{3x-(2a-1)\}$

$f'(x)=0$을 만족시키는 x의 값은 $x=\dfrac{2a-1}{3}$ 또는 $x=-1$

최고차항의 계수가 양수인 삼차함수 $f(x)$가 $x=-1$에서 극솟값을 가지므로 $f(x)$는 $x=\dfrac{2a-1}{3}$에서 극댓값을 갖는다. 즉,

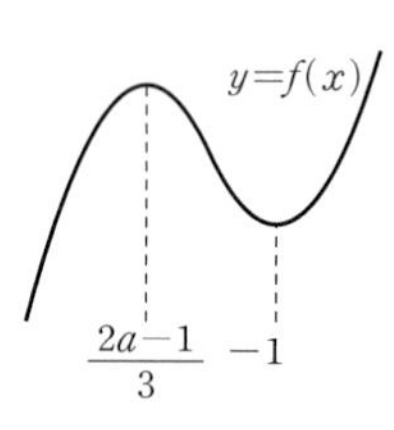

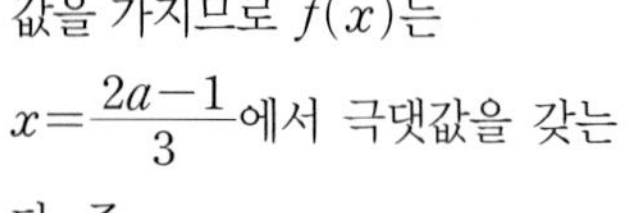

$\dfrac{2a-1}{3}<-1$

$2a-1<-3$ $\quad\therefore a<-1$ **답 $a<-1$**

참고 $3x^2+2(2-a)x-(2a-1)$의 인수분해는 조립제법을 이용한다.

-1	3	$2(2-a)$	$-(2a-1)$
		-3	$-1+2a$
	3	$1-2a$	0

136

삼차함수 $f(x)=x^3-3ax^2+4a$의 그래프가 x축에 접하므로 다음 그림과 같이 극댓값 또는 극솟값이 0이다.

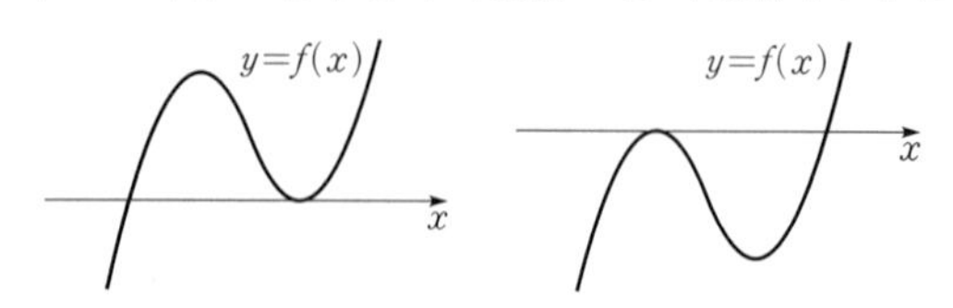

$f'(x)=3x^2-6ax=3x(x-2a)$

$f'(x)=0$을 만족시키는 x의 값은 $x=0$ 또는 $x=2a\ (a>0)$

따라서 $f(x)$는 $x=0$에서 극댓값, $x=2a$에서 극솟값을 갖는다. 이때 극댓값 $f(0)=4a\neq0$이므로 극솟값 $f(2a)=0$이다. 즉

$f(2a)=8a^3-12a^3+4a=0$

$-4a^3+4a=0,\ -4a(a+1)(a-1)=0$

$\therefore a=1\ (\because a>0)$ **답 1**

137

$f(x)=-2x^3+ax^2-24x-1$에서

$f'(x)=-6x^2+2ax-24$

삼차함수 $f(x)$가 극값을 갖지 않을 필요충분조건은 이차방정식 $f'(x)=0$이 중근을 갖거나 허근을 갖는 것이므로 이차방정식 $f'(x)=0$의 판별식을 D라 하면

$\dfrac{D}{4}=a^2-(-6)\cdot(-24)=a^2-144\leq0$

$(a+12)(a-12)\leq0$ $\quad\therefore -12\leq a\leq12$

따라서 자연수 a의 최댓값은 12이다. **답 12**

138

$f(x)=x^3+(k-3)x^2+(2-k)x-3$에서

$f'(x)=3x^2+2(k-3)x+(2-k)$

삼차함수 $f(x)$가 $0<x<1$에서 극댓값, $1<x<2$에서 극솟값을 가지려면 이차방정식 $f'(x)=0$이 $0<x<1$에서 실근 한 개, $1<x<2$에서 실근 한 개를 가져야 하므로 오른쪽 그림에서

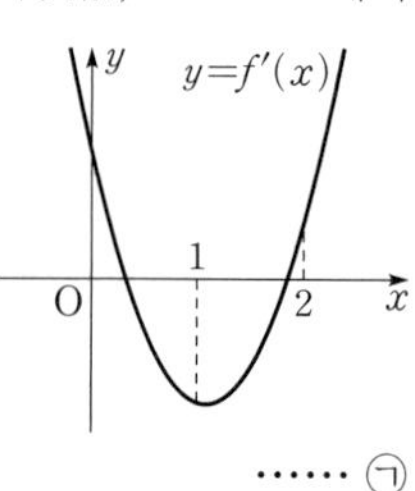

$f'(0)=2-k>0$ $\quad\therefore k<2$ ...... ㉠

$f'(1)=3+2(k-3)+(2-k)<0$

$\therefore k<1$ ...... ㉡

$f'(2)=12+4(k-3)+(2-k)>0$

$\therefore k>-\dfrac{2}{3}$ ...... ㉢

㉠~㉢의 공통 범위를 구하면

$-\dfrac{2}{3}<k<1$ **답 ②**

139

$f(x)=-3x^4+ax^3-24x^2+3$에서

$f'(x)=-12x^3+3ax^2-48x$

$=-3x(4x^2-ax+16)$

$f(x)$가 극솟값을 가지려면 삼차방정식 $f'(x)=0$이 서로 다른 세 실근을 가져야 하므로 이차방정식

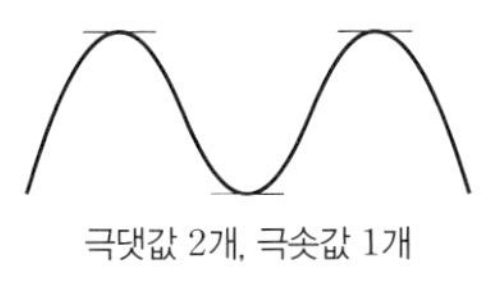
극댓값 2개, 극솟값 1개

$4x^2-ax+16=0$이 0이 아닌 서로 다른 두 실근을 가져야 한다.

$x=0$은 $4x^2-ax+16=0$의 근이 될 수 없으므로 $4x^2-ax+16=0$의 판별식을 D라 하면

$D=(-a)^2-4\cdot4\cdot16>0$, $a^2-16^2>0$

$(a+16)(a-16)>0$ $\quad\therefore a<-16$ 또는 $a>16$

따라서 자연수 a의 최솟값은 17이다. 답 ⑤

140

$f(x)=x^3-3x-5$에서

$f'(x)=3x^2-3=3(x+1)(x-1)$

$f'(x)=0$을 만족시키는 x의 값은 $x=-1$ 또는 $x=1$

닫힌구간 $[-1, 3]$에서 함수 $f(x)$의 증가와 감소를 표로 나타내면 다음과 같다.

x	-1	$\cdots$	1	$\cdots$	3
$f'(x)$		$-$	0	$+$	
$f(x)$	-3	↘	-7 극소	↗	13

따라서 $f(x)$는 $x=1$에서 최솟값 -7, $x=3$에서 최댓값 13을 갖는다.

$\therefore M=13$, $m=-7$

$\therefore M-m=13-(-7)=20$ 답 20

141

$f(x)=x^3-6x^2+a$에서

$f'(x)=3x^2-12x=3x(x-4)$

$f'(x)=0$을 만족시키는 x의 값은 $x=0$ 또는 $x=4$

닫힌구간 $[2, 5]$에서 함수 $f(x)$의 증가와 감소를 표로 나타내면 다음과 같다.

x	2	$\cdots$	4	$\cdots$	5
$f'(x)$		$-$	0	$+$	
$f(x)$	$-16+a$	↘	$-32+a$ 극소	↗	$-25+a$

따라서 $f(x)$는 $x=4$에서 최솟값 $-32+a$, $x=2$에서 최댓값 $-16+a$를 갖는다.

그런데 $f(x)$의 최솟값이 -20이므로

$-32+a=-20$ $\quad\therefore a=12$

따라서 $f(x)$의 최댓값은

$-16+a=-16+12=-4$ 답 ①

142

$f(x)=x^3-3x^2+a$에서

$f'(x)=3x^2-6x=3x(x-2)$

$f'(x)=0$을 만족시키는 x의 값은 $x=0$ 또는 $x=2$

닫힌구간 $[1, 4]$에서 함수 $f(x)$의 증가와 감소를 표로 나타내면 다음과 같다.

x	1	$\cdots$	2	$\cdots$	4
$f'(x)$		$-$	0	$+$	
$f(x)$	$-2+a$	↘	$-4+a$ 극소	↗	$16+a$

따라서 $f(x)$는 $x=2$에서 최솟값 $-4+a$, $x=4$에서 최댓값 $16+a$를 갖는다.

그런데 $f(x)$의 최댓값과 최솟값의 합이 20이므로

$(16+a)+(-4+a)=20$, $2a+12=20$

$2a=8$ $\quad\therefore a=4$ 답 4

143

$f(x)=ax^3-3ax+2b\ (a>0)$에서

$f'(x)=3ax^2-3a=3a(x+1)(x-1)$

$f'(x)=0$을 만족시키는 x의 값은 $x=-1$ 또는 $x=1$

$a>0$이므로 닫힌구간 $[-1, 3]$에서 함수 $f(x)$의 증가와 감소를 표로 나타내면 다음과 같다.

x	-1	$\cdots$	1	$\cdots$	3
$f'(x)$		$-$	0	$+$	
$f(x)$	$2a+2b$	↘	$-2a+2b$ 극소	↗	$18a+2b$

따라서 $f(x)$는 $x=1$에서 최솟값 $-2a+2b$, $x=3$에서 최댓값 $18a+2b$를 갖는다.
그런데 $f(x)$의 최댓값이 22, 최솟값이 2이므로
$18a+2b=22$, $-2a+2b=2$
위의 두 식을 연립하여 풀면 $a=1$, $b=2$
$\therefore ab=1\cdot 2=2$ **답 2**

144

$f(x)=x^4-4a^3x+1$에서
$f'(x)=4x^3-4a^3=4(x-a)(x^2+ax+a^2)$
$x^2+ax+a^2=\left(x+\frac{a}{2}\right)^2+\frac{3}{4}a^2>0$ ($\because a>0$)이므로
$f'(x)=0$을 만족시키는 x의 값은 $x=a$
함수 $f(x)$의 증가와 감소를 표로 나타내면 다음과 같다.

x	$\cdots$	a	$\cdots$
$f'(x)$	$-$	0	$+$
$f(x)$	↘	$f(a)$ 극소	↗

따라서 $f(x)$는 $x=a$에서 최솟값 $f(a)$를 갖는다.
그런데 $f(x)$의 최솟값이 -47이므로
$f(a)=a^4-4a^4+1=-3a^4+1=-47$
$a^4=16$ $\therefore a=2$ ($\because a>0$) **답 ②**

145

$f(x)=x^3+ax^2+3x+1$에서
$f'(x)=3x^2+2ax+3$
삼차함수 $f(x)$가 극값을 가질 필요충분조건은 이차방정식 $f'(x)=0$이 서로 다른 두 실근을 가지는 것이므로 이차방정식 $f'(x)=0$의 판별식을 D_1이라 하면
$\frac{D_1}{4}=a^2-9>0$, $(a+3)(a-3)>0$
$\therefore a<-3$ 또는 $a>3$ ...... ㉠
$g(x)=x^3+ax^2-3ax+2$에서
$g'(x)=3x^2+2ax-3a$
삼차함수 $g(x)$가 극값을 갖지 않을 필요충분조건은 이차방정식 $g'(x)=0$이 중근 또는 허근을 갖는 것이므로 이차방정식 $g'(x)=0$의 판별식을 D_2라 하면
$\frac{D_2}{4}=a^2-3\cdot(-3a)=a^2+9a\le 0$
$a(a+9)\le 0$ $\therefore -9\le a\le 0$ ...... ㉡
㉠, ㉡의 공통 범위를 구하면
$-9\le a<-3$
따라서 정수 a는 -9, -8, -7, $\cdots$, -4의 6개이다.
답 6

146

$a=0$이면 $f(x)$는 일차함수이므로 극값을 갖지 않는다. $\therefore a\ne 0$
$f(x)=ax^3-3x+b$에서
$f'(x)=3ax^2-3=3a\left(x^2-\frac{1}{a}\right)$
삼차함수 $f(x)$가 극값을 가지므로 이차방정식 $f'(x)=0$이 서로 다른 두 실근을 갖는다. 즉
$\frac{1}{a}>0$ $\therefore a>0$
$f'(x)=3a\left(x^2-\frac{1}{a}\right)=3a\left(x+\frac{1}{\sqrt{a}}\right)\left(x-\frac{1}{\sqrt{a}}\right)$
$f'(x)=0$을 만족시키는 x의 값은 $x=-\frac{1}{\sqrt{a}}$ 또는 $x=\frac{1}{\sqrt{a}}$
따라서 $f(x)$는 $x=-\frac{1}{\sqrt{a}}$에서 극댓값 4, $x=\frac{1}{\sqrt{a}}$에서 극솟값 2를 가지므로
$f\left(-\frac{1}{\sqrt{a}}\right)=-\frac{1}{\sqrt{a}}+\frac{3}{\sqrt{a}}+b=\frac{2}{\sqrt{a}}+b=4$
$f\left(\frac{1}{\sqrt{a}}\right)=\frac{1}{\sqrt{a}}-\frac{3}{\sqrt{a}}+b=-\frac{2}{\sqrt{a}}+b=2$
위의 두 식을 연립하여 풀면 $a=4$, $b=3$
$\therefore ab=4\cdot 3=12$ **답 12**

147

x^3의 계수가 음수인 삼차함수 $y=f(x)$의 그래프가 x축에 접하고, $f(x)$의 극솟값이 -4이므로 $f(x)$의 극댓값은 0이다.

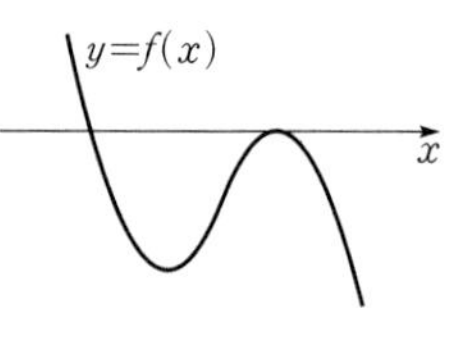

$y=f(x)$의 그래프가 원점 이외의 점에서 x축과 접하

므로 x축과 접하는 점의 좌표를 $(\alpha, 0)(\alpha\neq0)$이라 하면

$f(x)=-x(x-\alpha)^2\ (\alpha\neq0)$

$\quad=-x^3+2\alpha x^2-\alpha^2 x$

$f'(x)=-3x^2+4\alpha x-\alpha^2$

$\quad=-(3x-\alpha)(x-\alpha)$

$f'(x)=0$을 만족시키는 x의 값은 $x=\frac{\alpha}{3}$ 또는 $x=\alpha$

따라서 함수 $f(x)$는 $x=\frac{\alpha}{3}$에서 극솟값 -4를 가지므로

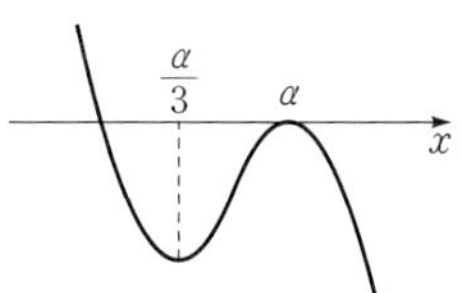

$f\left(\frac{\alpha}{3}\right)=-\frac{\alpha}{3}\left(-\frac{2}{3}\alpha\right)^2=-4$

$-\frac{4}{27}\alpha^3=-4,\ \alpha^3=27 \qquad \therefore \alpha=3$

$\therefore f(x)=-x(x-3)^2$

$\quad=-x^3+6x^2-9x$

따라서 $m=6$, $n=-9$이므로

$mn=6\cdot(-9)=-54$

답 -54

참고 함수

$f(x)=-x^3+mx^2+nx$

$\quad=-x(x^2-mx-n)$

의 그래프가 $x=\alpha(\alpha\neq0)$에서 x축과 접하면 $y=f(x)$의 그래프는 점 $(\alpha, 0)$을 지나므로

$f(x)=-x(x-\alpha)(x-\beta)\ (\beta\neq0)$

그런데 $\alpha\neq\beta$이면 $y=f(x)$의 그래프는 x축과 서로 다른 세 점에서 만난다. 즉, x축과 접하지 않으므로

$\alpha=\beta$

$\therefore f(x)=-x(x-\alpha)^2$

148

먼저 $f(x)$가 극솟값을 가질 조건을 구한 후 그 조건을 부정하면 된다.

$f(x)=-3x^4+4ax^3-6(a+3)x^2-1$에서

$f'(x)=-12x^3+12ax^2-12(a+3)x$

$\quad=-12x\{x^2-ax+(a+3)\}$

$f(x)$가 극솟값을 가지려면 삼차방정식 $f'(x)=0$이 서로 다른 세 실근을 가져야 하므로 이차방정식 $x^2-ax+(a+3)=0$이 0이 아닌 서로 다른 두 실근을 가져야 한다.

$x=0$이 $x^2-ax+(a+3)=0$의 근이 될 수 없으므로

$a+3\neq0 \qquad \therefore a\neq-3$ …… ㉠

$x^2-ax+(a+3)=0$의 판별식을 D라 하면

$D=(-a)^2-4(a+3)=a^2-4a-12>0$

$(a+2)(a-6)>0 \qquad \therefore a<-2$ 또는 $a>6$ …… ㉡

㉠, ㉡의 공통 범위를 구하면

$a<-3$ 또는 $-3<a<-2$ 또는 $a>6$ …… ㉢

㉢은 $f(x)$가 극솟값을 갖도록 하는 실수 a의 값의 범위이므로 $f(x)$가 극솟값을 갖지 않도록 하는 실수 a의 값의 범위는 $a=-3$ 또는 $-2\leq a\leq6$

답 $a=-3$ 또는 $-2\leq a\leq6$

다른풀이 $f(x)$가 극솟값을 갖지 않으려면 삼차방정식 $f'(x)=0$이 (i) 한 실근과 두 허근 또는 (ii) 한 실근과 다른 중근 또는 (iii) 삼중근을 가져야 한다.

(i) $f'(x)=-12x\{x^2-ax+(a+3)\}=0$의 한 실근이 $x=0$이므로 $x^2-ax+(a+3)=0$이 두 허근을 가져야 한다. 즉,

$D=a^2-4a-12<0$

$\therefore -2<a<6$

(ii) ㈀ $x^2-ax+(a+3)=0$이 $x\neq0$인 다른 중근을 가지는 경우

$D=a^2-4a-12=0$

$\therefore a=-2$ 또는 $a=6$

㈁ $x^2-ax+(a+3)=0$이 $x=0$을 한 근으로 가지는 경우

$a+3=0 \qquad \therefore a=-3$

(iii) $f'(x)=0$이 삼중근을 갖는 경우는 없다.

(i)~(iii)에서 $f(x)$가 극솟값을 갖지 않도록 하는 실수 a의 값의 범위는 $a=-3$ 또는 $-2\leq a\leq6$

149

$f(x)=x^3-3x$에서

$f'(x)=3x^2-3=3(x+1)(x-1)$

$f'(x)=0$을 만족시키는 x의 값은 $x=-1$ 또는 $x=1$

연습문제 실력 UP

함수 $f(x)$의 증가와 감소를 표로 나타내면 다음과 같다.

x	$\cdots$	-1	$\cdots$	1	$\cdots$
$f'(x)$	$+$	0	$-$	0	$+$
$f(x)$	↗	2 극대	↘	-2 극소	↗

ㄱ. $f(x)$는 $x=-1$에서 극댓값 2, $x=1$에서 극솟값 -2를 갖는다. (참)

ㄴ. $f(2)=8-6=2$이고, $f(x)$는 반닫힌 구간 $[1, \infty)$에서 증가하므로 $x\geq2$이면 $f(x)\geq f(2)=2$이다. (참)

ㄷ. 닫힌구간 $[-2, 2]$에서 함수 $f(x)$의 증가와 감소를 표로 나타내면 다음과 같다.

x	-2	$\cdots$	-1	$\cdots$	1	$\cdots$	2
$f'(x)$		$+$	0	$-$	0	$+$	
$f(x)$	-2	↗	2 극대	↘	-2 극소	↗	2

따라서 $-2\leq x\leq2$일 때, $f(x)$의 최댓값은 2, 최솟값은 -2이므로 $|x|\leq2$이면 $|f(x)|\leq2$이다. (참)

따라서 옳은 것은 ㄱ, ㄴ, ㄷ이다. **답 ㄱ, ㄴ, ㄷ**

150

하루에 A제품 x $(x>0)$개를 판매하여 얻은 이익을 $P(x)$(원)이라 하면

$P(x)=1200x-f(x)$

$=1200x-(x^3-60x^2+1200x+5000)$

$=-x^3+60x^2-5000$

$P'(x)=-3x^2+120x=-3x(x-40)$

$P'(x)=0$을 만족시키는 x의 값은 $x=0$ 또는 $x=40$

$x>0$에서 함수 $P(x)$의 증가와 감소를 표로 나타내면 다음과 같다.

x	0	$\cdots$	40	$\cdots$
$P'(x)$		$+$	0	$-$
$P(x)$		↗	$P(40)$ 극대	↘

따라서 $P(x)$는 $x=40$에서 최대이므로 이익을 최대로 하기 위해 하루에 생산해야 할 A제품은 40개이다.

답 40

151

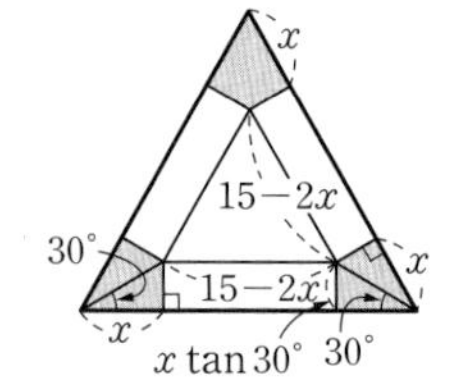

정삼각기둥의 밑면의 한 변의 길이는 $15-2x$이므로

$15-2x>0$

$\therefore 0<x<\frac{15}{2}$

또한 정삼각기둥의 높이는

$x\cdot\tan30^\circ=\frac{x}{\sqrt{3}}$이므로 정삼각기둥의 부피를 $V(x)$라 하면

$V(x)=\frac{\sqrt{3}}{4}(15-2x)^2\cdot\frac{x}{\sqrt{3}}$

$=\frac{x}{4}(15-2x)^2$

$=\frac{1}{4}(4x^3-60x^2+225x)$

$V'(x)=\frac{1}{4}(12x^2-120x+225)$

$=\frac{3}{4}(4x^2-40x+75)$

$=\frac{3}{4}(2x-5)(2x-15)$

$V'(x)=0$을 만족시키는 x의 값은

$x=\frac{5}{2}\left(\because 0<x<\frac{15}{2}\right)$

$0<x<\frac{15}{2}$에서 함수 $V(x)$의 증가와 감소를 표로 나타내면 다음과 같다.

x	0	$\cdots$	$\frac{5}{2}$	$\cdots$	$\frac{15}{2}$
$V'(x)$		$+$	0	$-$	
$V(x)$		↗	$V\left(\frac{5}{2}\right)$ 극대	↘	

따라서 $V(x)$는 $x=\frac{5}{2}$에서 최대가 되므로 정삼각기둥의 부피가 최대가 되도록 하는 x의 값은 $\frac{5}{2}$이다.

답 $\frac{5}{2}$

152

$h(x)=f(x)-g(x)$로 놓으면

$h(0)=f(0)-g(0)=0$

또한 $h'(x)=f'(x)-g'(x)>0$이므로 $h(x)$는 실수 전체의 집합에서 증가하는 함수이다.

따라서 $x>0$이면 $h(x)>h(0)$, 즉

$f(x)-g(x)>0 \qquad \therefore f(x)>g(x)$

따라서 참인 것은 ② $f(1)>g(1)$이다. **답 ②**

153

$f(x)=\frac{1}{3}x^3+2x^2+5|x-2a|+1$에서

$x>2a$일 때,

$f(x)=\frac{1}{3}x^3+2x^2+5(x-2a)+1$

$f'(x)=x^2+4x+5=(x+2)^2+1>0$

$x<2a$일 때,

$f(x)=\frac{1}{3}x^3+2x^2-5(x-2a)+1$

$f'(x)=x^2+4x-5=(x+5)(x-1)$

함수 $f(x)$가 실수 전체의 집합에서 증가해야 하므로 $x<2a$에서 $f'(x)\ge 0$이어야 한다.

$(x+5)(x-1)<0$인 x의 값의 범위가 $-5<x<1$이므로

$2a\le -5 \qquad \therefore a\le -\frac{5}{2}$

따라서 실수 a의 최댓값은 $-\frac{5}{2}$이다. **답 $-\frac{5}{2}$**

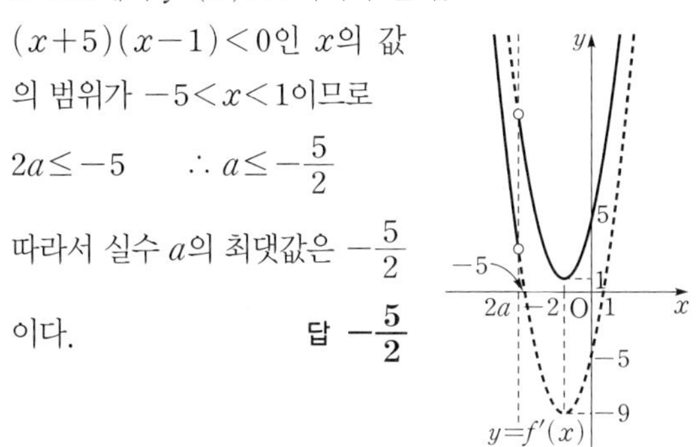

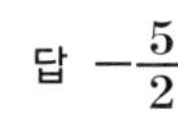

154

점 (t, t^3)과 직선 $x-y+6=0$ 사이의 거리 $g(t)$는

$g(t)=\frac{|t-t^3+6|}{\sqrt{1^2+(-1)^2}}=\frac{1}{\sqrt{2}}|-t^3+t+6|$

$=\frac{1}{\sqrt{2}}|-(t-2)(t^2+2t+3)|$

$=\frac{1}{\sqrt{2}}|(t-2)(t^2+2t+3)|$

$=\frac{1}{\sqrt{2}}(t^2+2t+3)|t-2| \ (\because t^2+2t+3>0)$

ㄱ. 세 함수 $y=\frac{1}{\sqrt{2}}$, $y=t^2+2t+3$, $y=|t-2|$는 실수 전체의 집합에서 연속이므로 함수 $g(t)$는 실수 전체의 집합에서 연속이다. (참)

ㄴ. $t>2$일 때,

$g(t)=\frac{1}{\sqrt{2}}(t^2+2t+3)(t-2)=\frac{1}{\sqrt{2}}(t^3-t-6)$

이므로

$g'(t)=\frac{1}{\sqrt{2}}(3t^2-1)>0$

$t<2$일 때,

$g(t)=\frac{1}{\sqrt{2}}(t^2+2t+3)(-t+2)$

$=\frac{1}{\sqrt{2}}(-t^3+t+6)$

이므로

$g'(t)=\frac{1}{\sqrt{2}}(-3t^2+1)$

$=\frac{1}{\sqrt{2}}(\sqrt{3}t+1)(-\sqrt{3}t+1)$

$g'(t)=0$을 만족시키는 t의 값은

$t=-\frac{1}{\sqrt{3}}$ 또는 $t=\frac{1}{\sqrt{3}}$

함수 $g(t)$의 증가와 감소를 표로 나타내면 다음과 같다.

t	$\cdots$	$-\frac{1}{\sqrt{3}}$	$\cdots$	$\frac{1}{\sqrt{3}}$	$\cdots$	2	$\cdots$
$g'(t)$	$-$	0	$+$	0	$-$		$+$
$g(t)$	↘	극소	↗	극대	↘		↗

따라서 함수 $g(t)$는 $t=-\frac{1}{\sqrt{3}}$에서 0이 아닌 극솟값 $g\left(-\frac{1}{\sqrt{3}}\right)$을 갖는다. (참)

ㄷ. $\lim_{t\to 2+}\frac{g(t)-g(2)}{t-2}$

$=\lim_{t\to 2+}\frac{\frac{1}{\sqrt{2}}(t^2+2t+3)(t-2)}{t-2}$

$=\lim_{t\to 2+}\left\{\frac{1}{\sqrt{2}}(t^2+2t+3)\right\}=\frac{11}{\sqrt{2}}$

$$\lim_{t\to 2-}\frac{g(t)-g(2)}{t-2}$$
$$=\lim_{t\to 2-}\frac{\frac{1}{\sqrt{2}}(t^2+2t+3)(-t+2)}{t-2}$$
$$=\lim_{t\to 2-}\left\{-\frac{1}{\sqrt{2}}(t^2+2t+3)\right\}$$
$$=-\frac{11}{\sqrt{2}}$$

따라서 $\lim_{t\to 2+}\frac{g(t)-g(2)}{t-2}\neq\lim_{t\to 2-}\frac{g(t)-g(2)}{t-2}$이므로 함수 $g(t)$는 $t=2$에서 미분가능하지 않다.

(거짓)

따라서 옳은 것은 ㄱ, ㄴ이다. **답** ③

155

$x^2+3y^2=9$에서 $y^2=\frac{1}{3}(9-x^2)\geq 0$

$x^2-9\leq 0$, $(x+3)(x-3)\leq 0$

$\therefore\ -3\leq x\leq 3$

또한,

$$x^2+xy^2=x^2+x\cdot\frac{1}{3}(9-x^2)$$
$$=-\frac{1}{3}x^3+x^2+3x$$

이므로 $f(x)=-\frac{1}{3}x^3+x^2+3x$로 놓으면

$$f'(x)=-x^2+2x+3$$
$$=-(x+1)(x-3)$$

$f'(x)=0$을 만족시키는 x의 값은 $x=-1$ 또는 $x=3$

$-3\leq x\leq 3$에서 함수 $f(x)$의 증가와 감소를 표로 나타내면 다음과 같다.

x	-3	$\cdots$	-1	$\cdots$	3
$f'(x)$		$-$	0	$+$	
$f(x)$	9	↘	$-\frac{5}{3}$ 극소	↗	9

따라서 $f(x)$는 $x=-1$에서 최솟값 $-\frac{5}{3}$를 가지므로 x^2+xy^2의 최솟값은 $-\frac{5}{3}$이다. **답** $-\frac{5}{3}$

156

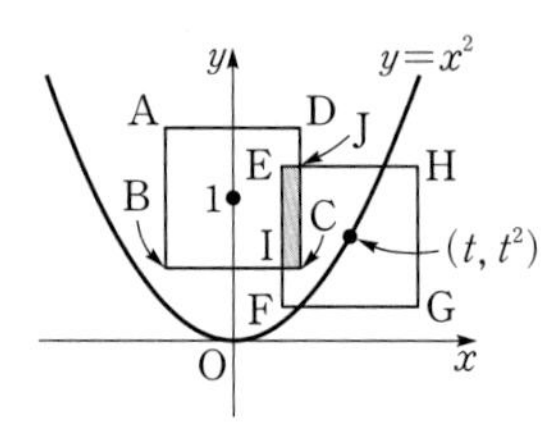

$C\left(\frac{1}{2},\ \frac{1}{2}\right)$, $D\left(\frac{1}{2},\ \frac{3}{2}\right)$이고, 정사각형 EFGH의 두 대각선의 교점의 좌표를 $(t,\ t^2)(t>0)$이라 하면

$E\left(t-\frac{1}{2},\ t^2+\frac{1}{2}\right)$, $F\left(t-\frac{1}{2},\ t^2-\frac{1}{2}\right)$

$\overline{BC}$와 $\overline{EF}$의 교점을 I, $\overline{EH}$와 $\overline{CD}$의 교점을 J라 하면

$$\overline{EJ}=\frac{1}{2}-\left(t-\frac{1}{2}\right)=1-t$$

$$\overline{EI}=\left(t^2+\frac{1}{2}\right)-\frac{1}{2}=t^2$$

따라서 직사각형 EICJ의 넓이를 $f(t)$라 하면

$$f(t)=\overline{EJ}\cdot\overline{EI}=(1-t)t^2$$
$$=-t^3+t^2$$

$$f'(t)=-3t^2+2t=-t(3t-2)$$

$f'(t)=0$을 만족시키는 t의 값은 $t=\frac{2}{3}$ $(\because t>0)$

$t>0$에서 함수 $f(t)$의 증가와 감소를 표로 나타내면 다음과 같다.

t	0	$\cdots$	$\frac{2}{3}$	$\cdots$
$f'(t)$		$+$	0	$-$
$f(t)$		↗	$\frac{4}{27}$ 극대	↘

따라서 $f(t)$는 $t=\frac{2}{3}$에서 최댓값 $\frac{4}{27}$를 가지므로 구하는 넓이의 최댓값은 $\frac{4}{27}$이다. **답** ①

157

$x^3+3x^2-9x+4-k=0$에서

$x^3+3x^2-9x+4=k$ $\cdots\cdots$ ㉠

$f(x)=x^3+3x^2-9x+4$로 놓으면

$f'(x)=3x^2+6x-9=3(x+3)(x-1)$

$f'(x)=0$을 만족시키는 x의 값은 $x=-3$ 또는 $x=1$

함수 $f(x)$의 증가와 감소를 표로 나타내면 다음과 같다.

x	$\cdots$	-3	$\cdots$	1	$\cdots$
$f'(x)$	$+$	0	$-$	0	$+$
$f(x)$	↗	31 극대	↘	-1 극소	↗

방정식 ㉠의 서로 다른 실근의 개수는 두 함수 $y=f(x)$, $y=k$의 그래프의 교점의 개수와 같다.

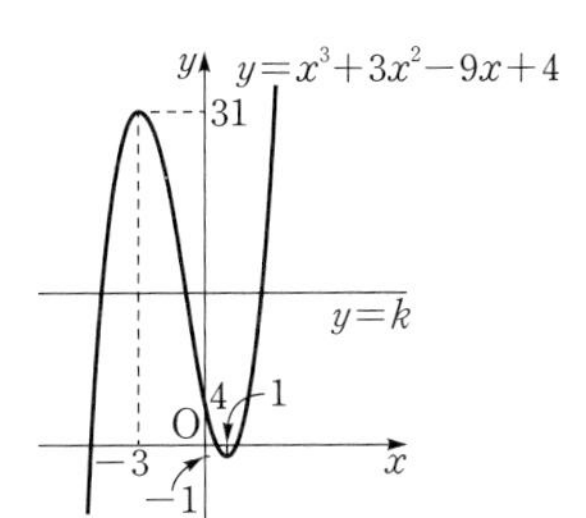

따라서 두 함수 $y=f(x)$, $y=k$의 그래프가 서로 다른 세 점에서 만나도록 하는 실수 k의 값의 범위를 구하면 $-1<k<31$

따라서 정수 k는 0, 1, 2, $\cdots$, 29, 30의 31개이다.

답 ②

158

두 곡선 $y=x^3-2x^2-6x+2$, $y=x^2+3x+a$의 교점의 개수는 방정식 $x^3-2x^2-6x+2=x^2+3x+a$, 즉

$x^3-3x^2-9x+2=a$ $\cdots\cdots$ ㉠

의 서로 다른 실근의 개수와 같다.

$f(x)=x^3-3x^2-9x+2$로 놓으면

$f'(x)=3x^2-6x-9=3(x+1)(x-3)$

$f'(x)=0$을 만족시키는 x의 값은 $x=-1$ 또는 $x=3$

함수 $f(x)$의 증가와 감소를 표로 나타내면 다음과 같다.

x	$\cdots$	-1	$\cdots$	3	$\cdots$
$f'(x)$	$+$	0	$-$	0	$+$
$f(x)$	↗	7 극대	↘	-25 극소	↗

방정식 ㉠의 서로 다른 실근의 개수는 두 함수 $y=f(x)$, $y=a$의 그래프의 교점의 개수와 같다.

따라서 두 함수 $y=f(x)$, $y=a$의 그래프가 서로 다른 세 점에서 만나도록 하는 실수 a의 값의 범위를 구하면

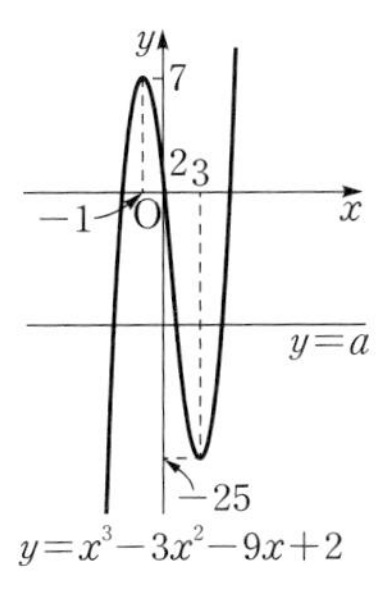

$-25<a<7$

따라서 자연수 a의 최댓값은 6이다.

답 6

159

$x^3-27x-a=0$에서 $x^3-27x=a$

$f(x)=x^3-27x$로 놓으면

$f'(x)=3x^2-27=3(x+3)(x-3)$

$f'(x)=0$을 만족시키는 x의 값은 $x=-3$ 또는 $x=3$

함수 $f(x)$의 증가와 감소를 표로 나타내면 다음과 같다.

x	$\cdots$	-3	$\cdots$	3	$\cdots$
$f'(x)$	$+$	0	$-$	0	$+$
$f(x)$	↗	54 극대	↘	-54 극소	↗

따라서 두 함수 $y=f(x)$, $y=a$의 그래프의 교점의 x좌표가 한 개는 음수, 두 개는 서로 다른 양수가 되도록 하는 실수 a의 값의 범위를 구하면

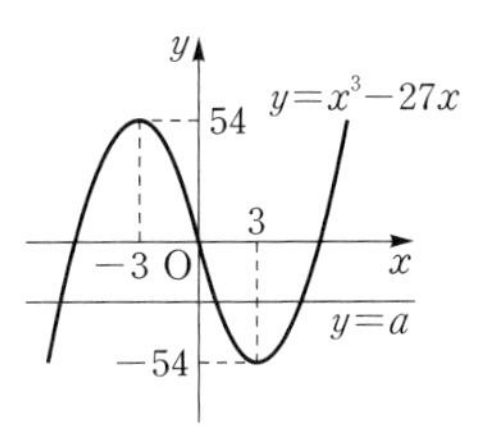

$-54<a<0$

따라서 정수 a는 -53, -52, -51, $\cdots$, -1의 53개이다.

답 53

160

곡선 $y=x^3-6x^2+9x-a$와 x축의 교점의 개수는 방정식 $x^3-6x^2+9x-a=0$, 즉

$x^3-6x^2+9x=a$ $\cdots\cdots$ ㉠

의 서로 다른 실근의 개수와 같다.

$f(x)=x^3-6x^2+9x$로 놓으면

$f'(x)=3x^2-12x+9=3(x-1)(x-3)$

$f'(x)=0$을 만족시키는 x의 값은 $x=1$ 또는 $x=3$

함수 $f(x)$의 증가와 감소를 표로 나타내면 다음과 같다.

x	$\cdots$	1	$\cdots$	3	$\cdots$
$f'(x)$	$+$	0	$-$	0	$+$
$f(x)$	↗	4 극대	↘	0 극소	↗

방정식 ㉠의 서로 다른 실근의 개수는 두 함수 $y=f(x)$, $y=a$의 그래프의 교점의 개수와 같다.

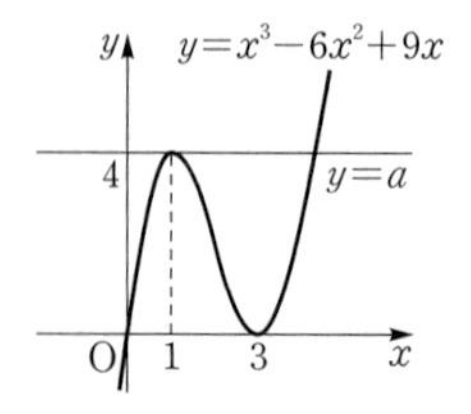

따라서 두 함수 $y=f(x)$, $y=a$의 그래프가 서로 다른 두 점에서 만나도록 하는 실수 a의 값은 $a=4$ 또는 $a=0$이므로

양수 a의 값은 $a=4$ **답 4**

다른풀이 $f(x)=x^3-6x^2+9x-a$로 놓으면

$f'(x)=3x^2-12x+9=3(x-1)(x-3)$

$f'(x)=0$을 만족시키는 x의 값은 $x=1$ 또는 $x=3$

함수 $f(x)$의 증가와 감소를 표로 나타내면 다음과 같다.

x	$\cdots$	1	$\cdots$	3	$\cdots$
$f'(x)$	+	0	−	0	+
$f(x)$	↗	$4-a$ 극대	↘	$-a$ 극소	↗

따라서 함수 $f(x)$는 $x=1$에서 극댓값 $4-a$, $x=3$에서 극솟값 $-a$를 갖는다.

$f(x)$가 극값을 가질 때, 삼차방정식 $f(x)=0$이 서로 다른 두 실근을 가질 필요충분조건은 함수 $y=f(x)$의 그래프가 x축에 접하는 것이므로

(극댓값)×(극솟값)$=0$

$-a(4-a)=0$ $\therefore a=0$ 또는 $a=4$

$\therefore a=4$ ($\because a>0$)

161

$x^4+3x^3+k\geq -x^3+16x$에서

$x^4+4x^3-16x+k\geq 0$

$f(x)=x^4+4x^3-16x+k$로 놓으면

$f'(x)=4x^3+12x^2-16=4(x+2)^2(x-1)$

$f'(x)=0$을 만족시키는 x의 값은 $x=-2$ 또는 $x=1$

함수 $f(x)$의 증가와 감소를 표로 나타내면 다음과 같다.

x	$\cdots$	-2	$\cdots$	1	$\cdots$
$f'(x)$	−	0	−	0	+
$f(x)$	↘	$16+k$	↘	$-11+k$ 극소	↗

따라서 $f(x)$는 $x=1$에서 최솟값 $-11+k$를 가지므로 모든 실수 x에 대하여 $f(x)\geq 0$이 성립하려면

$f(1)=-11+k\geq 0$ $\therefore k\geq 11$

따라서 실수 k의 최솟값은 11이다. **답 11**

162

$x^3+a\geq 6x^2+15x$에서

$x^3-6x^2-15x+a\geq 0$

$f(x)=x^3-6x^2-15x+a$로 놓으면

$f'(x)=3x^2-12x-15=3(x+1)(x-5)$

$f'(x)=0$을 만족시키는 x의 값은 $x=-1$ 또는 $x=5$

$x>0$일 때 함수 $f(x)$의 증가와 감소를 표로 나타내면 다음과 같다.

x	0	$\cdots$	5	$\cdots$
$f'(x)$		−	0	+
$f(x)$		↘	$-100+a$ 극소	↗

따라서 $x>0$일 때, $f(x)$는 $x=5$에서 최솟값 $-100+a$를 가지므로 $x>0$일 때 $f(x)\geq 0$이 항상 성립하려면

$f(5)=-100+a\geq 0$ $\therefore a\geq 100$

따라서 실수 a의 최솟값은 100이다. **답 100**

163

$-1<x<1$일 때 $f(x)\geq g(x)$, 즉 $f(x)-g(x)\geq 0$이 항상 성립해야 하므로 $h(x)=f(x)-g(x)$로 놓고

$h(x)=(4x^3-2x^2-4x+3)-(x^2+2x+a)$

$=4x^3-3x^2-6x+3-a\geq 0$

임을 보이면 된다.

$h'(x)=12x^2-6x-6=6(2x+1)(x-1)$

$h'(x)=0$을 만족시키는 x의 값은

$x=-\frac{1}{2}$ 또는 $x=1$

$-1\leq x\leq 1$일 때 함수 $h(x)$의 증가와 감소를 표로 나타내면 다음과 같다.

x	-1	$\cdots$	$-\frac{1}{2}$	$\cdots$	1
$h'(x)$		$+$	0	$-$	
$h(x)$	$2-a$	$\nearrow$	$\frac{19}{4}-a$ 극대	$\searrow$	$-2-a$

따라서 $-1\le x\le 1$일 때, $h(x)$는 $x=1$에서 최솟값 $-2-a$를 가지므로 $-1<x<1$일 때 $h(x)\ge 0$이 성립하려면

$h(1)=-2-a\ge 0$

$\therefore a\le -2$ **답** $a\le -2$

164

방정식 $2x^3-6ax-3a=0$, 즉 $2x^3-6ax=3a$가 한 개의 실근과 두 개의 허근을 가지므로 두 함수

$y=2x^3-6ax$, $y=3a$의 그래프의 교점은 한 개뿐이다.

$g(x)=2x^3-6ax$로 놓으면

$g'(x)=6x^2-6a=6(x^2-a)$

$g(x)$의 극값이 존재하므로 $a>0$

$g'(x)=6(x+\sqrt{a})(x-\sqrt{a})=0$을 만족시키는 x의 값은 $x=-\sqrt{a}$ 또는 $x=\sqrt{a}$

함수 $g(x)$의 증가와 감소를 표로 나타내면 다음과 같다.

x	$\cdots$	$-\sqrt{a}$	$\cdots$	$\sqrt{a}$	$\cdots$
$g'(x)$	$+$	0	$-$	0	$+$
$g(x)$	$\nearrow$	$4a\sqrt{a}$ 극대	$\searrow$	$-4a\sqrt{a}$ 극소	$\nearrow$

따라서 두 함수 $y=g(x)$, $y=3a$의 그래프가 한 점에서만 만나도록 하는 실수 a의 값의 범위를 구하면

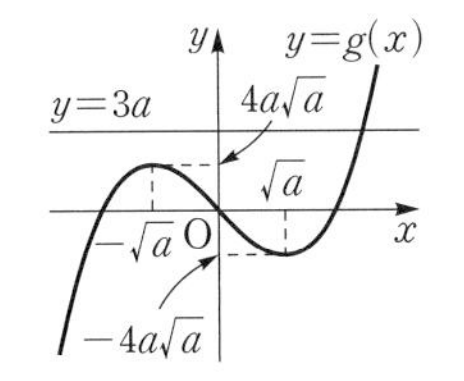

$3a<-4a\sqrt{a}$ 또는 $3a>4a\sqrt{a}$

그런데 $a>0$이므로 $3a>4a\sqrt{a}$

$3>4\sqrt{a}$, $9>16a$

$\therefore 0<a<\frac{9}{16}$ ($\because a>0$) **답** $0<a<\frac{9}{16}$

참고 함수 $f(x)$의 극값이 존재하므로 $g(x)=f(x)+3a$의 극값도 존재한다.

165

주어진 조건을 이용하여 함수 $f(x)$의 증가와 감소를 표로 나타내면 다음과 같다.

x	$\cdots$	a	$\cdots$	b	$\cdots$	c	$\cdots$
$f'(x)$	$-$	0	$+$	0	$-$	0	$+$
$f(x)$	$\searrow$	-2 극소	$\nearrow$	2 극대	$\searrow$	1 극소	$\nearrow$

따라서 함수 $y=f(x)$의 그래프의 개형은 오른쪽 그림과 같다.

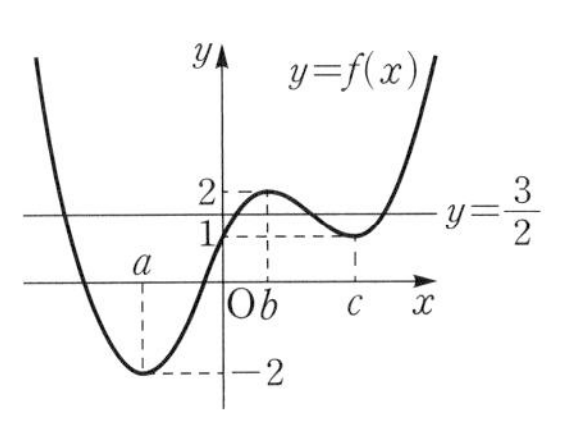

방정식 $f(x)-\frac{3}{2}=0$, 즉 $f(x)=\frac{3}{2}$의 서로 다른 실근의 개수는 두 함수 $y=f(x)$, $y=\frac{3}{2}$의 그래프의 교점의 개수와 같으므로 4이다. **답** 4

166

$f(x)=g(x)$에서 $f(x)-g(x)=0$

$(3x^3-x^2-3x)-(x^3-4x^2+9x+a)=0$

$2x^3+3x^2-12x=a$ $\cdots\cdots$ ㉠

$h(x)=2x^3+3x^2-12x$로 놓으면

$h'(x)=6x^2+6x-12=6(x+2)(x-1)$

$h'(x)=0$을 만족시키는 x의 값은 $x=-2$ 또는 $x=1$

함수 $h(x)$의 증가와 감소를 표로 나타내면 다음과 같다.

x	$\cdots$	-2	$\cdots$	1	$\cdots$
$h'(x)$	$+$	0	$-$	0	$+$
$h(x)$	$\nearrow$	20 극대	$\searrow$	-7 극소	$\nearrow$

방정식 ㉠의 실근은 두 함수 $y=h(x)$, $y=a$의 교점의 x좌표와 같다.

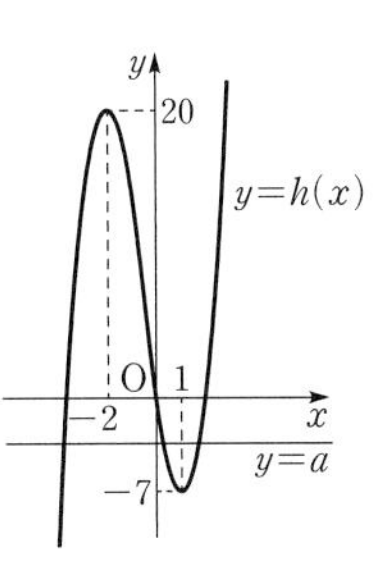

따라서 교점의 x좌표가 두 개는 서로 다른 양수, 한 개는 음수가 되도록 하는 실수 a의 값의 범위를 구하면

연습문제 실력 UP

$-7<a<0$
따라서 정수 a는 -6, -5, -4, -3, -2, -1의 6개이다. **답 6**

167

$f(x)=2x^3+3x^2+k$로 놓으면
$f'(x)=6x^2+6x=6x(x+1)$
$f'(x)=0$을 만족시키는 x의 값은 $x=-1$ 또는 $x=0$
$x\le-1$일 때 함수 $f(x)$의 증가와 감소를 표로 나타내면 다음과 같다.

x	$\cdots$	-1
$f'(x)$	$+$	
$f(x)$	↗	$1+k$

$x<-1$일 때 $f'(x)>0$이므로 함수 $f(x)$는 반닫힌 구간 $(-\infty, -1]$에서 증가한다. 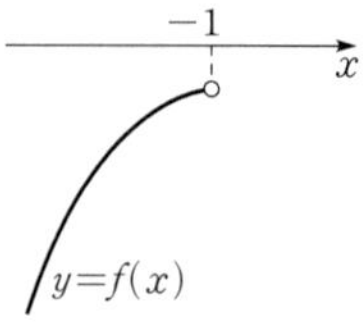
따라서 $x\le-1$일 때, $f(x)$는 $x=-1$에서 최댓값 $1+k$를 가지므로 $x<-1$일 때 $f(x)<0$이 항상 성립하려면
$f(-1)=1+k\le0 \quad \therefore k\le-1$
따라서 실수 k의 최댓값은 -1이다. **답 -1**

168

주어진 그래프에서 $f'(0)=g'(0)$, $f'(2)=g'(2)$이므로 $h'(x)=f'(x)-g'(x)=0$을 만족시키는 x의 값은 $x=0$ 또는 $x=2$
$x<0$ 또는 $x>2$에서 $f'(x)>g'(x)$
$0<x<2$에서 $g'(x)>f'(x)$
$h(0)=f(0)-g(0)=0$
따라서 $h'(x)=f'(x)-g'(x)$의 부호를 조사하여 함수 $h(x)$의 증가와 감소를 표로 나타내면 다음과 같다.

x	$\cdots$	0	$\cdots$	2	$\cdots$
$h'(x)$	$+$	0	$-$	0	$+$
$h(x)$	↗	0 극대	↘	$h(2)$ 극소	↗

ㄱ. $0<x<2$에서 $h(x)$는 감소한다. (참)
ㄴ. $h(x)$는 $x=2$에서 극솟값을 갖는다. (참)
ㄷ. $h(x)$는 $x=0$에서 극댓값 0을 가지므로 $y=h(x)$의 그래프는 $x=0$에서 x축에 접한다. 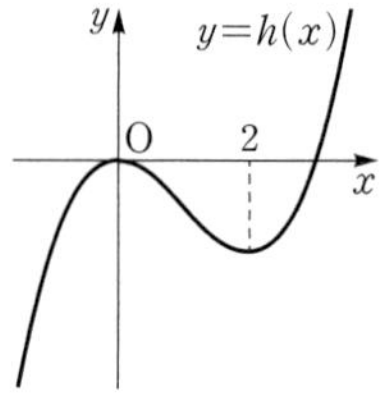
따라서 방정식 $h(x)=0$은 중근과 다른 한 실근, 즉 서로 다른 두 실근을 갖는다. (거짓)
따라서 옳은 것은 ㄱ, ㄴ이다. **답 ③**

169

시각 t에서의 점 P의 속도를 v라 하면
$v=\dfrac{dx}{dt}=9-t^2$
점 P가 운동 방향을 바꿀 때의 속도는 0이므로 $v=0$에서
$9-t^2=0$, $(3+t)(3-t)=0$
$\therefore t=3\ (\because t>0)$
따라서 $t=3$에서의 점 P의 위치는
$27-9=18$ **답 18**

170

시각 t에서의 점 P의 속도를 v, 가속도를 a라 하면
$v=\dfrac{dx}{dt}=3t^2-14t+12$, $a=\dfrac{dv}{dt}=6t-14$
점 P가 원점을 지나면 $x=0$이므로
$x=t^3-7t^2+12t=0$에서
$t(t-3)(t-4)=0$
$\therefore t=0$ 또는 $t=3$ 또는 $t=4$
따라서 점 P가 출발한 후 마지막으로 원점을 통과하는 것은 $t=4$일 때이므로 $t=4$에서의 점 P의 가속도는
$6\cdot4-14=10$ **답 10**

171

시각 t에서의 점 P의 속도를 v라 하면
$v=\dfrac{dx}{dt}=-2t+4$

$t=a$에서 점 P의 속도가 0이므로 $-2a+4=0$

$\therefore a=2$ 답 ②

172

시각 t에서의 점 P의 속도를 v라 하면

$v=\dfrac{dx}{dt}=3t^2-9t+6=3(t-1)(t-2)$

$v=0$을 만족시키는 t의 값은 $t=1$ 또는 $t=2$

함수 $x(t)$의 증가와 감소를 표로 나타내면 다음과 같다.

t	0	$\cdots$	1	$\cdots$	2	$\cdots$
$v(t)$		+	0	−	0	+
$x(t)$		↗	$\frac{5}{2}$ 극대	↘	2 극소	↗

ㄱ. 점 P가 출발할 때의 속도는 $t=0$에서의 속도이므로 6이다. (참)

ㄴ. 점 P는 속도가 양(+)이면 수직선의 양의 방향, 속도가 음(−)이면 수직선의 음의 방향으로 움직인다. $t=1$과 $t=2$에서 속도의 부호가 각각 한 번씩 바뀌므로 점 P는 운동 방향을 두 번 바꾼다. (참)

ㄷ. $x=t^3-\frac{9}{2}t^2+6t(t\geq0)$의 그래프는 오른쪽 그림과 같이 $t>0$에서 원점과 만나지 않는다. 즉, 점 P는 출발 후 원점을 다시 지나지 않는다. (거짓)

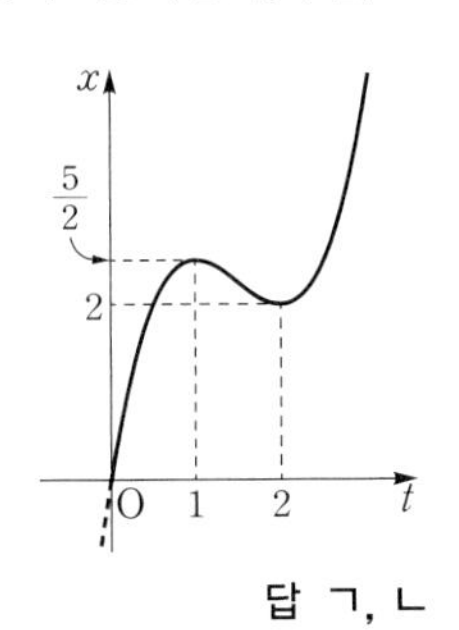

따라서 옳은 것은 ㄱ, ㄴ이다. 답 ㄱ, ㄴ

173

t초 후의 로켓의 속도를 v라 하면

$v=\dfrac{dx}{dt}=10-10t$

장난감 로켓이 최고 높이에 도달하는 순간의 속도는 0이므로 $v=0$에서

$10-10t=0 \qquad \therefore t=1$

따라서 장난감 로켓은 쏘아 올린 후 1초만에 최고 높이에 도달한다. $\therefore \alpha=1$

그때 장난감 로켓의 최고 높이는

$20+10\cdot1-5\cdot1^2=25(\text{m}) \qquad \therefore \beta=25$

$\therefore \alpha+\beta=1+25=26$ 답 26

다른풀이 $x=-5t^2+10t+20=-5(t-1)^2+25$

x는 $t=1$에서 최댓값 25를 가지므로 장난감 로켓은 쏘아 올린 후 1초만에 최고 높이 25 m에 도달한다.

$\therefore \alpha=1,\ \beta=25$

$\therefore \alpha+\beta=1+25=26$

174

공이 지면에 닿는 순간의 높이는 0이므로 $x=0$에서

$50+15t-5t^2=0,\ -5(t+2)(t-5)=0$

$\therefore t=5\ (\because t>0)$

따라서 공이 지면에 닿는 것은 공을 위로 던진 지 5초가 지난 후이다.

t초 후의 공의 속도를 v라 하면

$v=\dfrac{dx}{dt}=15-10t$

이므로 5초 후의 공의 속도는

$15-10\cdot5=-35(\text{m/s})$

$\therefore k=-35$ 답 −35

175

속도 $v(t)$의 부호가 바뀌는 시각 t에서 점 P의 운동 방향이 바뀐다.

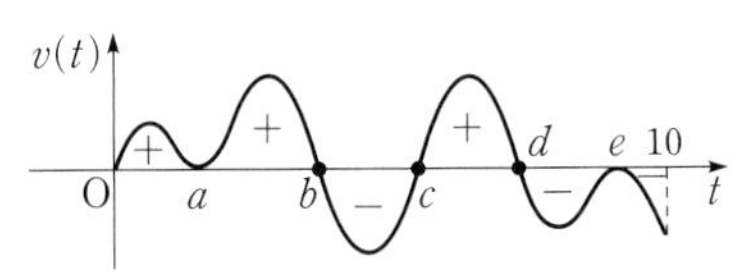

따라서 그림에서 속도 $v(t)$의 부호가 바뀌는 시각은 $t=b,\ t=c,\ t=d$이므로 점 P의 운동 방향은 3번 바뀐다. 답 3번

176

시각 t에서의 점 P의 속도를 v라 하면

$v=\dfrac{dx}{dt}=t^2-8t+10=(t-4)^2-6$

$0 \le t \le 5$일 때, v는 $t=4$에서 최솟값 -6,
$t=0$에서 최댓값 10을 가지므로 $-6 \le v \le 10$
따라서 점 P의 속력 $|v|$의 최댓값은 10이다. **답 10**

다른풀이 $|v| = |(t-4)^2-6|$
오른쪽 그림과 같이
$0 \le t \le 5$일 때, $|v|$는 $t=0$에서
최댓값 10을 갖는다.
따라서 점 P의 속력 $|v|$의 최댓값은 10이다.

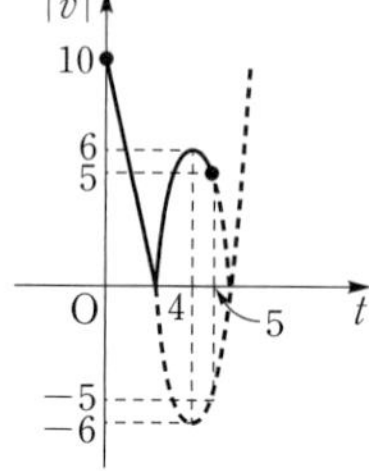

177

두 점 P, Q의 시각 t에서의 속도를 각각 v_P, v_Q라 하면
$v_P = P'(t) = t^2+4$
$v_Q = Q'(t) = 4t$
두 점 P, Q의 속도가 같아지는 순간은 $v_P = v_Q$에서
$t^2+4=4t$, $t^2-4t+4=0$
$(t-2)^2=0 \qquad \therefore t=2$
$t=2$일 때, 두 점 P, Q의 위치는 각각
$P(2) = \frac{1}{3}\cdot 2^3 + 4\cdot 2 - \frac{2}{3} = 10$
$Q(2) = 2\cdot 2^2 - 10 = -2$
따라서 $t=2$일 때, 두 점 P, Q 사이의 거리는
$10-(-2)=12$ **답 12**

178

수직선 위의 점은 속도가 양(+)이면 양의 방향, 속도가 음(−)이면 음의 방향으로 움직이므로 두 점 P와 Q가 서로 반대 방향으로 움직인다는 것은 속도의 부호가 다르다는 뜻이다.
점 P의 속도는 $f'(t)=4t-2$, 점 Q의 속도는 $g'(t)=2t-8$이므로 두 점의 속도의 부호가 반대인 시각 t의 범위는
$(4t-2)(2t-8)<0$, $4(2t-1)(t-4)<0$
$\therefore \frac{1}{2}<t<4$ **답 ①**

179

수면의 높이가 매분 1 m씩 올라가므로 t분 후의 수면의 높이는 t m이고, 이때의 수면의 반지름의 길이를 r m라 하면 오른쪽 그림의 직각삼각형 OAB에서

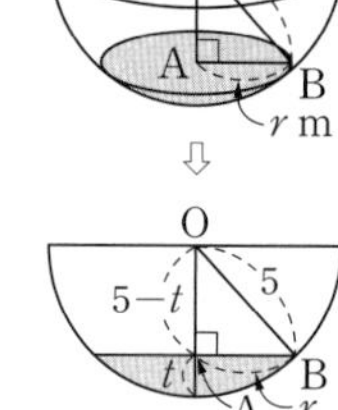

$(5-t)^2+r^2=5^2$
$r^2=25-(25-10t+t^2)$
$\therefore r^2=10t-t^2$
따라서 t분 후의 수면의 넓이를 S m^2이라 하면
$S=\pi r^2=\pi(10t-t^2)$
$\therefore \frac{dS}{dt}=\pi(10-2t)$
따라서 물을 넣기 시작한 지 2분 후의 수면의 넓이의 변화율은
$\pi(10-2\cdot 2)=6\pi(\mathrm{m}^2/\mathrm{min})$
$\therefore a=6$ **답 6**

180

t초 후 수면의 반지름의 길이를 r cm, 수면의 높이를 h cm라 하면 $h=2t$ ······ ㉠
이고,

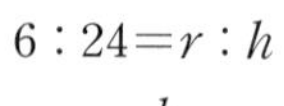

$6:24=r:h$
$\therefore r=\frac{h}{4}$

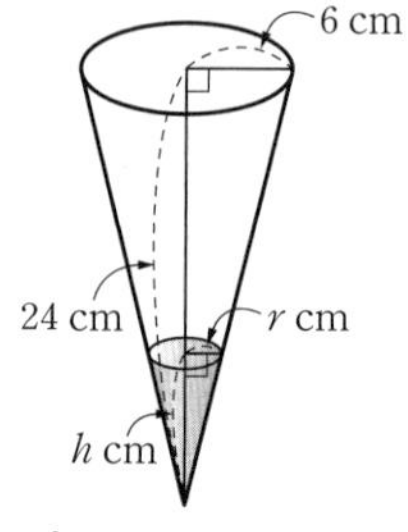

따라서 t초 후의 물의 부피를 V cm^3라 하면
$V=\frac{1}{3}\pi r^2 h=\frac{1}{3}\pi\cdot\left(\frac{h}{4}\right)^2\cdot h=\frac{\pi}{48}h^3$
$=\frac{\pi}{48}\cdot(2t)^3=\frac{\pi}{6}t^3$ ($\because$ ㉠)
$\therefore \frac{dV}{dt}=\frac{\pi}{2}t^2$
수면의 높이가 8 cm이면 $h=8$이므로
$8=2t \qquad \therefore t=4$
따라서 $t=4$일 때의 물의 부피의 변화율은
$\frac{\pi}{2}\cdot 4^2=8\pi\ (\mathrm{cm}^3/\mathrm{s})$
$\therefore k=8$ **답 8**

Ⅲ. 적분

181

함수 $F(x)=2x^3+ax^2+3bx$가 함수 $f(x)$의 부정적분 중 하나이므로

$f(x)=F'(x)=(2x^3+ax^2+3bx)'$

$=6x^2+2ax+3b$

$f(0)=-3$에서 $3b=-3$ $\therefore b=-1$

$f'(x)=12x+2a$이므로 $f'(1)=0$에서

$12+2a=0$ $\therefore a=-6$

$\therefore a+b=-6+(-1)=-7$ **답 −7**

182

$\int(2x-1)f'(x)dx=2x^3+\frac{1}{2}x^2-2x+3$의 양변을 x에 대하여 미분하면

$(2x-1)f'(x)=6x^2+x-2=(2x-1)(3x+2)$

$\therefore f'(x)=3x+2$

$\therefore f(x)=\int f'(x)dx=\int(3x+2)dx$

$=\frac{3}{2}x^2+2x+C$

이때 $f(-1)=\frac{1}{2}$이므로

$\frac{3}{2}-2+C=\frac{1}{2}$ $\therefore C=1$

따라서 $f(x)=\frac{3}{2}x^2+2x+1$이므로

$f(2)=\frac{3}{2}\cdot2^2+2\cdot2+1=11$ **답 11**

183

$f(x)=2x^2-x$이므로

$f_1(x)=\int\left\{\frac{d}{dx}f(x)\right\}dx=f(x)+C$

$=2x^2-x+C$

이때 $f_1(1)=2$이므로

$2-1+C=2$ $\therefore C=1$

$\therefore f_1(x)=2x^2-x+1$

또한, $f_2(x)=\frac{d}{dx}\left\{\int f(x)dx\right\}=2x^2-x$

$\therefore f_1(2)-f_2(-1)$

$=(2\cdot2^2-2+1)-\{2\cdot(-1)^2-(-1)\}$

$=7-3=4$ **답 4**

184

$f(x)=\int\frac{x^3}{1-x}dx+\int\frac{1}{x-1}dx$

$=\int\frac{x^3-1}{1-x}dx=-\int(x^2+x+1)dx$

$=-\left(\frac{1}{3}x^3+\frac{1}{2}x^2+x\right)+C$

이때 $f(0)=1$이므로 $C=1$

따라서 $f(x)=-\frac{1}{3}x^3-\frac{1}{2}x^2-x+1$이므로

$f(2)=-\frac{1}{3}\cdot2^3-\frac{1}{2}\cdot2^2-2+1$

$=-\frac{17}{3}$ **답 $-\frac{17}{3}$**

185

$f'(x)=6x^2+4$이므로

$f(x)=\int f'(x)dx=\int(6x^2+4)dx$

$=2x^3+4x+C$

한편, 함수 $y=f(x)$의 그래프가 점 $(0, 6)$을 지나므로 $f(0)=6$

즉, $f(0)=C=6$

따라서 $f(x)=2x^3+4x+6$이므로

$f(1)=2+4+6=12$ **답 12**

186

$f(x)=\int f'(x)dx=\int(12x^2-4x+a)dx$

$=4x^3-2x^2+ax+C$

이때 $f(x)$가 $x^2-3x+2=(x-1)(x-2)$로 나누어떨어지므로

$f(1)=0$에서 $4-2+a+C=0$ …… ㉠

$f(2)=0$에서 $32-8+2a+C=0$ …… ㉡

㉡−㉠을 하면 $22+a=0$

$\therefore a=-22$ **답 −22**

187

곡선 $y=f(x)$ 위의 임의의 점 (x, y)에서의 접선의 기울기가 $2x+1$에 정비례하므로

$f'(x)=k(2x+1)$ $(k\neq 0)$로 놓으면

$$f(x)=\int f'(x)dx$$
$$=\int k(2x+1)dx$$
$$=kx^2+kx+C$$

곡선 $y=f(x)$는 두 점 $(0, -1)$, $(1, 3)$을 지나므로

$f(0)=C=-1$, $f(1)=k+k+C=3$

$\therefore C=-1, k=2$

$\therefore f(x)=2x^2+2x-1$ **답** $\boldsymbol{f(x)=2x^2+2x-1}$

188

$f(x)=\int(2x^2-3)dx$의 양변을 x에 대하여 미분하면

$f'(x)=2x^2-3$

$$\therefore \lim_{x\to 1}\frac{f(x^2)-f(1)}{x-1}$$
$$=\lim_{x\to 1}\left\{\frac{f(x^2)-f(1)}{x^2-1}\cdot(x+1)\right\}$$
$$=2f'(1)=2(2-3)=-2$$

답 $\boldsymbol{-2}$

189

$f'(x)=0$의 두 근이 -1, 0이므로

$f'(x)=ax(x+1)=ax^2+ax$ $(a<0)$로 놓으면

$$f(x)=\int f'(x)dx$$
$$=\int(ax^2+ax)dx$$
$$=\frac{a}{3}x^3+\frac{a}{2}x^2+C$$

$a<0$이므로 $f(x)$는 $x=-1$에서 극솟값을 갖고, $x=0$에서 극댓값을 갖는다.

$\therefore f(-1)=-1, f(0)=1$

즉, $f(-1)=-\frac{a}{3}+\frac{a}{2}+C=-1$, $f(0)=C=1$

$\therefore a=-12, C=1$

$\therefore f(x)=-4x^3-6x^2+1$

답 $\boldsymbol{f(x)=-4x^3-6x^2+1}$

참고 $y=f'(x)$의 그래프가 오른쪽 그림과 같이 주어졌을 때, $f(x)$는 $x=a$에서 극솟값을 갖고, $x=b$에서 극댓값을 갖는다.

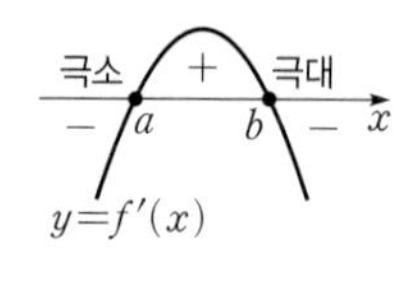

190

$f(x)=\int xg(x)dx$의 양변을 x에 대하여 미분하면

$f'(x)=xg(x)$ ...... ㉠

$\frac{d}{dx}\{f(x)-g(x)\}=4x^3+2x$에서

$f'(x)-g'(x)=4x^3+2x$ ...... ㉡

㉠을 ㉡에 대입하면

$xg(x)-g'(x)=4x^3+2x$ ...... ㉢

즉, $g(x)$는 최고차항의 계수가 4인 이차함수이므로

$g(x)=4x^2+ax+b$ (a, b는 상수)로 놓으면

$g'(x)=8x+a$

㉢에서 $x(4x^2+ax+b)-(8x+a)=4x^3+2x$

$4x^3+ax^2+(b-8)x-a=4x^3+2x$

양변의 계수를 비교하면

$a=0, b-8=2$ $\therefore a=0, b=10$

따라서 $g(x)=4x^2+10$이므로

$g(1)=4+10=14$ **답** ⑤

191

$\frac{d}{dx}\{f(x)+g(x)\}=2x+1$의 양변을 x에 대하여 적분하면

$f(x)+g(x)=x^2+x+C_1$

양변에 $x=0$을 대입하면

$f(0)+g(0)=C_1$에서 $C_1=2-1=1$

$\frac{d}{dx}\{f(x)g(x)\}=3x^2-2x+2$의 양변을 x에 대하여 적분하면

$f(x)g(x)=x^3-x^2+2x+C_2$

양변에 $x=0$을 대입하면

$f(0)g(0)=C_2$에서 $C_2=2\cdot(-1)=-2$

$\therefore f(x)+g(x)=x^2+x+1$

$f(x)g(x)=x^3-x^2+2x-2$

$=(x-1)(x^2+2)$

$\therefore \begin{cases} f(x)=x-1 \\ g(x)=x^2+2 \end{cases}$ 또는 $\begin{cases} f(x)=x^2+2 \\ g(x)=x-1 \end{cases}$

이때 $f(0)=2$, $g(0)=-1$이므로

$f(x)=x^2+2$, $g(x)=x-1$

$\therefore f(2)+g(1)=6+0=6$ **답 6**

192

$f(x)=\int(1+2x+3x^2+\cdots+nx^{n-1})dx$

$=x+x^2+x^3+\cdots+x^n+C$

이때 $f(0)=1$이므로 $C=1$

또한, $f(1)=4$이므로

$f(1)=\underbrace{1+1+1+\cdots+1}_{n\text{개}}+C=4$

즉, $n+1=4$이므로 $n=3$

따라서 $f(x)=1+x+x^2+x^3$이므로

$f(2)=1+2+2^2+2^3=15$

$\therefore n+f(2)=3+15=18$ **답 18**

193

$f'(x)=\begin{cases} 3x^2+1 & (x\geq1) \\ 4x & (x<1) \end{cases}$이므로

$f(x)=\begin{cases} x^3+x+C_1 & (x\geq1) \\ 2x^2+C_2 & (x<1) \end{cases}$ ...... ㉠

이때 $f(0)=3$에서 $0+C_2=3$ $\therefore C_2=3$

한편, 함수 $f(x)$는 실수 전체의 집합에서 미분가능하므로 실수 전체의 집합에서 연속이다.

따라서 함수 $f(x)$는 $x=1$에서 연속이므로

$\lim_{x\to1+}f(x)=\lim_{x\to1-}f(x)$

즉, $\lim_{x\to1+}(x^3+x+C_1)=\lim_{x\to1-}(2x^2+C_2)$

$1+1+C_1=2+C_2$, $2+C_1=2+3$

$\therefore C_1=3$

$C_1=3$, $C_2=3$을 ㉠에 대입하면

$f(x)=\begin{cases} x^3+x+3 & (x\geq1) \\ 2x^2+3 & (x<1) \end{cases}$

$\therefore f(2)=2^3+2+3=13$ **답 13**

194

$f(x)=\int(x+1)(x^2+2x+4)dx$의 양변을 x에 대하여 미분하면

$f'(x)=(x+1)(x^2+2x+4)$

$\therefore \lim_{h\to0}\frac{f(1+h)-f(1-h)}{h}$

$=\lim_{h\to0}\frac{\{f(1+h)-f(1)\}-\{f(1-h)-f(1)\}}{h}$

$=\lim_{h\to0}\frac{f(1+h)-f(1)}{h}+\lim_{h\to0}\frac{f(1-h)-f(1)}{-h}$

$=f'(1)+f'(1)=2f'(1)$

$=2(1+1)(1+2+4)=28$ **답 28**

195

$\lim_{x\to2}\frac{f(x)}{x-2}=1$에서 $x\to2$일 때 (분모)$\to0$이고 극한값이 존재하므로 (분자)$\to0$이다.

즉, $\lim_{x\to2}f(x)=0$이고 $f(x)$는 연속함수이므로

$f(2)=0$ ...... ㉠

$\lim_{x\to2}\frac{f(x)}{x-2}=\lim_{x\to2}\frac{f(x)-f(2)}{x-2}=f'(2)$

$f'(2)=16+k=1$이므로 $k=-15$

따라서 $f'(x)=8x-15$이므로

$f(x)=\int f'(x)dx$

$=\int(8x-15)dx$

$=4x^2-15x+C$

㉠에서 $f(2)=0$이므로

$16-30+C=0$ $\therefore C=14$

따라서 $f(x)=4x^2-15x+14$이므로

$f(1)=4-15+14=3$ **답 3**

196

$f'(x)=ax^2-3x-6$이고

$f(x)$가 $x=-1$에서 극댓값 $\frac{11}{2}$을 가지므로

$f'(-1)=0$, $f(-1)=\frac{11}{2}$

$f'(-1)=a+3-6=0 \quad \therefore a=3$

$\therefore f'(x)=3x^2-3x-6=3(x+1)(x-2)$

$f'(x)=0$에서 $x=-1$ 또는 $x=2$이므로 $f(x)$의 증가와 감소를 표로 나타내면

x	$\cdots$	-1	$\cdots$	2	$\cdots$
$f'(x)$	$+$	0	$-$	0	$+$
$f(x)$	↗	극대	↘	극소	↗

따라서 $f(x)$는 $x=-1$에서 극댓값을 갖고, $x=2$에서 극솟값을 갖는다.

한편,

$$f(x)=\int f'(x)dx$$
$$=\int(3x^2-3x-6)dx$$
$$=x^3-\frac{3}{2}x^2-6x+C$$

에서 $f(-1)=\frac{11}{2}$이므로

$f(-1)=-1-\frac{3}{2}+6+C=\frac{11}{2} \qquad \therefore C=2$

즉, $f(x)=x^3-\frac{3}{2}x^2-6x+2$이므로 $f(x)$의 극솟값은

$f(2)=2^3-\frac{3}{2}\cdot 2^2-6\cdot 2+2=-8$

답 $a=3$, 극솟값: -8

197

$F(x)=xf(x)-6x^3(x-1)$
$=xf(x)-6x^4+6x^3$

의 양변을 x에 대하여 미분하면

$F'(x)=f(x)+xf'(x)-24x^3+18x^2$

$f(x)$의 한 부정적분이 $F(x)$이므로

$F'(x)=f(x)$

$f(x)=f(x)+xf'(x)-24x^3+18x^2$

$xf'(x)=24x^3-18x^2$, $f'(x)=24x^2-18x$

$\therefore f(x)=\int f'(x)dx=\int(24x^2-18x)dx$
$=8x^3-9x^2+C$

이때 $f(1)=0$이므로

$8-9+C=0 \qquad \therefore C=1$

$\therefore f(x)=8x^3-9x^2+1$

$f'(x)=24x^2-18x=6x(4x-3)$이므로

$f'(x)=0$에서 $x=0$ 또는 $x=\frac{3}{4}$

닫힌구간 $[-1, 1]$에서 $f(x)$의 증가와 감소를 표로 나타내면

x	-1	$\cdots$	0	$\cdots$	$\frac{3}{4}$	$\cdots$	1
$f'(x)$		$+$	0	$-$	0	$+$	
$f(x)$	-16	↗	1 극대	↘	$-\frac{11}{16}$ 극소	↗	0

따라서 닫힌구간 $[-1, 1]$에서 함수 $f(x)$는 $x=0$일 때 최댓값 1, $x=-1$일 때 최솟값 -16을 갖는다.

$\therefore M=1$, $m=-16$

$\therefore M-m=17$

답 17

198

$f(x+y)=f(x)+f(y)+xy$의 양변에 $x=0$, $y=0$을 대입하면

$f(0+0)=f(0)+f(0)+0 \qquad \therefore f(0)=0$

$f'(0)=3$이므로

$$f'(0)=\lim_{h\to 0}\frac{f(0+h)-f(0)}{h}$$
$$=\lim_{h\to 0}\frac{f(h)}{h}=3$$

도함수의 정의를 이용하여 $f'(x)$를 구하면

$$f'(x)=\lim_{h\to 0}\frac{f(x+h)-f(x)}{h}$$
$$=\lim_{h\to 0}\frac{f(x)+f(h)+xh-f(x)}{h}$$
$$=x+\lim_{h\to 0}\frac{f(h)}{h}$$
$$=x+3$$

$\therefore f(x)=\int(x+3)dx=\frac{1}{2}x^2+3x+C$

이때 $f(0)=0$이므로 $C=0$

따라서 $f(x)=\frac{1}{2}x^2+3x$이므로

$f(-2)=\frac{1}{2}\cdot(-2)^2+3\cdot(-2)=-4$ 　　답 **−4**

199

$f(x)=6x^2+2ax$이므로

$\int_0^1 f(x)dx=\int_0^1 (6x^2+2ax)dx$

$=\left[2x^3+ax^2\right]_0^1=2+a$

$f(1)=6+2a$

그런데 $\int_0^1 f(x)dx=f(1)$이므로

$2+a=6+2a$ 　 $\therefore a=-4$ 　　답 **−4**

200

$\int_{-2}^1 (-3x^2+4kx-2)dx$

$=\left[-x^3+2kx^2-2x\right]_{-2}^1$

$=(-1+2k-2)-(8+8k+4)$

$=-15-6k$

즉, $-15-6k<3$에서 $6k>-18$

$\therefore k>-3$

따라서 정수 k의 최솟값은 -2이다. 　　답 **−2**

201

(1) (주어진 식)

$=\int_{-2}^0 (3x+2)dx+\int_0^5 (3x+2)dx-\int_{-2}^5 (3x+2)dx$

$=\int_{-2}^5 (3x+2)dx-\int_{-2}^5 (3x+2)dx$

$=0$

(2) (주어진 식)

$=\int_{-1}^0 \frac{x^3}{x-1}dx-\int_{-1}^0 \frac{1}{x-1}dx-\int_1^0 (x^2+x+1)dx$

$=\int_{-1}^0 \frac{x^3-1}{x-1}dx-\int_1^0 (x^2+x+1)dx$

$=\int_{-1}^0 (x^2+x+1)dx-\int_1^0 (x^2+x+1)dx$

$=\int_{-1}^0 (x^2+x+1)dx+\int_0^1 (x^2+x+1)dx$

$=\int_{-1}^1 (x^2+x+1)dx=2\int_0^1 (x^2+1)dx$

$=2\left[\frac{1}{3}x^3+x\right]_0^1=\frac{8}{3}$

(3) (주어진 식)

$=\int_{-1}^3 (2x-1)dx+\int_1^2 (2x-1)dx+\int_3^1 (2x-1)dx$

$=\int_{-1}^3 (2x-1)dx+\int_3^1 (2x-1)dx+\int_1^2 (2x-1)dx$

$=\int_{-1}^2 (2x-1)dx$

$=\left[x^2-x\right]_{-1}^2=0$

답 (1) **0** 　(2) $\mathbf{\frac{8}{3}}$ 　(3) **0**

202

$\int_0^2 f(x)dx=\int_0^1 (x^2+4)dx+\int_1^2 (2x+3)dx$

$=\left[\frac{1}{3}x^3+4x\right]_0^1+\left[x^2+3x\right]_1^2$

$=\frac{13}{3}+6=\frac{31}{3}$ 　　답 $\mathbf{\frac{31}{3}}$

203

(1) $f(x)=|x^2+4x-5|$라 하면 닫힌구간 $[-2, 2]$에서

$$f(x)=\begin{cases} -x^2-4x+5 & (-2\le x\le 1) \\ x^2+4x-5 & (1\le x\le 2) \end{cases}$$

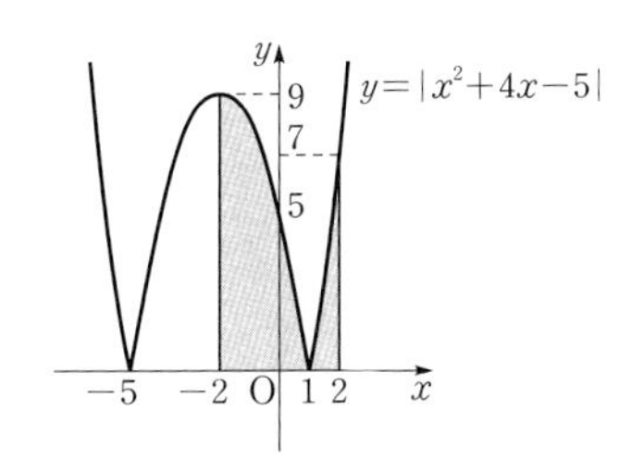

따라서 구하는 정적분의 값은

$$\int_{-2}^{2}|x^2+4x-5|dx$$
$$=\int_{-2}^{1}(-x^2-4x+5)dx+\int_{1}^{2}(x^2+4x-5)dx$$
$$=\left[-\frac{1}{3}x^3-2x^2+5x\right]_{-2}^{1}+\left[\frac{1}{3}x^3+2x^2-5x\right]_{1}^{2}$$
$$=18+\frac{10}{3}=\frac{64}{3}$$

(2) $f(x)=|x-2|+|x-3|$이라 하면 닫힌구간 $[0, 4]$에서

$$f(x)=\begin{cases}-(x-2)-(x-3) & (0\le x\le 2)\\(x-2)-(x-3) & (2\le x\le 3)\\(x-2)+(x-3) & (3\le x\le 4)\end{cases},$$

즉 $f(x)=\begin{cases}-2x+5 & (0\le x\le 2)\\1 & (2\le x\le 3)\\2x-5 & (3\le x\le 4)\end{cases}$

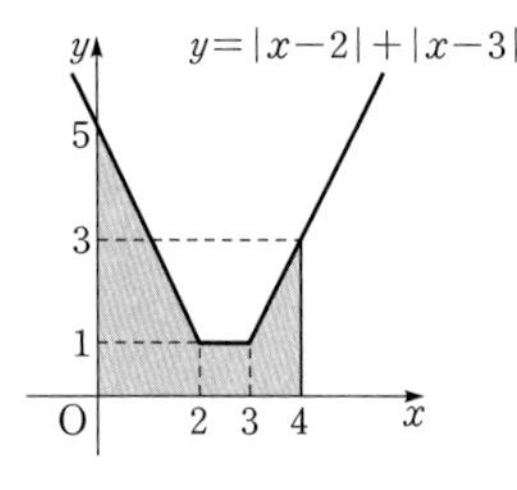

따라서 구하는 정적분의 값은

$$\int_{0}^{4}(|x-2|+|x-3|)dx$$
$$=\int_{0}^{2}(-2x+5)dx+\int_{2}^{3}dx+\int_{3}^{4}(2x-5)dx$$
$$=\left[-x^2+5x\right]_{0}^{2}+\left[x\right]_{2}^{3}+\left[x^2-5x\right]_{3}^{4}$$
$$=6+1+2=9$$

답 (1) $\mathbf{\frac{64}{3}}$ (2) **9**

204

$f(-x)=f(x)$이므로 $f(x)$는 우함수이다.

$\therefore \int_{-2}^{2}f(x)dx=2\int_{0}^{2}f(x)dx=2\cdot\frac{1}{4}=\frac{1}{2}$

또한, $x^3f(x)$, $xf(x)$는 기함수이므로

$(3x^3-2x)f(x)$도 기함수이다.

$\therefore \int_{-2}^{2}(3x^3-2x)f(x)dx=0$

$\therefore \int_{-2}^{2}(3x^3-2x+6)f(x)dx$

$=\int_{-2}^{2}(3x^3-2x)f(x)dx+\int_{-2}^{2}6f(x)dx$

$=6\int_{-2}^{2}f(x)dx$

$=6\cdot\frac{1}{2}=3$

답 3

205

$\lim_{x\to 1}\frac{f(x)}{x-1}=1$에서 $x\to 1$일 때 (분모) $\to 0$이고 극한값이 존재하므로 (분자) $\to 0$이다.

즉, $\lim_{x\to 1}f(x)=0$

$f(x)$는 연속함수이므로

$f(1)=a+b+3=0$ …… ㉠

또, $f(1)=0$이므로

$\lim_{x\to 1}\frac{f(x)}{x-1}=\lim_{x\to 1}\frac{f(x)-f(1)}{x-1}=f'(1)$

$\therefore f'(1)=1$

$f'(x)=3ax^2+b$이므로

$f'(1)=3a+b=1$ …… ㉡

㉠, ㉡을 연립하여 풀면

$a=2$, $b=-5$

따라서 $f(x)=2x^3-5x+3$이므로 구하는 정적분의 값은

$\int_{0}^{1}f(x)dx=\int_{0}^{1}(2x^3-5x+3)dx$

$=\left[\frac{1}{2}x^4-\frac{5}{2}x^2+3x\right]_{0}^{1}=1$

답 1

206

$\int_{0}^{1}(x-k)^2f(x)dx$

$=\int_{0}^{1}(x^2-2kx+k^2)f(x)dx$

$=\int_{0}^{1}x^2f(x)dx-2k\int_{0}^{1}xf(x)dx+k^2\int_{0}^{1}f(x)dx$

$\int_{0}^{1}f(x)dx=1$, $\int_{0}^{1}xf(x)dx=2$이므로

(주어진 식) $=\int_{0}^{1}x^2f(x)dx-4k+k^2$

$=(k-2)^2-4+\int_{0}^{1}x^2f(x)dx$

이때 정적분 $\int_0^1 x^2f(x)dx$의 값은 상수이므로 주어진 식은 $k=2$일 때 최소가 된다. **답 2**

207

$\int_{-1}^1 f(x)dx=\int_{-1}^0 f(x)dx+\int_0^1 f(x)dx$이고,

$\int_{-1}^1 f(x)dx=\int_0^1 f(x)dx=\int_{-1}^0 f(x)dx$이므로

$\int_{-1}^1 f(x)dx=\int_{-1}^0 f(x)dx=\int_0^1 f(x)dx=0$

한편, $f(0)=-1$이므로

$f(x)=ax^2+bx-1$ (a, b는 상수, $a\neq0$)이라 하면

$$\int_{-1}^0 f(x)dx=\int_{-1}^0 (ax^2+bx-1)dx$$
$$=\left[\frac{a}{3}x^3+\frac{b}{2}x^2-x\right]_{-1}^0$$
$$=\frac{a}{3}-\frac{b}{2}-1=0 \quad \cdots\cdots ㉠$$

$$\int_0^1 f(x)dx=\int_0^1 (ax^2+bx-1)dx$$
$$=\left[\frac{a}{3}x^3+\frac{b}{2}x^2-x\right]_0^1$$
$$=\frac{a}{3}+\frac{b}{2}-1=0 \quad \cdots\cdots ㉡$$

㉠, ㉡을 연립하여 풀면 $a=3$, $b=0$

따라서 $f(x)=3x^2-1$이므로

$f(2)=3\cdot2^2-1=11$ **답 11**

208

$$f(x)=\begin{cases}3x^2-4x+a & (x\leq1)\\ 2x+3 & (x>1)\end{cases} \quad \cdots\cdots ㉠$$

에서 함수 $f(x)$는 연속함수이므로 $x=1$에서도 연속이다. 즉,

$\lim_{x\to1-} f(x)=\lim_{x\to1+} f(x)$

$\lim_{x\to1-} (3x^2-4x+a)=\lim_{x\to1+} (2x+3)$

$3-4+a=2+3 \quad \therefore a=6$

$a=6$을 ㉠에 대입하면

$$f(x)=\begin{cases}3x^2-4x+6 & (x\leq1)\\ 2x+3 & (x>1)\end{cases}$$

$$\therefore \int_{-1}^3 f(x)dx$$
$$=\int_{-1}^1 f(x)dx+\int_1^3 f(x)dx$$
$$=\int_{-1}^1 (3x^2-4x+6)dx+\int_1^3 (2x+3)dx$$
$$=2\int_0^1 (3x^2+6)dx+\int_1^3 (2x+3)dx$$
$$=2\left[x^3+6x\right]_0^1+\left[x^2+3x\right]_1^3$$
$$=14+14=28$$

$\therefore b=28$

$\therefore a+b=6+28=34$ **답 34**

209

$f(x)=ax+b$ (a, b는 상수, $a\neq0$)라 하면

$$\int_{-1}^1 xf(x)dx=\int_{-1}^1 (ax^2+bx)dx$$
$$=2\int_0^1 ax^2\,dx$$
$$=2\left[\frac{1}{3}ax^3\right]_0^1=\frac{2}{3}a$$

$\int_{-1}^1 xf(x)dx=2$이므로 $\frac{2}{3}a=2 \quad \therefore a=3$

$$\int_{-1}^1 x^2f(x)dx=\int_{-1}^1 (ax^3+bx^2)dx=2\int_0^1 bx^2dx$$
$$=2\left[\frac{1}{3}bx^3\right]_0^1=\frac{2}{3}b$$

$\int_{-1}^1 x^2f(x)dx=-2$이므로 $\frac{2}{3}b=-2 \quad \therefore b=-3$

따라서 $f(x)=3x-3$이므로

$f(-2)=-6-3=-9$ **답 −9**

210

$f(x)=f(x+4)$이므로

$$\int_{2018}^{2020} f(x)dx=\int_{2014}^{2016} f(x)dx=\int_{2010}^{2012} f(x)dx=\cdots$$
$$=\int_2^4 f(x)dx=\int_{-2}^0 f(x)dx$$

$$\therefore \int_{2018}^{2020} f(x)dx=\int_{-2}^0 f(x)dx$$
$$=\int_{-2}^0 (x^3-4x)dx$$
$$=\left[\frac{1}{4}x^4-2x^2\right]_{-2}^0=4$$

답 4

211

$f'(x)=3x^2+2ax+(2a-3)$이고 $f(x)$가 극값을 갖지 않기 위해서는 이차방정식 $f'(x)=0$이 중근 또는 허근을 가져야 하므로 $f'(x)=0$의 판별식을 D라 하면

$\frac{D}{4}=a^2-3(2a-3)\le 0$

$a^2-6a+9\le 0,\ (a-3)^2\le 0 \qquad \therefore a=3$

따라서 $f(x)=x^3+3x^2+3x+1$이므로

$$\int_1^2 \frac{f(x)}{x}dx+\int_2^1 \frac{1}{x}dx$$
$$=\int_1^2 \frac{f(x)}{x}dx-\int_1^2 \frac{1}{x}dx$$
$$=\int_1^2 \frac{f(x)-1}{x}dx$$
$$=\int_1^2 (x^2+3x+3)dx$$
$$=\left[\frac{1}{3}x^3+\frac{3}{2}x^2+3x\right]_1^2$$
$$=\frac{44}{3}-\frac{29}{6}=\frac{59}{6}$$

$\therefore$ (주어진 식)$=6\cdot\frac{59}{6}=59$

답 59

212

주어진 그림에서 $f'(x)=2x$이므로

$f(x)=\int f'(x)dx=\int 2x\,dx=x^2+C$

$f(0)=2$이므로 $C=2 \qquad \therefore f(x)=x^2+2$

$$\therefore F(x)=\int_0^1 f(x-t)dt$$
$$=\int_0^1 \{(x-t)^2+2\}dt$$
$$=\int_0^1 (x^2-2tx+t^2+2)dt$$
$$=\left[x^2t-t^2x+\frac{1}{3}t^3+2t\right]_0^1$$
$$=x^2-x+\frac{1}{3}+2=x^2-x+\frac{7}{3}$$
$$=\left(x-\frac{1}{2}\right)^2+\frac{25}{12}$$

따라서 $F(x)$는 $x=\frac{1}{2}$일 때, 최솟값 $\frac{25}{12}$를 갖는다.

답 $\frac{25}{12}$

213

$f(x)=x|x-a|$라 하면 닫힌구간 $[0,\ 1]$에서

$$f(x)=\begin{cases} x(a-x) & (0\le x\le a) \\ x(x-a) & (a\le x\le 1) \end{cases}$$

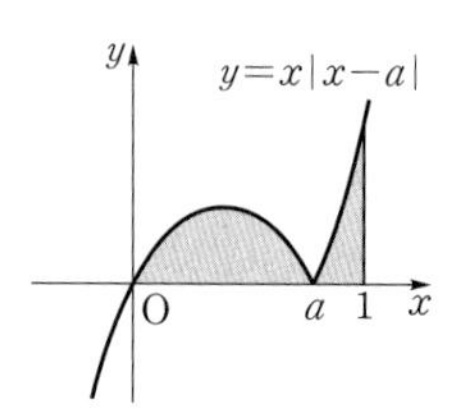

$$\int_0^1 x|x-a|dx$$
$$=\int_0^a x(a-x)dx+\int_a^1 x(x-a)dx$$
$$=\int_0^a (ax-x^2)dx+\int_a^1 (x^2-ax)dx$$
$$=\left[\frac{a}{2}x^2-\frac{1}{3}x^3\right]_0^a+\left[\frac{1}{3}x^3-\frac{a}{2}x^2\right]_a^1$$
$$=\left(\frac{1}{2}a^3-\frac{1}{3}a^3\right)+\left\{\left(\frac{1}{3}-\frac{a}{2}\right)-\left(\frac{1}{3}a^3-\frac{1}{2}a^3\right)\right\}$$
$$=\frac{1}{3}a^3-\frac{1}{2}a+\frac{1}{3}$$

$g(a)=\frac{1}{3}a^3-\frac{1}{2}a+\frac{1}{3}$이라 하면

$g'(a)=a^2-\frac{1}{2}=\left(a+\frac{1}{\sqrt{2}}\right)\left(a-\frac{1}{\sqrt{2}}\right)$

$g'(a)=0$에서 $a=\frac{1}{\sqrt{2}}\ (\because 0\le a\le 1)$

즉, $g(a)$는 $a=\frac{1}{\sqrt{2}}$일 때 극솟값을 갖고, $a=0$일 때 $g(0)=\frac{1}{3}$, $a=1$일 때 $g(1)=\frac{1}{6}$이다.

따라서 정적분 $\int_0^1 x|x-a|dx$의 값은 $a=0$일 때 최대가 된다.

답 0

214

(가)에서 $f(1+x)=f(1-x)$이므로 $y=f(x)$의 그래프는 직선 $x=1$에 대하여 대칭이다.

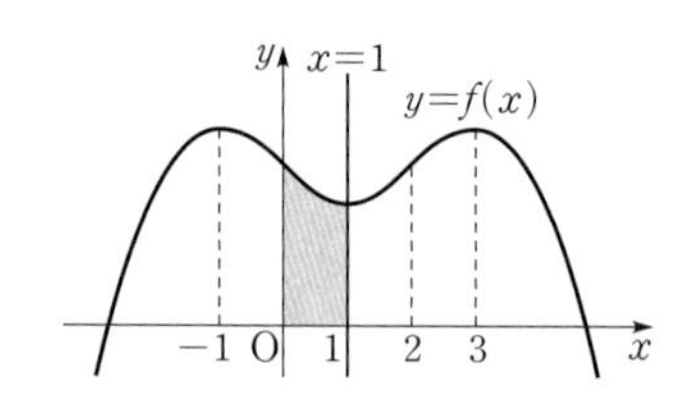

따라서 위의 그림에서

$$\int_2^3 f(x)dx=\int_{-1}^0 f(x)dx$$
$$=\int_0^3 f(x)dx-2\int_0^1 f(x)dx$$

(나)에서 $\int_{-1}^0 f(x)dx=a$, $\int_0^3 f(x)dx=b$이므로

$a=b-2\int_0^1 f(x)dx$

$\therefore \int_0^1 f(x)dx=\frac{b-a}{2}$ 답 $\boldsymbol{\frac{b-a}{2}}$

215

(가)에서 $f(-x)=f(x)$이므로 $f(x)$는 우함수, 즉 $y=f(x)$의 그래프는 y축에 대하여 대칭이다.

$\therefore \int_0^2 f(x)dx=\int_{-2}^0 f(x)dx=16$

(나)에서 $f(x)=f(x+4)$이므로

$\int_0^2 f(x)dx=\int_{-4}^{-2} f(x)dx=16$

$\therefore \int_{-4}^0 f(x)dx=\int_{-4}^{-2} f(x)dx+\int_{-2}^0 f(x)dx=32$

$\therefore \int_{-4}^8 f(x)dx$

$=\int_{-4}^0 f(x)dx+\int_0^4 f(x)dx+\int_4^8 f(x)dx$

$=3\int_{-4}^0 f(x)dx=3\cdot 32=96$ 답 **96**

216

$F(x)=\int_0^x (t^3-1)dt$

의 양변을 x에 대하여 미분하면

$F'(x)=x^3-1$

$\therefore F'(2)=8-1=7$ 답 ③

217

$\int_0^2 f(t)dt=k$(k는 상수)로 놓으면

$f(x)=2x+k$

$\therefore k=\int_0^2 f(t)dt=\int_0^2 (2t+k)dt$

$=\left[t^2+kt\right]_0^2=4+2k$

즉, $k=4+2k$이므로 $k=-4$

따라서 $f(x)=2x-4$이므로

$f(1)=2-4=-2$ 답 ②

218

주어진 식의 양변에 $x=2$를 대입하면

$0=8-12a+6a^2-a^3$

$a^3-6a^2+12a-8=0$, $(a-2)^3=0$

$\therefore a=2$

$\therefore \int_2^x f(t)dt=x^3-6x^2+12x-8$

이 식의 양변을 x에 대하여 미분하면

$f(x)=3x^2-12x+12=3(x-2)^2$

따라서 $f(x)$의 최솟값은 0이다. 답 ③

219

$\int_0^x f(t)dt=x^3-2x^2-2x\int_0^1 f(t)dt$ ······ ㉠

㉠의 양변에 $x=1$을 대입하면

$\int_0^1 f(t)dt=1-2-2\int_0^1 f(t)dt$, $3\int_0^1 f(t)dt=-1$

$\therefore \int_0^1 f(t)dt=-\frac{1}{3}$

이것을 ㉠에 대입하면 $\int_0^x f(t)dt=x^3-2x^2+\frac{2}{3}x$

이 식의 양변을 x에 대하여 미분하면

$f(x)=3x^2-4x+\frac{2}{3}$

$\therefore a=f(0)=\frac{2}{3}$

$\therefore 60a=60\cdot\frac{2}{3}=40$ 답 **40**

220

$f(x)=\int_{-3}^x (3t^2-6t-9)dt$

의 양변을 x에 대하여 미분하면

$f'(x)=3x^2-6x-9=3(x+1)(x-3)$

$f'(x)=0$에서 $x=-1$ 또는 $x=3$

x	$\cdots$	-1	$\cdots$	3	$\cdots$
$f'(x)$	$+$	0	$-$	0	$+$
$f(x)$	↗	극대	↘	극소	↗

따라서 함수 $f(x)$는 $x=-1$일 때 극대이므로 극댓값은

$$f(-1)=\int_{-3}^{-1}(3t^2-6t-9)dt$$
$$=\Big[t^3-3t^2-9t\Big]_{-3}^{-1}=32$$

또, $x=3$일 때 극소이므로 극솟값은

$$f(3)=\int_{-3}^{3}(3t^2-6t-9)dt$$
$$=\Big[t^3-3t^2-9t\Big]_{-3}^{3}=0$$

답 극댓값: 32, 극솟값: 0

221

$f(t)=|t^2-9|$로 놓고 $f(t)$의 한 부정적분을 $F(t)$라 하면

$$\lim_{x\to 0}\frac{1}{x}\int_{2-x}^{2+x}|t^2-9|dt$$
$$=\lim_{x\to 0}\frac{1}{x}\Big[F(t)\Big]_{2-x}^{2+x}$$
$$=\lim_{x\to 0}\frac{F(2+x)-F(2-x)}{x}$$
$$=\lim_{x\to 0}\frac{F(2+x)-F(2)+F(2)-F(2-x)}{x}$$
$$=\lim_{x\to 0}\frac{F(2+x)-F(2)}{x}+\lim_{x\to 0}\frac{F(2-x)-F(2)}{-x}$$
$$=F'(2)+F'(2)=2F'(2)$$

이때 $F'(t)=f(t)$이므로

$2F'(2)=2f(2)=2\cdot 5=10$ **답 ④**

222

$\int_1^2 f(t)dt=k$ (k는 상수)로 놓으면

$$f(x)=\frac{12}{7}x^2-2kx+k^2$$
$$k=\int_1^2 f(t)dt$$
$$=\int_1^2\left(\frac{12}{7}t^2-2kt+k^2\right)dt$$
$$=\Big[\frac{4}{7}t^3-kt^2+k^2t\Big]_1^2$$
$$=\left(\frac{32}{7}-4k+2k^2\right)-\left(\frac{4}{7}-k+k^2\right)$$
$$=4-3k+k^2$$

즉, $k=4-3k+k^2$이므로

$k^2-4k+4=0,\ (k-2)^2=0 \qquad \therefore k=2$

$\therefore 10\int_1^2 f(x)dx=10k=20$ **답 20**

223

$$\int_0^x f(t)dt=\frac{8}{3}x^3-3x^2+4x\int_0^2 tf(t)dt$$

의 양변을 x에 대하여 미분하면

$$f(x)=8x^2-6x+4\int_0^2 tf(t)dt$$

$\int_0^2 tf(t)dt=a$ (a는 상수)로 놓으면

$$f(x)=8x^2-6x+4a$$
$$a=\int_0^2 tf(t)dt=\int_0^2 t(8t^2-6t+4a)dt$$
$$=\int_0^2(8t^3-6t^2+4at)dt$$
$$=\Big[2t^4-2t^3+2at^2\Big]_0^2$$
$$=32-16+8a=16+8a$$

즉, $a=16+8a$이므로 $a=-\frac{16}{7}$

따라서 $f(x)=8x^2-6x-\frac{64}{7}$이므로

$$f(2)=32-12-\frac{64}{7}=\frac{76}{7}$$

$\therefore \int_0^2 tf(t)dt+f(2)=-\frac{16}{7}+\frac{76}{7}=\frac{60}{7}$ **답 $\frac{60}{7}$**

224

$$\int_1^x (x-t)f(t)dt=x^4+ax^2+bx \qquad \cdots\cdots ㉠$$

에서

$$x\int_1^x f(t)dt-\int_1^x tf(t)dt=x^4+ax^2+bx$$

이 식의 양변을 x에 대하여 미분하면

$$\int_1^x f(t)dt+xf(x)-xf(x)=4x^3+2ax+b$$

$\therefore \int_1^x f(t)dt = 4x^3 + 2ax + b$ …… ㉡

㉠, ㉡의 양변에 $x=1$을 각각 대입하면

$0 = 1 + a + b$

$0 = 4 + 2a + b$

위의 두 식을 연립하여 풀면 $a=-3$, $b=2$

$\therefore ab = -6$ **답 -6**

225

$f(x) = \int_0^x (t^2 + at + b)dt$

의 양변을 x에 대하여 미분하면

$f'(x) = x^2 + ax + b$

$x=3$일 때, 극솟값 0을 가지므로

$f'(3) = 9 + 3a + b = 0$

$\therefore 3a + b = -9$ …… ㉠

$$f(3) = \int_0^3 (t^2 + at + b)dt = \left[\frac{1}{3}t^3 + \frac{a}{2}t^2 + bt\right]_0^3 = 9 + \frac{9}{2}a + 3b = 0$$

$\therefore \frac{9}{2}a + 3b = -9$ …… ㉡

㉠, ㉡을 연립하여 풀면 $a=-4$, $b=3$

$\therefore f'(x) = x^2 - 4x + 3 = (x-1)(x-3)$

$f'(x)=0$에서 $x=1$ 또는 $x=3$

따라서 $f(x)$는 $x=1$에서 극대이므로 극댓값은

$$f(1) = \int_0^1 (t^2 + at + b)dt = \int_0^1 (t^2 - 4t + 3)dt = \left[\frac{1}{3}t^3 - 2t^2 + 3t\right]_0^1 = \frac{1}{3} - 2 + 3 = \frac{4}{3}$$

답 $x=1$일 때, 극댓값 $\frac{4}{3}$

226

주어진 그래프에서

$f(x) = a(x+1)(x-3)\,(a<0)$으로 놓을 수 있다.

$g(x) = \int_{x-1}^x f(t)dt$의 양변을 x에 대하여 미분하면

$$g'(x) = f(x) - f(x-1) = a(x+1)(x-3) - ax(x-4) = a(x^2 - 2x - 3 - x^2 + 4x) = a(2x-3)$$

$g'(x)=0$에서 $x=\frac{3}{2}$

$a<0$이므로 $g(x)$는 $x=\frac{3}{2}$일 때, 극대이면서 최대이다.

따라서 $g(x)$의 최댓값은 $g\left(\frac{3}{2}\right)$이다. **답 ④**

227

$\int_0^x f(t)dt = \frac{1}{3}x^3 + nx$

의 양변을 x에 대하여 미분하면

$f(x) = x^2 + n$

이때 $f(1)=4$이므로 $f(1) = 1 + n = 4$ $\therefore n=3$

$\therefore f(x) = x^2 + 3$

$F'(t) = t^2 f(t)$로 놓으면

$$\lim_{x \to -3} \frac{1}{x^2-9}\int_{-3}^x t^2 f(t)dt$$

$$= \lim_{x \to -3} \frac{F(x) - F(-3)}{x^2 - 9}$$

$$= \lim_{x \to -3} \left\{\frac{F(x) - F(-3)}{x+3} \cdot \frac{1}{x-3}\right\}$$

$$= -\frac{1}{6}F'(-3) = -\frac{1}{6} \cdot 9f(-3)$$

$$= -\frac{1}{6} \cdot 9 \cdot 12 = -18$$

답 -18

228

$\int_0^a \left\{2 + \frac{df(t)}{dt}\right\}dt = \int_0^a \{2 + f'(t)\}dt = k$ (k는 상수)

로 놓으면

$f(x) - x^2 + 2ax = 3k$

$\therefore f(x) = x^2 - 2ax + 3k$

이때 $f(0)=0$이므로

$f(0) = 3k = 0$ $\therefore k=0$

$$\therefore k = \int_0^a \{2 + f'(t)\}dt = \int_0^a (2 + 2t - 2a)dt = \left[2t + t^2 - 2at\right]_0^a = -a^2 + 2a = 0$$

연습문제 실력 UP

즉, $a^2-2a=0$에서 $a(a-2)=0$이므로

$a=0$ 또는 $a=2$

그런데 a는 양수이므로 $a=2$ **답 2**

229

$G(x)=\int_1^x f(t)dt$의 양변을 x에 대하여 미분하면

$G'(x)=f(x)=-x^3+\frac{3}{2}x^2+6x-k$

최고차항의 계수가 음수인 사차함수 $G(x)$가 극솟값을 가지려면 $G'(x)=f(x)=0$이 서로 다른 세 실근을 가져야 하므로 $f(x)$의 극댓값과 극솟값의 부호가 달라야 한다.

즉, (극댓값)×(극솟값)<0

한편,

$f'(x)=-3x^2+3x+6$

$=-3(x^2-x-2)$

$=-3(x+1)(x-2)=0$

에서 $x=-1$ 또는 $x=2$이므로

$f(-1)\times f(2)$

$=\left(1+\frac{3}{2}-6-k\right)(-8+6+12-k)<0$

$\therefore -\frac{7}{2}<k<10$

따라서 정수 k의 최댓값은 $M=9$, 최솟값은 $m=-3$이므로

$\frac{M}{m}=\frac{9}{-3}=-3$ **답 ③**

230

$f(x)=\int_0^x (t-a)(t-b)dt$의 양변을 x에 대하여 미분하면

$f'(x)=(x-a)(x-b)$

$f'(x)=0$에서 $x=a$ 또는 $x=b$

조건 ㈎에서 $f(x)$는 $x=\frac{1}{2}$에서 극값을 가지므로

$a=\frac{1}{2}$ 또는 $b=\frac{1}{2}$

또한, 조건 ㈏에서 $f(a)-f(b)=\frac{1}{6}$이므로

$f(a)-f(b)$

$=\int_0^a (t-a)(t-b)dt-\int_0^b (t-a)(t-b)dt$

$=\int_0^a (t-a)(t-b)dt+\int_b^0 (t-a)(t-b)dt$

$=\int_b^0 (t-a)(t-b)dt+\int_0^a (t-a)(t-b)dt$

$=\int_b^a (t-a)(t-b)dt$

$=\int_b^a \{t^2-(a+b)t+ab\}dt$

$=\left[\frac{1}{3}t^3-\frac{a+b}{2}t^2+abt\right]_b^a$

$=-\frac{(a-b)^3}{6}=\frac{1}{6}$

$-(a-b)^3=1$, $(a-b)^3=-1$

$\therefore a-b=-1$

한편, $b=\frac{1}{2}$이면 $a=b-1=-\frac{1}{2}$이므로 $a<0$이 되어 조건에 모순이므로 $a=\frac{1}{2}$이어야 한다.

$\therefore a=\frac{1}{2}$, $b=\frac{3}{2}$

$\therefore a+b=2$ **답 2**

231

$\lim_{x\to 2}\frac{f(x)-\int_2^x f(t)dt}{x^3-8}=\frac{1}{2}$에서 $x\to 2$일 때

(분모)→0이고 극한값이 존재하므로 (분자)→0이다.

즉, $\lim_{x\to 2}\left\{f(x)-\int_2^x f(t)dt\right\}=0$

$f(2)-\int_2^2 f(t)dt=0$ $\therefore f(2)=0$

한편, $f(x)$의 한 부정적분을 $F(x)$라 하면

$\lim_{x\to 2}\frac{f(x)-\int_2^x f(t)dt}{x^3-8}$

$=\lim_{x\to 2}\left\{\frac{f(x)}{x^3-8}-\frac{\int_2^x f(t)dt}{x^3-8}\right\}$

$=\lim_{x\to 2}\left\{\frac{f(x)-f(2)}{x^3-8}-\frac{F(x)-F(2)}{x^3-8}\right\}$

$$=\lim_{x\to2}\left\{\frac{f(x)-f(2)}{(x-2)(x^2+2x+4)}-\frac{F(x)-F(2)}{(x-2)(x^2+2x+4)}\right\}$$

$$=\lim_{x\to2}\left\{\frac{f(x)-f(2)}{x-2}\cdot\frac{1}{x^2+2x+4}\right\}-\lim_{x\to2}\left\{\frac{F(x)-F(2)}{x-2}\cdot\frac{1}{x^2+2x+4}\right\}$$

$$=\frac{1}{12}f'(2)-\frac{1}{12}F'(2)$$

$$=\frac{1}{12}f'(2)-\frac{1}{12}f(2)\ (\because F'(x)=f(x))$$

$$=\frac{1}{12}f'(2)=\frac{1}{2}\ (\because f(2)=0)$$

$\therefore f'(2)=6$ 답 ④

232

곡선 $y=x^3+x^2-2x$와 x축과의 교점의 x좌표는

$x^3+x^2-2x=0$에서 $x(x+2)(x-1)=0$

$\therefore x=-2$ 또는 $x=0$ 또는 $x=1$

따라서 곡선 $y=x^3+x^2-2x$와 x축으로 둘러싸인 부분은 오른쪽 그림의 색칠한 부분과 같다.

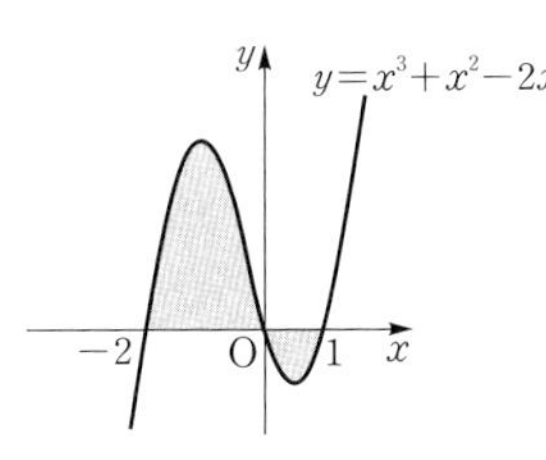

$-2\le x\le0$에서 $y\ge0$, $0\le x\le1$에서 $y\le0$이므로 구하는 넓이를 S라 하면

$$S=\int_{-2}^{0}(x^3+x^2-2x)dx-\int_{0}^{1}(x^3+x^2-2x)dx$$

$$=\left[\frac{1}{4}x^4+\frac{1}{3}x^3-x^2\right]_{-2}^{0}-\left[\frac{1}{4}x^4+\frac{1}{3}x^3-x^2\right]_{0}^{1}$$

$$=\frac{37}{12}$$

따라서 $p=12$, $q=37$이므로

$p+q=49$ 답 49

233

곡선 $y=x(x-3)^2$과 직선 $y=x$의 교점의 x좌표는

$x(x-3)^2=x$에서 $x(x^2-6x+9)=x$

$x(x^2-6x+8)=0$, $x(x-2)(x-4)=0$

$\therefore x=0$ 또는 $x=2$ 또는 $x=4$

오른쪽 그래프에서

$0\le x\le2$일 때, $x(x-3)^2\ge x$

$2\le x\le4$일 때, $x(x-3)^2\le x$

따라서 구하는 넓이를 S라 하면

$$S=\int_{0}^{2}\{x(x-3)^2-x\}dx+\int_{2}^{4}\{x-x(x-3)^2\}dx$$

$$=\int_{0}^{2}(x^3-6x^2+8x)dx+\int_{2}^{4}(-x^3+6x^2-8x)dx$$

$$=\left[\frac{1}{4}x^4-2x^3+4x^2\right]_{0}^{2}+\left[-\frac{1}{4}x^4+2x^3-4x^2\right]_{2}^{4}$$

$$=8$$

답 8

234

두 곡선 $y=x^2$, $y=-x^2+1$의 교점의 x좌표는

$x^2=-x^2+1$에서 $x^2=\frac{1}{2}$

$\therefore x=-\frac{1}{\sqrt{2}}$ 또는 $x=\frac{1}{\sqrt{2}}$

오른쪽 그래프에서

$-\frac{1}{\sqrt{2}}\le x\le\frac{1}{\sqrt{2}}$일 때, $x^2\le-x^2+1$

따라서 구하는 넓이를 S라 하면

$$S=\int_{-\frac{1}{\sqrt{2}}}^{\frac{1}{\sqrt{2}}}\{(-x^2+1)-x^2\}dx$$

$$=\int_{-\frac{1}{\sqrt{2}}}^{\frac{1}{\sqrt{2}}}(-2x^2+1)dx=2\int_{0}^{\frac{1}{\sqrt{2}}}(-2x^2+1)dx$$

$$=2\left[-\frac{2}{3}x^3+x\right]_{0}^{\frac{1}{\sqrt{2}}}=2\cdot\frac{2}{3\sqrt{2}}=\frac{2\sqrt{2}}{3}$$

답 $\frac{2\sqrt{2}}{3}$

235

구하는 넓이를 S라 하면

$$S=\int_{-2}^{-1}3x(x+1)dx-\int_{-1}^{0}3x(x+1)dx$$

$$=\int_{-2}^{-1}(3x^2+3x)dx-\int_{-1}^{0}(3x^2+3x)dx$$

$$=\left[x^3+\frac{3}{2}x^2\right]_{-2}^{-1}-\left[x^3+\frac{3}{2}x^2\right]_{-1}^{0}$$

$$=3$$

답 3

236

A, B의 넓이가 같으므로

$\int_0^3 \{x^2(x-3)-ax(x-3)\}dx=0$

$\int_0^3 \{x^3-(3+a)x^2+3ax\}dx=0$

$\left[\frac{1}{4}x^4-\frac{3+a}{3}x^3+\frac{3a}{2}x^2\right]_0^3=0$

$\frac{81}{4}-27-9a+\frac{27}{2}a=0$

$\frac{9}{2}a-\frac{27}{4}=0 \quad \therefore a=\frac{3}{2}$

답 $\frac{3}{2}$

237

$f(x)=2x^2+3$이라 하면 $f'(x)=4x$

곡선 $y=2x^2+3$ 위의 접점의 좌표를 $(a,\ 2a^2+3)$이라 하면 $f'(a)=4a$이므로 접선의 방정식은

$y-(2a^2+3)=4a(x-a)$

이 접선이 점 A$(1,\ -3)$을 지나므로

$-3-(2a^2+3)=4a(1-a)$

$a^2-2a-3=0$, $(a+1)(a-3)=0$

$\therefore a=-1$ 또는 $a=3$

즉, 접선의 방정식은 $y=-4x+1$ 또는 $y=12x-15$

따라서 두 접선과 곡선 $y=2x^2+3$으로 둘러싸인 도형의 넓이 S는

$S=\int_{-1}^1 \{(2x^2+3)-(-4x+1)\}dx$

$\qquad +\int_1^3 \{(2x^2+3)-(12x-15)\}dx$

$=\int_{-1}^1 (2x^2+4x+2)dx+\int_1^3 (2x^2-12x+18)dx$

$=\int_{-1}^1 (2x^2+2)dx+\int_1^3 (2x^2-12x+18)dx$

$=\left[\frac{2}{3}x^3+2x\right]_{-1}^1+\left[\frac{2}{3}x^3-6x^2+18x\right]_1^3=\frac{32}{3}$

$\therefore 3S=3\cdot\frac{32}{3}=32$

답 32

238

$f(x)=\int(x^2-1)dx=\frac{1}{3}x^3-x+C$

$f(0)=0$에서 $C=0$이므로

$f(x)=\frac{1}{3}x^3-x$

$\quad=\frac{1}{3}x(x-\sqrt{3})(x+\sqrt{3})$

따라서 곡선 $y=f(x)$와 x축으로 둘러싸인 부분은 오른쪽 그림의 색칠한 부분과 같으므로 구하는 넓이를 S라 하면

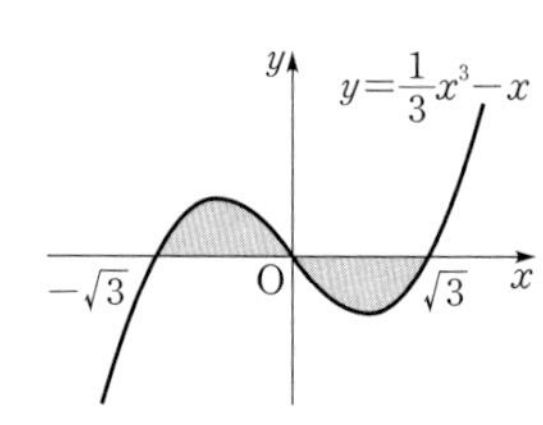

$S=\int_{-\sqrt{3}}^0 \left(\frac{1}{3}x^3-x\right)dx-\int_0^{\sqrt{3}} \left(\frac{1}{3}x^3-x\right)dx$

$=\left[\frac{1}{12}x^4-\frac{1}{2}x^2\right]_{-\sqrt{3}}^0-\left[\frac{1}{12}x^4-\frac{1}{2}x^2\right]_0^{\sqrt{3}}$

$=\frac{3}{2}$

답 ④

239

곡선 $y=x^2$을 조건에 따라 이동시키면

$-(y-5)=(x+1)^2$

$y=-(x+1)^2+5$

$\therefore g(x)=-(x+1)^2+5$

두 곡선 $y=x^2$과 $y=g(x)$의 교점의 x좌표는

$x^2=-(x+1)^2+5$에서

$x^2+x-2=0$

$(x+2)(x-1)=0$

$\therefore x=-2$ 또는 $x=1$

오른쪽 그래프에서

$-2\le x\le 1$일 때,

$x^2\le -(x+1)^2+5$

따라서 구하는 넓이를 S라 하면

$S=\int_{-2}^1 \{-(x+1)^2+5-x^2\}dx$

$=\int_{-2}^1 (-2x^2-2x+4)dx$

$=\left[-\frac{2}{3}x^3-x^2+4x\right]_{-2}^1$

$=9$

답 9

다른풀이 공식을 이용하면

$S=\frac{|1-(-1)|\{1-(-2)\}^3}{6}=9$

240

$f(x)=x^3+3x^2-x-3$

이라 하면

$f'(x)=3x^2+6x-1$

이므로 곡선 위의 점 $(-3, 0)$에서의 접선의 기울기는

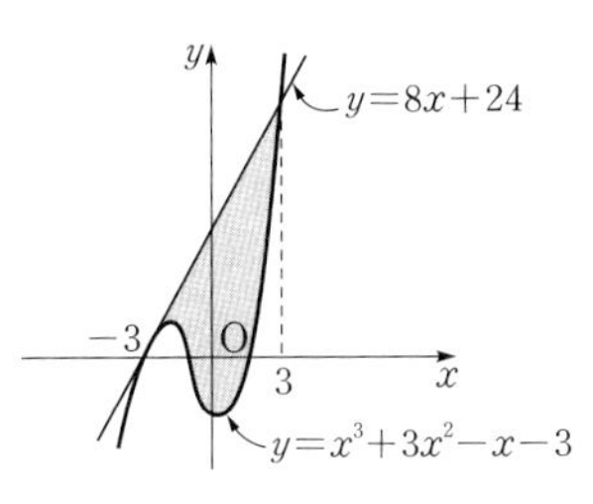

$f'(-3)=3\cdot(-3)^2+6\cdot(-3)-1=8$

따라서 곡선 위의 점 $(-3, 0)$에서의 접선의 방정식은

$y=8(x+3)$ $\quad\therefore y=8x+24$

곡선과 접선의 교점의 x좌표는

$x^3+3x^2-x-3=8x+24$에서

$x^3+3x^2-9x-27=0$, $(x+3)^2(x-3)=0$

$\therefore x=-3$ 또는 $x=3$

따라서 구하는 넓이를 S라 하면

$$S=\int_{-3}^{3}\{(8x+24)-(x^3+3x^2-x-3)\}dx$$
$$=\int_{-3}^{3}(-x^3-3x^2+9x+27)dx$$
$$=2\int_{0}^{3}(-3x^2+27)dx$$
$$=2\Big[-x^3+27x\Big]_0^3=108$$

답 **108**

다른풀이 공식을 이용하면

$$S=\frac{|1|\{3-(-3)\}^4}{12}=108$$

241

$0<a<b$이고 곡선 $y=(x-a)(x-b)x^2$과 직선 $y=0$으로 둘러싸인 두 도형의 넓이가 같으므로

$$\int_0^b(x-a)(x-b)x^2dx=0$$
$$\int_0^b\{x^4-(a+b)x^3+abx^2\}dx=0$$
$$\left[\frac{1}{5}x^5-\frac{a+b}{4}x^4+\frac{ab}{3}x^3\right]_0^b=0$$
$$\frac{1}{5}b^5-\frac{a+b}{4}\cdot b^4+\frac{ab}{3}\cdot b^3=0$$

$b>0$이므로 양변에 $\dfrac{60}{b^4}$을 곱하면

$12b-15(a+b)+20a=0$, $5a=3b$

$$\therefore \frac{3b}{a}=\frac{5a}{a}=5$$

답 **5**

242

함수 $y=f(x)$의 그래프와 그 역함수 $y=g(x)$의 그래프는 직선 $y=x$에 대하여 대칭이므로 구하는 넓이 S는 곡선 $y=f(x)$와 직선 $y=x$로 둘러싸인 도형의 넓이의 2배이다.

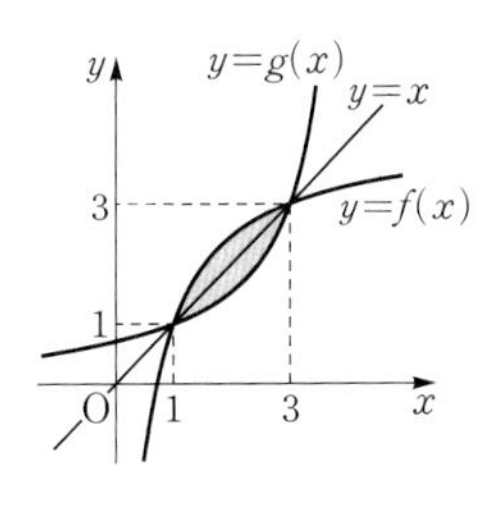

$$\therefore S=2\int_1^3\{f(x)-x\}dx$$
$$=2\int_1^3 f(x)dx-2\int_1^3 x\,dx$$
$$=2\cdot\frac{11}{2}-2\left[\frac{1}{2}x^2\right]_1^3$$
$$=11-8=3$$

답 **3**

243

$f(x)=-x^3+ax+b$에서 $f'(x)=-3x^2+a$

곡선 위의 점 $(t, f(t))$에서의 접선의 기울기는 $f'(t)=-3t^2+a$이므로 접선의 방정식은

$y-f(t)=(-3t^2+a)(x-t)$

$\therefore y=(-3t^2+a)(x-t)-t^3+at+b$

$=(-3t^2+a)x+2t^3+b$

곡선 $y=f(x)$와 접선의 교점의 x좌표는

$-x^3+ax+b=(-3t^2+a)x+2t^3+b$에서

$(x-t)^2(x+2t)=0$

$\therefore x=-2t$ 또는 $x=t$ $(t>0)$

이때 접선과 곡선 $y=f(x)$로 둘러싸인 도형의 넓이를 S라 하면

$$S=\int_{-2t}^{t}\{(-3t^2x+ax+2t^3+b)-(-x^3+ax+b)\}dx$$
$$=\int_{-2t}^{t}(x^3-3t^2x+2t^3)dx$$
$$=\left[\frac{1}{4}x^4-\frac{3}{2}t^2x^2+2t^3x\right]_{-2t}^{t}$$
$$=\frac{27}{4}t^4$$

따라서 $\dfrac{27}{4}t^4=\dfrac{4}{3}$에서 $t^4=\dfrac{16}{81}$

$t>0$이므로 $t=\dfrac{2}{3}$

답 $\dfrac{2}{3}$

244

$y=x^2-2x$의 그래프의 대칭축은 $x=1$이고 $S_1=2S_2$이므로 오른쪽 그림에서 빗금 친 도형의 넓이는 S_2와 같다.

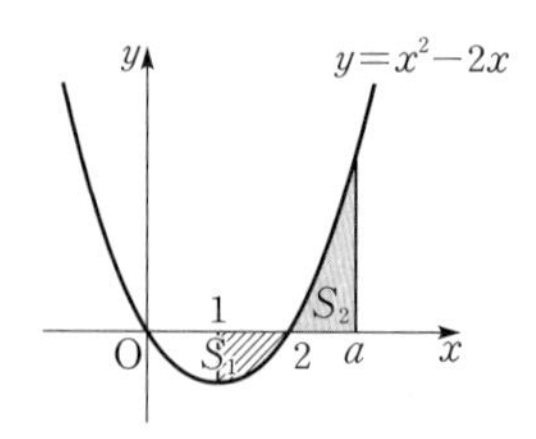

즉, $\int_1^a (x^2-2x)dx=0$

$\left[\frac{1}{3}x^3-x^2\right]_1^a=0$

$\frac{1}{3}a^3-a^2-\left(\frac{1}{3}-1\right)=0$

$a^3-3a^2+2=0$, $(a-1)(a^2-2a-2)=0$

$\therefore a=1$ 또는 $a=1\pm\sqrt{3}$

그런데 $a>2$이므로 $a=1+\sqrt{3}$ **답 $1+\sqrt{3}$**

245

두 곡선 $y=-x^2+2x$와 $y=ax^2$의 교점의 x좌표는

$-x^2+2x=ax^2$에서

$(a+1)x^2-2x=0$

$x\{(a+1)x-2\}=0$

$\therefore x=0$ 또는 $x=\frac{2}{a+1}$

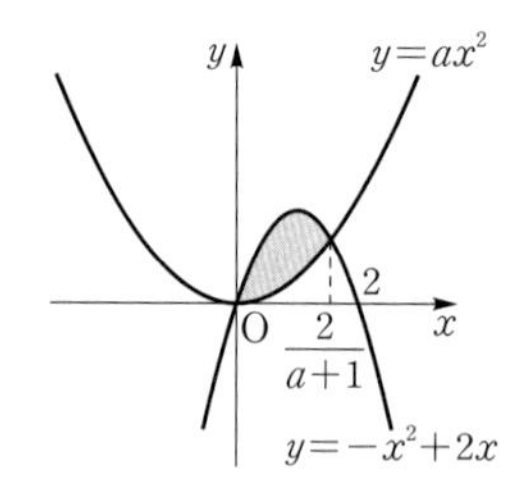

곡선 $y=-x^2+2x$와 x축으로 둘러싸인 도형의 넓이는

$\int_0^2(-x^2+2x)dx=\left[-\frac{1}{3}x^3+x^2\right]_0^2=\frac{4}{3}$

따라서 위의 그림에서 색칠한 부분의 넓이는

$\frac{4}{3}\times\frac{1}{2}=\frac{2}{3}$이므로

$\int_0^{\frac{2}{a+1}}\{(-x^2+2x)-ax^2\}dx=\frac{2}{3}$

$\int_0^{\frac{2}{a+1}}\{-(a+1)x^2+2x\}dx=\frac{2}{3}$

$\left[-\frac{a+1}{3}x^3+x^2\right]_0^{\frac{2}{a+1}}=\frac{2}{3}$

$\frac{4}{3(a+1)^2}=\frac{2}{3}$, $(a+1)^2=2$

$a+1=\pm\sqrt{2}$ $\quad\therefore a=-1\pm\sqrt{2}$

그런데 $a>0$이므로

$a=-1+\sqrt{2}$ **답 $-1+\sqrt{2}$**

246

곡선 $y=x(x-2)(x-a)$와 x축과의 교점의 x좌표는

$x(x-2)(x-a)=0$에서

$x=0$ 또는 $x=a$ 또는 $x=2$

따라서 그래프는 다음 그림과 같다.

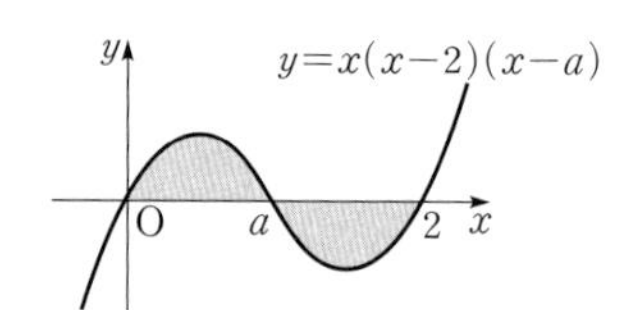

이때 곡선과 x축으로 둘러싸인 도형의 넓이를 $S(a)$라 하면

$$S(a)=\int_0^a x(x-2)(x-a)dx-\int_a^2 x(x-2)(x-a)dx$$

$$=\int_0^a\{x^3-(2+a)x^2+2ax\}dx-\int_a^2\{x^3-(2+a)x^2+2ax\}dx$$

$$=\left[\frac{1}{4}x^4-\frac{2+a}{3}x^3+ax^2\right]_0^a-\left[\frac{1}{4}x^4-\frac{2+a}{3}x^3+ax^2\right]_a^2$$

$$=-\frac{1}{6}a^4+\frac{2}{3}a^3-\frac{4}{3}a+\frac{4}{3}$$

$$S'(a)=-\frac{2}{3}a^3+2a^2-\frac{4}{3}$$

$$=-\frac{2}{3}(a-1)(a^2-2a-2)$$

$S'(a)=0$에서 $a=1$ ($\because 0<a<2$)

a	0	$\cdots$	1	$\cdots$	2
$S'(a)$		$-$	0	$+$	
$S(a)$		↘	극소	↗	

따라서 $S(a)$는 $a=1$에서 극소이면서 최소가 되고, 그때의 넓이는

$S(1)=-\frac{1}{6}+\frac{2}{3}-\frac{4}{3}+\frac{4}{3}=\frac{1}{2}$

답 $a=1$, (넓이)$=\frac{1}{2}$

247

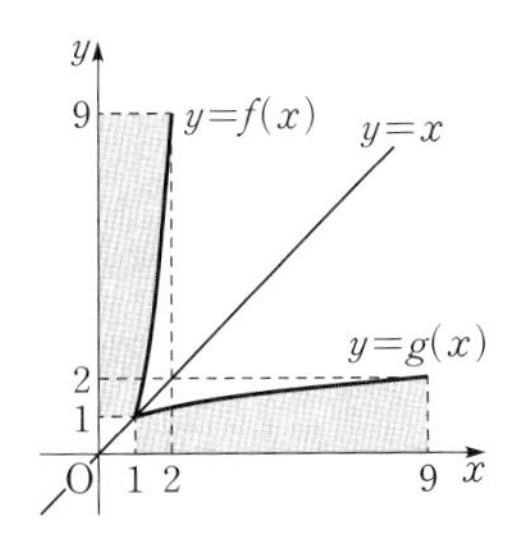

위의 그림에서 색칠한 두 부분의 넓이가 같으므로

$$\int_1^9 g(x)dx=2\cdot 9-1\cdot 1-\int_1^2 f(x)dx$$
$$=17-\int_1^2 (x^3+x-1)dx$$
$$=17-\left[\frac{1}{4}x^4+\frac{1}{2}x^2-x\right]_1^2$$
$$=17-\frac{17}{4}=\frac{51}{4}$$

답 ③

248

시각 $t=3$에서 점 P의 위치는

$$0+\int_0^3 v(t)dt=\int_0^3 (6t-3t^2)dt$$
$$=\left[3t^2-t^3\right]_0^3=0$$

$\therefore a=0$

시각 $t=0$에서 $t=3$까지 점 P가 움직인 거리는

$$\int_0^3 |v(t)|dt=\int_0^2 (6t-3t^2)dt+\int_2^3 (-6t+3t^2)dt$$
$$=\left[3t^2-t^3\right]_0^2+\left[-3t^2+t^3\right]_2^3=8$$

$\therefore b=8$

$\therefore a+b=0+8=8$

답 8

249

두 점 P, Q의 t초 후의 위치를 각각 x_1, x_2라 하면

$$x_1=\int_0^t (3t^2-8t+4)dt$$
$$=\left[t^3-4t^2+4t\right]_0^t=t^3-4t^2+4t$$
$$x_2=\int_0^t (12-8t)dt$$
$$=\left[12t-4t^2\right]_0^t=12t-4t^2$$

$t^3-4t^2+4t=12t-4t^2$에서

$t^3-8t=0$, $t(t+2\sqrt{2})(t-2\sqrt{2})=0$

그런데 $t>0$이므로

$t=2\sqrt{2}$(초 후)

답 $2\sqrt{2}$초 후

250

2초 후에 5 m의 상공에 도달하려면 $\int_0^2 v(t)dt=5$

$$\int_0^2 v(t)dt=\int_0^2 (v_0-9.8t)dt$$
$$=\left[v_0t-4.9t^2\right]_0^2=2v_0-19.6$$

이므로 $2v_0-19.6=5$

$\therefore v_0=12.3$(m/s)

답 12.3 m/s

251

$$(\text{구하는 높이})=\int_0^{35} v(t)dt$$
$$=\int_0^{20} t\,dt+\int_{20}^{35} (60-2t)dt$$
$$=\left[\frac{1}{2}t^2\right]_0^{20}+\left[60t-t^2\right]_{20}^{35}$$
$$=275(\text{m})$$

답 275 m

252

$t=a$일 때, 출발한 점에 다시 돌아온다고 하면

$\int_0^a v(t)dt=0$이어야 한다.

오른쪽 그림에서 $S_1=S_2$이므로 $t=4$일 때, 출발한 점에 다시 돌아온다.

$\therefore a=4$(초)

답 4초

253

$$\int_0^6 |v(t)|dt$$
$$=\int_0^4 v(t)dt+\int_4^6 \{-v(t)\}dt$$
$$=\frac{1}{2}\cdot 1\cdot 1+\frac{1}{2}\cdot(1+2)\cdot 2+\frac{1}{2}\cdot 1\cdot 2+\frac{1}{2}\cdot 2\cdot 1$$
$$=\frac{11}{2}$$

답 $\frac{11}{2}$

254

$t=a(a>0)$일 때, 점 P가 원점으로 다시 돌아온다고 하면 $\int_0^a(-3t^2-2t+12)dt=0$이어야 한다.

$\int_0^a(-3t^2-2t+12)dt=\left[-t^3-t^2+12t\right]_0^a=0$

$-a^3-a^2+12a=0,\ a(a+4)(a-3)=0$

$\therefore a=3\ (\because a>0)$

따라서 3초 후에 원점으로 다시 돌아온다. **답 3초 후**

255

점 P가 시각 $t=0$에서 $t=a$까지 움직인 거리가 58이므로

$a>2$

$$\begin{aligned}\therefore \int_0^a|3t^2-6t|dt &= -\int_0^2(3t^2-6t)dt+\int_2^a(3t^2-6t)dt\\ &= -\left[t^3-3t^2\right]_0^2+\left[t^3-3t^2\right]_2^a\\ &= a^3-3a^2+8=58\end{aligned}$$

$a^3-3a^2-50=0,\ (a-5)(a^2+2a+10)=0$

$\therefore a=5$

$\therefore v(5)=3\cdot5^2-6\cdot5=45$ **답 45**

256

최고 높이에 도달할 때, 이 물체의 속도는 0이므로

$v(t)=40-8t=0$에서 $t=5$

최고 높이에 도달할 때까지 이 물체가 움직인 거리는

$$\begin{aligned}\int_0^5|40-8t|dt &= \int_0^5(40-8t)dt\\ &= \left[40t-4t^2\right]_0^5=100(\mathrm{m})\end{aligned}$$

따라서 이 물체가 지면에 도달할 때까지 움직인 거리는

$100+(100+20)=220(\mathrm{m})$ **답 220 m**

257

$72(\mathrm{km/h})=20(\mathrm{m/s})$이고 속도가 일정하게 감소하였으므로 브레이크를 밟은 지 t초 후의 속도를 $v(t)$라 하면

$v(t)=20-kt(\mathrm{m/s})$ (단, k는 상수)

정지할 때까지 걸린 시간은 $v(t)=20-kt=0$에서

$t=\frac{20}{k}$

정지할 때까지 움직인 거리는 50 m이므로

$\int_0^{\frac{20}{k}}|20-kt|dt=\int_0^{\frac{20}{k}}(20-kt)dt=50$

$\left[20t-\frac{1}{2}kt^2\right]_0^{\frac{20}{k}}=50$

$\frac{400}{k}-\frac{1}{2}k\left(\frac{20}{k}\right)^2=50,\ \frac{200}{k}=50$

$\therefore k=4$

따라서 걸린 시간은

$t=\frac{20}{k}=\frac{20}{4}=5$(초) **답 5초**

258

$t=a$에서 $t=b$까지 움직일 때,

위치의 변화량은 $\int_a^b v(t)dt$

움직인 거리는 $\int_a^b|v(t)|dt$

ㄱ. $\int_0^5 v(t)dt=\frac{1}{2}(1+3)\cdot2-\frac{1}{2}\cdot2\cdot2=2$
이므로 출발점에 위치하지 않는다. (거짓)

ㄴ. 2초 동안 멈추었다면 $v(t)=0$인 구간이 2초 동안 있어야 하므로 옳지 않다. (거짓)

ㄷ. 운동 방향을 바꾼 시각은 $v(t)=0$인 시각 $t=3$, $t=5$이므로 움직이는 동안 방향을 2번 바꿨다. (참)

ㄹ. $\int_0^3|v(t)|dt=\frac{1}{2}(1+3)\cdot2=4$이므로
점 P가 출발하고 나서 3초 동안 움직인 거리는 4이다. (참)

따라서 옳은 것은 ㄷ, ㄹ이다. **답 ㄷ, ㄹ**

개념원리

수학Ⅱ